昌彼得教授近影

呂彼得教授八秩晉五壽慶論文集

淡江大學中文系
淡江大學漢語文化暨文獻資源研究所 主編

臺灣 學生書局 印行

國家圖書館出版品預行編目資料

昌彼得教授八秩晉五壽慶論文集

淡江大學中文系・淡江大學漢語文化暨文獻資源研究所主編. －初版. －臺北市：臺灣學生，2005[民 94]
面；公分
ISBN 957-15-1248-6(精裝)
1. 目錄學 － 論文，講詞等
2. 文獻學 － 論文，講詞等

010.7　　　　　94001956

昌彼得教授八秩晉五壽慶論文集
附：漢武改制論手稿

主編：淡江大學中文系
　　　　　　　漢語文化暨文獻資源研究所
出版者：臺灣學生書局有限公司
發行人：盧保宏
發行所：臺灣學生書局有限公司
臺北市和平東路一段一九八號
郵政劃撥帳號：00024668
電話：(02)23634156
傳眞：(02)23636334
E-mail：student.book@msa.hinet.net
http：//www.studentbooks.com.tw
本書局登記證字號：行政院新聞局局版北市業字第玖捌壹號
印刷所：長欣彩色印刷公司
中和市永和路三六三巷四二號
電話：(02)22268853
定價：精裝新臺幣八八〇元
西元二〇〇五年二月初版

01005

ISBN 957-15-1248-6(精裝)

序

秦孝儀

文化傳播，繫乎文字、出版；是故古人之三不朽，以立言為先。立言之得以信世傳後，則圖籍之用，由來尚矣。我國板刻，雖興於唐，固基於五代，然板本為士林所重，則始於明代中葉以後。民國初年，長沙葉德輝氏撰「書林清話」，既究唐宋以來刻板、活板、套色印刷方法之發展傳播，亦兼及歷代板刻規格、裝裱、掌故，為近代圖書板本學系統化專論之濫觴。此後，相關著述益夥，惟多因襲葉作，以揭櫫板刻印刷歷史之進程為主，內容不免自限。文史學界另闢蹊徑，結合目錄學新發見，使研究範疇擴及鑒別欣賞、雕印技藝，則發軔於昌彼得先生。

昌先生字瑞卿，世籍湖北孝感；重慶中央大學歷史學系學成後，即入國立中央圖書館服務，累陞特藏組主任。民國三十八年，政府越海東渡；先生受命押運中央與北平圖書館所藏歷代善本舊籍與明清內府輿圖四百八十箱，隨故宮博物院、中央博物院籌備處文物，播遷來台。五十九年五月，先生奉調故宮，主持圖書文獻處，全面推動整理考編工作，使學術界得以按圖索驥，蒐擷資料；七十二年歲杪，又獲故宮管理委員會通過，擔任國立故宮博物院副院長。

故宮所藏善本古籍來源有二：一為遜清秘府舊貯，一為宜都楊守敬氏觀海堂藏書。遷台部分雖不乏孤本佳槧，惟就板刻歷史與遞藏源流而言，仍多闕遺。瑞卿先生有見及此，到院後即銳意訪求，廣為徵集。民國六〇、七〇年代，徐庭瑤、沈仲濤兩氏慨然以家藏歷代板本三千五百餘冊捐歸故宮，實先生居間協調之功。

瑞卿先生治學精嚴，於板本目錄、古籍斠讎之學，著力極深；所作「圖書板本學先生在中央大學讀書時期，實為中大全盛時代，歷史系尤為出色，名師齊聚，盛況空前。當時擔任系主任者為沈剛伯教授。沈先生學貫中西，向以口若懸河、教學內容豐富著稱。悉心教誨先生之名家尚有商周史大家丁山、古經專家顧頡剛、秦漢隋唐史名家賀昌羣、明清史大家郭廷以、中國文化史知名教授繆鳳林、西洋史名家張貴永等等，先生之國學基礎，皆因得名師之指導與啟發而奠定。

民國三十四年夏天，先生畢業於中大歷史系，原擬返鄉服務，惟因武漢等地方官忙於勝利復員工作，無暇為先生安排就業，後因張貴永老師推薦，乃入中央圖書館為編纂古籍之助理。誠如先生所云：「誤打誤闖入中圖。」而先生一生學術之專業亦由此註定。

抗戰期間，中央圖書館在重慶辨公，勝利後，隨政府遷返南京，後又以國共戰事而渡海來臺，其間顛沛流離，而館中人員亦歷經苦難。先生於民國三十八年（1949）奉派押運中圖善本書來臺，任務堪稱艱巨。俟館務與個人生活瑣事安定後，先生即著手著述。民國四十一年（1952）發表《中文舊籍目錄版本項著錄舉例補訂》，其後與屈萬里先生合著之《圖書版本學要略》一書，即以此文為基調理論。書中提出古書版本之鑑別方法，不外由版式、字體、行款、刻工、紙張墨色、避諱字六項為準，深入討論，必能獲得成果，此論實為後學者提供版本鑑別之正確門徑。古版圖書之需要鑑定，實因古書常有作偽現象，而作偽之手法，據先生研究多為抽除序跋題記、剜改偽改牌記、版心補印年號、割裂挖改、偽造名家印記及題跋，以殘本、節本冒充全本，剜去諱字末筆等等，以上看法均見於先生之大作《古書作偽舉例及如何鑑別》一文。由於先生對古書作偽與鑑別版本之學有專精研究與發明，故對中國套色印刷之年號作出前人未得之結論，實為版本研究學上空前貢獻。又對《說郛》之考證，亦多前人未發之語，堪稱驚人創見。先生著《說郛考》時，又對該書作者陶宗儀生平作深入研究，並有計畫寫製宗儀先生生平考與年譜。

再就為廣大學界服務言，以下三事亦為先生之貢獻：

第一、編製多種書目索引：如《臺灣公藏族譜書目》、《臺灣公藏宋元本聯合書目》、《明人傳記資料索引》、《宋人傳記資料索引》、《四庫全書文集編目分類索引·學術文之部》及《雜文之部》等。

第二、主編叢書：如《明代藝術家文集彙刊》、《明代藝術家文集彙刊續集》、《元人珍本文集彙刊》、《歷代畫家詩文集》等。

第三、精印圖書文獻流傳：如主持故宮博物院二十多種宋元版古書景印出版，名為《善本叢書》，其中有十七種跋文為先生所親撰。又推動故宮博物院珍藏之清宮檔案出版，如《宮中檔奏摺》、《起居注冊》等等。

以上三事，對研究宋明人物、歷代藝術名家以及清代史事之學者，均作出極大極多之服務與貢獻。

我是先生之晚輩，得識先生亦屬緣分。約在上世紀六十年代，當時我在臺灣大學歷史系任教講師，經沈剛伯老師介紹初識先生，後因提倡清史研究，推動清宮書檔出版等事，在先生領導下，與先生接觸漸多，先生視我為忘年交，實感榮幸之極。其後三十年間，先生待我極好，凡有求於先生者，如贊助國際會議之召開、出版清宮文獻史料、推薦學生入博物院工作等等，無不有求必應。即至我提前退休前數年，先生又薦我至聯合報系國學文獻館兼差，收集散失海外而國內不存之中華文化遺珍回國，以服務學界與社會大眾。一九九六年我移居加拿大後，先生仍利用春節假期，數度來舍下小住過年，同在山間朝看彩霞，夜觀月雪，把酒言歡，暢談人事臧否，對我退休生活，增添不少美好回憶。先生重情義，守言諾，待人可謂仁厚之極矣，曾助學生出國留學，貸款學生在海外購屋定居，美國與瑞典有後輩主持圖書館務向先生苦訴無錢購買圖書者，先生即慨贈價值連城之故宮重印珍品，乃至《四庫全書》部份者。又先生見晚輩、學生間有誤會不睦時，必出面調解，使之相好如初。惟對邪惡勢力，先生則挺身撻伐，嘗戲言：「我乃惡（鄂字諧音）人，不怕歹徒。」先生有狂狷氣勢，有俠義情懷，張佛千先生曾贈先生聯文有「舉杯必乾，和牌必大」諸語，實屬先生性情之寫照也。我對先生多年崇敬，擬借用清代學者龔自珍一詩以表明萬一：「不是逢人苦譽君，亦狂亦俠亦斯文。照人膽似秦時月，送我情如嶺上雲。」

本年十一月，吳哲夫教授來電告知：臺灣學界擬出版論文集為先生慶祝八十晉五大壽並囑我作序，我誠惶誠恐，惟又不敢辭，乃草成以上短文，略述先生生平事功、學術成就，為先生壽。

甲申年歲杪於西溫哥華山邊屋

序

盧國屏

在傳統國學的學術領域中，所有的人都知道昌公在文獻學界的權威地位。昌公從故宮博物院退休的時候，在多所學校爭相禮聘下，竟能獨獨青睞淡江大學，來擔任講座教授，對淡江中文系來說，真是榮幸之至。

昌公擔任公職期間，始終都和中國文獻有不解之緣，尤其是中國的善本古籍。從最早期在中央圖書館，到退休以前，善本古籍一直是昌公所典守的主要對象。這份機緣，再加上昌公勤奮的人格特質，終於使昌公在中國目錄學和版本學界大放異彩，成為此一領域世界級的權威學者。

記得我剛上大學時，就曾讀過昌公所著的《中國目錄學》，那時書名還加上「講義」兩個字，是由文史哲出版社將昌公的手寫稿直接影印出版的。由於形式特殊，所以看過的人都印象深刻。原來這書是昌公在臺大和輔大上目錄學課時所寫的講義，在此之前，市面上只能買到姚名達先生的《中國目錄學史》，和許世瑛先生的《中國目錄學史》，可是姚、許兩位先生的書都是寫給學者看的，並不適合我們這些初學者，直到昌公的《中國目錄學講義》出版後，大學中才算有了一部適合的教材，所以大家都是憑著這部書進入目錄學的領域。到了民國七十五年，這部書由昌公親自修訂後，再交文史哲出版社排印出版，比原書更加清晰易讀，從此以後，各校的目錄學課程，幾乎清一色的都選此書為課本，對於各大學中文系和圖書館系的學生，產生了很大的影響。

昌公同時還在各校講授版本學。這是一門專業性很高的課程，需要有大量且長期接觸中國古版書的經驗，才能把這門課講得精彩。昌公得天獨厚，典守中國善本古籍數十載，對於歷代版本的發展過程和各種版刻特徵，都能如數家珍，瞭如指掌，所以昌公上起這門課時，十分得心應手。昌公時常帶學生到故宮博物院，直接用古籍作示範。每每在翻開一部古籍後，昌公就能依其版式行款，或是字體紙張的特色，立刻判別出這部古籍的刊刻年代和地點，甚至進而能將版刻源流都說得清清楚楚。這份版本鑑定的功力，上過課的同學始終都津津樂道。不僅如此，甚至有許多國內外的學者或是典藏家，時常拿著古版書請昌公鑑定。無論是罕見孤本，或是幾可亂真的偽刻，一經昌公鑑定，都可得到定論。版本學界至今一致公認，有關中國版本的見識、眼光，當今之世無出其右者。

由於昌公為人豪爽率真，不但交游滿天下，而且學生都樂意和他親近。在退休以前，昌公就已經擔任淡江中研所的兼任教授多年。每次下課後，學生們就會簇擁著他下樓，一方面送他去搭車，同時也順便討教一些問題。有時昌公有空，也會請學生們去吃飯。在飯桌上，昌公每次都能豪邁風趣的和學生打成一片。許多學生事後都說，沒想到上課那麼嚴肅認真的老師，在私底下竟然是那麼有親和力的人。這情形在淡江研究生之間代代口耳傳頌，昌公在公私之間嚴守分際的風範，成為淡江學生對他又敬又愛的原因之一。

今年欣逢昌公八五華誕，淡江副校長高柏園教授，語獻所吳哲夫所長及其他多位及門弟子，早在一年多以前就找我商量為昌公祝壽的方法。最後我們決定，因為我們是學術單位，還是以出論文集的方式，最能呈現出昌公在學術上的成就與影響。這事遂交由語獻所、中文系，以及由高副校長所領導的漢學研究中心共同負責，並且委託陳仕華教授主持編輯的工作。由於昌公十分受到大家的愛戴，在訊息公開後，我們立刻就得到熱烈的回響，很快就收到了原訂的目標三十篇論文。此外，昌公在中央大學歷史系畢業時，曾經用毛筆手寫過一篇畢業論文《漢武改制論》。這次也特別情商昌公把這篇論文交給我們，用原件影印的方式，和祝壽論文集一併出版。論文中嚴謹的論述，以及工整的字跡，都足以成為我們的典範。

我忝為中文系主任，能有這個機會為我們的講座教授昌公出版這本論文集，對我和全體中文系的師生來說，真是十分的幸運和光榮。在此謹代表淡江中文系的全體師生，恭祝昌公身體健康，福壽無疆。

淡江大學中文系主任盧國屏

序於淡水五虎崗·2005/1/17

昌彼得教授八秩晉五壽慶論文集

目 次

昌彼得教授八秩晉五壽慶論文集
2005 年 2 月　　　　頁 1～14

瑞卿先生在古典文獻學上的貢獻

陳捷先、潘美月、陳仕華

一、前言

西洋人有名諺語說：「我們常常怪人家知道我們的事情不多，其實我們應該怪自己向人家敘述自己的太少。」對於昌彼得先生而言，這句諺語是切合不過了。在今天的臺灣，甚至臺灣的學術界，又有多少人對於昌先生的學術事功有了解的呢？不說別的，就以他的名字叫「彼得」為例，能有幾人知道這位從不上教堂的傳統學者會起個洋名字呢？原來他家兄弟以「卿」字為排行用字，他行三，本名「瑞卿」，後來因為去了漢口讀基督教小學，老師為他起了個「彼得」的聖名。因而他就將「瑞卿」作為號，而以「彼得」為名了。這只是他生平諸事的一端，由此可見一斑。更重要的是過去幾十年中，昌先生在學術研究上的成就，在服務社會國家方面的貢獻，由於他是謙謙君子，不喜歡吹捧自己，因而為外人知的實在很少了。茲值先生八十晉五華誕前夕，門人晚輩們為他籌備慶祝論文集之時，大家認為有必要將先生的有關成就事功，特闢專章書於卷首，以作為對先生的崇敬之意。潘美月教授讓我在這篇《瑞卿先生在古典文獻學上的貢獻》專文啟個頭、結結尾，我欣然應命，感到十分榮幸。以下就是我們對昌先生在不同時代、不同領域中成就與貢獻的簡述，掛漏之處是難免的，尚請方家君子見諒。（陳捷先）

二、服務國立中央圖書館期間

先生於民國 34 年進入國立中央圖書館，至民國 48 年止，共十四年，其間有三件事最為先生所樂道：

㈠ 確定中國套色印刷的年代

中國的朱墨套色本究竟創始於何時？明泰昌元年，烏程閔氏所刻《朱墨套印本記鈔》，前有陳繼儒序云：「自馮道，毋昭裔為宰相，一變為雕板。布衣畢昇，再變為活板。閔氏三變而為硃評。」清俞樾〈春在堂隨筆〉亦言：「明萬曆間，烏程閔齊伋始𠛬朱墨本。」後世皆信其說，近代研究印刷史之學者亦認為中國兩色套印刷發明於萬曆末年，亦即西元十七世紀之初期。

民國三十六年國立中央圖書館於南京購得元刻朱墨套印本《金鋼經》一卷，姚秦鳩摩羅什譯，元釋思聰注解，經摺裝，經文大字，印以丹朱，註釋雙行，印以墨色，每半頁五行，行大字十二，小字二十四。據卷末跋文，知此本為後至元六年（1340）中興路資福寺刊雕，完成則在至正初年（1341）。

因此民國三十七年《國立中央圖書館善本正目初輯》出版，著錄此書。若干版本學家初未目驗其書，於其刻版時代，或持懷疑態度。先生從此本之字體紙張、墨色及刊印情形觀之，認為其雕印時代絕不晚於十六世紀，並從文獻記載中取得印證。考明胡應麟《少室山房筆叢》、《經籍會通》卷四云：「凡印有朱者，有墨者，有靛者；有單印者，有雙印者，雙印與朱必貴重用之。」胡氏所著《經籍會通》，據序撰成於明萬曆十七年（1589），在閔氏開始朱墨套印諸書之前二十餘年，足證朱墨印書法非閔氏所創。先生以為胡氏所謂「雙印」，係指兩色印刷，因古代朱色顏料係用銀朱，其價昂，而套印費工，故胡氏言必貴重用之，此或為前代朱印本及朱墨本傳世稀少之主因。閔氏套色之書，朱色暗褐而無光澤，遠不如此元印本。閔氏以廉價顏料取代丹砂，故能推廣其術而大量印書。先生以此元刻朱墨本《金剛經》為實証，將中國套色技術之起始年代推前了二百餘年。

㈡ 編纂《明代版畫選》

中國自古以圖書並稱，《漢書藝文志》所載的兵書，很多都註有圖若干卷，《隋書經籍志》也有載有周官禮圖、山海經圖讚等等，可見古書大都有附圖，如此不僅增加美觀，更能將文字的意義藉生動的畫面表達出來，給人以深刻的印象。到了唐代印刷術發明以後，書中插畫也用雕版印刷來代替筆繪。這種木刻水印的圖畫，我們就稱它為「版畫」，所以版畫可以說是繪、刻、印三種藝術的結晶。中國的版畫起源很早，唐懿宗咸通九年（868）雕印的《金鋼經》，卷首就有一幅「祇樹給孤獨園」圖，這是現存的中國最早的一部雕版書，也是最早的版畫。從唐末到五代，我們所看到的版畫，都是宗教性的。宋代以後，版畫逐漸普遍，已不限於佛教的作品，其他書籍中也附有許多插圖。換句話說，宋元時期的版畫，基本上擺脫了宗教的羈絆，開始為廣大羣眾所需要的文學作品或日用書籍而服務，因而給版畫的發展開闢了更為寬闊的園地，也使得版畫到了明代能大放異彩。

到了明代，版畫的發展已到了鼎盛時期，它的成就，遠超過宋元，也是清代版畫所望塵莫及的。明代的版畫之所以有輝煌的成就，是由於雕版印刷業的興盛。從雕版業的發達來說，當時安徽、江蘇、浙江和福建，都曾盛極一時。雕版印刷的盛行，在當時的情況來看，無疑地給版畫的發展提供了最有利的條件。當時社會上對於各種書籍需要量擴大，也刺激了雕版印刷業者不得不提高產量，更不得不提高品質，因此，明代的雕版印刷，更加的專業化，而各地的刻工，也就競相發展，以致形成了各地區有各地區的派別，在雕版藝術上，就出現了各種各樣的風格，因而使得明代這一時期的版畫，有了更有利的發展條件。還有，到了明代，大畫家出來為雕版作畫的也不在少數，這樣對於版畫的發展與提高可以說是一個很好的條件，有名的吳派畫家唐寅，便曾為《西廂記》作插畫，一位傑出的風俗畫家仇英，便曾為《列女傳》的插畫起了稿。明末的陳洪綬，更是一位對版畫有很大貢獻的畫家，他所畫的《離騷》的插圖，更是別開新徑，放射出異樣的光彩，至今仍為世人所稱道。崇禎間所刻的《名山圖》，其中便出自鄭千里、趙文度、劉叔憲及藍田叔等名家之手。這些都是足以說明當時畫家對於版畫的興趣與熱忱。當然，文學作品的繁榮，特別是傳奇戲曲的發達，為版畫藝術提供了寬闊的天地。

明代的版畫，在戲曲小說的插圖上顯得特別豐富。當時戲曲小說興起時，便擴展了版畫創作的園地，也提供了版畫創作的新內容。換言之，木刻插圖的興起，木刻插圖在創作上的成就，也加強了戲曲小說在民間的影響。就明代來說，特別是到了中葉以後，坊間所出版的戲曲小說，幾乎沒有不加插圖的，書商推銷書籍，也往往以有精美的插圖來做廣告。從明代版畫的發展來看，戲曲小說的插圖印行的數量最多，而且銷路也特別大，這些豐富而多彩的戲曲小說插圖，它們生動地反映了不少有關歷史的，或是現實社會中種種有意義的生活面貌。人生的悲劇、喜劇，種種可歌可泣的以及悲歡離合的故事，都在木刻插畫圖中表露無遺。戲曲小說的插圖，不僅幫助了讀者理解這部原書的精神，並且加深了讀者對書中人物的瞭解及對原書的印象。除了戲曲小說的插圖，明代的版畫也還有一種我們稱為「畫譜」。這種畫譜有專刻山水的，如《西湖遊覽志》、《海內奇觀》、《名山圖》等；有專刻人物的，如《人鏡陽秋》、《女範編》、《帝鑑圖說》等；有專刻翎毛花卉的，如《雪齋竹譜》、《花鳥譜》、《十竹齋畫譜》等；有刻兵法武器的，如《神器譜》等；有刻譜錄的，如《方氏墨譜》、《程氏墨苑》等；有專摹刻前人名畫的，如《歷代名家畫譜》、《唐六如畫譜》等。

國家圖書館收藏的明代附圖之典籍甚多，繪雕俱精，多珍本秘籍。先生任職該館特藏組多年，披覽之餘，乃覺有廣為流傳之必要，於是擇明代極盛時期版畫十四種，列舉如下：

1.牡丹亭還魂	明萬曆四十五年刊本
2.雪齋竹譜	明萬曆四十六年刊本
3.程氏墨苑	明萬曆間滋蘭堂原刊本
4.五言唐詩畫譜	明萬曆間集雅齋刊本

5.唐解元仿古今畫譜	明萬曆間清繪齋刊本
6.花鳥譜	明天啟元年集雅齋刊本
7.青樓韻語廣集	明崇禎四年刊本
8.琵琶記	明烏程閔氏朱墨套印本
9.十竹齋畫譜	明崇禎四年刊彩色套印本
10.吳騷集	明武林張琦校刊本
11.吳騷二集	明末刊本
12.四聲猿	明末刊本
13.李卓吾先生批評浣紗記	明末刊本
14.新刻魏仲雪先生批點會真記	明末刊本

每種均有介紹、目錄及附圖，全書選輯精美插畫共二百幅，仿原式精印，於民國五十八年，由國立中央圖書館出版。此《版畫選》世後，國內外愛好版畫之學者，爭相購閱，由此先生聲名遠播，並先後應邀前往法國巴黎法蘭西斯學院、英國劍橋大學以及倫敦大學演講。先生不僅整理文獻，其傳播藝術文化之功，更不可沒。

(三) 完成《說郛考》

《說郛》一書係元代陶宗儀纂輯歷朝雜史傳記、稗官小說諸書而成，收錄繁富。陶氏生當元末明初，頗見異本，故是書甚為後人所重視，《四書提要》評之曰：「斷簡殘篇，往往而在，佚文瑣事，時有徵焉，固亦考證之淵海。」明代以來，其書迭經郁文博及明末人士之竄亂重編，已失原貌，而傳世亦頗有異同。清代以來，從事《說郛》之研究者，僅管庭芬《海昌藝文志》載海寧陳師曾撰《說郛書目考》十卷，惜未刻而稿散佚，北平圖書館尚藏其殘帙三卷，見該館藏書目。民國十三年（1924）法儒伯希和撰〈說郛考〉一文，刊載於通報，二十一年馮承鈞譯載於《北京圖書館館刊》第六卷第六期。其文援引宏富，於陶氏之生平，《說郛》之編纂與校訂原委，版本源流，均有所考證。惟伯氏遠處海外，資料不足，尚多存疑，仍待續考。民國二十七年（1938）

日本京都文化研究所司書渡邊幸三以該所與近衛家及京都帝大所藏諸本《重編說郛》，參證比堪，頗有發現，復撰《說郛考》，載於所《東方學報》第九冊，於伯氏之說頗多訂正或補充。民國三十二年中法漢學研究所圖書館館員景培元復據渡邊氏之考訂，參酌各種版本，撰成《說郛版本考》，載三十四年該館館刊創刊號。

民國四十三年秋，國立中央圖書館在臺復館，先生奉派主掌特藏組職務，奉蔣慰堂館長之命，考訂遷臺善本書籍，編目出版，先生浸淫其中數載，遍覽該館所藏善本古籍。因校編諸叢刻子目，對《說郛》一書版本之錯綜而生興趣。乃於該館書目出版之後，於《說郛》所收之書時聚各本比勘，漸識其優劣異同。民國四十八年，李濟、沈剛伯兩位先生因美國哈佛燕京學社之贊助，在臺成立中國東亞學術研究計畫委員會，獎掖研究，以發展學術。先生承慰堂先生之鼓勵，提出對《說郛》一書之研究計畫，獲得東亞委員會之補助，而撰成《說郛考》一書，由該會刊載於年報第一期。次年，先生復得東亞委員會之補助，繼續研究《說郛》之作者，撰成〈陶宗儀生年考〉，刊載於《大陸雜誌》第二十六卷十一期；〈陶宗儀先生年譜初稿〉，刊載於《東海大學圖書館學報》第七、八期。此後先生對《說郛考》一書，時萌重訂之意，然公私兩忙，遲至民國六十七年，始加以重訂補正。六十八年由文史哲出版社出版。全書上篇為源流考，共分十二章：1.緒論。2.陶宗儀家世。3.陶宗儀之生平。4.說郛之纂輯。5.郁文博刪校說郛辨偽。6.郁文博本之刊雕。7.陶珽與重編說郛。8.通行本重編說郛非原編印本考。9.重編說郛版之始末。10.重編說郛與郁文博本之關係。11.張宗祥校明鈔本說郛。12.說郛之評價。下篇為書目考，先生將《說郛》收錄之書目七百餘種，加以考訂，每書考其源流存佚，略述著者生平及流傳之版本。附篇為〈陶宗儀生年考〉及〈陶南村先生年譜初稿〉。書末附〈說郛子目書名著者綜合索引〉。先生治學之篤實謹嚴，搜集資料不遺餘力之精神，實令我輩為之折服，先生亦自詡為「畢生以傳播文獻為矢志的宗陶老人」。（潘美月）

三、服務國立故宮博物院期間

先生於民國四十八年轉任國立故宮博物院圖書文獻處處長，後升任該院副院長。至民國八十九年榮退，其間長達四十多年之久，對圖書文獻之搜集、整理及典藏，其功不可沒，此僅舉犖犖大者，餘者不可勝數，且眾所皆知。

(一) 接收沈氏研易樓藏書

國立故宮博物院院藏善本古籍，除了自南京移運來臺之十五萬冊外，尚有近年來各界捐贈之四千餘冊。其中最值得大書特書者，乃沈仲濤氏捐贈之一千一百六十九冊。沈氏原籍浙江山陰，其先祖沈復粲先生為乾嘉高士，所居鳴野山房即用以庋藏群籍。沈氏幼承庭訓，酷愛藏書，後遷居上海，更著意蒐訪遺書，累藏宋元明珍本至數千冊。平日喜研《周易》，故名所居之處為「研易樓」。民國三十八年以所藏珍品護運來臺，惜部分古籍善本隨太平輪而沉沒，僅存千餘冊。民國六十九年冬，沈氏八十九歲高齡，深感守書不易，擬將藏書捐贈公家機構，時瑞卿先生為國立故宮博物院圖書文獻處處長，乃前往拜訪沈氏，言談甚歡，沈氏欣然同意，將所藏悉數捐贈該院，計九十種一千一百六十九冊。於是先生加以考訂，計宋版三十二，元版十七，宋版而以元版配補者一，明版三十一，清版四，手稿本二，書抄本三。其中如宋版《詩本義》，淳熙十六年原刊《晦庵集》，寶慶元年廣東刊《集注杜詩》，嘉定間國子監刊《禮部韻略》，淳熙元年刊《昌黎集》，建安余氏萬卷堂刊《穀梁集解》，淳祐刊《西山讀書記》，咸淳刊《古今文章正印》及元版《近思錄》，悉為海內孤本。先生為有效發揮珍本祕笈之學術功能，建議將其中數部納入該院影印善本叢書中，並加以考訂各書版刻源流及優劣異同，以饗讀者。沈氏捐書全目雖於民國七十一年載入該院出版之《善本書籍總目》之中，先生以目錄簡略，尚不足以見原書之精善，乃與文獻處之吳哲夫、張月雲、王福壽諸位先生，進而為之一一考編，撰寫書志，並附書影，編成《國立故宮博物院藏沈氏研易樓善本圖錄》，於民國七十五年十二月出版，以公之學林。

㈡ 影印元刊本《大元聖政國朝典章》

國立故宮博物院收藏元坊刊本《大元聖政國朝典章》六十卷，此書凡分大類十，每類下又各分門目，共計三百七十三目，每目下列舉條格事例，自一條至二十餘條不等，起中統以迄延祐，最晚者為延祐七年十一月事。此書前後無序跋，書中亦未載編輯者姓名，不詳何人編纂，何時刊版，且《元史》未載此事。於是先生據《元史英宗本紀》及《元史仁宗本紀》，乃知仁宗延祐二年曾命李孟等纂輯歷朝格例，且已編輯成書，當即《元史刑法志》所云之《風憲宏綱》。至英宗之時復命儒臣取前書而加以損益，即《大元通制》，先生以為此《元典章》之修纂，《元史》既無一字提及，當非官修之書。先生據殘本《大元通制》之分類，與此《元典章》分門不同，且前者所錄條格皆據中央尚書、中書兩省各部及御史臺、宣徽院、太醫院等檔案，而《元典章》所錄雖頗有中央各部之檔，然以抄錄各地方行省，尤以江浙江西行省之檔為多，先生由此確定《元典章》絕非前代學者所云之官書。

至於此本之刊刻時地，張允亮所編《故宮善本書目》，題為元至治二年建陽坊刻。先生觀此刻之版式字體，亦同意其刊刻地點，惟刊刻年代則尚有可議者，於是先生就本書之內容，推斷《元典章》之刊版，當始於延祐五年，而成書於延祐七年底，英宗登基以後。

此書元刻除內府一帙外，民間未見有著錄者，惟鈔本見於後代書目著錄者不下五六家。先生疑今傳諸抄本無論影抄或傳抄，似皆出此元刻，而輾轉傳抄，致訛誤衍生。且清季以來江南藏書家無一人提及元刻，乃知此刻本為孤本秘笈。先生以為是書所載皆案牘之文，未免瑣碎猬雜，然採錄繁富，於蒙元一朝開國典章制度，頗可考見，足供治元史者之參考。惟四庫館臣以其出於吏胥鈔記，存其目而不錄。然在數百年後，史料殘闕之今日而言，實為無價之寶。因此先生乃奉慰堂院長之命，於民國六十一年以院藏孤本影印行世。（潘美月）

四、編纂《四庫全書索引叢刊》

民國七十三年八月，臺灣商務印書館決定影印故宮博物院所藏文淵閣《四庫全書》，預定分為十期，在五年內竣工。此一出版界盛事，當時深獲國內外學術界、文化界人士一至的讚佩。先生所撰〈影印四庫全書的意義〉即認為此項出版有歷史、文化、校勘、提供四庫學研究資料與便利等等意義。清乾隆間編纂《四庫全書》不論其動機如何，但《全書》是中國國故的一次大整理，古籍精華的集成，則學者尚無異詞。但是全書纂修之時，主事者因抄繕工程浩鉅，為省篇幅，將書前原有序目，多刪去不錄。復因書中或有纂改、更動、重定，故編次與通行本亦未盡相同，其取檢已難，更何況書類宏富，卷帙浩繁。是以全書在資料方面之供利用與研究甚為不便。欲使此一中華文化鉅製能供學者研究取資，非有索引不足以為功。

有鑑於此，先生遂於民國七十三年六月倡議於「中華文化復興運動推行委員會」下設置「四庫全書索引編纂小組」。向「行政院文化建設委員會」申請經費。當時陳奇祿院士身兼文建會主委與文復會秘書長，故任召集人。王壽南教授任副召集人，先生任副召集人兼總編輯，吳哲夫、莊芳榮二先生任副總編輯。小組編輯聘任文史系所畢業生擔任，歷任編輯共有十九人。小組成立後，先生發凡起例，自七十三年八月至八十一年七月止，陸續出版四種索引，皆委由臺灣商務印書館發行，每冊以十六開書冊裝訂，前有陳奇祿先生總序，次則為先生各分冊之序。茲將索引介紹如下：

㈠ 遼金元三史國語解索引　一冊　1049頁

依《欽定遼金元三史國語解》編纂，可便於由清以前之刊本檢索四庫本遼金元三朝之名物。此索引釐為遼金元史三部份，每部再析為甲乙兩部，甲部由四庫本譯文查檢他書異譯；乙部則反是，以求檢索方便。

㈡ 四庫全書文集篇目分類索引　五冊　4092 頁

為利用文集資料，文集篇目分類索引有莫大的功效，王重民氏所編《清人文集篇目索引》首創其功。四庫所收文集既非斷代，館臣又多刪其卷首篇目。因此編成此索引，頗便於學者。本索引以四庫全書文集之篇目為主，並增以史部詔令奏議之篇目，及地理類之藝文。此外，凡四庫著錄之書之序跋，亦悉予編錄。依文章性質分三部：學術文、傳記文、雜文。

1.學術文之部，略倣四部分類以經史子集提綱列目，經部釐為十類，史部十六類，子部十七類，集部六類。各類中篇目較多，流別繁碎者，則再分析子目。其排列方式有以篇目或作者地名為主者。共收二十一萬餘條目。

2.傳記文之部，計分碑傳男、碑傳女、贈序、壽序、祭告、贊頌、雜類等七類；其下再分子目若干，排列方式以傳主姓氏為綱，同姓名者再以其名之筆畫為序。共收條目四萬三千餘條。

3.雜文之部，分為書啟、碑記、辭賦、雜文四大類，其下再分子目若干，其中書啟以作者為綱目。共收條目九萬餘條。

㈢ 四庫全書傳記資料索引　三冊　2200 頁

凡四庫著錄之正史、別史、傳記、地理人物門、目錄類、集部別集、總集，所收之家傳、墓志碑銘等，以及他類圖書凡載有歷代人物者，均予析出編纂。索引分正編及附編字號索引。共收條目三十五萬條。

㈣ 四庫全書藝術類分類索引　六冊　4181 頁

所收範疇有四處：史部目錄類金石之屬、子部雜家類雜品之屬、藝術類及譜錄類器物之屬。此索引分為三部：論述分類索引、人名字號索引、作品收見索引。

我國索引之編纂，起自於明末崇禎十五年耶穌會士陽瑪諾譯印《聖經直解》，是屬於書後索引。後來蔚為風氣，乾嘉學者章學誠於《校讎通義》亦多倡導，先生多稱揚實齋目錄之學，於索引一項認為章氏「識見卓越，不能不令人欽敬」，而先生亦身體力行，嘗編就《明人傳記資料索引》、《宋人傳記資料索引》，於人物之傳記不限在史書中找材料。開啟了尋檢傳記資料的廣度。而《四庫全書索引叢刊》的編成，更可發揮《四庫全書》之利用價值。此大型叢刊之編輯，既展現臺灣整理古籍之能力，也訓練了學術人才，意義確是非凡。

小組工作進行期間，先生每於週三上午與王、吳二先生來，編輯環侍左右，逐一提問，先生排解難惑，至午時而無倦容。當時編輯薪資微薄，先生以「讀書又能領薪水」自嘲，並謂編索引乃服務學界，且引《哈佛燕京引得叢刊》之成就為勉。民國八十年文復會改組，而先生每以小組行將解散，編務無以為繼為憾。凡此種種，如在目前，則又已歷十餘載矣。而先生服務學界之精神，必能惕勵後學。（陳仕華）

五、爲聯合報國學文獻館搜集歷史檔案

聯合報系創辦人王惕吾先生在世時，為了回饋社會，在民國七十年（1981）九月十六日成立了聯合報文化基金會，其下特設唯一的附屬單位——國學文獻館。報系為什麼要設立一個國學文獻館呢？有一份文件說明了緣由：

> 茲為達到復興與光大中華文化之目的，聯合報有感於三十年來，社會各界對本報之愛護與支持，擬回饋讀者，服務社會，特於民國七十年九月十六日正式成立聯合報文化基金會，其下設國學文獻館，將有計劃、有系統蒐集海外中國學文獻資料，並予整理、流通、宣揚以與中央圖書館所屬之漢學資料服務中心，相互配合，以協助完成建立臺灣為世界漢學中心之宏願。吾人熟知：西洋人研究中國文化，稱為「漢學」，或曰「華學」；惟以國人自稱「國學」名之為宜。……調查搜訪海內外所現存我國歷史文獻、典籍資料，以及近代學人研究成果，予

以製成微片集藏、宣揚流通，並提供資料服務，期使世界有志國學研究之學人，從此毋須他求，俱可藉本館達到其目的。

這份創立緣起的文章是根據昌彼得先生文稿而寫成的，由此可知昌先生與該館的關係一斑了。事實上因為聯合報系之主管們與昌先生很熟，他們不但請昌先生代為設計繪製創館的藍圖，同時也委託昌先生妥覓主持該館業務的人選。當時昌先生是故宮博物院的特任主管官員，當然無法分身為報系工作，於是他推薦了美國普林斯頓大學東亞圖書館退休館長童世綱先生。童先生聞名中外，報系欣然同意，各方也共慶得人，不過後來因童先生身體不適，未能來臺履新。

在報系慶賀三十週年，文化基金會成立在即的當時，昌先生找我去臨時為籌備建館工作，正如昌先生進入中央圖書館工作一樣，讓我套用他的話說：我也誤打誤闖的進入了聯合報系。

國學文獻館在臺北學界活躍了十五個年頭，後來因為惕吾先生的辭世，政局的變遷，報系政策的改變以及我退休移民海外種種原因，該館於民國八十五年底正式結束。十五年的時間不算過長，但國學文獻館卻也作了不少工作，而且其中不少事務是與昌先生有關的，現在就分列幾項，以作說明：

㈠收集海外族譜資料：族譜資料與國史、方志向為研究中國歷史與人物的三大資料寶庫。而臺灣一地族譜資料收藏特少。昌先生有鑒於此，在鈎劃建館藍圖時，即已收集海外收藏中國族譜為大目標之一。其後國學文獻館購得美、日、各地中國族譜微捲資料萬種，並藉以推動族譜學研究，尋根運動以及開辦族譜研習班等等，在臺灣學界與社會掀起熱潮，這些事不能不歸功於昌先生的有先見之明。

㈡召開國際學術會議：國學文獻館在十五年中，在報系大力支援下作了不少對報系而言是「不務正業」的事，其中尤以召開國際學術會一事，對學界影響甚深，值得一述。該館自 1972 年起即連續舉辦「亞洲族譜學術研討會」九次，七次在臺北舉行，另外兩次分別在香港與大陸揚州召開。每次會議都有三、四十人發表論文，論文集在會後也都刊印出版。又自 1986 年起至閉館之時，幾乎每年召開一次「中國域外漢籍國際學術會議」，而且這些國際集會的地點又分別在臺北、東京、福岡、夏威夷、漢城、大邱等地，與會學者經常是數十人至百人，會議論文集前後共出版九屆，對中國學術研究做出不少貢獻。1992 年該館又籌開了「第三十五屆世界阿爾泰學會議」（The 35th PIAC），這是一次大型國際性會議，出席學者共有來自於亞、歐、美、非學者一百多人，也是亞洲地區第一次獲得主辦此一會議，頗為臺灣學界爭光。以上這些國際會議多蒙昌先生指導，特別是在臺北召開時，與會學者到故宮博物院參觀，昌先生必鼎力賜助，展出院中各類珍藏，為會議增加光寵。

㈢出版論集圖書文獻：如前所述，國學文獻館召開過九次亞洲族譜會及十次中國域外漢籍學術討論會，這些會議的論文集除了八、九兩屆族譜會議與第九屆域外漢籍會，因閉館經費無著未能出版外，其餘各會議的論文集都已問世。又「臺灣地區開闢史料學術研討會」及「第三十五屆世界阿爾泰學會」的論文集都於會後刊行。國學文獻館還出版了一些工具書，如：《中國歷代詩文別集聯合書目》、《國學文獻館現藏中國族譜資料目錄初輯》、《國學文獻館現藏中國族譜序例選刊初輯》等，都是實用的，有助於讀者查閱資料的。國學文獻館又得昌先生協助，影印並發行了故宮博物院珍藏的清末道、咸、同、光四朝的《起居注冊》，將深藏大內「外間不得共見」的世界僅存史料，公諸於世，一時頗得學界好評。康熙、雍正兩朝的也已編輯完竣，因為館務結束而未能發行。

㈣館藏資料捐贈故宮：民國八十五年（1996）秋冬間，國學文獻館已完成階段性任務，宣告閉館。館藏大量微捲族譜、文集資料如何善後，頗成問題。有人主張交聯合報系圖書館存藏，我個人則認為文獻資料應以供大眾便利閱覽為佳，於是又請教昌先生並請協助。最後報系同意將全部資料捐贈故宮博物院，繼續為學界與社會大眾提供參考之資。我欣喜這批資料有如此良好的歸宿，也感謝昌先生在這方面鼎力的安排。

綜上可知：國學文獻館從開館到閉館，昌先生都扮演了主要而有積極意義的角色，可是他始終沒有在館裡掛過任何名義，領過任何津貼，他是真心誠意的為中國學研究服務的，為學界與國家服務的。房玄齡等重纂《晉書》時，稱讚晉代聞人李柜「公家之事，知無不為」，昌先生又何嘗不是如此呢？（陳捷先）

昌彼得教授八秩晉五壽慶論文集
2005年2月　　　頁15～24

瑞卿先生與《故宮善本舊籍總目》

吳哲夫

一、前言

現代一般較具規模的圖書館藏書，常有新書舊書的分別。所謂新書係泛指現代知識性的著作，而舊書則專指尚見傳存的古代典籍。新書的知識內涵、保管方式、用書觀點，都已現代化、國際化，用西洋分類法編目是相當合理的。但舊書具有其獨特的文化背景與學術特性，多半已成為專門性參考研究資料，通用於特定的研究群，因其數量與知識範圍已經固定，如果與新書一樣勉強採用西洋分類法部次群書，必然會像舊瓶裝新酒，七拼八湊，既不倫不類，又不切實用，所以各個藏有古代典籍的單位，大都取用傳統的編目方法來服務取用的人士。

我國是一個歷史悠久的文化古國，歷代著作繁多，學術文化的發展也獨創一格。自古以來即有許多目錄學者，不斷的在追尋一套合理的圖書分類方法，以使凌亂繁雜的圖書能有系統性的排序。西漢時劉歆所編的《七略》是我國最早而又有系統的圖書分類目錄，當時將圖書分為六個大類，大類之下，再按圖書內容區別為三十八個類目。劉氏的分類，多半依據先秦以來的學術區分，但是隨著時代演進，學術不斷蛻變，著述體制增多，新的四部分類法遂乘時而起，將圖書概括的區分為經、史、子、集四部，四部之下，再分為若干門類。四部分類法雖不盡合理，但它的部類比較簡單，易於查檢，所以自晉以下，為歷代朝廷藏書編目者沿用，一直發展到《四庫全書總目》更趨完備，深植人心，儼然成為一種制度，甚至到目前為止，各公私收藏單位對古籍的編目，都採用其法。不過，民國七十二年，由故宮副院長目錄版本學家昌瑞卿先生主持之下所出版的《故宮善本舊籍總目》雖根據傳統方法，卻做了許多的改良，創造了不少特色，使此一總目更切於實用，更能為資料索檢者提供正確的服務。茲藉恭祝昌瑞卿先生八秩晉五華誕之專輯，將此本總目略做介紹，既提供使用者參考，亦藉之使世人了解昌先生主持的學術計畫之用心與創意。

二、打破善本及普通舊籍的藩籬

傳統之古籍，一般圖書館都依其出版年代釐分為善本及普通舊籍兩大類，書目也各自成編。故宮遷建臺北外雙溪之初，時任圖書文獻處處長之職的昌瑞卿先生，為使故宮藏書早日有目錄可資利用，發揮藏書功能，先於民國五十二年完成《故宮善本書目》的編纂，三年後續有《故宮善本舊籍目錄》的出版。嗣後由於民間人士如徐庭瑤先生、沈宗濤先生等等的踴躍捐贈，圖書大量增加，故宮舊有的兩部目錄已無法完全涵蓋所有的庫藏；且舊目編纂因時間倉促，版本考訂未盡周詳，有待匡正，民國七十二年昌先生遂主張重新予以編目。當時思及所謂善本及普通舊籍，其實皆已成為古書，書的內容屬性，大致都包含在經、史、子、集四部範圍之內，實在不必強加分開編目，讓使用者檢尋時省卻需同時參閱兩本目錄的不便。遂決定打破舊有善本、普通本分離編目的成規，將故宮所藏圖書以及各界捐贈的所有舊籍，都彙集在《故宮善本舊籍總目》之內，以方便讀者利用。

三、採用「互著」、「別裁」的分類方法

前面已經談到四部分類法，並非已善盡美。譬如說，我國古代典籍中，常常有許

多書，內容極為牽混，很難確定它應屬於那一部類之中。例如明徐晉卿編纂的《春秋經傳類對賦》一書，舊目多隸入春秋類，可是這本書，雖然是採用左傳資料編纂的，但卻是摘取駢麗的辭語，目的在方便記誦，與經義無關，應歸入類書。一般讀者，如果不知道這部書的實際內容，便會到經部春秋類去檢索；如果是一位專家，則會在類書類裡去查考。如果編目時，不能在兩類中加以著錄，就很不方便查檢。古代圖書還有一種情形，那就是許多的著作，本來是單行的，因為卷帙很少，後來的人編輯時常將之附入文集中，或附錄在其他有關的書內，因而單行本不傳。倘使編目時，僅著錄其文集或本書，那麼那些附載在本書或文集不同類目的專篇或專卷，讀者無從查檢，也就無從知曉有哪些資料了。例如故宮收藏的摛藻堂四庫全書薈要本宋徐鉉所撰的《騎省集》三十卷，書後附錄一卷宋李昉撰的《墓誌銘》，這一卷附錄對於研究徐鉉的生平事蹟極有價值，如果編目時不能從集部別集類《騎省集》中將之析出，另成單目，列入史部傳記類中，則需要查考徐氏生平的人便不容易發覺此項資料。

類似上述四部分類法只著錄一書的缺陷，明朝的祁承爜及清代的章學誠等目錄學家，都曾提出解決的辦法，那便是目錄學中所謂的「互著」與「別裁」的編目方法。故宮這部《善本舊籍總目》即根據前人的這項理論，按藏書的特性再略作一些修正。茲分別舉例說明如後。

㈠「互著」分法

所謂「互著」就是一部內容廣泛的圖書，常可以隸入兩種或兩種以上的門類，那麼就各按其內容分別編入若干門類，加以重複著錄，以方便學者從各角度檢查其所需要的資料。《故宮善本舊籍總目》採用這種「互著」的編目方法，但為了在重複著錄一部書時，不致使人誤會有兩部相同的藏書，於是一個作為本類，一個作為互見類。本類詳載書名、卷冊、作者及版本，而互著類則不再著錄版本項，僅在版本欄中標示「互見某類」。例如宋滕元發所著《孫威敏征南錄》一書，作者著書的主旨在表彰孫沔的功績，應隸入傳記類；但此一書的內容只是記述孫沔討平廣西蠻夷儂智高的動亂史事，按照此一觀點，其書又可編入雜史類，因此故宮此一總目在編目時，做了這樣的著錄：

史部傳記類（本類）

《孫威敏征南錄》一卷　宋滕元發撰　清乾隆間寫文淵閣四庫全書本

史部雜史類（互見類）

《孫威敏征南錄》一卷　宋滕元發撰　互見傳記類

用這種編目的方法，在故宮這部總目中例子還不少，茲再舉幾個四庫本著錄之書作為實例，列一簡表如下：

書名	作者	本類	互見類
《易象圖說》六卷	元張理撰	子部數術類	經部易類
《春秋列國諸臣傳》三十卷	宋王當撰	史部傳記類	經部春秋類
《御定孝經衍義》一百卷	清世祖敕編	子部儒家類	經部孝經類
《山海經》十八卷	晉郭璞注	子部小說類	史部地理類
《聖祖庭訓格言》一卷	清世宗編	子部儒家類	史部詔令類
《春秋繁露》十七卷	漢董仲舒撰	經部春秋類	子部儒家類
《欽定叶韻彙輯》十八卷	清高宗敕編	經部小學類	子部類書類

這樣的「互著」辦法，不但能使編目區類更為妥當，同時能在幾個相關門類中，充分顯現出各書的內容特性，使用者在檢索時，不致發生漏查的現象，對資料的利用，當然方便又正確。

㈡ 別裁方法

所謂「別裁」是一部書內有時含括數種著作，而其中或有內容與本類乖異的，則將之裁編別出，各按其性質著錄在應入之類，而著明其所從出。《故宮善本舊籍總目》

取用其法時，是先將一部書的子目標出作為本類，然後再依子目的屬性分別隸入所當歸屬的門類作為別裁類。茲以故宮所藏一部元至正元年日新堂刊本《朱子成書》為例。其辦法是先在子部儒家類著錄其書及其子目：

子部儒家類

《朱子成書》十卷　宋朱熹撰　元黃瑞節編　元至正元年日新堂刊本

《太極圖解》一卷

《通書解》一卷

《西銘解》一卷

《正蒙》一卷

《易學啟蒙》一卷

《家禮》一卷

《律呂新書》一卷

《皇極經世指要》一卷

《周易參同契解》一卷

《陰符經解》一卷

這些子目之前四種，同屬於子部儒家類，故不必別為裁出，至於《易學啟蒙》以下六種子目，則又可依其內容別裁而出，在下列諸門類中予以著錄：

經部易類

《易學啟蒙》一卷　宋朱熹撰　見元至正年間日新堂刊本《朱子成書》

經部禮類

《家禮》一卷　宋朱熹撰　見元至正年間日新堂刊本《朱子成書》

經部樂類

《律呂新書》一卷　宋朱熹撰　見元至正年間日新堂刊本《朱子成書》

子部數術類

《皇極經世指要》一卷　宋朱熹撰　見元至正年間日新堂刊本《朱子成書》

子部道家類

《周易參同契解》一卷　宋朱熹撰　見元至正年間日新堂刊本《朱子成書》

《陰符經解》一卷　宋朱熹撰　見元至正年間日新堂刊本《朱子成書》

這裡還要一提的是，古代許多學者，多半是通儒之士，在他們的文集中，內容常涉及廣泛，而非唯一單純文學作品。其廣泛的內容，往往可以提供研究者多方向參考的資料，而這些珍貴資料如果不能在目錄裡表現出來，查檢目錄的人便無從知曉，應用時就會產生遺珠之憾。《故宮善本舊籍總目》的另一特色便是能針對文集中的非單純文學作品予以別裁出來，各置於適當門類之中，提供查檢者利用。茲以故宮所藏的一部四庫全書本宋陳師道《後山集》作為例子，此集二十四卷，內容是：

卷一至卷三	五、七言古詩
卷四至卷七	五、七言律詩
卷八	五、七言絕句
卷九至卷十二	書、序、記
卷十三至卷十五	論、策、策問、表、啟、祭文
卷十六	墓銘、墓表、行狀、神道碑
卷十七	雜著
卷十八至卷二十二	談叢
卷二十三	詩話
卷二十四	長短句

《後山集》二十四卷中，除卷一至卷十五分別為詩文作品外，卷十六墓銘等作品為作者記述同時代人物之生平事跡，可資研究有宋一代人物參考；卷十七至卷二十一為雜

著及談叢，著錄雜事，內容龐雜；卷二十二之理究，是作者發揚孔孟精義之文，卷二十三之詩話，都為詩文之典故及評論；卷二十四之長短句，則為作者填詞之遺墨。這些作品各有其專類性，皆具特殊學術參考價值，如果能分別予以裁出，置入各門類之中，對使用者自然方便許多，所以故宮此本總目，便將之一一析出而作以下之著錄：

集部別集類

《後山集》二十四卷　宋陳師道撰　清乾隆間寫文淵閣四庫全書本

史部傳記類

《後山集碑銘》一卷　宋陳師道撰　見清乾隆間四庫全書本《後山集》卷十六

子部小說家類

《談叢》四卷　宋陳師道撰　見清乾隆間四庫全書本《後山集》卷十八至二十一

子部儒家類

《理究》一卷　宋陳師道撰　見清乾隆間四庫全書本《後山集》卷二十二

集部詩文評類

《後山詩話》一卷　宋陳師道撰　見清乾隆間四庫全書本《後山集》卷二十三

集部詞曲類

《後山長短句》一卷　宋陳師道撰　見清乾隆間四庫全書本《後山集》卷二十四

別裁的編目方法固然對使用者有莫大的方便，但編目時，如果不加以適當的節制，便容易造成氾濫，增加困難。譬如說如果不以卷次為單位，那麼別裁的數量，就無法掌控。又如正史及方志書中，都有列傳及人物專卷，按照別裁的法則，理應將這些專卷裁出，隸入史部傳記類中，但是這些資料是任何研究者所熟悉的，如果再加以裁出，就有畫蛇添足之病，所以故宮此一總目所採用的別裁方法，僅偏重於集部之子卷及叢書之子目。

四、設立叢書部並別裁其子目

我國類書盛於唐，至宋則有叢書之編輯，到了明清兩朝，刊刻叢書風氣大盛。叢書大都是摘取前人零碎著述而難以單行者彙刻在一起的，後來漸漸演變成為薈蕞許多作品，拼湊成為一部大書，且給予適當的命名，它與類書之刪節原作，只取義類相近編次成書是不同的，所以不能相提並論。叢書即為彙輯群書，網羅佚散之書，所以一部叢書之中，常兼收四部之作品，它的內涵往往不是經、史、子、集各單獨部類所能範圍。從前叢書數量不多，不足與四部頡頏，所以《文淵閣書目》、《千頃堂書目》都附在類書之中，而《四庫全書總目》則將之隸入子部雜家。明代祁承㸁《澹生堂書目》雖將它獨立成類，但附在子部之中，亦不足以盡其義。清乾隆間姚際恒《好古書堂書目》區分圖書為經、史、子、集、總五部，所謂總部義含叢書，已為近世叢書獨立成部開其先河。至清張之洞《書目答問》開始創立叢書部，近代如《江南國學圖書館總目》、《中央圖書館善本書目》、《日本京都人文科學研究所漢籍目錄》等，都加以仿傚，設立叢書部。故宮此一總目也仿用其法，設立叢書之部，所不同者，是《故宮善本舊籍總目》尚依前述別裁之義，將各叢書子目，分別裁入四部適當門類之中。

五、史部增金石類、子部增社會科學及外國史類

金石之學，是我國古代一門特有的專門學術。遠在先秦時代便有鏤文於石的習慣，秦漢以後，風氣更熾，歷朝歷代紀功之銘、諛墓之碑，不知凡幾；又古人所鑄的鐘鼎彝器本是古代禮器或食用器，也常在器物上鑄刻文字以紀其事。金石銘文因含豐富史料，自來成為研究的對象。宋代以後，著述繁多，或訓釋文字，或摹印器形圖象，或考述其源流，或編纂其目錄，以其內容涉及廣泛，部次這類著作，頗費斟酌，歸類遂見紛歧。《隋書經籍志》附在經部小學類，《宋史藝文志》隸入史部目錄，明陳第《世善堂書目》及清錢謙益《絳雲樓書目》則列於集部。《四庫全書總目》的分類則以訓

釋文字者入小學類，摹印圖象者入子部譜錄類，法帖入子部藝術類，編目則入史部。按金石這類圖書，所涉知識範圍甚廣，實難以任何四部之一門類加以涵概，故鄭樵於《藝文略》之外，別撰《金石略》來著述這一類作品。清孫星衍《祠堂書目》及繆荃孫《藝風堂藏書記》則別立金石一部，以與經史分庭抗禮。《故宮善本舊籍總目》編纂時，權衡諸家說法，雖以孫氏《祠堂書目》最足取法，設金石一類，但考慮到這一類的圖書數量終究有限，不足以與經史子集四部相頡頏，因又仿傚《書目答問》、《國學圖書館書目》之例，將金石類附於史部之中。

自鴉片戰爭以後，海禁大開，西學東漸，清廷認為富強之道，在於學習歐美的堅甲利兵及社會體制。於是培養人才，設立同文館、製造局等機構，紛紛譯介外國著作。這些著作保存在故宮的為數雖然不多，但亦是藏書之一，如果編目時不能加以收錄，便不全備。可是這些歐西學術不是固有的四部分類法所範圍，分置其類頗感不易，故宮此一總目於是又傚江蘇省立國學圖書館所編的書目，設立社會科學及自然學科兩類，殿於子部之末。

六、結語

圖書館的編目工作，目的在將凌亂繁雜的圖書，予以分類編排，使成條理井然的目錄，以方便檢尋。可是作者著書立說，內容往往牽混，用各種角度去審視一部書，多少都可能涉及到若干門類，編目的困難可推想而知，是以到今天尚難有一種既統一又合理的分類法來網羅群書。在還未能制定一部既能容納過去、適用現在，而又能羅致將來的編目法則之前，《故宮善本舊籍總目》卻能從使用者方便的觀點出發，一方面固守傳統，一方面直參研前賢論說，取其分類的長處，加上自己的經驗與心得，加以增益改進，創造編目特色，主持編目者昌瑞卿先生的用心用意，實值得欽敬。

昌彼得教授八秩晉五壽慶論文集
2005年2月　　　　頁25～38

昌彼得先生與清史研究

馮明珠

昌彼得先生是著名的版本目錄學家與古文獻專家，在中文與圖書館學界素負盛名，桃李天下；然而先生在史學界，特別是清史領域，也有重要貢獻，這一點或許知道的人並不多。先生畢業於國立中央大學歷史系，因緣際會進入中央圖書館編纂古籍，論著也多偏重在此範疇，然而他的史學素養對國立故宮博物院（以下簡稱故宮）圖書文獻處文獻股（後稱科）的研究與出版方向卻有很大的影響。他個人並未從事清史研究，然他所推動的工作，卻影響到廿世紀六〇年代以後臺灣甚而國際的清史研究方向。筆者追隨昌先生從事《清史稿》校註長達六年，完成任務後，蒙先生提攜，進入故宮服務，直到先生退休止，前後追隨任事二十多年，對先生果敢、明快、堅定、開創、樂觀、勇於任事的作風，感受深刻，同時也獲益匪淺。先生的成就不需我贅言，身為晚輩的我，謹就隨先生工作及所知，將先生任職故宮文獻處處長以後所推動的清史工作略作表述。

先生與清史研究的關係主要可分為兩方面來說，其一，先生以學術為天下公器的精神，指導故宮圖書文獻處成立以來所有的清代檔案整理與出版工作，在學術資源貧乏的年代裡，為清史研究提供了最好的服務；其二，以史學家存真考實的精神，領導「清代通鑑長編」與「清史稿校註」兩項工作，為中華民國以傳統紀傳體纂修《清史》的任務畫下句點。以下就這兩項分三點略作說明。

開放服務：帶領著故宮清代檔案整理

如大家所熟知的，故宮遷運來臺的文物中有204箱，約四十萬件清代檔案，其中包括十五萬捌千多件宮中檔硃批奏摺，約十九萬件軍機處月摺包摺件及約六萬件各式檔冊等。民國三十八年這204箱清代檔案隨著故宮其他文物一起播遷來臺後不久，便安置在臺中霧峰北溝庫房，並未開箱整理。到了民國五十一年，因得中國東亞學術研究計劃委員會補助，方始就康、雍兩朝的硃批奏摺整理編目，製作登錄卡，供中外人士參考，然限於人力與空間，未作大規模的整理。真正大規模且全面展開整理工作，是在民國五十七年七月故宮編制擴大，增設圖書文獻處，昌彼得先生任處長以後。昌先生與時任故宮院長的蔣復璁先生，均是圖書館學界的耆老，他們以圖書館服務開放的觀念挹注於故宮善本古籍與清代檔案的整理，前後兩年便將十五萬八千件「宮中檔硃批奏摺」全數開包編號建卡，以登錄總號（文獻編號，以年號日期為予）、具奏時間、具奏人姓名、具奏人職官、事由摘要、硃批等主要欄位及包號（原清宮包號）、箱號（播遷來臺時箱號）、攝影、附件及出版情形等次要欄位，完成「宮中檔硃批奏摺登錄卡」，（圖一）逐步在故宮附設圖書館中開放供學界研究使用。其後又根據奏摺內容立「分類卡」（圖二），具奏人姓名立「具奏人人名索引卡」（圖三），一併放置在故宮附設圖書館中，方便清史研究者查閱。

民國六十年宮中檔編目建卡完成後，隨即展開「軍機處月摺包」（共47箱）摺件的開箱整理編目作業，據當時參與整理作業的莊吉發先生告之：昌先生做事明快，檔案的整理與開放政策既定，便鞭策著同仁加緊辦理，當時每人每天工作量大約要完成60-80件檔案登錄卡，因此很快的「軍機處檔月摺包」的登錄卡、人名索引卡（圖四）也陸續在圖書館中開放。總之，在昌先生量的要求下，故宮檔案的開箱作業快速進行，在整理「軍機處檔月摺包」的同時，也對其他檔案進行編目，並陸續在故宮出版刊物《故宮文獻》中發表，計自民國六十年六月至六十一年六月一年中，共發布了起「居注冊」、「隨手登記檔」、「密記檔」、「寄信檔」、「上諭檔」、「月摺檔」、「外紀檔」、「長編檔」等八種檔案目錄，供讀者稽查借閱研究。到了民國七十一年終於將約四十萬件清代檔案全數完成登錄整理，出版《國立故宮博物院清代文獻檔案總目》；民國七十二年又出版了《國立故宮博物院藏清代文獻傳包傳稿人名索引》，進一步將故宮所藏清國史館及民國清史館的清人傳記資料全數整理出版，至此臺北故宮檔案全數開放。

史學研究與檔案資料是密不可分的，昌先生這種公開、服務的理念，加速了故宮清代檔案的開放，直接影響到國內外清史研究。根據故宮圖書文獻處的記錄，從故宮圖書館對外開放以來，吸引了中、外清史學者前來查閱檔案，當時由於中國大陸封閉，到北京中國第一歷史檔案館查閱檔案十分不易，臺北故宮典藏便顯得更為重要了。據筆者查考，早年曾來查閱檔案的著名學者計有：有耶魯大學的白彬菊（Beatrice Bartlett）、賓州大學的韓書瑞（Susan Naquin）、哈佛大學的孔復禮（Philip A. Kuhn）、華盛頓大學的何谷理（Robert E. Hegel）、日本著名清史學者神田信夫、松村潤、河內良一、岡田英弘、細谷良夫、石橋崇雄、濱下武志、尾崎康、楊啟樵、中見立夫、加滕直仁等，還有當時仍是研究生的濮德培（Peter C. Perdue）、歐立德（Mark e. Elliott）、白詩薇（Pasquest Sypuie）等，當時多是青壯派學人或研究生，如今已是赫赫有名的國際學者了。

資源共享：指導著故宮檔案的出版

除了加速故宮檔案的整理與開放外，昌先生也一本資源共享的精神，敦聘國立臺灣大學歷史系陳捷先教授為顧問，聽從清史專家的建議，展開了一系列的出版活動，帶動清史研究。民國五十八年首先將院藏最珍貴的四十巨冊「滿文原檔」出版，定名《舊滿洲檔》，該檔冊起自明萬曆三十五年，以無圈點老滿文及加圈點新滿文記載清太祖、太宗兩朝政事，對滿族入關前的歷史研究提供了極重要的一手材料。同年冬，昌先生奔走籌劃經年的《故宮文獻》季刊，在得到廣文書局的支持下創刊出版了，仍聘請陳捷先教授任主編，開始有計畫的刊印「宮中檔硃批奏摺」，例如創刊號即選刊

178 件康熙朝硃批奏摺，簡介提奏人之出身履歷，從此成為定制。據筆者查考，《故宮文獻》每期除刊載了康熙、雍正、同治三朝硃批奏摺外，並刊載 4-5 篇清史相關專題論文，以提倡國內清史研究。二卷三期起，又陸續將故宮完成編目的檔冊予以發布，加惠學林。莊吉發先生說：《故宮文獻》發刊經年，深獲好評，不但起了宣揚作用，吸引著國外學者前來從事清史研究，並鼓勵了故宮檔案的出版作業，民國五十九年十月以《故宮文獻》特刊第一集出版了《袁世凱奏摺專輯》共八冊；翌年十二月，《故宮文獻》出版邁入第二週年，適逢中華民國建國六十年紀念，又以特刊第二集出版了《年羹堯奏摺專輯》共二冊。

故宮圖書文獻處在昌先生領導下最大的清代檔案出版計畫，當屬「宮中檔硃批奏摺」了，這項龐大的出版計劃，除得力於圖書文獻處文獻股全體同仁的努力外，陳捷先教授的奔走籌款，精心規劃，更是功不可沒。據陳教授在〈宮中檔光緒朝奏摺出版前記〉（見《宮中檔光緒朝奏摺》第一冊）中的記述：在《故宮文獻》季刊及特刊專輯中發表的宮中檔，在故宮宮中檔總藏量中，無異是浩瀚中的幾點水，實在微乎其微，於是利用出席國際會議的機會，向世界學術界呼籲，得國外師友楊聯陞、劉子健、陳大端、吳秀良、郝延平，美國學者 Arthur Wright、Denis Sinor、Glen Baxter、Jonathan Spence、Fred Wakeman、Joseph Fletcher、Allen Choate 以及日本學者佐伯富、神田信夫、松村潤、岡田英弘等諸先生（案：上列學者中多位來過臺北故宮看檔案）的幫忙，於六十一年冬天，得到美國學術團體聯合會（ACLS）的首肯，無條件慨贈《故宮文獻》季刊一筆出版基金，作循環出版運用，於是宮中檔方有全盤與長期的出版規畫。同年六月《宮中檔光緒朝奏摺》第一輯正式出版，此後每月出版一輯，共出版二十六輯；其後康熙、雍正、乾隆等各朝也依續出版，至八十五年方全數出版，此時昌先生已是故宮副院長了。下列表說明宮中檔出版情形。

<table>
<tr><th>書 名</th><th>輯或冊數</th><th>漢文</th><th>滿文</th><th>出版時間</th><th>備 註</th></tr>
<tr><td>宮中檔康熙朝奏摺</td><td>9 輯、冊</td><td>1-7 輯</td><td>8-9 輯</td><td>民國 65 年 6 月</td><td>正式出版</td></tr>
<tr><td>宮中檔雍正朝奏摺</td><td>32 輯、冊</td><td>1-27 輯</td><td>28-32 輯</td><td>民國 67 年 11 月</td><td>正式出版</td></tr>
<tr><td>宮中檔乾隆朝奏摺</td><td>75 輯、冊</td><td>1-74 輯</td><td>75 輯</td><td>民國 71 年 5 月</td><td>正式出版</td></tr>
<tr><td>宮中檔光緒朝奏摺</td><td>26 輯、冊</td><td colspan="2">滿文附於各輯漢文後</td><td>民國 62 年 6 月</td><td>正式出版</td></tr>
<tr><td>宮中檔嘉慶朝奏摺</td><td>34 輯、51 冊</td><td colspan="2">滿文附於各輯漢文後</td><td>民國 82 年 5 月</td><td rowspan="4">嘉慶、道光、咸豐及補遺，未正式出版，僅製作三套供讀者於故宮圖書館中查閱。又少數同治、宣統朝奏摺附其中。</td></tr>
<tr><td>宮中檔道光朝奏摺</td><td>20 輯、30 冊</td><td colspan="2" rowspan="3">全為漢文本</td><td>民國 85 年 4 月</td></tr>
<tr><td>宮中檔咸豐朝奏摺</td><td>32 輯、48 冊</td><td>民國 80 年 1 月</td></tr>
<tr><td>宮中檔補遺</td><td>1 輯、1 冊</td><td>民國 82 年 2 月</td></tr>
</table>

除出版宮中檔外，昌先生也大力支持陳捷先教授主導的另外兩項大型的出版計畫，其一是與聯合報文化基金合作影印出版故宮所藏之「清代起居注冊」，前後五年間共出 280 冊，包括：《清代起居注冊・咸豐朝》57 冊（七十二年十二月出版）、《清代起居注冊・同治朝》43 冊（七十二年十二月出版）、《清代起居注冊・道光朝》100 冊（七十四年十一月出版）、《清代起居注冊・光緒朝》80 冊（七十六年二月出版）。另一是出版計畫，是將順治初至乾隆三十年間與臺灣有關的檔案彙編成《臺灣研究資料彙編》共四十冊，臺北故宮博物院是典藏清代檔案的重鎮，自然成為這部資料彙編的主要來源；然在當時政治氣氛下，出版臺灣史料是件不易進行的事，反對力量自是不小，但昌先生力排眾議，讓這套書順利於八十二年出版，為正在崛起的臺灣史研究注入新材料。

爲重修清史準備：
積極推動「清代通鑑長編」工作

《清史稿》於民國十七年告竣出版以來風雨不斷，最後因故宮博物院院長易培基列舉《清史稿》十九條謬誤，向國民政府行政院呈請查禁。在易院長的呈文中除了請將《清史稿》「永遠封存，禁其發行」外，也提出了一項補救措施，即編輯「清代通鑑長編」作為重修清史的準備，具體做法：「聘請專家，就所藏（故宮）各種清代史料，分年列月，編輯清代通鑑長編，一俟編成，再呈請國民政府就其底本（指《清史稿》底本），再開史館，重修清史，一舉而數善備矣。」（案：見民國十八年十二月十六日〈故宮博物院院長易培基行政院呈文〉）因此由故宮編輯「清代通鑑長編」的想法早在民國十八年底便已出現，唯因抗戰爆發，文物播遷而未及施行。因此故宮博物院在臺北復院設置圖處文獻處的首要工作，除了整理開放檔案外，另一項工作即落實編輯「清代通鑑長編」的構想。

民國五十八年於圖書文獻處文獻股下設清代通鑑長編室，敦聘國學大師錢穆先生指導纂修工作，主其事者即是昌彼得先生。據昌先生言，這項工作的目的有二，一是為重修清史預作準備，一是經由此工作帶動故宮文獻處清史研究。早期參與工作者有莊吉發、蕭璠、洪安全、王景鴻等國立臺灣大學文史所畢業生；張葳、潘淑碧、魏美月則職司翻譯「滿文老檔」，以備長編之需。筆者依據長編留下來的大量資料卡片及初纂稿冊，得知其作法是將當時所能查考的滿、漢文清代各種史料，依年月日編排，先抄錄成「清代通鑑長編資料卡」（圖五）；再排比資料卡，辨其異同，各作考証，經核稿後，按時間先後謄寫成冊，前後共完成614冊「清代通鑑長編初稿」（圖六），詳列如下：

長編冊名	起迄年月	冊數
清太祖朝通鑑長編初稿	滿洲開國傳說－太祖天命十一年八月	57
清太宗朝通鑑長編初稿	天聰元年正月－崇德八年八月	288
清代通鑑長編－清世祖章皇帝本紀	順治元年正月－順治十八年正月	28
清代通鑑長編－清世祖章皇帝實錄	崇德八年八月－順治十八年正月	98
清代通鑑長編－清世祖章皇帝聖訓	順治八年－順治十四年	6
清代通鑑長編－南疆繹史－南都紀略－福王	順治前三年正月－順治三年五月	6
清代通鑑長編－南疆繹史－閩疆紀略－唐王	順治前十二年正月－順治十四年春	2
清代通鑑長編－南疆繹史－粵中紀略－永明王	順治前四十三年正月－順治十八年十二月	6
清代通鑑長編－南疆繹史－浙東紀略－魯監國－附紀略補	順治前二年正月－順治三年十一月	4

清代通鑑長編－清史卷－南明紀	崇禎十七元年三月－康熙元年十一月	20
清代通鑑長編－明清史料甲、丙編	順治元年五月－順治十七年七月	37
清代通鑑長編－南明野史－紹宗、安宗、永曆、魯監國、唐王紀略等	順治前十三年正月－康熙元年八月	20
清代通鑑長編－東華錄	崇德八年八月－順治十八年三月	39
清代通鑑長編－小腆紀年	順治元年正月－三月	3

長編徵引的史料，則遍尋當時國內外所藏，筆者根據「初稿」統計，其中清太祖、太宗兩朝通鑑長編徵引資料包括：《十朝聖訓》、《三朝遼事實錄》、《大東遺事》、《大清太宗文皇帝實錄》、《大清太宗文皇帝實錄初纂本》、《大清太宗文皇帝實錄重修本》、《大清太祖武皇帝實錄》、《大清太祖高皇帝實錄》、《仁祖實錄》、《太宗本紀》、《文庫史料》、《丙子白登錄》、《史料叢刊初編》、《光海君日記》、《名山藏》、《兩朝從信錄》、《承政院日記》、《明代滿蒙史料》、《明史》、《明神宗實錄》、《明清史料甲編》、《明嘉清修遼東志》、《明熹宗實錄》、《東夷考略》、《東華錄》、《牧齋初學集》、《初學集》、《宣祖大王修正實錄》、《建夷考》、《建州私志》、《按遼疏稿》、《政事撮要》、《春坡堂日月錄》、《柳邊紀略》、《皇明從信錄》、《皇明經世文編》、《皇清開國方略》、《乾隆重修太祖高宗皇帝實錄》、《國朝史料零拾》、《國朝實鑑》、《崇禎長編》、《康熙重修太祖實錄》、《清太祖天命建元考》、《清太祖告天七大恨》、《清太祖朝老滿文原檔》、《清史紀事本末》、《清史資料》、《清史稿》、《清朝全史》、《清朝前紀》、《清開國史料考敘論訂補編》、《通紀輯要》、《野乘》、《朝野記聞》、《朝野輯要》、《朝鮮仁祖實錄》、《朝鮮王朝實錄》、《朝鮮記聞》、《欽定八旗通志》、《無夢園集》、《紫巖集》、《黃綾本太祖高皇帝本紀》、《亂中雜錄》、《亂中雜錄續雜錄》、《新唐書》、《萬曆邸鈔》、《經遼疏牘》、《嘉慶大清一統志》、《滿文老檔》、《滿文原檔》、《滿洲秘檔》、《滿洲實錄》、《滿高交涉史料》、《聞見劄記》、《寫定申忠一圖錄》、《燃藜（室）別集》、《燃藜（室）記述》、《瀋陽日記》、《瀋陽狀啟》、《瀋館錄》、《舊滿洲檔》、《籌遼碩畫》等八十二種原典史籍，在

兩岸不通，學術資源貧乏的時代裡是十分不易的事，昌先生不但盡可能購藏清代典籍以供長編之用及充實故宮圖書館外，也向日本天理大學、韓國奎章閣、中央圖書館、國立臺灣大學文學院圖書館及中央研究院傅斯年圖書館申請複印存世弧本備用。「清代通鑑長編」一直進行至七十年五月，終因各方考量，如《清史稿》校注已見成效、未來重修清史之大任當由在臺復館的國史館承擔等因素宣告停止，但經由這項工作所帶動的故宮清史研究風氣，卻一直影響至今。

具體成果：《清史稿校注》

昌彼得先生領導執行的另一項清史研究工作是校註《清史稿》，這是由國史館黃季陸館長與錢穆先生所倡議的，昌先生則是這項工作的實質領導與執行者。民國六十七年，國防研院本《清史》雖然已問世十七年，但爭論仍多，史學界多認為這部以《清史稿》為基礎的史著，並未訂正史稿中的全部謬誤，便倉促成書，引起許多爭論，不足以代表正史，因此乃有重修清史的呼籲。錢穆先生提出的具體做法是先利用故宮檔案校註《清史稿》，待竣事後，再以校註本為基礎重修清史。同年十月一日國史館與國立故宮博物院簽訂的「執行清史稿校註纂修計劃合約」（草約），開宗明義載明：執行校註是為修清史預作準備。根據合約這原是國史館與故宮的合作計畫，計畫設指導委員會主持編務，主任委員兼總纂一人，副主任委員兼主纂二名，委員七至十一人，執行秘書一人，均由雙方合作人員中聘任；指導委員會下設清史稿校註纂修工作小組，由故宮派員主持，聘請專、兼任人員執行校註，所需經費由國史館編列支付，簽約後起即展開工作。根據故宮組織法規定，任何重要院務均需簽報管理委員會核備，因此校註清史稿草約簽訂後，亦照例簽呈備核，不料遭到部分管理委員強烈反對，認為纂修清史非故宮職責，實屬多管閒事。在強烈的反對意見下，迫使錢穆（管理委員之一）及蔣復璁退出指導委員會事務，但仍堅持推動工作，於是乃改變原有構想，成立「清史稿校註纂修小組」，由昌先生主持，於十一月一日正式展開工作。（見〈國史館、國立故宮博物院執行清史稿校註纂修計劃合約草案〉、67年10月3日蔣復璁覆黃季陸函〔(67)臺博圖字第0830號〕，及67年10月17日黃季陸覆蔣復璁函〔(67)臺史秘字第679號〕，國立故宮博物院藏)更改後的草約照例仍需簽報管理委員會，這則能否成事的簽呈是由昌先生親自執筆，簽呈中他說明校註的目的：「故宮所藏清史館纂修之清代本紀、實錄、表、志、列傳原稿，數量繁鉅，雖已整理編目竣事，唯其與清史稿之異同，及究具何學術價值，以缺乏人手核校，無從衡量」，因此他強調，校註工作並非全為他人作嫁，對故宮圖書文獻處典藏研究，也是大有裨益的。主任委員王雲伍批示：交管理委員會常務會議討論。(案〈簽報與國史館合作纂修清史稿校註事〉〔(67)臺博圖簽字第116號〕，67年11月17日蔣復璁呈王雲五簽。)討論結果：「在不設機構，不採合作方式下，故宮博物院就現藏資料得協助國史館依分期、分段、分方面來整理，審慎為之。」(詳〈國立故宮博物院管理委員會第七屆第一次常務委員會議記錄〉67年12月22日)根據決議，故宮由合作單位退居受委託單位，接受國史館委託，主持校註，將來出版只需在序中述及協助即可。對蔣復璁、錢穆及昌彼得三位先生而言，能順利推動工作，便屬幸事，誰計校具名與否。於是清史稿校註便在昌先生主持下在故宮圖書文獻處順利展開，校註合約原簽兩年，兩次續約，前後六年告竣，昌先生始終其事。

校註《清史稿》與纂修《清史》在方法上有很大的不同，施行起來也容易得多。校註無須先定體例，只須定下原則，便可進行工作。據於始參與工作的莊吉發先生告之，展開校註工作之初，蔣復璁院長、黃季陸館長率領執行校註小組主持人昌彼得先生及時任圖書文獻處文獻科長的索予明先生與莊吉發一行五人，親赴素書樓向錢穆請教校註原則，遂定下校註初期四項原則：

1.以關外本《清史稿》進行校註，不動原文，但予以圈點句讀。

2.以稿校稿：以故宮所藏清史館所修紀、志、表、傳各種原稿，校對刊印本中之舛訛與脫漏。

3.以卷校卷：就關外本《清史稿》紀、志、表、傳各卷前後互校，註出異同。

4.凡有異同、舛訛、脫漏、錯誤，只加註釋，載入註中。

昌先生任主編，負責統籌指導校註與審稿；索予明總提調，率領一組文獻股同仁負提調檔案作業並協助審稿；初期專職執行校註的工作團隊則有莊吉發、劉家駒、魏美月（故宮調派）、李聖光及筆者（專職聘用），預期兩年竣事。

工作展開不久，昌先生便發現單純的「以稿校稿，以卷校卷」而不加以考訂錯誤，注出異同，實有所不足，且浪費人力，因此將校註原則稍作更訂：

1.除「以稿校稿，以卷校卷」外，廣徵故宮所藏清國史館紀、志、表、傳各種版本，包括：初纂本、修訂本、定本、黃綾本等及宮中檔、軍機處奏摺錄副及各式檔案冊等；並查考官書、史籍、筆記、方志、及當事人文集、著錄等，仿《明史》考證之例，作註於每傳或每卷之後。（詳〈簽報與國史館合作纂修清史稿校註事〉，〔（67）臺博圖簽字第 116 號〕，該簽原稿為昌彼得所擬。）註釋內容計有：敘事誤、敘述異、繫時誤、年月不詳、人名地名錯亂、同音異譯、刊載錯漏、前後體例不一等。

2.校註者絕不可將個人主觀評論寫入註中，僅就史料考證謬誤，並列異同。（昌先生嚴格要求執行校註者不得加入任何個人意見，若有違反，他在審稿時必全數刪除。筆者撰寫本文時，仔細翻閱已出版的《清史稿校註》，發現國史館將校註原稿，作了部分修定，加入了國史館主事者的個人評論，雖然僅有幾字之異，但已違當日錢穆先生與主編所訂之校註原則。）

由於加強了相關資料的查考校勘，工作進度也就相對地緩慢下來，兩年合約屆滿，校註進度未及其半，因而將合約順延兩年，至七十一年十月三十一日止。四年後，終於完成了 20 卷本紀及 360 卷列傳，至於 141 卷志及 53 卷表則全然未動工，因此昌先生又上簽再順延兩年，並增聘兩位專案人員，至七十三年十月，第一階段的校註工作方始完全告竣。總計由故宮負責執行工作前後六年整，校註凡四萬餘條，文稿移交國史館，負責總其成及出版工作。到了民國八十一年，費時十三年的《清史稿校註》十六巨冊終於全數出版，昌先生仍大力支持國史館繼續纂修新清史的工作，同意將故宮博物院所藏清國史館檔與民國清史館檔全數複印一份送交國史國續修清史備用。（見〈國史館複印國立故宮博物院典藏清代文獻協議書〉民國 80 年簽署，以三年時間將故宮所藏之清國史館檔及清史館檔複印一份回館，以備修清史之用。）可惜到了民國八十九年，由政府出資主導纂修清史的時空條件已變，國史館重修清史的計畫也擱置下來了。

《清史稿校註》全書一千二百餘字，於七十四年十月報奉總統府核備，採「精註、精編、精校、精印」原則，以十六開本，頁註，活字排印一千部，每部精裝十六鉅冊，其中附錄一冊，卷首刊載國史館館長朱匯森撰〈清史稿校註序〉、〈清史稿編印禁售及進行校註之經過〉、〈清史稿校註凡例〉、〈清史稿校註審查委員會名錄〉；第十六冊附錄則載有〈清史稿校註總目錄〉、〈清史稿校註參考書目〉、〈清史稿校註人名地名索引〉、〈清史稿校註勘誤表〉、〈清史稿校註編纂小組人員名錄〉等。於七十五年二月年正式出版第一冊，其後陸續出版至八十年六月全部出齊，由國史館分送海內外各學術團體及學者參考，並未銷售。然由於學界需求，國史館於八十八年將全書交臺灣商務印書館印刷出版，上市發行。《清史稿校註》前後費時十三年，校註查勘工作主要在前六年，昌先生貫徹執行這項艱巨的任務，他勇於任事的精神，終使校註順利完成，為傳統紀傳體纂修清史工作畫下了句號。

有緣認識昌先生是在民國六十七年底，我剛從臺灣大學歷史研究所畢業不久，在陳捷先老師的推薦下，進入故宮博物院圖書文獻處從事《清史稿》校註。十二月一日我到故宮報到，一位紅光滿面充滿了幹勁的長者接見了我，帶我進入工作場所，認識了此後六年中我的工作長官們索予明、莊吉發、劉家駒等諸位先生，開始了校註《清史稿》的生涯。對一個初到工作崗位的年輕人來說，戰戰兢兢埋首苦幹是很自然的反應，孰知到了下午三點，昌先生又來到了辦公室，將我帶至東閣樓，請我喝咖啡，告訴我工作時認真，到了下午，休息一下也應當的。昌先生的和藹親切，拉近了我們的距離，讓我感覺到眼前的這位長者，像是位識我多年的師長，加上昌先生的湖北口音與我父親一樣，讓我這個離家來臺北求學就業的遊子倍感溫暖。第一天工作，昌先生訓示我為人處事應「敬業樂群」，讓我受用無窮。我前後追隨昌先生工作二十一年整，有學術研究方面的工作，有編輯出版的任務，也有商業營運的管理作業，昌先生做事的魄力與開拓的視野，令我佩服不已。仁者長壽，謹以此文敬祝先生八秩晉五華誕。

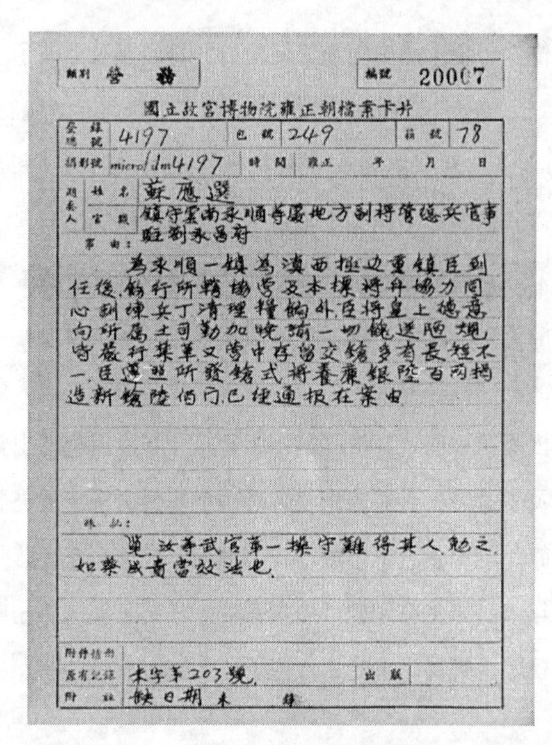

類別 營務　　編號 20067

國立故宮博物院雍正朝檔案卡片

登錄號 4197　包號 249　箱號 78

攝影號 micro/dm4197　時間 雍正 年 月 日

具奏人 姓名 蘇應選

官職 鎮守雲南永順等處地方副將管遊兵官事駐劄永昌府

事由：

為永順一鎮為滇西極边重鎮臣到任後飭行所轄協營及本標將弁協力同心訓練兵丁清理糧餉并臣將皇上德意向所屬土司勤加曉諭一切饋送陋規皆嚴行禁革又營中存留交鑄多有長短不一臣遵照所發銘式將養廉銀陸百兩捐造新鑄陸佰门已經通报在案由

硃批：

覽。汝爲武官第一操守難得其人，勉之。如藥成者當效法也。

附件情形

原有記錄 未字第203號。　出版

附註 缺日期未 錄

圖一　宮中檔硃批奏摺登錄卡

雍正

吏　劃　　　　　　　　P.1

4842-2	5747	10365	10672	08075	09620	4830
06193	11165	07890	07884	10247	09808	07900
10933	18267	07879	19103	17850	08269	08266
4818	5062-1	4773	09807	18527	05787	10977
10056	09558	10365	3876	07746	5025	06160
07945	08005	10068	10293	06052	17803	5066-1
3160	3773	5751	5900	5913	5932	4791
4772	19405	19406	06220	06664	06656	18470

圖二　宮中檔硃批奏摺分類卡

李鴻章(一)

106439	106440	106441	106442	106443	106444	106445
106446	106447	106448	106860	106865	106866	106867
106868	106869	106870	107070	107071	107121	107127
107128	107129	107130	107131	107132	107133	107134
107135	107136	107137	107286	107287	107336	107337
107338	107530	107531	107542	107543	107544	107545
107546	107547	107548	107549	107580	107581	107582
107723	107837	107838	107839	107871	107909	107910

圖三　宮中檔硃批奏摺具奏人人名索引卡

國立故宮博物院 乾隆 朝軍機處檔案卡片

類別		編號	
登錄總號	045965	包號 187	編號 2749
顯微攝影號 microfilm #		時間	乾隆 55 年 11 月 11 日
具奏人 姓名	阿桂等		
官職			

事由：奏銷熱河道庫存貯銀兩數目

硃批：知道了。熱河道庫現存銀兩無多，著於廣儲司撥給銀三萬兩，照例解往存貯備用。

附件情形：奉旨一件

原有記錄：　　　　存放：

附註：本檔於55年11月11日

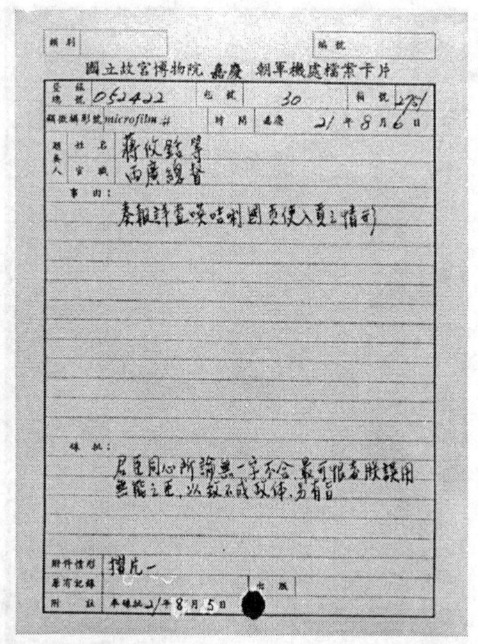

國立故宮博物院 嘉慶 朝軍機處檔案卡片

類別		編號	
登錄總號	052432	包號 30	編號 2731
顯微攝影號 microfilm #		時間	嘉慶 21 年 8 月 6 日
具奏人 姓名	蔣攸銛等		
官職	兩廣總督		

事由：奏報詳查英咭唎國貢使入貢之情形

硃批：君臣同心，所論無一字不合，最可恨者朕誤用無識之臣，以致不成政體，另有旨

附件情形：摺片一

原有記錄：　　　　存放：

附註：本檔於21年8月5日

圖四　軍機處月摺包登錄卡

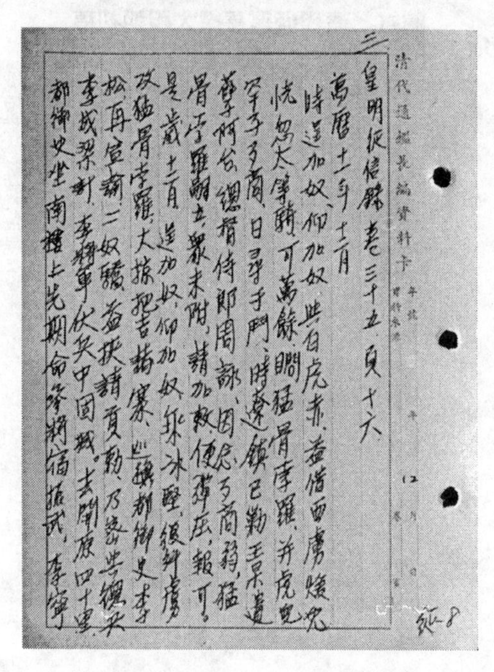

清代通鑑長編資料卡

皇明從信錄 卷三十五 頁十六

萬曆十一年十二月

時逆加奴、仰加奴與白虎赤，益借西虜煖兔、恍惚太等騎可萬餘，瞷猛骨孛羅，并虎兒罕子歹商，日尋干門。時遼鎮已勒王杲遺孽阿台，總督侍郎周詠，因念歹商弱，猛骨孛羅勢孤，眾未附，請加撫，便薄屯，報可。是歲十二月，逆加奴、仰加奴架冰壁，張斜虜，攻猛骨孛羅大掠，把吉攜寨。巡撫都御史李松再宣諭二奴，嬌益狹，請貢勅，乃簽兵纔與李成梁討。李將軍伏兵中固城，去開原四十里，都御史坐南樓上，先期命參將宿振武、李寧

圖五　清代通鑑長編資料卡

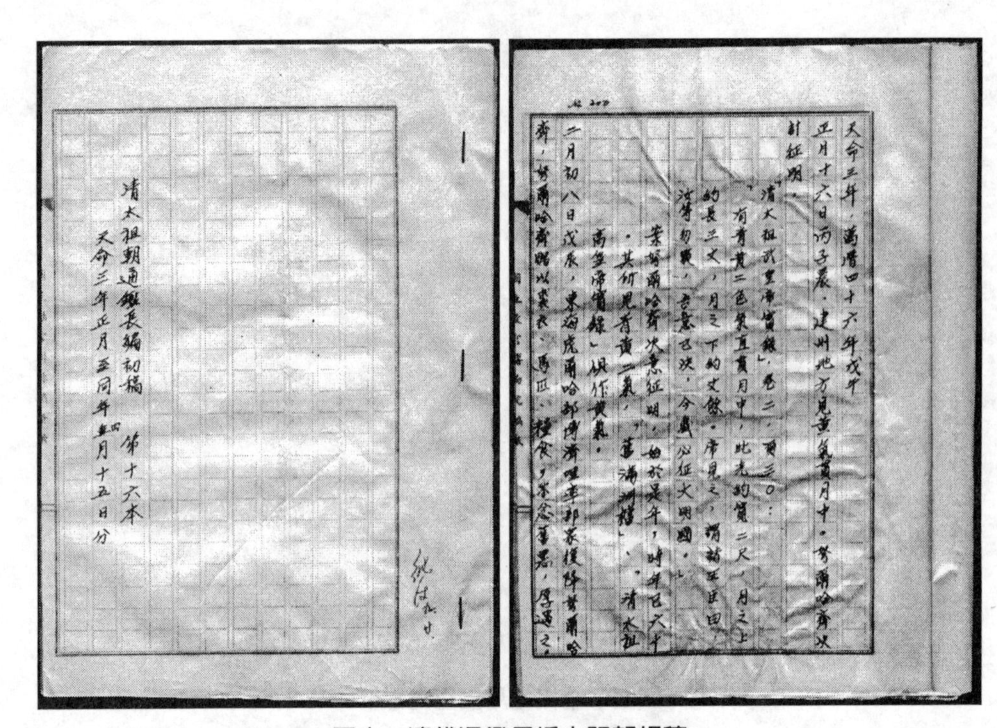
清太祖朝通鑑長編初稿　第十六本
天命三年正月至同年四月十五日分

天命三年，萬曆四十六年戊午
正月十六日丙子晨，建州地方見黃氣貫月中。努爾哈齊以
討征明。
「清太祖武皇帝實錄」卷二，頁三〇：
「有青黃二色氣直貫月中，此光約寬二尺，月之上
約長三丈，月之下約丈餘。帝見之，謂諸王臣曰
汝等勿疑，吾意已決，今歲必征大明國。」
案努爾哈齊決意征明，始於是年，時年已六十
。其所見青黃二氣，「舊滿洲檔」、「清太祖
高皇帝實錄」俱作黃氣。
二月初八日戊辰，東海虎爾哈部[illegible]投降努爾哈
齊，努爾哈齊賜以裘衣、馬匹、糧食，[illegible]，厚遇之。

圖六　清代通鑑長編太祖朝初稿

呂彼得教授八秩晉五壽慶論文集
2005 年 2 月　　　　頁 39～50

善本藏書題識一類文字的建構話語初探

盧錦堂

一、前言

古籍是往哲昔賢的智慧結晶，是人類文化的珍貴累積，向受重視。就以我國來說，周秦時期已有國家藏書機構和相關職官的設置，致力於典籍文獻的蒐集與藏弆；而孔子編訂六經，即據舊檔案、舊文獻等予以整理。歷經悠久歲月，典籍文獻可說浩如煙海，但在流傳過程中，迭遭劫難，於此，或提出「書有十九厄」的說法，❶所散失者數目十分驚人。愈到後來，對時代久遠、流傳稀少的典籍，愈是珍惜；收藏家視為善本，甚至秘不示人，其中不乏看重古代典籍的骨董價值。

歷代圖書既然大量散亡，各有關當時典籍存藏情況的記錄可就提供給後世一個接近原來面目的認知，此大抵包括一書的書名、卷數、撰人、出版地、出版者、出版年、書籍外觀、版式結構、藏書家題記、藏書印章、著述背景、內容提要、思想特色、流傳經過、價值及影響等，都相當必要。但事實上，迄今遺留下來關於古籍的著錄亦多散佚，早期如漢成帝時，劉向等人典校秘書，所撰各書敘錄即僅少數殘存。再就現時所見公、私藏書的記載，除簡單的書目外，諸如解題、讀書志、題跋、題識、提要、

---

❶ 李保光，〈中國文化典籍十九厄〉，《山東圖書館季刊》，1987 年第 1 期（1987.3），頁 53-58。

藏書志、經眼錄、群書跋文、群書題記、藏書紀要、訪書志、敘錄、書志、書影、圖錄、刊成記、出版說明等文字，或因編撰者個人觀點與學養不同，又或因研究風氣與時尚有異，在記載某書時，雖大都是側重某些方面，而未將相關資料作完整陳述，這各有所側重的現象，前人留意的似不多，卻值得作進一步比較研究。

善本古籍，落在藏書家手中者多是不為外人所知；屬於公藏者亦有種種條件限制，讀者通常並非輕易就能翻閱原書，都只能從上述藏書題識等窺知一二，這些有關善本古籍的著錄涉及社會對珍貴圖書賦予何種價值——即以學術價值為考量重點，抑或視文物價值為優先，甚至是其他價值，以現代眼光來看，說是包含著具有社會意義的符號，似乎未嘗不可。在西方，1967 年，開拓社會符號學研究領域的法國學者羅蘭巴特（Roland Barthes, 1915-1980）所撰《Système de la Mode》出版，❷基於「時裝依靠著人們談論而存在」的論點，該書以二十世紀六十年代時裝雜誌為對象，研究「用文字描述的時裝」，即實際的服裝如何被「翻譯」到語言中。近來，中國大陸的王蕾、代小琳二人因現代社會早已有了新面貌，羅蘭巴特當年所運用材料實在無法完全解釋新興媒體的時裝現象，故合撰《霓裳神話：媒體服飾話語研究》一書，❸在借鑑羅蘭巴特媒體服飾符號學的基礎上，進一步運用相關研究成果，試圖探討二十世紀九十年代中後期以來流行的媒體服飾文化語如何建構與運作。再說到歷代典籍，尤其是善本圖書，之所以普為人知，多是由於上述藏書題識等的介紹，大眾罕有機會目睹該等珍藏，而藏書題識等如何將所見善本古籍介紹清楚，像是原書呈現在眼前般，自會逐漸形成本身的一套建構話語。

本文僅針對筆者個人所選擇的有關文字，分「原始」與「發展」兩部分作粗略探討。第一部分以漢代劉向《敘錄》殘篇、宋陳振孫《直齋書錄解題》、清錢曾《讀書敏求記》、《天祿琳琅書目》及《四庫全書總目》為例，說明我國有關善本古籍的評

---

❷ 該書有敖軍的中文譯本，譯稱《流行體系》，分作兩冊，1998 年 2 月臺北桂冠圖書股份有限公司初版。

❸ 2004 年 2 月北京中央編譯出版社初版。

介文字，最早偏重在學術價值，後來因為版本學發達，以及善本日稀等因素，古籍的文物價值亦為此類評介文字所留意，尤其是清乾隆時期，既有偏於文物價值的《天祿琳琅書目》，又有重在學術價值的《四庫全書》，都出自欽定。第二部分則列舉後來編撰的，如清黃丕烈《蕘圃藏書題跋》及《百宋一廛賦注》、清胡爾榮《破鐵網》、清丁丙《善本書室藏書志》、周作人《知堂書話》、鄭振鐸《劫中得書記》、王重民《中國善本書提要》、《國立故宮博物院宋本圖錄》、北京圖書館善本組編《1911-1984影印善本書序跋集錄》、潘景鄭《著硯樓讀書記》、齊魯書社編《藏書家》各輯相關文字，以及拍賣圖錄等，有的對學術價值詳為論述；有的對文物價值倍加留意；有的更結合學術與文物兩方面，甚或附上書影，可補文字敘說所不足。此外，必須特別提出，若干有關善本古籍的評介文字，對珍藏如何得以保存、善本怎樣歷經聚散等故事，其中波折一一縷陳，不僅富戲劇性，還頗多感性用語，讓人益覺善本的可貴。

以下主要是藉著舉例，以及徵引前人研究心得，初步提出有關看法。

二、原始

據漢書藝文志所載，成帝時，「以書頗散亡，使謁者陳農求遺書於天下。詔光祿大夫劉向校經傳、諸子、詩賦，步兵校尉任宏校兵書，太史令尹咸校數術，侍醫李柱國校方技」，這是對內府藏書一次大規模的系統整理。「每一書已，向輒條其篇目，撮其指意，錄而奏之」，這指的是為各書所撰敘錄，可說是中國早期有關王室藏書的評介，從現存敘錄殘篇中，可歸納其義例大抵如下：㈠著錄書名與篇目。如《荀子》卷末列全書篇目，篇目下各有第一、第二等字樣。㈡敘述校讎原委。將各種版本的異同、有關校讎方面的一切，以及校書人姓名、上書年月，無不備錄，使讀者得以知道一書寫定的經過。㈢介紹著者生平與思想。言簡意賅，有助於讀者從認識著者進而了解他的書。㈣說明書名含義、著述動機及書的性質。如《易傳古五子》敘錄：「分六十四卦，著之曰辰，自甲子至於壬子，凡五子，故號曰五子。」又如《世本》敘錄：

「古史官明于古事者之所記也。錄黃帝已來諸侯及卿大夫系謚名號，凡十五篇，與左氏合也。」㈤辨別書的真偽。如《神農》敘錄：「疑李悝及商君所說。」又如《大命》敘錄：「傳言禹所作，其文似後世語。」又如《晏子》敘錄：「其書六篇，皆忠諫其君，文章可觀，義理可法，皆合六經之義。又有複重，文辭頗異，不敢遺失，復列以為一篇。又有頗不合經術，似非晏子言，疑後世辯士所為者，故亦不敢失，復以為一篇。凡八篇。」㈥評論思想或史事的是非。如《戰國策》敘錄：「周自文、武始崇道德，降禮義，……卒致之刑錯。……至秦孝公捐禮讓而貴戰事，棄仁義而用詐譎，……滑然道德絕矣。……是以蘇秦、張儀、公孫衍、陳軫、代、厲之屬，一生從橫短長之說，左右傾側。」此屬評論史事。又如《賈誼》敘錄：「賈誼言三代與秦治亂之意，其論甚美，通達國體，雖古之伊、管，未能遠過也，使時見用，功化必大。」此屬評論思想。㈦敘述學術源流。如《列子》敘錄：「其學本于黃帝、老子……。」㈧判定書的價值。如《戰國策》敘錄說該書「皆高才秀士，度時君之所能行，出奇筴異智，轉危為安，運亡為存，亦可喜，皆可觀。」❹各書敘錄載在本書，方便讀者從中得悉全書指歸。

後來，若干官撰及私著的提要式書目，如宋王堯臣等《崇文總目》、晁公武《郡齋讀書志》諸作，也都注意到介紹著者生平，略述全書內容，考訂學術源流以及評論是非得失多方面。直至清乾隆下詔大規模徵集圖書，開館編修《四庫全書》，各書書首撰有提要，又彙集各書提要而成《四庫全書總目》，可說其來有自。《四庫全書總目》編纂者總結劉向及歷代相關著述的經驗，確定《總目》撰寫凡例，其中提及「每書先列作者之爵里，以論世知人；次考本書之得先，權眾說之異同，以及文字增刪、篇帙分合，皆詳為訂辨，巨細不遺。而人品學術之醇疵、國紀朝章之法戒，亦未嘗不各昭彰癉，用著勸懲」。黃愛平博士以為「在按照規定的體例撰寫各書提要的同時，《總目》也十分善于根據各部書籍的實際情況，側重于某一方面的敘述、考證或評

❹ 以上詳見姚名達，《中國目錄學史》（臺北：臺灣商務印書館，民60.1臺四版），頁43-49。

論。……凡此種種，均在統一的體例之下，因書而異，突出重點，或述篇章體例，或論學術得失，或敘典籍源流，使讀者對《四庫全書》著錄、存目的各部書籍都能有一個既完整清晰，又主次分明的理解，較好地起到了目錄著作提要鈎玄，指示門徑的作用。」❺同時並歸納出《總目》存在著不注版本、訛謬遺缺兩方面的問題。後者不在本文討論範圍之內，至於前者，各篇提要正如卷首凡例所說，僅于「每書名之下，欽遵諭旨，各註某家藏本，以不沒所自」而已，這種作法，在各種版本迭出的情況下，顯然不能滿足讀者的需求，《總目》不少篇提要中，雖屢有敘述傳刻情況及版本源流，但未能直接標明版本，黃博士認是一個無可挽回的缺憾。❻至若《總目》提要之有提及版本流傳的，可舉集部三別集類三《東雅堂韓昌黎集注》四十卷《外集》十卷（副都御史黃登賢家藏本）為例說明：「不著撰人名氏，惟卷末各有東吳徐氏刻梓家塾小印。考陳景雲《韓集點勘書後》曰：近代吳中徐氏東雅堂刊《韓集》，用宋末廖瑩中世綵堂本，其注採建安魏仲舉五百家注本為多，間有引他書者，僅十之三。復刪節朱子單行《考異》，散入各條下，皆出瑩中手也。瑩中為賈似道館客，事見《宋史》似道傳。徐氏刊此本，不著其由來，殆深鄙瑩中為人，故削其名氏併開版年月也云云。今考此本，前列重校凡例九條，內稱廟諱一條，確為宋人之語，景雲之說為可信。知此本為瑩中注也。……」

對於所用版本的多寡以及異同的鑑別，劉向《敘錄》其實早也曾注意到，如校《晏子》一書，以中書十一篇為底本，參校以太史書五篇、臣向書一篇、臣參書十三篇，最後整理得定本八篇，又提及其中「中書以夭為芳，又為備、先為牛、章為長，如此類者多」，亦即版本的優劣。但當時版本種類不多，如按字體劃分，有古文書和今文書之別；按材料劃分，有簡策和帛書之別；按收藏者分，有中書和外書之別。❼再者，當時還未曾出現刊版，自然也沒有版式行款等刻本書特徵的記載。直至印刷術發明，

❺ 黃愛平，《四庫全書纂修研究》（北京：中國人民大學出版社，1989.1），頁363-364。

❻ 同注❺，頁364-367。

❼ 姚伯岳，《版本學》（北京：北京大學出版社，1993.12），頁21-22。

刻書日漸發達，有關刊本的外形、版面結構等物質元素開始受到注意。宋代，雕版印刷迅速發展，版本學日受重視，如尤袤《遂初堂書目》著錄一書的各種版本，記《史記》有川本、嚴州本，《前漢書》有川本、吉州本、越州本、湖北本，《後漢書》有川本、越本，《三國志》有川本、舊杭本等，惜著錄過簡，後來，如陳振孫《直齋書錄解題》，即顧及版刻特徵的說明。例一：卷二書類《尚書大傳》四卷下著錄「印板刓缺，合更求完善本」，是說版片有破損；例二：卷三春秋類《春秋加減》一卷下著錄「此本作小襀冊，才十餘板。前有睿思殿書籍印、末稱臣雱校正，蓋承平時禁中書也」，是關於裝幀、印記等紀錄；例三：卷十二釋氏類《石本金剛經》一卷下著錄「南唐保大五年壽春所刻，乾道中劉岑季再刻于建昌軍」，是關於出版年、出版地、出版者等記載。不過，全書中似此書籍物質元素的描述，所占比例並不高。

清初，錢曾撰《讀書敏求記》，書中多強調版本價值，論及卷帙完缺、鈔刻工拙及紙墨優劣等，其中推崇善本的思想意識，為後來藏書家所接受。如《何晏論語集解》十卷（高麗鈔本）下提要稱「筆墨奇古，似六朝初唐人隸書碑版，居然東國舊鈔行間所注字，中華罕有識之者，洵為書庫中奇本」；又如《王肅注家語》十卷下提要稱「此從東坡居士所藏北宋槧本繕寫，流俗注中脫誤宏多，幾不堪讀，予昔藏南宋刻，亦不如此本之佳也。」可見所強調重點的一斑。此外，錢氏對若干善本的流傳故事，以及最後如何落入一己手中，著墨頗多，且往往帶著感性話語，如《陸德明經典釋文》三十卷一篇，錢氏先是敘述他與好友葉林宗（名奕）喜愛互相傳錄秘冊的故事，次則錄載林宗歿，錢氏所撰祭詞，最後說明：「此書原本，君從絳雲樓北宋槧本影摹，逾年卒業，不惜費，不計日，毫髮親為是正，非篤信好學者，孰能之？……予述此書所自，而題語專屬林宗，或冀後日君託此書以傳，不致名氏翳如，是予之願耳！然予言不文，何足為君重，且其傳不傳有數焉，聊以寫予哀而已。」似此，已非只限於對善本本身作學術評介。❽

---

❽ 以上所引《讀書敏求記》中語，皆出自管庭芬、章鈺《校證》本卷一之上。

直至清乾、嘉時期，《天祿琳琅書目》及《後編》先後奉敕編定，對於古書版本的文物價值更為重視，與俱為乾隆欽定的《四庫全書總目》以論斷學術價值為主者不同，「每書之下各有解題，詳細闡明版刻年代，迻錄藏家題識、藏書印記，並考證其所處時代、籍貫生平等，指出該書收藏的授受源流。這種注意版本鑑別和收藏情況考證的提要撰寫方式，作者自認是借鑑了唐代張彥遠《歷代名畫記》和明代無名氏撰，趙琦美增補的《鐵網珊瑚》的做法，將此二書對書畫賞鑑記錄的方法移用到了對古籍版本的著錄中」。❾《天祿》二編是記載清乾、嘉時期秘府珍藏的簿錄，既然所著錄者俱屬善本，而當時宋元本書已相當罕見，編者視同古董書畫自非意外。以下試舉韓昌黎集為例，分別迻錄《四庫全書總目》及《天祿琳琅書目後編》相關提要的重點。《四庫全書總目》卷一百五十著錄《別本韓文考異》四十卷《外集》十卷《遺文》一卷，首先略述編者王伯大生平，後即說明「伯大以朱子《韓文考異》為本集之外別為卷帙，不便尋覽，乃重為編次，離析《考異》之文，散入本集各句之下，刻於南劍州。又採洪興祖《年譜辨證》、樊汝霖《年譜注》、孫汝聽解、韓醇解、祝充解為之音釋，附於各篇之末。厥後麻沙書坊以注釋綴於篇末，仍不便檢閱，亦取而散諸句下。蓋伯大改朱子之舊第，坊賈又改伯大之舊第，已全失其初。即卷首題朱文公校昌黎先生集凡例十二條者，勘驗其文，亦伯大重編之凡例，非朱子《考異》之凡例。流俗相傳，執此為朱子之本，實一誤且再誤也。」《天祿琳琅書目後編》卷一宋版首部著錄《御題朱文公校昌黎先生集》四函三十二冊，首先敘述本書有附錄、考異序、王伯大序、諸家姓氏、李漢序、凡例及刊書家識。繼而稱此是「宋麻沙本。按識云留耕王先生倅南劍時，將考異附正集本文下，又集諸家所定音釋於通卷之左，今本宅所刊，係將南劍州官本為據，併將音釋附正集焉。……（下文論及考異本、伯大本及坊本差異異處，大抵同於《總目》）又略述伯大生平，並錄乾隆御題詩及所鈐印。最後提到原有印記，說：「據印記，藏是書者有沛國劉氏、吳越王孫錢氏、西崖諸氏、朱家賓四家，人俱無考，

---

❾ 同注❼。

其大經一印，或宋羅大經，著《鶴林玉露》者。」下面即摹刻諸藏印及各記所在位置。二者著錄的異同，不言而喻。

三、發展

善本古籍因版本學勃興，愈到後來愈受重視，再加上珍貴稀罕，文物價值益被注意。藏書家中，正如清洪亮吉在《北江詩話》卷三中所說，固有「推求本原，是正缺失」的所謂考訂家，以及「辨其版片，注其錯訛」的所謂校讎家，但亦有「第求精本，獨嗜宋刻」的所謂賞鑑家，以及「求其善價，眼別真贋」的所謂掠販家，宋元版、舊鈔本等都被當作骨董，而藏書題識一類文字對善本的紙墨、裝幀、字體、版式行款諸項物質元素，描述亦漸詳盡。

清末著名版本目錄學家繆荃孫晚年以代人編藏書目錄為生財之道，但他對此實未經心，僅規定一種格式，囑子侄輩依樣填寫。當時，陳乃乾曾擬一格式，並說：「世有藏書家欲編繆式藏書記者，請依式而為之，不煩另請專家也。」格式如下：

××××幾卷

××××撰（撰人上有籍貫或官銜，須照原書卷首鈔寫）。××刊本（何時刊本，須略具鑑別力）。每半葉×行，行××字，白（或黑）口，單（或雙）邊，中縫魚尾下有×××幾字，卷尾題××××（此記校刻人姓名或牌子）。前有××幾年×××序，××幾年×××重刻序，後有××幾年×××跋。××字××，××人，××幾年進士，官至××××（撰人小傳可檢本書序跋，或四庫提要節鈔），書為門人××所編集（或子侄所編，或自編），初刻於××幾年，此則××據××刻本重刻者。×氏××齋舊藏，有××印。❿

---

❿ 陳乃乾，〈上海書林夢憶錄〉，收錄於張靜廬輯注，《中國現代出版史料·甲編》（北京：中華書局，1954.12上海初版），此處見頁425。

自清乾、嘉以來，藏書題識等著述的建構話語與此相較，則或簡或詳。下面試舉例說明。

嘉慶年間，著名藏書家黃丕烈就顧廣圻所撰《百宋一廛賦》作注，介紹一己珍藏的宋版書，如著錄淳熙臺州公庫本《顏氏家訓》七卷，稱：「每半葉十二行，每行十八字，後附嘉興沈揆考證一卷，凡三冊，每冊首尾有省齋一印，共山書院一印。省齋未詳。共山書院有藏書目錄，柳待制為之序，稱汲郡張公，不詳其名，延祐三年參議中書省，錢少詹大昕《補元史藝文志》載之者也。又每冊首尾紙背有一長方鈐記云：國子監崇文閣官書，借讀者必須愛護，損壞闕失，典掌者不許收受。皆逸聞也。末有何義門跋……。」又著錄《注胡曾詠史詩》三卷，稱：「每半葉十一行，每行大廿二、小廿七字。延令季氏舊物也。首題前進士胡曾著述並序，邵陽叟陳蓋注詩，京兆郡米崇吉評注并續序，世罕知之者矣。此書江君藩自揚州以之歸余也。」所提及善本的物質元素，包括行款、卷端、序跋、鈐記等。再者，嘉、道年間，胡爾滎仿記載法書名畫的《鐵網珊瑚》撰《破鐵網》一書，自謂面對珍奇珊瑚，只有破網一張，眼看著，卻不能到手。其中卷上記載古籍碑帖。如著錄舊抄宋葉適《習學記言》五十卷，稱：「楷法甚精妙，是非庸手所能。〔索價甚昂。〕」又著錄宋版《監省選編萬寶詩山》三十八卷，稱：「季滄葦藏書。袖珍本，版心長約四寸，闊前後約六寸。首行大字所題即寫此名目，次行即云：『書林葉氏廣勤堂』新刊。有目，無序。每頁共三十行，行十五字。……係吳門五柳居陶氏所藏，聞已歸維揚鮑氏。」又著錄宋版《五百家播芳文粹》，稱：「二楠木匣，亦延令季氏物。前有滄葦私印，後有竹垞跋。紙簾闊寸許，紙色雖不甚舊，而沉靜處大非近世劣紙可比擬。價須三百金。」所提及善本的物質元素，包括行款、卷端、序跋、裝幀、紙張、藏印、書價等。再者，光緒間，著名藏書家丁丙撰《善本書室藏書志》，介紹所藏秘笈，如卷一經部一著錄《周易》十卷（宋刊本。孫氏壽松堂藏書），稱：「王弼注。此書每半葉八行，行十七字。首行頂格題周易上經乾傳第一，次行低十字題王弼注，三行頂格䷀乾下乾上，下接經文、經注。繫辭首行題周易繫辭第七，次行低十格題韓康伯注，三行以下刻繫辭。卷九說卦傳格式同。卷十首行題周易略例序，次行低六格題唐四門助教邢璹注，三行刻序文，序後另行題周易略例卷十，次行頂格題明象，三行頂格刻略例。每卷後半葉邊匡外之上刻乾、坤、屯、蒙，及繫辭、說卦、略例等字。字體圓美，槧刻精工，無明代修補之葉。缺筆至慎字止，當為乾道、淳熙間刊本。每卷首葉有孫志祖白文方印、壽松堂收藏宋本朱文長方印。志祖字詒穀，一字頤谷，號約齋，仁和人，乾隆丙戌進士，歷官江南道御史。……」於卷端、字體、避諱字、匡外題、藏印（包含印文、印色、形狀）有所記載，此外，或記木記（如卷二十四集部三《分類補注李白詩》下稱「目錄後有建安余氏勤有堂刊篆文木記」），或記相關標識（如卷一經部一《周易經傳》下稱「傳則圍規標白文傳字，本義則橢圓規標白文本義字」）等，亦可用以辨識善本。民國以後，若干善本書志仍重視某書物質元素的描述，如王重民撰《中國善本書提要》，史部紀傳類著錄《漢書》宋紹興間刻本，注明行款（九行十六字，注二十字），還有版匡高廣（22.8×17），並就刻工詳作考據，以證明此書與所謂「眉山七史」應同為南宋紹興間國子監所刻。至若民國 66 年在臺所編印《國立故宮博物院宋本圖錄》，不僅詳載某書的版本、存缺卷數、版匡高廣、單（或雙）欄、行款、白（或黑）口、魚尾、大小字數、耳題、避諱字、刻工、卷端、序跋、刊記、藏印、諸家書志著錄等，各書並附有書影。此外，近年出現的拍賣圖錄，除彩色書影外，有關說明文字，大抵包括書名、卷數、著者、版本、冊數、紙張、裝幀、版匡，並有鈐印項，詳列藏書印記；提要項，對藏書家、各家書志著錄及版本文物價值略作介紹，若有插圖，則載明幅數。此可從中國嘉德、中國書店、翰海等古籍善本拍賣圖錄窺知一二，要之，視古籍善本如書畫、陶瓷、玉器等骨董，而罕有論及學術價值的。以上不過就所側重者立論，版本流傳及文物價值，固在目前古籍書志等相關著述中占著重要篇幅，但如若干出版社影印古籍的專家序跋及出版說明，則對書中史事或思想的是非、學術源流與價值、後世所受影響、以及重要文字校勘等頗多著墨，北京圖書館善本組所編《1911-1984 影印善本書序跋集錄》即收錄不少有關文字。

最後要提出的是，若干善本藏書題識等文字，並非全是嚴謹的說明，其中不乏具有戲劇性的版本流傳故實，藏書家娓娓道來，字裡行間夾雜讚嘆或感慨，更顯善本的可貴。例如清黃丕烈為《三謝詩》撰寫題跋，說：「顧念余生平無他嗜好，於書獨嗜好成癖。遇宋刻，苟力可勉致，無不致之以為快，矧此書世間罕有，存此宋刻，差足自豪。錢物可得，書不可得，雖費當勿校耳！」具見繆荃孫等輯《蕘圃藏書題識》卷十。又如鄭振鐸《劫中得書記》著錄明萬曆刊《古今女範》，提及該書插圖近二百幅，為徽派版畫書最佳者之一，屢求陳乃乾訪尋而未能一見，「丁丑冬，國軍西撤，乃乾忽持此書來，欲易以米。余大喜過望，竭力籌款以應之，殆盡半月之糧，然不遑顧也。斗室避難，有此豪舉，自詫收書之興竟未稍衰也」。又如潘景鄭為《元刊巾箱本爾雅單注》撰識語，末稱「己卯四月十一日，伯兄見諸集寶齋，賈人稱是聚學軒物，懸值千金，度不能得，因假歸破半晝之功，取涵芬樓影印宋本略勘一過，並臨其校語於影印本上。……善本過眼，真如雲煙。校錄既竟，略識數語於別紙，藉存鴻泥云耳」。⓫再者，濟南齊魯書社編印《藏書家》專輯，至2004年8月，已出至第九輯，各輯亦有關於古籍藏書故實、抒發思古情懷的篇章。此外，如周作人所撰談古舊書的書話，或借題發揮一己讀書心得，而較少涉及版本優劣，試以「《論語》小記」一篇為例，談到作者感興趣的記隱逸那幾節，表示「中國的隱逸都是社會或政治的，他有一肚子理想，卻看得社會渾濁無可實施，便只安分去做個農工，不再來多管……。外國的隱逸是宗教的，這與中國的截不相同，他們獨居沙漠中，絕食苦禱，或牛皮裹身，或革帶鞭背，但其目的在於救濟靈魂，得遂永生……。我從小讀《論語》，現在得到的結果，除中庸思想外，乃是一點對於隱者的同情」。⓬論述中帶著感慨，可見作者用心。

四、結語

研究善本藏書題識一類文字的建構話語，不僅可以得知往哲昔賢與當今學者對若

⓫ 潘景鄭，《著硯樓讀書記》（瀋陽：遼寧教育出版社，2002.7），頁23。
⓬ 鍾叔河編訂，《知堂書話》（北京：中國人民大學出版社，2004.9），頁567-571。

干重要古籍的學術評價，而隨著宋元版等大量散失，古籍的文物價值愈受重視，後來的這類文字亦顯示出若干藏書家將古籍看作骨董的心態，世人亦每驚羨於某善本在拍賣市場上拍出高價，卻不太在意這些善本的學術價值。當然，這種趨勢並不能被理解為時間先後的截然劃分。

筆者在此主要是提出因受羅蘭巴特《流行體系》所啟發而有的粗淺看法，并就教於方家，至若利用符號學、語言學、社會學等相關知識作深入研究，尚俟來日。

昌彼得教授八秩晉五壽慶論文集
2005年2月　　　　頁51～66

古籍注釋中之文獻及其價值

劉兆祐

一、前言

「注釋」之作，清代以前稱之為「訓詁」。《說文解字》云：

> 訓，說教也，从言，川聲。

段玉裁《注》云：

> 說教者，說釋而教之，必順其理引申之。凡順皆曰訓。

「說釋」，今寫作「悅懌」，開釋、說解之意。至於「詁」字，《說文解字》云：

> 詁，訓故言也，从言，古聲。

段玉裁《注》云：

> 故言者，舊言也，十口所識前言也。訓者，說教也，訓故言者，說釋故言以教人，是之謂詁。

從許、段二氏之說，可知「訓詁」者，乃說解古代語言文字者也。然細審古籍注釋之內容，不止說解語言文字而已，或釋人名、地名，或釋名物、制度，或校勘異文，或引錄他書，或載銘文碑記，內容極為繁富。為免讀者誤以本篇所論，僅宥於語言文字之義，因此不用「訓詁」之名，而用「注釋」一詞。

近世論訓詁之學者，亦多受傳統之認知，而將古籍注釋之功用，拘限於說解音義一端。例如齊佩瑢先生《訓詁學概論》云：

> ……總而言之，故是古昔故舊的意思，因而古字古言亦謂之故，古字古言之原來的音義亦謂之故（這裡所謂原本，只是古書作者當時通行的用字之義，而非上溯到原始造字時的本音本義。）故字故言，時地懸隔，音義難明，必待訓故家為之順釋疏通，然後始知古語某即今語某，古字某即今字某。不但一語一字之音義暢曉無阻，即句讀篇章之義也都了然無疑。文通字順，而後昔賢著述之情意始得大白於永世，不因古今南北語言變易而生隔閡。這種工作——順釋故言的工作，便叫做「訓故」或「訓詁」。❶

齊氏顯然特將訓詁之內涵，限制在說解文字之音義一端而已。古籍注釋之內容，既不限於說解文字語言之音義而已，此篇試從文獻之觀點，稽考古籍注釋中所載文獻，並進而探討其價值及運用之方法。

二、注釋之名稱與體制

注釋之名稱甚多，名稱不同，其體制亦不同，徵引文獻之方式亦自不同。常見之名稱如次：

㈠傳：以傳述為義。例如《春秋左氏傳》，以論述本事，證發經義為旨；《春秋公羊傳》、《春秋穀梁傳》，以闡明經中大義為旨。惟「傳」，亦有不以傳述為義者，如《毛詩詁訓傳》，以說解字義為旨；《韓詩外傳》，則以采雜說以說解《詩經》之文句，其釋義則不必關乎經義。

---

❶ 齊佩瑢：《訓詁學概論》，第一章〈緒說〉。

㈡注：以說解字義，俾文義明白易知為旨，如鄭玄《周禮注》、《儀禮注》、《禮記注》等。《毛詩注疏》「鄭氏箋」句下，孔穎達《疏》云：

注者著也，言為之解說，使其義著明也。

《儀禮注疏》（卷一）「鄭氏注」下，孔穎達《疏》云：

言注者，注義於經下，若水之注物。亦名為著，故鄭〈敘〉云：凡著《三禮》七十二篇。云著者，取著明經義者也。

可見「注」之功能，旨在使文義暢通著明。

「注」，明以後或作「註」。段玉裁《說文解字注》於「注」字下云：

漢、唐、宋人經注之字，無有作註者，明人始改注為註，大非古義也。古惟註記字从言，如《左傳·敘》「諸所記註」，韓愈文「市井貨錢註記」之類。《通俗文》云：「記物曰註。」《廣雅》：「註，識也。」古起居註用此字，與注釋字別。

是以注釋當作「注」，附註、備註當作「註」。

㈢箋：如鄭玄《毛詩傳箋》。《說文解字》云：

箋，表識書也，从竹戔聲。

段玉裁《注》云：

鄭《六藝論》云：「注《詩》宗毛為主，毛義若隱略，則更表明；如有不同，即下己意。」按：注《詩》稱箋，自說甚明。《博物志》云：「毛為北海相，鄭是郡人，故稱箋以為敬。」此泥魏、晉時上書稱箋之例，絕非鄭意。

《毛詩注疏》「鄭氏箋」下，孔穎達《疏》云：

鄭於諸經皆謂之注，此言箋者，呂忱《字林》云：「箋者，表也，識也。」鄭以毛學審備，遵暢厥旨，所以表明毛意，記識其事，故特稱為箋。餘經無所遵奉，故謂之注。

據此，箋亦注也，惟必須有所遵奉，始得謂之箋。鄭康成遵奉《毛傳》，將己意表識其旁，如今人之簽記，積而成帙者也。

㈣疏：《漢書·蘇武傳》：「數疏（霍）光過失。」顏師古《注》云：「疏，謂條錄之。」《漢書·揚雄傳》：「獨可抗疏。」顏《注》云：「疏者，疏條其事而言之。」《廣雅·釋詁》云：「疏，識也，今注疏字，亦以疏通分析為義。」可知「疏」之體制，乃條陳文意為之疏通分析也。

以「疏」為注釋之名，南北朝即有。梁皇侃有《禮記義疏》（九十九卷）、《禮記講疏》（四十八卷），陳周弘正有《周易義疏》（十六卷）等，而以唐代孔穎達等所撰《五經義疏》最著。皮錫瑞《經學歷史》云：

唐太宗以儒學多門，章句繁雜，詔國子祭酒孔穎達與諸儒撰定《五經義疏》，凡一百七十卷，名曰《五經正義》。正義者，論歸一定，無復歧途也。

㈤索隱：如唐司馬貞《史記索隱》，《史記索隱·序》云：

……此書殘缺雖多，實為古文，忽加穿鑿，難允物情。今止探求異聞，採摭典故，解其所未見，申其所未申者。……

可見「索隱」之說解，均為前人所未及之發明。

㈥音義：此注釋體制，旨在考訂文字音義之異，尤偏重於字音之考訂。音字之所以有異，或由於假借，或由於古今音，或由於方言殊語，或由於詞性之不同，或由於外來語，或由於譯音。以「音義」為注釋體制之著作，以唐代陸德明《經典釋文》為最著。陸書包括：《周易音義》、《毛詩音義》、《周禮音義》、《儀禮音義》、《禮記音義》、《左傳音義》、《公羊音義》、《穀梁音義》、《孝經音義》、《論語音義》、《老子音義》、《莊子音義》、《爾雅音義》等。與「音義」體制類似者，尚有「音詁」、「音釋」、「音解」、「音隱」、「音」等名稱。

㈦章句：亦屬注釋之一體，如《漢書·藝文志》著錄《尚書》有《歐陽章句》（三十一卷）、《大小夏侯章句》（各二十九卷）等是。《後漢書·桓譚馮衍列傳》云：

（桓譚）博學多通，徧習《五經》，皆詁訓大義，不為章句。

唐李賢《注》云：

章句，謂離章辨句，委曲枝派也。

「章句」之學，於古籍注釋工作，有何功能？《文心雕龍·章句篇》云：

夫設情有宅，置言有位；宅情曰章，位言曰句。故章者，明也；句者，局也。局言者，聯字以分疆；明情者，總義以包體。區畛相異，而衢路交通矣。

可知分章斷句之旨，為使文義更為明確。

東漢趙岐撰《孟子章句》，於每章末綜括大旨，謂之「章指」。例如於〈梁惠王章句（上）〉「孟子見梁惠王，王曰：『叟不遠千里而來，亦將有以利吾國乎？』」章末，云：

章指：言治國之道，明當以仁義為名，然後上下和親，君臣集穆，天經地義，不易之道，故以建篇立始也。

又於「孟子見梁惠王，王立於沼上，顧鴻鴈麋鹿曰：『賢者亦樂此乎？』」章末，云：

章指：言聖王之德，與民共樂，恩及鳥獸，則忻戴其上，太平化興。無道之君，眾怨神怒，則國滅祀絕，不得保守其所樂也。

此項「章指」，使章句之學在注釋方面之功能，益加明顯。清焦循《孟子正義》云：

蓋經各有義，注各有體，趙氏於《孟子》既分其章，又依句敷衍而發明之，所謂章句也。章有其指，則總括於每章之末，是為章指也。疊詁訓於語句之中，繪本義於錯綜之內，於當時諸家，實為精密而條暢。❷

焦氏又云：

趙氏以章句命名，其來尚矣。周氏廣業《孟子古注考》云：「《意林》云：『蜀郡趙臺卿作《章句》。章句曰指事。』」……章句曰指事者，謂斷章而揭其大指，離句而證以實事也。……或云《史記》稱莊周善屬書離辭，指事類情。指事之名本此。案指事為六書之一，許慎《說文·敘》云：「視而可識，察而可見❸，上下是也。」趙意蓋兼取顯著之義。❹

清沈欽韓《漢書疏證》云：

章句者，經師指括其文，敷暢其義，以相教授。

知「章句」者，不第離析章句而已，兼具文義之說解。

(八)集解：即彙聚各家之說解者也。魏何晏《論語集解·序》云：

集諸家之說，記其姓名，有不安者，頗為改易。

何氏所彙集者，有包咸、周氏、馬融、鄭玄、陳群、王肅、周生烈等人之說解。

此外，注釋之名稱，尚有「疑」、「義」、「微」、「訂」、「詮」、「證」等。

---

❷ 語見《孟子章句·孟子題辭》之注釋。

❸ 當作「察而見意」。

❹ 說見《孟子·梁惠王》「梁惠王章句（上）」下之注釋。

三、注釋所載文獻及其價值

古籍注釋中所載文獻繁夥，約可歸納為下列數類：

㈠ 留存佚書資料，可供輯佚之資

注釋所徵引文獻，頗有今已不傳之佚書。《四庫全書總目》於晉陳壽撰、宋裴松之注《三國志》（六十五卷）一書之〈提要〉云：

> 然（裴注）網羅繁富，凡六朝舊籍，今所不傳者，尚一一見其厓略。

一般而言，宋代以前尚無刻板，古籍不易流傳，因此宋以前注釋所載佚書較多。以晉代張璠所撰《後漢記》（三十卷）一書為例。《隋書·經籍志》、《舊唐書·經籍志》、《新唐書·藝文志》等，均著錄此書，惟宋代以後書目，如晁公武《郡齋讀書志》、陳振孫《直齋書錄解題》及《宋史·藝文志》等，均不見著錄，知此書蓋亡於五代之際。今檢《世說新語》劉孝標《注》中，即頗引此書：於〈德行篇〉「慈明行酒，餘六龍下食」句下，劉孝標《注》云：

> 張璠《（後）漢紀》曰：「淑有八子：儉、鯤、靖、燾、汪、爽、肅、敷。淑居西豪里，縣令苑康曰：『昔高陽氏有才子八人。』遂署其里為高陽里。時人號曰八龍。」

於〈言語篇〉「荀慈明與汝南袁閬相見」句下，劉孝標《注》云：

> 張璠《（後）漢紀》曰：「董作秉政，復徵爽，爽欲遁去，吏持之急。起布衣，九十五日而至三公。」

於〈賞譽篇〉「伐惡退不肖，范孟博之風」句下，劉孝標《注》云：

張璠《(後)漢紀》曰：「范滂字孟博，汝南伊陽人。為功曹，辟公府掾。升車攬轡，有澄清天下之志。百城聞滂高名，皆解印綬去。為黨事見誅。」

於〈品藻篇〉「陳仲舉彊於犯上，李元禮嚴於攝下。犯上難，攝下易。」句下，劉孝標《注》云：

張璠《(後)漢紀》曰：「時人為之語曰：『不畏彊禦陳仲舉，天下模楷李元禮。』」

又如東漢鄭興撰有《周官解詁》一書，惟亡佚已久。今檢《周禮》鄭玄《注》中，頗引此書：

於〈冢宰治官之職·小宰〉「四曰聽稱責以傅別」句下，鄭玄《注》云：

傅別，故書作傅辨，鄭大夫(興)讀為符別。

於〈冢宰治官之職·甸師〉「祭祀共蕭茅」句下，鄭玄《注》云：

鄭大夫云：「蕭字或為莤，莤，讀為縮，束茅立之，祭前沃酒其上，酒滲下去，若神飲之，故謂之縮。縮，浚也，故齊桓公責楚不貢苞茅，王祭不共，無以縮酒。」

於〈冢宰治官之職·腊人〉「凡祭祀共豆脯薦脯膴胖凡腊物」句下，鄭玄《注》云：

鄭大夫云：「胖，讀為判。」

於〈司徒教官之職·小司徒〉「大祭祀，羞牛牲，共茅蒩」句下，鄭玄《注》云：

鄭大夫讀蒩為藉，謂祭前藉也。《易》曰：「藉用白茅，无咎。」

同篇「巡其前後之屯」句下，鄭玄《注》云：

鄭大夫讀屯為課殿。

凡此，皆注釋多引佚書之例。此等文獻，可供輯佚之資。

(二) 彙聚各家說解，方便取資

古籍注釋者，每引各家說解，以為徵證之資，尤以「集解」、「集注」為稱者，必彙聚諸家之說。以劉宋裴駰《史記集解》（一三〇卷）為例。裴氏《史記集解·序》曰：

> 考較此書，文句不同，有多有少，莫辯其實，而世之惑者，定彼從此，是非相貿，真偽舛雜。故中散大夫東莞徐廣，研核眾本，為作《音義》，具列異同，兼述訓解，粗有所發明，而殊恨省略。聊以愚管，增演徐氏，采經傳百家并先儒之說，豫是有益，悉皆抄內。刪其游辭，取其要實。或義在可疑，則數家兼列。《漢書音義》，稱臣瓚者，莫知氏姓，今直云瓚曰。又都無姓名者，但云《漢書音義》。時見微意，有所裨補。譬嘒星之繼朝陽，飛塵之集華嶽。以徐為本，號曰《集解》。……

知裴氏之書，乃彙集徐廣、臣瓚、《漢書音義》所載各家及經傳百家之說解而成。今詳檢所載各家之說，除徐廣、臣瓚外，又有蔡邕、鄭玄、應劭、賈逵、如淳、孔安國、王肅、張晏、韋昭、服虔、皇甫謐、杜預、晉灼、孟康、文穎、鄧展、李奇、李斐等人。彙集如此多家之注釋，不僅方便閱讀取資，其中已佚之注釋，又可供輯佚者採摭。

再以宋代王與之（次點）所撰《周禮訂義》（八十卷）一書為例。此書彙集漢代至宋代共五十一家之注釋，並間出己意而成。王氏所彙集之注釋有：杜子春、鄭興、鄭眾、鄭玄（以上漢代）、賈公彥、崔靈恩（以上唐代）、劉敞、王安石、劉恕、程顥、程頤、張載、楊時、王昭禹、陸佃、李覯、胡安國、胡宏、陳祥道、劉彝、方慤、林之奇、鄭鍔、史浩、朱熹、呂祖謙、薛季宣、陳傅良、鄭伯熊、劉迎、王氏（不詳其名，有《王狀元詳說》）、楊恪、陳汲、黃度、鄭伯謙、項安世、李叔寶、葉適、易祓、薛衡、陳用之、鄭敬仲、周必大、曹叔遠、林椅、趙溥、陳汪、李嘉會、孫之宏、不著撰人之《禮圖說》、不著撰人之《禮庫》等（以上宋代）。清《四庫全書總目提要》曰：

> 所采舊說凡五十一家，然唐以前，僅杜子春、鄭興、鄭眾、鄭玄、崔靈恩、賈公彥等六家，其餘四十五家，則皆宋人。……惟是四十五家之書，今佚其十之八九，僅賴是編以傳，雖貴近賤遠，不及李鼎祚《周易集解》，能存古義，而搜羅宏富，固亦房審權《周易義海》之亞矣。

知此書不僅彙聚眾說，方便取資，亦為類輯宋人《周禮》佚說之寶庫。

㈢ 多採異本，可考見古籍流傳之情形

注釋者，每先採擇異本，從事校勘，以免為訛字所誤。因此，學者可從注釋中獲得各種傳本之文獻及異文。以清王先謙所撰《荀子集解》（二十卷）一書為例。《荀子·勸學篇》「青，取之於藍，而青於藍。」句下，《集解》云：

> 盧文弨曰：「『青，取之於藍。』從宋本。《困學紀聞》所引同元刻，作『青出之藍』，無『於』字。王念孫日：《困學紀聞》云『青，出之藍』。作『青，取之藍』，監本未必是，建本未必非（自注云：今監本乃唐與政臺州所棐。熙寧舊本亦未為善。又云：請占之五泰，注云：五泰，五帝也。監本改為五帝，而刪注文。）是王以作『出』者為是也。元刻作『出之藍』，即本於建本。監本作『取之於藍』者，用《大戴記》改之也。《荀子》本文自作『出於藍』，《藝文類聚·草部（上）》、《太平御覽·百卉部（三）》及《意林》、《埤雅》引此，並作『出於藍』。《新論·崇學篇》同。《史記》褚少孫續〈三王世家〉引〈傳〉曰：『青，采出於藍，而質青於藍者，教使然也。』即是此篇之文，則本作『出於藍』明矣（宋錢佃本從監本作『取之於藍』，而所引蜀本亦作『出於藍』，宋龔士卨《荀子句解》同）。今從王說。」先謙案：《群書治要》作「青，取之藍」，是唐人所見《荀子》本已有作「取」者，且《大戴記》即用《荀子》文，亦作「青，取之於藍」，不得謂《荀子》

本作「出於藍」，而作「取」者為非也。宋、建、監本歧出，亦緣所承各異，故王氏應麟無以定之，謝本從盧校，今仍之。

又如《荀子·非相篇》「其以治亂者異道」句下，《集解》云：

謝本從盧校作「以其治亂者異道」。王念孫曰：「此文本作『其所以治亂者異道』，謂古今之所以治亂者其道不同也。呂、錢本以其作『其以』，而脫去『所』字，盧本又誤作『以其』，則義不可通。《韓詩外傳》正作『其所以治亂異道』。」先謙案：王說是，今改從呂、錢本作「其以」。

上舉王先謙此兩段《集解》，所涉及之《荀子》異本有：

宋本。

呂本（即北宋呂夏卿重校本）。

熙寧舊本。

監本（即南宋淳熙間唐與政臺州所刊熙寧本）。

建本。

錢本（即南宋淳熙間錢佃江西漕司校本）。

元刻本（即元刻纂圖互註本）。

盧文弨校刊本。

謝本（即清乾隆間嘉善謝墉校刊本）。

其中，頗有今已不傳者。

再以清代段玉裁《說文解字注》為例。

《說文解字》：「鰕，鰕魚也。从魚，叚聲。」段氏《注》云：「三字句，各本作魵也，今正。」

《說文解字》：「嫡，順也。从女，啇聲。《詩》曰：「婉兮嫡兮。」孌，籒文嬌。」段氏《注》云:「宋本如此,趙本、毛本刪之,因下文有孌,慕也,不應複出。不知小篆之孌,為今戀字,訓慕。籀文之孌,為小篆之嬌,訓順。形同義異,不嫌複見也。」

《說文解字》:「畬,二歲治田也。从田,畬聲。《易》曰:『不菑畬田。』」段氏《注》云:「田,汲古以為衍而空一字,宋本皆有之,蓋凶字之誤。許所據與〈坊記〉所引同也。《周易》无妄六二爻辭。」

《說文解字》:「軵,反推車令有所付也,从車付,讀若茸。」段氏《注》云:「茸,宋本、小徐本作胥,非也。」

《說文解字》:「紡,紡絲也,从糸,方聲。」段氏《注》云:「紡,各本作網,不可通。唐本作拗,尤誤。」

《說文解字》:「稘,復其時也。从禾,其聲。〈唐書〉曰:『稘三百有六旬。』」段氏《注》云:「〈堯典〉文。今〈堯典〉作期,蓋壁中古文作稘,孔安國以今字讀,易為期也。〈唐書〉,大徐作〈虞書〉,考心部偁〈唐書〉五品不愻,大、小徐本同,此則小徐作〈唐書〉,大徐作〈虞書〉。」

根據前所引數則,知段氏於注釋《說文解字》時,先據唐本、宋本、大徐本(即徐鉉所校定之《說文解字》)、小徐本(即徐鍇《說文解字繫傳》)、趙本(明趙靈均影宋大字本)、毛本(即汲古閣影刊北宋本)等傳本從事校勘。其中頗有今已罕見者。

(四) 頗戴異文,可供校勘之資

古籍注釋,所採之本每與後世傳本不同,每見異文,可為校勘者取資。茲舉數例言之:

《韓非子·揚權》:「夫香美脆味,厚酒肥肉,甘口而疾形。」檢《昭明文選·七發》李善《注》引作「甘口而病形。」清顧廣圻《韓非子識誤》以明正統《道藏》本作「病」,因以李善《注》為是。

《荀子·勸學》:「玉在山而草木潤。」檢《昭明文選·吳都賦》「林木為之潤黷」句下，李善《注》引作「玉在山而木潤。」清王念孫《荀子雜志》第一，以《史記·龜策列傳》記此事時作「玉處山而木潤」，固以為李善《注》為是。

《淮南子·繆稱訓》：「君子之道，近而不可以至，卑而不可以登，無載焉而不勝，大而章，遠而隆。」檢《昭明文選·答賓戲》「時暗而久章者」句下，李善《注》引作「君子之道，久而章，遠而隆。」清王念孫《淮南內篇雜志》第十，以為原文誤，《注》作「久而章」，與正文「久章」合。

《漢書·食貨志（上）》：「農民戶人已受田，其家眾男為餘夫，亦以口受田如此。」檢《周禮·地官·載師》《注》、《疏》引此，「農民戶人」作「農民戶一人」，清王念孫《讀書雜志·漢書第四》以為鄭玄《注》及賈公彥《疏》所引較佳。

㈤ 留存古代名物制度，可供稽考之資

古今由於時代不同，名物制度多有變異，注釋中於古代名物制度多所說解，可供後人研究古代名物制度者所取資。例如《周禮·司徒教官之職·司關》云：「凡所達貨賄者，則以節傳出之。」鄭玄《注》云：

> 商或取貨於民間，無璽節者至關，關為之璽節及傳出之。其有璽節，亦為之傳。傳，如今移過所文書。

清孫詒讓《周禮正義》則曰：

> 西漢時用傳，東漢時則為移過文書。凡所過關津必案驗文書乃得行，因即稱其文書為過所，蓋當時俗語如此。

據鄭、孫二家之注釋，知戰國時之「傳」，東漢時俗稱「過所」，猶今之「文書」也。

又如《詩經·召南·小星》：「肅肅宵征，抱衾與裯，寔命不猶。」《毛傳》云：「裯，襌被也。」《鄭箋》云：「裯，床帳也。」據毛公、鄭玄二家之注釋，知周代

之裯，西漢時謂之「襌被」，東漢時則稱為「床帳」。

㈥ 留存非圖書文獻，可補圖書文獻之不足

「非圖書文獻」，包括甲骨文、金文、石刻、謠諺、傳說等。此等文獻，或可為圖書文獻之佐證，或可補圖書文獻之不足。今舉數則言之：

《水經注》（卷九）〈清水〉「又東過汲縣北」句下，酈道元《注》云：

> 城東門北側，有太公廟。廟前有碑，碑云：「太公望者，河內汲人也。縣民故會稽太守杜宣，白令崔瑗曰：『太公本生於汲，舊居猶存，君與高國，同宗太公，載在經傳，今臨此國，宜正其位以明尊祖之義。』於是國老王喜、廷掾鄭篤、功曹邠勤等，咸曰宜之。遂立壇祀，為之位主。」

又《水經注》（卷二十四）〈睢水〉「東過睢陽縣南」句下，酈《注》云：

> 城內東西道北，有晉梁王妃王氏陵表，並列二碑。碑云：「妃諱粲，字女儀，東萊曲城人也。齊北海府君之孫司空東武景侯之季女。咸熙元年（264），嬪於司馬氏。泰始二年（266），妃於國。太康五年（284）薨，營陵於新蒙之（此下有脫文）。太康九年（288）立碑。」……城北五、六里便得漢太尉橋玄墓。冢東有廟，即曹氏孟德親酹處。……冢列數碑：一是漢朝群儒英才哲士感橋氏德行之美，乃共刊石立碑，以示後世。一碑是故吏司徒博陵崔列、廷尉河南吳整等，以為「至德在己，揚之由人，苟不皦述，夫何考焉，乃共勒嘉石，昭明芳烈。」一碑是隴西枹罕，北次陌碭守長騭，為左尉漢陽獂道，趙馮孝高，以橋公嘗牧涼州，感三綱之義，慕將順之節，以為公之勳美，宜宣舊邦，乃樹碑頌，以昭令德。光和七年（184），主記掾李友字仲僚作碑文。碑陰有右鼎文，「建寧三年（170）拜司空」。又有中鼎文，「建寧四年（171）拜司徒」。又有左鼎文，「光和元年（178）拜太尉」。鼎銘文曰：「故臣門人，相與述公之行咨度體，

則文德銘於三鼎，武功勒於征鉞，書於碑陰，以昭光懿。」又有鉞文稱：「是用鏤石假象，作茲征鉞軍鼓，陳之於東階，亦以昭公之文武之勳焉。」廟南列二柱，柱東有二石羊，羊北有二石虎。廟前東北，有石駝，駝西北有二石馬，皆高大，亦不甚彫毀。惟廟頹構，麤傳遺墉，石鼓仍存，鉞今不知所在。……

此注釋載石刻文獻之例。

《水經注》（卷三十三）〈江水〉「又東過魚復縣南，夷水出焉」句下，酈《注》云：

江水又東為落牛灘，逕故陵北。……有魚復尉戍此。江之左岸，有巴鄉村，村人善釀，故俗稱巴鄉清郡出名酒。

此注釋載習俗文獻之例。

《水經注》（卷三十四）〈江水〉「又東過夷陵縣南」句下，酈《注》云：

江水又東逕黃牛山下，有灘名曰黃牛灘。南岸重嶺疊起，最外高崖間，有石色，如人負刀牽牛，人黑牛黃，成就分明。既人跡所絕，莫得究焉，此巖既高，加以江湍紆廻，雖途逕信宿，猶望見此物，故行者謠曰：「朝發黃牛，暮宿黃牛，三朝三暮，黃牛如故。」

此注釋載謠諺之例。

四、結語

古籍注釋所載文獻既多，為學者所重，然徵引時，宜須留意其錯誤，蓋前人徵引他書，每多刪省改易也。例如《禮記·禮器》「因名山升中于天」句，孔《疏》云：

……案《史記·封禪書》：「齊桓公欲行封禪，管仲諫止，辭云：『自古封禪七十二家，夷吾所識，十有二焉，昔有無懷氏封泰山禪云云，伏犧氏封泰山禪云云，神農、炎帝、黃帝、顓頊、帝嚳、堯、舜、禹、湯、周成王皆封泰山，唯禹禪會稽，成王禪社首，其餘皆禪云云者，亦泰山旁小山名也。』」……

今檢《史記・封禪書》云：

……齊桓公既霸，會諸侯於葵丘，而欲封禪。管仲曰：「古者封泰山禪梁父者，七十二家，而夷吾所記者十有二焉。昔無懷氏封泰山禪云云，虙羲封泰山禪云云，神農封泰山禪云云，炎帝封泰山禪云云，黃帝封泰山禪亭亭，顓頊封泰山禪云云，帝嚳封泰山禪云云，堯封泰山禪云云，舜封泰山禪云云，禹封泰山禪會稽，湯封泰山禪云云，周成王封泰山禪社首，皆受命然後得封禪。」……

可見孔《疏》頗有刪省增竄改易也。其他如或不著作者篇名；或但引文意任意增刪；或輾轉而誤；或因避諱而改字等，在利用注釋中所載文獻時，所需注意者也。

昌彼得教授八秩晉五壽慶論文集
2005年2月　　　頁67～104

建構傳統訓詁表層與深層的複合價值

盧國屏

一、前言：表層與深層的命題分析

欲知訓詁的表層、深層命題，須先知訓詁性質及其發展、運用歷程。所謂訓詁就是「用通俗易懂的語言，解釋因時空相隔而難懂的語言。」就訓詁文獻言，經書本有之訓詁最早，之後累世不斷，擴及群書之傳注、形成訓詁專書；集結訓詁理論、形成訓詁學術體系。

從「用通俗易懂的語言，解釋因時空相隔而難懂的語言。」的訓詁內涵來看，訓詁就是解釋，訓詁學就是「解釋學」。解釋一事，就人類言，是必須進行且隨時進行的。何以言之？蓋人類以語言為溝通工具，溝通的載體是語音、文字，溝通的目的是傳達語意。而語意之總合，其實便相當程度包含該語系的文化活動、發展過程及其歷史。一個成熟的文化體系，須有縱深與橫廣的時空因素作為其涵養的必要條件，時空愈廣大、人群活動愈頻繁，文化內涵便更增多元。相對的，作為文化載體的語言文字，自也因時空因素變遷，而呈現相對映的變異。所以除非某語系的文化、文明停頓，而人們也不需要昨日歷史，更無需「以古鑑今」，也不需要語言文字，否則解釋一事便不會停止。而且時空愈深愈廣，解釋的範疇也會隨之愈深愈廣，方式也愈精密。

在此理念下，從先秦便已開始的訓詁，其實就有了兩層的解釋對象：其表層，是解釋作為文化載體的語文形式遷變，包括形、音、義的遷變；而深層，便是解釋語文的形式背後所寓含的文化現況與遷變過程。現代的訓詁如此，興於先秦盛於兩漢的傳統訓詁也是如此。文化是行進的，語文是遷變的，文化形式與內涵是承古而創新的。溝通二者，使人們可以適應變遷、及時創新的，便賴訓詁。否則人們如何知其變遷、據以創新？

在跨世紀的今天，現代化的訓詁學早已完成其與同領域學科間的聯結，比如文字學、聲韻學，甚至增加了它在廣義語言學中的跨領域觸角，比如語法學、詞彙學、語源學、語言文化學等等，而這樣的成績其實是建立在傳統訓詁堅實而充分的基礎上才能完成的。一般人以為傳統訓詁只是閱讀典籍時的語文問題，像《毛傳》、《爾雅》般的傳統訓詁只從事單純的語文解釋，甚至後繼的訓詁學也只建構了形訓、音訓、義訓的理論條例，而不能表裏全備。其實，這是不了解傳統訓詁，以及不了解訓詁歷史中觀念傳承與方法聯結的必要性所致。本文的目的便在從近現代的訓詁中，將觸角回到傳統訓詁，觀察其本身所具備的表層語文解釋及深層文化闡釋的功能，以突顯其應有的價值。

二、傳統訓詁的表層語文解釋功能與價值

訓詁的表層解釋，指漢語形、音、義的解釋。本文此處以語法、語音、語義、詞彙等的訓詁新發展，來與傳統訓詁聯結，探究傳統訓詁對近世訓詁新頁的啟發與貢獻。

㈠ 傳統訓詁提供語文遷變的即時資訊

就語文的本質言，語文其實是一種社會現象，而不是自然現象。語言成份固然都是語音和語義的結合物，但是甚麼樣的語音和甚麼樣的語義相結合，並沒有必然的理由。相同的意義，在不同的語系中，其語音就多數不同，如「筆」漢語「pi」、英語「pen」。而在同一語系中相同的語音，也可以表示不同的意義，如漢語音「pi」是「紙

筆」之「筆」，也是「比賽」之「比」。之所以如此，公元前三世紀的《荀子·正名》篇就說過「名無固宜」、「約定俗成謂之宜」的話，可以作為解釋。語音和語義怎麼結合成特定的語言成份不是天生注定的，而取決於一定社會群體的意志，決定於「約定俗成」的社會習慣，生活在這個社會的個人，都須遵守這個習慣。

正因語文的社會約定俗成本質，因此在不同的時空環境下，便產生了不同的約定俗成，換句話說，也就是語文產生了遷變。如果後世之人不知前世之「俗成」現況，則「前俗」與「後俗」將產生「失序」現象，連最基本的閱讀都將困難，更遑論聯繫上下數千年的文化次序。而傳統訓詁在此便發揮了功能，為不同時空的語文約定俗成，提供了良好的聯結線索。比如：今所謂「美麗」之詞意，在漢魏的時空中猶有「靡麗」一詞相通：

《說苑·尊賢》：「紈素琦麗，靡麗堂楯。」

《漢書·外戚傳》：「弱態含羞，妖風靡麗。」

《三國志·魏志·高貴鄉公傳》：「技巧靡麗。」

枚乘〈七發〉：「此亦天下之靡麗。」

凡此「靡麗」皆今「美麗」之意，《說文》「爾」下便說：「麗爾，猶靡麗也。」正是許慎「今語釋古語」之例，顯然「靡麗」乃當時約定俗成之通語。若不知此，今人觀「靡」字便以為「靡爛」意，則與漢魏通語不同了。漢時「靡爛」有身心具體受創之意，如：

《史記·酷吏列傳·楊僕》：「大抵盡靡爛獄中」

《漢書·景十三王傳》：「今欲靡爛望卿，使不能神。」

顏師古注：「靡，碎也。」

可見漢魏「靡麗」是今「美麗」，與「靡爛」絕異。許慎、顏師古的訓詁在此提供了語文遷變的及時資訊，使不同時空的約定俗成、社會現象具體呈現出來。展現了語文訓詁的表層功能，更保存了語料的文化真實性。

又如「來」字，經典多以為「行來」之來：

《詩·邶風·終風》：「莫往莫來，悠悠我思。」

《史記·孔子世家》：「衛靈公聞孔子之來，喜郊迎。」

「來」字殷虛甲骨作：

「 」（《鐵雲藏龜》24-2）

「 」（《殷虛書契後編》下 38-2）

具非行走之象，如何古今皆為來去之義？其本義又為何？其實這段約定俗成的過程，訓詁早已明言。《說文》：「來，周所受瑞麥，來麰也。二麥一鋒，象其芒束之形。受之於天，故以為行來之來。」原來「來」字本義為今「麥子」，古人以為「上」天所賜「下」之祥穀，故義有引申便成來去之來。《說文》字形之說，證之甲骨也是無誤。

那麼「來」與「麥」字之關係又是如何呢？清朱駿聲《說文通訓定聲》：「往來之來，正字是麥。菽麥之麥，正字是來。三代以還，承用互易。」這「承用互易」之說，不正是提供了語言遷變的「即時資訊」，尤其許慎之訓詁還提供了「周所受瑞麥」、「受之於天」的假借之由。當我們由此聯想起先民收穫、舞蹈以祀神的美麗景象時，傳統訓詁所提供的不止是表層語文真實而已，更是深層文化的「立即實況」呢。

㈡ 傳統訓詁是同源詞彙研究的根基

同源詞又稱「語族」、「詞類」、「詞群」、「語根」，基本上指音義皆近、音近義同、或義近音同的一群字的關係，因此有「族」、「類」、「群」、「根」之異稱。❶

---

❶ 高本漢：《Word Families in Chinese》，張世祿譯為《漢語詞類》；周法高先生《中國訓詁學發凡》有〈詞群的研究〉一章；章太炎先生《文始》有語根之名；齊佩瑢《訓詁學概論》稱語族；王力《漢語史稿》有〈同類詞和同源詞〉一章。

同源詞的系統研究，始於清儒段玉裁、王念孫等「以聲音明訓詁」的主張。《說文》：「欽，欠貌。從欠，金聲。」下段注：「欽、歁、欿、歉皆雙聲疊韻字，皆謂虛而能受也。」段氏所指就是同源詞，上古「欽、歁」均屬溪母侵部，同音。《說文》：「歁，食不滿也。從欠甚聲，讀若坎。」「歁、歉」均溪母談部，同音。「說文」：「欿，欲得也。從欠臽聲，讀若貪。」又「歉，歉食不滿也。從欠兼聲。」四字聲母相同，韻部侵、談均為鼻音韻尾，音義相近，四字同源。

近人研究同源詞最有具體成效的，則是王力先生的《同源字典》，其書前還附有〈同源字論〉、〈漢語滋生詞的語法分析〉、〈古音說略〉三篇論文。王先生匯聚同源詞的方法，基本上是從語音分析、詞義分析二方面著手，例如其之部泥母第三條：

耐：能（同音）

耐：忍（泥日鄰紐，之文通轉）

耐：任（泥日鄰紐，之侵通轉）

一切經音義廿二引三蒼：「耐，忍也。」

一切經音義一引倉頡：「耐，忍也。」

荀子仲尼：「能耐任之則慎行此道也。」注：「耐，忍也。」

漢書文帝紀：「耐以上。」蘇林曰：「耐，能任其罪也。」

漢書食貨志上：「能風與旱。」師古曰：「能，讀曰耐。」

設錯傳：「其性能寒。」師古曰：「能，讀曰耐。」

趙充國傳：「漢馬不能冬。」師古曰：「能，讀曰耐。」

詩小雅漸漸之石箋：「豕之性能水。」釋文：「能，本又作耐。」

廣雅釋言：「忍，耐也。」

管子地員：「慈忍水旱。」注：「忍，耐也。」

倫語八佾：「是可忍也。」皇疏：「忍，猶容耐也。」

呂氏春秋審時：「得時者忍饑。」注：「忍猶能也。」按：「能」就是「耐」。

史記白起傳：「病不任行。」正義：「任，堪也。」

後漢書明帝紀：「繫囚右趾已下任兵者。」注：「任，堪也。」

和帝紀：「有司詳選郎官寬博有謀、才任典城者三十人。」注：「任，堪也。」

丁鴻傳：「身被大病，不任茅土。」注：「任，堪也。」

左雄傳：「皆用儒生清白任從政者。」注：「任，堪也。」

漢書高帝紀下：「令郎中有罪耐以上請之。」注引如淳曰：「耐，猶任也，任其事也。」

荀子正名：「能有所合，謂之能。」注：「能當為耐，古字通也。」

經過了細膩的論證過程，在《同源字典》中導出了「音義皆近」、「音近義同」、「義近音同」的同源詞必要條件，雖然所收三千一百六十五字，不包括異體字及聯綿詞，後人猶有努力空間，但的確已是訓詁學科中同源詞研究的一大成就。

不過我們這裡有興趣的是：不論從段玉裁、王念孫到王力，甚至任何人若要研究同源詞，其為了證明確實同源，均有一個充分且必要的論證模式，那就是「引證傳統訓詁例」。如果缺少了這個過程，雖然我們可以從上古音理去接受其理論結果，但其說服力與成功比例，明顯是會立刻降低的。因為古音甚簡，音近之字甚多，沒有確實語文運用上的資料，實在難以證成同源理論在不同時空中的實際表現。這從王先生此例，說四字同源需引證傳統訓詁例達十九條之多，便可得到理解。

如此說來，判斷同源詞的理論來源，應該是傳統訓詁學者們，在訓詁過程中所已深植之根基。例如傳統訓詁方式中「互訓」、「聲訓」及有聲音關係之「義訓」例，便已提供「同源」之研究形態。互訓之例如：

《說文》：「頂，顛也。」「顛，頂也。」

《說文》：「慎，謹也。」「謹，慎也。」

聲訓之例如：

《釋名》：「福，富也。」

《說文》：「婢，女之卑者也。」

《易·震卦》鄭注：「驚之言警戒也。」

有聲音關係之義訓例如：

《說文》：「詁，訓古言也。」

《說文》：「貧，財分少也。」

以上這些例子，若以齊佩瑢《訓詁學概論》的「語族」說衡之，❷其實已展開其族群尋根的初步。再加上歷代傳統傳注、義疏之不斷申論，及清儒因聲求義之專業突破，到王力先生的《同源字典》，傳承的軌跡是很明確的。「漢字族群」的系統建構在此軌跡的指導之下，應該已非難事。這其中，傳統訓詁的起始研究模式，與實際訓例之展現，是功不可沒的。

同源詞研究的積極意義至少有四端：

1.有助於把握詞族和詞義系統

2.有助於把握詞義特點

3.有助於把握不同特點辨析同義詞

4.有助於探討語詞命名的由來及了解詞義的文化意義❸

漢語音、語法的系統，如今已建構綿密的理論體系。而漢語詞彙的部分，過去缺乏同源體系的建立，如今則是蓬勃發展，若說漢語詞彙學是「新訓詁學」，❹那麼傳統訓詁便是此新訓詁學得以發展的根基。

---

❷ 齊佩瑢：《訓詁學概論》（臺北：華正書局）。

❸ 王寧、鄒曉麗：《詞彙》第四章 4.5.3。

❹ 王力：《同源字論》。

㈢ 傳統訓詁是漢語音義關係研究的必要條件

訓詁的本質在說明詞義，撇開後起的字形不說，詞義的說解又脫離不了對聲音的掌握，所謂聲訓之法，便是植基於此。聲訓是根據詞與詞之間的聲音關係推求意義的訓詁方法，它要求解釋用詞與被釋詞間必須音同和音近。這種訓詁的概念與方法產生很早，先秦典籍正文中就曾使用，漢人繼起，甚至有了訓詁專書《釋名》，至清儒則更建立起聲訓理論系統。影響所及，後世語根、轉語乃至詞族與前所言同源詞等之研究，廣義言之，皆是聲訓的一環。至少其源於傳統訓詁中的聲訓理念，與實際的聲訓材料，是無庸置疑的。

1. 由聲訓而求語根

語根指語言根源，亦即最早的詞的形式。清儒推求語根肇自王念孫，他的〈釋大〉一文排列了見、溪、群、疑、影、喻、曉、匣八個聲母共一七六字及其相通相轉的詞，旁徵博引傳統訓詁例，說明它們的意義均與「大」義有關。如其四上疑母一段：

敖、出游也。

《說文》「敖、出游也。從出放。」

長謂之敖。

《詩·碩人三章》：「碩人敖敖」毛傳：「敖敖，長貌。」

…………………………

傲謂之敖。

傲敖聲相近，《爾雅·釋言》：「敖，傲也。」字亦作「嚻」，又作「謷」

…………………………

駿馬謂驁。

音敖。《說文》：「驁，駿馬」

大狗謂之獒。

《爾雅·釋畜》：「狗四尺為獒。」

……………………

咢，譁訟也。

《說文》：「咢，譁訟也。」

故直言謂之諤。

《玉篇》：「諤，正直之言。」

……………………

垠謂之崿。通作鄂。

《漢書·揚雄傳》：「紛披麗其亡鄂。」顏注：「鄂，垠也」

從這段文字裏，可以看出〈釋大〉之作是以義類為經、聲類為緯，在貫串證明的時候，先把字根相同的比例在一起，但主要是著眼於語根的。「敖」、「囂」、「咢」等字根同屬疑母字，而其繁衍之字，聲義雖有遞變分屬的現象，但一脈相承，彰然可考，闡發了「音近義通」的道理。

王氏之外，劉賾〈古聲同紐之字義多相近說〉一文，主張某紐即為某義之語根；黃承吉〈字義起於右旁之聲說〉，則以韻部為綱考求語根；劉師培從黃氏之說有〈古韻同部之字義多相近說〉一文，具體了黃承吉的理論。另外，阮元則更以雙聲、疊韻為綱，推論語根，撰有〈釋大〉、〈釋門〉等篇。上述推求語根之工作，可以說給傳統音義訓詁做了很有價值的推展，不但建立了漢語源流系統化的研究，且突破了文字束縛，進入了語言研究階段。更給後來章太炎《文始》一書，推求「詞族」❺的研究提供了基礎。

語根研究的系統化，必須掌握古音規律與音義關係的理論，始能做到。而這與傳統訓詁例中的聲訓部分，有著很深的因果關係。例如：

---

❺ 指推求同一語根派生了多少的詞，通過語根把派生詞聯繫起來。章太炎《文始》一書，第一次對漢語的詞族作了系統化的研究。

《爾雅·釋詁》：「履，禮也。」

「昌、敵、彊、應、丁，當也。」

《爾雅·釋言》：「幕，暮也。」

《說文》：「土，地之吐生物者也。」

「木，冒也，冒地而生。」

「霜，喪也。」

「門，聞也。」

這樣的聲訓，目的在推求事物命名的本源。或許其結果並非在建立科學的音義關係研究上，但是由此當時去古未遠，口語中就可能保留了同源詞語音的痕跡，這對後世建構古音系統是有絕對意義的。雖然以「推源」的立場出發，誰是源詞、誰是派生詞？根據這些訓例很難確定。但若把它看作系源，即互相訓釋的是同源詞，則在詞義的研究上，便具有一定的參考價值。如：

《釋名》：「淪，倫也。」

「抱，保也。」

「紀，記也。」

「福，富也。」

《白虎通義》：「子，孳也。」

「弟，悌也。」

「義，誼也。」

「仲，中也。」

就語源學而言，後世訓詁學者是不能忽略這些例子的。雖然其中部分也有穿鑿附會之說，❻但這些傳統聲訓例，的確也為後世開闢了一條語言研究和解釋的路子。當我們在古音理上有了突破、解決了語言音、義的理論後，不正因此在語根、同源詞的研究上，映證了傳統訓詁例的價值。

2.傳統訓詁與轉語的研究

「轉語」指因時間、地點的不同，或其他原因而音有轉變之詞。在清代首先對轉語進行研究的是戴震，而王念孫的《廣雅疏證》則最具理論系統。戴震從分析《廣韻》音系入手創古音九類二十五部之說，及陰陽入對轉的理論，又把對轉的理論應用在訓詁上，著《轉語二十章》，但可惜最終並未完成，今《戴東原集》中僅見一篇序言，序中說：

> 昔人既作《爾雅》、《方言》、《釋名》，余以為猶闕一卷書，勒為是篇用補其闕，俾疑於義者，以聲求之，疑於聲者，以義正之。

「疑於義者，以聲求之，疑於聲者，以義正之。」正是清人推求轉語的方法，而王念孫也由此發揮，《廣雅疏證·序》：

> 竊以詁訓之旨本於聲音，故有聲同字異，聲近義同；雖或類聚群分，實亦同條共貫。譬如振裘必提其領，舉網必挈其綱。……今則就古音以求古義，引伸觸類，不限形體，苟可以發明前訓，斯淩雜之譏亦所不辭。

其所謂「聲同字異，聲近義同；雖或類聚群分，實亦同條共貫」主要的研究方法，便是其轉語研究。

王氏論轉語，重點在聲母部分，有「同位相轉」、「異位相轉」兩種。「同位相轉」指古聲母排列法中同一聲母或同一橫行聲母的語轉，又叫「正轉」；「異位相轉」

❻ 如《釋名》：「璽，徙也。封物始可轉徙而不可發也。」沈兼士先生便從「璽」字聲系研究，追溯其語根為「尒」又通於「尼」而有「止」之義，以證古代封物之制，非《釋名》「轉徙」之說。見〈右文說在訓詁學上之沿革及其推闡〉。

指古聲母排列法中豎行聲母的語轉，又叫「變轉」。如：

《釋訓》：「俳佪，便旋也。」

《疏證》：「此疊韻（指俳佪疊韻，便旋疊韻）之變轉也。俳佪之正轉為盤桓，變之則為便旋。」

王念孫說「俳佪」與「便旋」是變轉，即異位相轉；「俳佪」與「盤桓」是正轉即同位相轉。具體說來，在上古：

俳，並母、微部

便，並母、元部

佪，匣母、微部

旋，邪母、元部

「俳」與「便」聲母相同，但「佪」的聲母「匣」與「旋」的聲母「邪」是豎行關係，即王念孫說的「異位」關係。所以「俳佪」與「便旋」是變轉。

俳，並母、微部

盤，並母、元部

佪，匣母、微部

桓，匣母、元部

「俳」與「盤」、「佪」與「桓」聲母分別相同，依王氏的一般說法當是「一聲之轉」。「一聲之轉」也是「同位相轉」，即正轉。

王氏除了論聲母的轉語外，《廣雅疏證》中還注意到了韻部的等呼、❼語音的輕

---

❼ 如〈釋詁〉：「乾、官、元、首主上伯子男卿大，夫令長龍嫡郎、將、日、正，君也。」《疏證》：「郎之言良也，〈少儀〉：『負良綏。』鄭注：『良綏，君綏也。』良與郎，聲之侈弇耳。猶古者婦稱夫曰良，而今謂之郎也。」其侈弇指開口度之大小。

重、❽讀音的緩急❾等語音現象。其理論成熟，發展為一種因聲求義的學說，這種學說對於說明漢語詞彙的發展、共同語與方言的關係，甚至對研究同源詞皆有具大的貢獻。王力先生在《中國語言學史》一書中說：「文字本來只是語言的代用品，文字如果脫離了有聲語言的關係，那麼就失去了文字的性質。但是古代的文字學家們，並不懂得這個道理，彷彿文字是直接表示概念的，同一個概念必須有固定的寫法。意符似乎是很重要的東西，一個字如果不具備某種意符，彷彿就不能代表某種概念。這種重形不重音的觀點，控制著一千七百年的中國文字學。直到段玉裁、王念孫，才衝破了這個藩籬。（指字形）文字既是代表有聲語言的，同音的字就有同義的可能，不但同聲符不同義符的字可以同義，甚至義符、聲符都不同，只要音同或音近，也還可能是同義的。這樣，古代經史子集許多難懂的字都講清楚了。這是訓詁學上的革命，段、王等人把訓詁學推到嶄新的一個歷史階段，他們的貢獻是很大的。」❿

說段、王衝破字形藩籬，因聲求義，使訓詁進入新階段，這絕對是正確的。但說古代訓詁「重形不重音」，就倒也不盡然了，試看以下之分析：

翻撿一下王氏《廣雅疏證》，他論轉語使用的術語主要有「語之轉」、「聲轉」、「聲之轉」、「某之轉」、「某聲轉」、「轉之」、「方俗語轉」、「同位相轉」、「正轉」、「一聲之轉」、「異位相轉」、「變轉」、「侈」、「弇」、「輕重」、「緩急」、「急言」、「徐言」等約十八個。光看這些術語便可理解，轉語之學是前有所承的，縱然部分是其獨創的術語，其概念也是從漢代訓詁家繼承來的。

其實訓詁史上最先提出轉語概念，且曾實際操作的，是漢代揚雄。在他的《方言》中指出是「轉語」或「語之轉」的共有六條，如下：

---

❽ 如〈釋詁〉：「高、厲、竦、踊、騰、躍、陞……，上也。」《疏證》：「搖，亦躍也，方俗語有輕重耳。」其輕重大約指發音時用力的大小，包括聲調的不同、聲母清濁的不同。

❾ 如〈釋訓〉：「蹢，路跦也。」《疏證》：「此雙聲之尤相近者也。急言之則曰蹢，徐言之則曰路跦。」急言、徐言即緩急，大約指聲調的遲促言。

❿ 第三章〈文字聲韻訓詁全面發展的時期〉、第五節〈訓詁學〉。

卷三：「庸謂之倯，轉語也。」

「鋌，空也。語之轉也。」

卷十：「煤，火也，楚轉語也，猶齊言焜，火也。」

「嘳哰，謰謱，拏也。東齊周晉之鄙曰嘳哰，嘳哰亦通語也。南楚曰謰謱，或謂之支註，或謂之詀謕，轉語也。拏，揚州會稽之語也，或謂之惹、或謂之諦」

「緤、末、紀、緒也。南楚皆曰緤。或曰端、或曰紀、或曰末，皆楚轉語也。」

卷十一：「鼅鼄，鼄蝥也。自關而西晉之間謂之鼄蝥，自關而東趙魏之郊謂之鼅鼄，或謂之蠾蝓。蠾蝓者，侏儒語之轉也。」

繼之而起發揮其說的，則是郭璞的《方言注》，計有九條轉語之說：

卷一：「敦、豐、厖、夵、幠、般、嘏、……大也。……東齊海岱之間曰夵。宋魯陳衛之間謂之嘏……。皆古今語也。」

郭注：「語聲轉耳。」

卷三：「蔿、淋、譁、涅、化也。」郭注：「皆化聲之轉也。」

卷五：「杷，宋魏之間謂之渠挐，或謂之渠疏。」

郭注：「語轉也。」

「薄，宋魏陳楚江淮之間謂之苗、或謂之麴。」

郭注：「此直語楚聲轉耳。」

「床，齊魯之間謂之簀，陳楚之間或謂之第。……南楚之間謂之趙。」

郭注：「趙當作桃，聲之轉也。中國亦呼杠為桃。床，皆通語也。」

卷十：「崽者，子也。湘沅之會凡言是子者謂之崽，若東齊言子矣。」

郭注：「崽音枲，聲之轉也。」

「誺，或也。沅澧之間凡言或者曰誺如是。」

郭注：「此亦憨聲之轉耳。」

卷十一：「蠅，東齊謂之羊，陳楚之間謂之蠅，自關而西秦晉之間謂之羊。」

郭注：「此亦語轉耳。」

卷十三：「瘃，極也。」

郭注：「江東呼極為瘃，倦聲之轉也。」

歸納揚、郭轉語之說，其所謂轉語大致有兩種情況：

⑴今語由古語音變而來，如郭注第一例。

⑵方言語詞由共同語詞或其他方言語詞音變而來。如《方言》第二例、郭注第五例。

據此可知，揚雄、郭璞對「轉語」必有某種程度的研究了。僅以術語運用及概念來與王念孫對照，便可見一般：

揚　雄　轉語
方　言　語之
　　　　　轉

郭　璞　語聲語某
方言注　聲之　聲
　　　　轉轉轉之
　　　　　　　轉

王念孫　語聲某某轉方一同正異變　輕緩急徐侈弇
廣雅疏證　之　之聲　俗聲位　位
　　　　轉轉轉轉之轉之相　相　　重急言言
　　　　　　　　　語轉轉轉轉轉　（漢訓詁術語）

在此大致的對照下，傳統訓詁例中對聲音的考察，其實是不容忽視且影響深遠的。王念孫《廣雅疏證·序》：「今則就古音以求古義，引伸觸類，不限形體，苟可以發明前訓，斯凌雜之譏亦所不辭。」這「發明前訓」之說，正可以看出傳統訓詁與王念孫間的前後輝映了。

3.傳統訓詁與求本字理論

本字與假借字相對，假借字不止是文字問題，更與語音、詞彙相關。段玉裁《說文·序》注分其類為三：「大抵假借之始，始於本無其字，及其後也，既有其字矣，而多為之假借。又其後也，且至後代，偽字亦得自冒於假借。博綜古今，有此三變。」本無其字之假借，如「來」為麥子，借為「行來」之「來」、鳳鳥「朋」借為「朋黨」之「朋」；本有其字之假借，如假「聞」為「問」、假「后」為「後」；偽字自冒之假借，其實也就是寫了音同或音近的別字，其後又有人襲用，遂積非成是，這種假借也可歸為本有其字之假借。

我國文字中，本字和假借字兼併通用，頗為繁複。但就訓詁而言，須考其本字本義，及其假借通用之故。若其字本義尚未廢除，那麼，不將本字求明，而依假借字的本義去解釋，便有望文生義的弊病。漢魏的訓詁學家，用「讀為」、「當作」來考求本字之例，已經很多。到了清代漢學復興，漢學家們秉承漢儒考據，而益加精密，王念孫、王引之父子致力於斯，足為代表。但其後之俞樾析例更細，其《古書疑義舉例》一書，列有「以雙聲疊韻字代本字例」、「以讀若字代本字例」二例，實則已包括雙聲、疊韻、同音三種借代本字的形式了。茲各舉一例如下：

〈夏小正〉：「黑鳥浴」傳曰：「浴也者，飛乍高乍下也。」案：飛乍高乍下，何以謂之浴？義不可通。浴者，俗之誤字。《說文》：「俗，習也。」黑鳥浴即黑鳥習也。《說文》：「習，數飛也。」傳所謂飛乍高乍下者，正合數飛之義。俗習雙聲，故以俗字代習字耳。

《尚書·微子》篇：「天毒降災荒殷國」，《史記·宋微子世家》作「天篤下災亡殷國。」篤者、厚也。言天厚降災咎以亡殷國也。篤與毒、亡與荒，皆疊韻，此以疊韻字代本字之例也。

《呂氏春秋·古音》篇：「伶倫自大夏之西，乃之阮隃之陰。」案：隃本作俞，涉上阮字從𨸏，而加𨸏旁作隃，又誤為隃耳。阮者，昆之假字。《說文繫傳部》：「阮，……讀若昆。」……阮侖即昆侖也，《漢書·律志》正作昆侖，可證。凡讀若字義本得通，故彼此可以假借也。

俞氏從雙聲、疊韻、讀若三種聲音關係中去求本字，條例是很清楚，但在考求本字的方法與步驟上，仍覺不夠詳盡，直到黃季剛先生撰〈求本字捷術〉一文，考求本字的途徑才完全指示出來。歸納其說，大抵考求本字的步驟是：

⑴先就切韻同音之字求之。

⑵就古韻同音之字求之。

⑶就異韻同聲之字求之。

⑷就同韻同類或異韻同類之字求之。

⑸歸納此字母音所衍之字，衍為幾聲，如有轉入它類之音，可就同韻異類之字求之。考求本字之方式、理論，至此遂為全備。

黃季剛先生論求本字時曾說：「凡求文字之義訓，與其初造時之形體、聲音相符，即求本字之謂也。」⓫故就訓詁而言，求本字之目的仍在「因聲求義」。這種釋詞之法，固然是漢語形、音、義本必具有可以如此之理，方得完成，但後世求本字之理論系統得以建立，漢人訓詁中「讀為」、「讀若」等法，其實才是求本字之先河。俞樾《群經平議》序曾說：

高郵王氏父子發明故訓，是正文字，至為精審。所著《經義述聞》用漢人讀為、讀曰之例者居半焉。

便已指出傳統漢代訓詁的影響。

何謂「讀為」？《說文》「樔」下段注曰：「大鄭云讀為藪者，易樔為藪也，注

⓫ 〈求本字捷術〉見《黃侃論學雜著》（臺北，漢京文化事業有限公司）。

經之法也。許云讀如藪者，擬其音也。」「毳」字下段注曰：「凡言讀若者，皆擬其音也。凡傳注言讀為者，皆易其字也。……讀為亦言讀曰、讀若亦言讀如。」「祗」下段注曰：「讀為者，以音近之字易之。」案：段玉裁以「讀為」者為以音近之字易之。尋索漢儒「讀為」（讀曰）詁訓例，概有以下四端：

⑴讀為讀曰之字與本字疊韻，如：

《周禮》杜子春注：「裓讀為陔鼓之陔。」

《論語》注：「正讀為誠。」

《尚書》鄭注：「踐讀為翦。」

⑵讀為讀曰之字與本字雙聲，如：

《尚書》鄭注：「丕讀曰不。」

《周禮》杜子春注：「帝讀為奠。」

《儀禮》鄭注：「牢讀為樓。」

⑶讀為讀曰之字從本字得聲，如：

《詩箋》：「孫讀為遜。」

《易注》：「庶讀為遮。」

⑷讀為讀曰之字與本字同聲，如：

《周禮》杜注：「拘讀為鉤。」

《周禮》鄭注：「訓讀為馴。」⑫

又漢儒所謂「讀若」者，除前所舉段說外，又說文「讀」下段注曰：「擬其音曰

⑫ 舉例依林尹：《訓詁學概要》第七章〈訓詁的術語〉（臺北：正中書局）。

讀，凡言讀如、讀若皆是也。易其字以釋其義曰讀，凡言讀為、讀曰皆是也。」今考漢儒讀若、讀如之例，厥有數端：

⑴讀若之字與本字音義形俱不異，如：

《周禮·陶人職》：「庾實二瞉。」鄭注：「庾讀如請益與之庾。」

《儀禮·覲禮》：「大史是右。」鄭注：「右讀如周公右王之右。」

⑵讀若之字與本字義異而音形不異，如：

《周禮·太宰》：「以利得民。」鄭注：「利讀如上思利民之利。」

《禮記·中庸》：「仁者人也。」鄭注：「人讀如相人偶之人。」

⑶讀若之字與本字音義俱異而形不異，如：

《周禮·太祝》：「奇拜。」杜子春注：「奇讀如奇偶之奇。」

《禮記·樂記》：「子諒。」鄭注：「子讀如不子之子。」

⑷讀若之字與本字音形義俱異，而本字於讀若之字，只取其音，不取其義者，此僅以此字之音比擬此字之音也，非改其義也。

《中庸》：「示諸掌。」鄭注：「示讀如寘諸河干之寘。」

案：示、寘義別。

《周禮》：「禂牲」鄭注：「禂讀如伏誅之誅。」案：禂、誅義別。

經過以上分析，顯然漢儒以音聲為求本字關鍵的理念，已然全備。清世古音學發達，建立起古音系統，且能去蕪存菁，使證據更加充足，王引之《經義述聞》卷三十二「經文假借」條說：「漢世經師作注，有『讀為』之例，有『當作』之條，皆由聲同聲近者，以意逆之而得其本字，所謂好學深思，心知其意也。然亦有改之不盡者，迄今考之文義，參之古音，猶得更而正之，以求一心之安而補前人之闕。」傳承之跡，至為明顯。清儒以下總結了求本字之成績，然漢儒的開創之功，在成績上實也不遑多讓。

㈣ 傳統訓詁的語法分析及概念

漢語語法的系統研究，若自一八九八年馬建忠的《馬氏文通》算起，距今不過百年歷史。之後呂叔湘的《中國文法要略》、王力的《中國現代語法》、朱德熙的《語法修辭講話》陸續有了成果與突破。至於以古漢語語法為主的研究，最近的鉅作，要算楊伯峻先生在一九九二年出版的《古漢語語法及其發展》一書。該書論列古漢語詞類的分類、概念、特徵、功能，及句法的諸多結構、變化，徵引古籍例句多達八千多條，是一部重要的總結性古漢語語法著作。

照此看來，漢語語法的研究，難道在一百年之前是完全空白的？事實不然，傳統訓詁中之詁訓，除了本文前述的諸多形式外，各種解釋詞義的方式，在其中其實多少都可以發現。甚至在近代才興盛的語法分析法，早在先秦便已出現，而且還為數不少，例如《公羊傳》、《穀梁傳》，二傳以闡釋春秋微言大義為主，他們許多用以闡釋的文詞，便涉及了語法問題。雖然二傳的語法研究，處在約戰國到漢初的萌芽時期，尚無系統理論之建構，且散見於說解之中。但細為尋檢，還是可以歸納出二傳所注意到的幾個問題，分別是：動詞詞性意義的分析、虛詞用法的分析、詞序的句法分析。⓭試舉例略述如下：

1.動詞詞性意義的分析

⑴自動與使動

⓭ 吳禮權《中國語言哲學史》書中，析為「與詞序相關的句法分析」、「動詞性質與特點的分析」、「連詞介詞的分析」三項。臺灣商務印書館 1998 年。任遠〈試論公羊穀梁的語法研究〉一文，析為「省文與詞序規律的揭示」、「動詞意義的辨異」、「虛詞用法的辨異」、「語法術語的誕生」四項。見《語文研究》1995 年，第 4 期。本文此處參考二人之說。

《公羊·僖公元年》:「邢遷于陳儀。遷者何？其意也。遷之者何？非其意也。」

按:以「其意」與「非其意」說解「遷」與「遷之」的不同含意。「邢遷於陳儀」是「其意自欲遷」，遷是自動的行為，故曰「其意」。反之，「遷之」是使之遷，遷是非自動的行為，故曰「非其意」。動詞「遷」本不及物動詞，不帶賓語，用為使動，便帶代詞賓語「之」，以與不及物動詞的一般用法區別。揭示了不及物動詞使動用法的特徵。

⑵主動與被動

《公羊·昭公十三年》:「八月甲戌，同盟于平丘……公不與盟者何？公不見與盟也。」

按:何休注云:「時晉主會，疑公如楚，不肯與公盟，故諱，使若公自不肯與盟。」可見「公不與盟」是主動句，「公不見與盟」是被動句，形式之區別在「見」字，「見」為「被」之意，漢語多有。

⑶雙賓語

《公羊·文公二年》:「丁丑，作僖公主。作僖公主者何？為僖公作主也。」

按:「作僖公主」易被理解為「作僖公之主」，「主」在此指死者牌位。《公羊傳》以「為僖公作主」為釋，意思是「為僖公廟作牌位」。加「為」字明確了動詞「作」與賓語「僖公」的目的關係。

4.名詞作動詞用

《公羊·襄公二十五年》:「吳子謁伐楚，門于巢卒。門于巢卒者何？入門乎巢而卒也。入門乎巢卒者何？入巢之門而卒也。」

按:以「入門」釋「門」，明「門」字用作動詞。清·俞樾《古書疑義舉例》引宣公六年《公羊傳》：「勇士入其大門，則無人門焉者。」(趙盾弒君章) 說：「上門字實字也，下門字則為守是門者也。」稱之為「實字活用例」，其實傳文本有，不必清儒始知。

⑴虛詞用法的分析

具備系統理論的虛詞之學，也在清代以後完成。從劉淇的《助字辨略》起，王引之的《經傳釋詞》成為虛詞的代表作，也開啟了後來裴學海《古書虛字集釋》、楊樹達《詞詮》乃至呂叔湘《文言虛字》、許世瑛《常用虛字用法淺釋》等有價值的著作，使虛詞之學蔚為大觀。傳統訓詁著作在這部分，大都是隨文釋義，像公穀二傳、《爾雅》、《說文》，其對虛詞的觸及屬於訓詁方法，而非語法學方法。但是，古人使用的方法已經不僅能分析出虛實的不同，甚至也有了細微的辨異，運用這些方法，確實也解決了人們許多閱讀上的障礙，所以，傳統訓詁涉及的虛詞解釋法，還是值得我們今天的虛詞研究者所注意和借鑑的。《公》、《穀》二傳之例如下：

⑵隨文釋義所見之虛詞語義

> 《公羊·桓公十四年》：「宋人以齊人、衛人、蔡人……伐鄭。以者何？行其意也。」

按：何休注：「以己從人曰行，四國行宋意也。宋結四國伐之，四國本不起兵，當分別之，故加以也，宋恃四國乃伐鄭。」所謂「行其意」就是「從宋意」，「以」字指明了各國的從屬關係。

> 《穀梁·桓公十四年》：「宋人以齊人、蔡人……伐鄭。以者，不以者也。」

按：范寧注：「不以者謂本非所得制，今得以之也。刺四國使宋專用師，輕民命也。」又「凡言以皆非所宜以。」解釋「以」用為貶詞。

> 《穀梁·僖公二十一年》：「宋公、楚子、陳侯、蔡侯、鄭伯……會於雩，執

宋公以伐宋。以，重辭也。」

按：范寧注「國之所重，故曰重辭。」《穀梁傳》從語氣詞上指出「以」的含意。

《穀梁・桓公二年》：「公會齊侯、陳侯、鄭伯於稷以成宋亂。以者，內為志焉爾。公為志乎成是亂也。」

按：「內」指魯國，「成宋亂」是魯會齊侯、陳侯、鄭伯於稷的目的，故言「內為志」，今語法理論分析為表目的的關係連詞。故楊世勛疏云：「以成宋亂者，公也。非諸侯故也。是以云內為志焉爾。」

以上「以」字四釋，一釋主從、二釋褒貶、三釋語氣、四釋目的。褒貶屬修辭，其餘解釋屬語法，這三種解釋較全面地反映了《春秋》「以」字的意義和用法。

(3)虛詞差別意義之辨析

如連接詞「而」與「乃」的辨別：

《公羊・宣公八年》：「冬十月己丑，葬我小君敬嬴，雨不克葬，庚寅日中而克葬。而者何？難也，乃者何？難也。曷為或言而，或言乃？乃難乎而也。」

「而」、「乃」同為「難也」，「乃難乎而」指出了兩個動詞連接詞在程度上的差別。《穀梁傳》更從時間上來區別，〈宣公八年〉：「庚寅日中而克葬，而，緩辭也，足乎日之辭也。」〈定公十五年〉：「日下稷乃克葬，乃，急辭也，不足乎日之辭也。」以「足乎日」與「不足乎日」來區別「而」與「乃」，說明兩個連詞所連接的動作行為，它們在時態上有急促、緩急的差別。

(4)複用虛詞的說解

複用虛詞指同一虛詞在句中重複出現的現象，虛詞之複用當有特定的含意，如：

《穀梁・襄公三年》：「戊寅，叔孫豹及諸侯之大夫，及陳袁僑盟，及以及，與之也。」

「及以及，與之也」是說再言「及」字，是有所贊許的意思。范寧注云：「通言叔孫豹及諸侯之大夫，則無以表袁僑之得禮，故再言及，明獨與袁僑，不與諸侯大夫。」又：「釋不但總言及諸侯之大夫，而復別言袁僑者，是異袁僑之得禮。」楊世勛疏云：「傳解經所以再言及者，以及與之也，謂與袁僑，故以及以殊之。」范注和楊疏都闡明了《穀梁傳》的觀點，再言及字，以明別異。此例複用了「及」字，表明「獨與袁僑，不與諸侯大夫。」《公羊傳·襄公三年》：「孔子曰：書之重，辭之複，嗚呼，不可不察，其中必有美者焉。」這也是《穀梁傳》論複用虛詞的思考由來。

王引之《經傳釋詞》自序中說：「語詞之釋，肇於爾雅，粵于為曰、茲斯為此、每有為雖、誰昔為昔，若斯之類，皆約舉一隅，以待三隅之反。蓋古今異語，別國方言，類多助語之文，凡其散見於經傳者，皆可比例而知。觸類長之，斯善式古訓者也……遂引而伸之，以盡其義類，自九經三傳，及周秦西漢之書，凡語助之文，遍為搜討，分字編次，以為《經傳釋詞》十卷。」敘其撰著之動機經過，也說明了與傳統虛詞古訓的傳承。

⑸詞序的句法分析

> 《春秋·僖公十六年》：「隕石於宋五。」
>
> 《穀梁傳》：「先隕而後石，何也？隕而後石何也。於宋四竟之內，曰宋。後數，散辭也，耳治也。」
>
> 《公羊傳》：「曷為先言實而後言石？實石記聞，聞其磌然，視之則石，察之則五。」

二傳此處皆認為《春秋》「隕石於宋五」的句法結構是有意義的，事件的過程是：先有隕石爆炸的「磌然」聲，然後碎石墜落。人們尋聲探知為隕石墜地，再追查墜落之處，故有「於宋」的補充。接著知道了數量，再記之為「五」。

二傳的訓解就是句法分析，若以現代的語法術語說明「隕石於宋五」，其結構是：「隕」動詞（verb），「石」名詞（noun），作及物動詞（verb transitive）「隕」的賓語（object），故說「先隕而後石」。也就是說，「隕石」在「隕石於宋五」這一句式結構中是動賓結構（v+n）的詞組，而不是名詞加名詞的偏正結構（n+n）的詞組。

語言是人們最重要的溝通工具，溝通造成了社會文化，語言便是一種社會文化的反映。當社會的行為產生變化，語言也常是第一個作反映的。聯結不同時空的不同語法結構，其目的除了表層語文歷史的建立外，這個歷史相對也就是不同時空的社會文化行為闡釋，前所見公、穀二傳的當代語法現況分析，便是這個意義。傳統訓詁學家自然沒有我們今天的語法系統理論，其撰作目的也不在此，但是從以上的約略舉例來看，其闡述也都符合今天漢語語法研究的相關理論。所謂傳統訓詁材料有三種，經傳本有之訓詁、傳注之訓詁、訓詁專書，⓮顯然，從事古漢語語法研究的後世學者，若能從中注意，則傳統訓詁所提供的資訊會是無窮的。

三、傳統訓詁的深層文化記錄與意涵

吳禮權先生在其《中國語言哲學史》一書中，說明其「語言哲學」的內涵時說：「語言哲學不僅包括對語詞和語句的分析，對指稱理論、意義理論和真理理論的探討，還包括對言語行為的研究，對語言的使用和語境的研究，對語言與意向、信念等心理因素的關係的研究，對各種隱喻、甚至包括語言與實在、語言與思想和文化的相互關係等等的研究。」⓯

吳先生所指，其實包括兩個內涵，一是「語言學的哲學」（Linguistic Philosophy）一是「語言的哲學」（Philosophy of Language）。前者指對語言的具體問題如語音、語義、語法以及文字的具體研究的見解；後者指對語言的根本觀點，包括語言起源、語言記錄符號體系（文字）的起源，語言的本質、意義、作用，語言與思維的關係，語言中的

⓮ 林尹：《訓詁學概要》第五章〈訓詁的方式〉。

⓯ 見《中國語言哲學史》第一章〈緒論〉，頁4。其說又根據涂紀亮《英美語言哲學概論》而來。北京：人民出版社，1998年。

詞與客觀事物之間的關係，語言與文化的關係。前者是本文所謂的「表層」工作，後者便是本文「深層」之所指。這個議題的內容是無限廣闊的，本文以下的討論，將設定在傳統訓詁語言的實際文化反映這個主題上，作為「語言的哲學」中的「漢語言文化學」的一個初步探討。

德國哲學家萊布尼茲（Gottfried Wilhelm von Leibniz 1646-1716）有句明言說：「語言是人類最古老的紀念碑」，因為語言與人類有著同樣久遠的歷史，是一種最普遍的社會現象，是人類生活的組成部分。換句話說，語言就是文化的載體。而傳統訓詁工作作為語言的精密分析，其實也就相對的成為漢民族傳統文化的最直接反映。歷來對「文化」一詞的解釋與分析多如牛毛，1989 年華中理工大學馮天瑜《中國文化史斷想》一書，將文化體由外而內分為物態文化、制度文化、行為文化、心態文化四層，這是個簡易，但也頗符合文化縱深的文化形態分析。這四個層面展現在歷史、實物、民族心理等載體中，自然也沉積在傳統訓詁典籍的語言記錄與分析之中。

㈠ 傳統訓詁所表現的物態文化層

物態文化層是由對自然加工創造的各種物質所構成，它是人類在各個時代觀察自然、研究自然所獲致的物質成果，而且在不斷精緻化的過程中形成了文化形態，食衣住行的物質文化，便是其中最具體的展現。

就飲食而言，本是人類的本能，之所以成為文化活動，是因為人類以智慧和技巧創造了豐富的食物，和文明的飲食習慣，才使人類的飲食成為文化活動。以食物而言，「加工」就是使人類走向文化文明之路的關鍵，《爾雅·釋器》：「肉曰脫之，魚曰斮之。冰，脂也。肉謂之羹，魚謂之鮨，肉謂之醢，有骨者謂之臡。」就是肉類加工的明證。

不過此處，我們倒想從反向來作一有趣的考察。甚麼叫反向呢？在《爾雅》中有一批食物變質、敗壞的語詞訓詁，〈釋詁〉篇：

> 餀謂之餘，食饐謂之餲。
>
> 摶者謂之糷，米者謂之檗。
>
> 肉謂之敗，魚謂之餒。

食品因天熱或久放而腐敗變質，古人統稱之為「餀」，又叫「餘」，二者古音相近，當是方言的音轉，李巡注：「穢臭也」、說文：「餀，食臭也。」皆指食物腐壞臭味言。不同的食品又有不同的腐敗名稱，飯餿叫「饐」，又叫「餲」，肉變質叫「敗」，食變質叫「餒」。釋詁此段是解《論語·鄉黨》而來：

> 食饐而餲，魚餒而肉敗，不食。色惡不食，臭惡不食，失飪不食。

「食饐而餲」中以「而」連接，明二者意義有所區別，《說文》：「饐，飯傷溼也。」「餲，飯餲也。」大約「饐」指嗅覺言、「餲」指味覺言。魚肉稱「餒」、「敗」，則與飯食的「餿」相對，皆就食物變質而言，不強調味覺和嗅覺。

「摶者謂之糷，米者謂之厺。」則是就烹飪失敗而言的，即《論語》所謂「失飪」。「摶」通「團」，指米飯太爛黏箸不解而結團。「糷」通「爛」，《呂覽·本味》篇：「熟而不爛」高誘注：「爛，失飪也。」指烹飪時間太久，或水過多之意。「厺」《說文》「炊米者謂之厺」，《爾雅》李巡注：「米飯半腥半熟者謂之厺。」即今所說半生不熟之意，此則又烹飪時間不足的結果。

從以上的內容看來，是否古人不太擅於烹飪，所以時常出錯？事實不然，這正反映了古人對食品烹調技巧和保鮮手段的重視。就保存而言，中國古代很早就有了冰塊、冰箱等冷凍設施，《周禮·天官》中還有專門的職官叫「凌人」，負責有關冰塊的采集、保存、分發、使用等事：

> 凌人掌冰，正歲十有二月，令斬冰，三其凌。春始治鑑，凡外內饔之膳羞鑑焉，凡酒漿之酒醴亦如之。祭祀共冰鑑，賓客共冰。大喪共夷槃冰，夏頒冰掌事。秋刷。

每年冬季十二月，凌人派人鑿取冰塊，藏入地下冰窖中（鑑，盛冰器。）春暖以後開始取用冰塊，分發給貴族使用。冰塊的作用不僅用於防暑，以及喪事停尸時防止尸體腐敗，還供給「凡內外饔之膳羞鑑焉」。而且竟還終年不化，至秋始刷清冰窖，蓋是秋涼不需，且也準備新冰將至，這個冰窖之大，設備之完善，由此可以想見了。《詩經·豳風·七月》說：「二之日鑿冰沖沖，三之日納於淩陰，四之日其蚤，獻羔祭韭。」意思是十二月鑿取冰塊，正月將冰塊藏於冰窖中，二月祭神開窖取冰。由《周禮》、《詩經》看來，以冰保鮮的技術在中國至少有近三千年的歷史了。

再回到加工的部分來看，中國文化史中，燧人氏的鑽木取火大約是食物加工的開始了。如何加工呢？可想而知初期是以火烤為主，爾後，隨著烹飪技術的發展而愈加精密。傳統訓詁中便記載了許多至今仍然是烹飪主法的烹調方式：

「炙」《詩經·小雅·瓠葉》：「有兔斯首，燔之炙之。」

鄭箋：「柔者炙之，乾者燔之。」

《說文》：「炙，炙肉也。」

「膾」《詩經·小雅·六月》：「飲御諸友，炰鱉膾鯉。」

《說文》：「膾，細切肉也。」

《廣雅·釋詁》：「膾，割也。」

「醓」《詩經·大雅·行葦》：「醓醢以荐，或燔或炙。」

《爾雅·釋器》：「肉謂之醓。」

李巡注：「以肉作醬謂之醓。」

「脯」《漢書·貨殖傳》：「濁氏以胃脯而連騎，張里以馬醫而擊鍾。」

顏師古注：「暴使燥是也。」

《說文》：「脯，乾肉也。」

「羹」《尚書·說命》：「若作和羹，爾惟鹽梅。」

《孔傳》：「鹽鹹梅醋，羹須鹽醋以和之。」

「炙」是烤肉、「膾鯉」就是細切鯉魚為片、「醢」是肉醬、「脯」是肉乾、「羹」是調和五味的濃湯。沒有傳統訓詁的記載與詮釋，我們還以為古人皆茹毛飲血呢！

㈡ 傳統訓詁所表現的制度文化層

制度，是人類一旦組成社會後必然產生的一種相處模式，或是政治制度，或是經濟制度，或是宗法、家庭制度等等，不論其美惡，都在不同時空中引導、甚至是主導著人們的歷史，當其沉積成為文化後，制度的種種也沉積在訓詁典籍之中。

例如，在先秦封建社會中，人之「死」不止是個體生命的消逝而已，縱然死亡，它還與社會制度、階級尊卑要牽扯上，否則何來《爾雅·釋詁》：「崩、薨、不祿、卒、殂、落、殪」這麼多「不同」的死。

《禮記·曲禮》：「天子死曰崩，諸侯曰薨，大夫曰卒，士曰不祿，庶人曰死。」《說文》：「崩，山壞也。」《釋名》：「崩壞之形也。崩，崩聲也。薨，壞之聲也。」「崩」本山崩，引申為天子死亡之稱。「薨」引申為公侯之死；《廣雅》訓「祿」為「善」，「不祿」即不善，是遭凶禍的意思；《說文》：「殂，往死也。」，《爾雅·釋詁》李巡注：「殂落，堯死之稱。」；《楚辭·國殤》：「左驂殪兮」，《說文》：「殪，死也。」乃是戰鬥而死。「卒」、「死」則庶民或下級官員之死。殷周時期的宗法制度、禮儀規範十分嚴密周詳，它確定了每個人在社會政治中的貴賤、上下的位置。每一個社會等級都有一系列的具體規定，衣飾、食具、車馬、樂舞、葬具等都有固定的規格，從訓詁中對「死」的闡釋便可看出其中一二了。

再看一個維繫中華民族社會基礎架構的重要體系，在傳統訓詁中的反映，那就是氏族結構，《爾雅·釋親》：

> 父為考，母為妣。父之考為王父，父之妣為王母。王父之考為曾祖王父，王父之妣為曾祖王母。曾祖王父之考為高祖王父，曾祖王父之妣為高祖王母。
>
> 父之世父叔父為從祖祖父，父之世母叔母為從祖祖母。父之晜弟，先生為世父，

後生為叔父。

男子先生為兄，後生為弟。謂女子，先生為姊，後生為妹。父之姊妹為姑。

父之從父晜弟為從祖（之）父。父之從祖晜弟為族父。族父之子相謂為族晜弟。

族晜弟之子相謂為親同姓。兄之子、弟之子相謂為從父晜弟。

子之子為孫，孫子之子為曾孫，曾孫之子為玄孫，玄孫之子為來孫，來孫之子為晜孫，晜孫之子為仍孫，仍孫之子為雲孫。

王父之姊妹為王姑。曾祖王父之姊妹為曾祖王姑。高祖王父之姊妹為高祖王姑。

父之從父姊妹為從祖（之）姑。父之從祖姊妹為族姑。

父之從父晜弟之母為從祖王母，父之從祖晜弟之母為族祖王母。父之兄妻為世母，父之弟妻為叔母。父之從父晜弟之妻為從祖（之）母。父之從祖晜弟之妻為族母。

父之從祖祖父為族曾王父，父之從祖祖母為族曾王母。

父之妾為庶母。

祖，王父也。晜，兄也。

第一段是「我」之上的直系親屬的稱謂，它有兩層關鍵意義：第一，直系親屬以男性祖先為核心，其配偶為從屬。所謂「妣」是與「考」比配之意，在父系氏族社會中，輩份世系都按父親來計算，母親是配偶的地位，這是父系氏族社會男娶女嫁、男尊女卑觀念的反映。第二，直系親屬有四級在「我」之上的長輩，最高一代為高祖父，第二代為曾祖父，第三代為祖父，第四代為父親，連自己一共五代。這意味著中國古代的父系氏族，是由同一高祖的五代以內的子孫及其配偶所構成的家族，由此決定了氏族內的旁系親屬的血源關係，不能超出共同高祖的範圍。了解這點，對理解其他親屬稱謂的含意非常重要。

第二段主要敘述氏族內第三代中「我」的最親近旁系親屬的稱謂，「伯、仲、叔、季」本是兄弟長幼排行的用語，此處用作父輩兄弟長幼的區別字，中心詞都是「父」，

「父」本是成年男子的通稱，後才轉為已婚男子之稱。

第三段敘述同輩最親近的旁系親屬的稱謂；第四段敘述氏族內第四代（我的上一代）及第五代（我的同一代）中較疏遠和最疏遠的旁系親屬的稱謂。凡冠以「族」字的都意味著同氏族而關係最疏遠的旁系親屬。

第五段敘述直系後代親屬的稱謂，連同自己算起來共九人。假設某人往上追溯，本氏族最高祖先是高祖，往下推算，以自己為氏族始祖的最遠一代是玄孫，上下連起來正好是九代人，因此直系稱謂以九代為限，即古「九族」之稱，它反映了某種特定文化傳統產生的觀念。

第六段敘述同氏長輩女性親屬的稱謂。第七段敘述各類旁系親屬的配偶的稱謂。第八段敘述氏族內第二代旁系親屬及其配偶的稱謂。

第九段看似簡單的一句話，其實涉及了周代宗法制度的核心問題，包括一夫多妻，嫡子庶子，宗族制度之大宗、小宗差異；及這些關係所產生的財產、爵位、政治地位等一系列尊卑貴賤之所由來；再加上其所埋伏的繼承內鬨、鬥爭的不穩定性。這個「妾」身，著實不容小覷。第十段則是解釋性的補充敘述。

親屬制度是通過親屬之間的稱謂所構成的系統來體現的，本篇所述的親屬稱謂都是對「自我」而言的，每一稱謂都反映了該親屬在宗族大家庭中的血緣地位。通過對此稱謂系統的研究，可以清楚的認識中國自原始父系氏族社會產生的氏族的內部結構。

短短數段的文字，壓縮了中國氏族制度的全面，其價值是遠在語言、詞彙訓詁的表層意義之外的。

㈢ 傳統訓詁所表現的行為文化層

每一個民族因所處時空之差異，都有其特殊的行為模式表現在社會往來的人際關係中，或者是整體及區域的禮俗、民俗；或者是整體及區域的族群性格；乃至環境差異造成的技術、技藝特色，都是行為文化之所指。這通常是不同民族間明顯差異之所在，例如以下幾種特殊的漢民族行為文化：

1.漢民族的區域族群性格

中國幅員遼闊，因為地理環境的不同，我們似乎覺得南方人和北方人有著某種性格差異，也為之津津樂道。其實在《爾雅．釋地》中便有了這樣的描述：

太平之人仁，丹穴之人智，大蒙之人信，空桐之人武。

此處「太平」、「丹穴」、「大蒙」、「空桐」事實上是東、南、西、北方的代稱[16]，郭璞注曰：「地氣使之然也。」意思是說，四方人性格的不同，是地理環境差異所造成。這種觀念至今依然，我們常聽說南方人聰明狡黠，北方人樸實好鬥，當然這是就總體特徵而言，絕不表示其必然性。今天我們還常常聽說「南人智，北人武」的論調，和《爾雅》「丹穴之人智，空桐之人武。」的說法一致，看來這種說法是有其客觀性的。

2.俚俗中的思念美學

歷來的大作家們在文學作品中對思念的描述，大約已是菁華畢集，無以復加了。不過在風土民歌中的思念，卻異於文人作品的雕琢，有著更多純樸的美，與生活貼近的真。《詩經．邶風．終風》：

寤言不寐，願言則嚏。

思念到了打噴嚏（嚏），究竟是怎麼一回事？鄭箋：「我其憂悼而不能寐，汝思我心如是也，我則嚏也。今俗，人嚏云人道我，北古之遺語也。」鄭玄說東漢時有此風俗：人一打噴嚏，就以為有人在談論，或思念我，並且指出這是古代北方傳下來的說法。

從《詩經》時代到東漢有此風俗，從東漢到今天也仍有此風俗。在臺灣還有一種說法，當你耳朵癢時，自己甚至旁人便說「是有人在說你了！」，這「說」還可擴大

[16] 《爾雅．釋地》：「距齊州以南，戴日為丹穴；北，戴斗極為空桐；東至日所出，為太平；西至日所入，為大蒙。」

為「唸」或「罵」的意思，和《詩經》中打噴嚏的風俗是類似的。打噴嚏、耳朵癢都是生理現象，然而此古老的風俗於潛移默化中沉積在人們意識裏，使人們在日常生活中自然的表現出來。訓詁資料的記錄，拉近了我們和祖先們的情感。

3.避諱文化

避諱這種行為文化，其實就不怎麼美了。一般以為避諱只限於下對上，子民對君王，似乎是種政治行為，其實不只如此，《公羊傳·閔公元年》載「《春秋》為尊者諱，為親者諱，為賢者諱。」顯然避諱的範圍是廣闊的，其正面意義是尊敬。

避諱一般有國諱、家諱兩種。國諱指避君王之名，家諱指避祖父和父親之名。歷代皆有其例甚多，甚至連編字書也不能免。許慎編《說文解字》遇帝王名號時，就只收其字，不作解釋，共有五處：

祜，上諱。

秀，上諱。

莊，上諱。

炟，上諱。

肇，上諱。

段注：「禾部秀，漢世祖名也。艸部莊，顯宗名也。火部炟，肅宗名也。戈部肇，孝和帝名也。祜恭宗名也。」此五字無有說解，對讀者不便，皆是國諱使然。值得注意的是，此五字在《說文》中都是部首後第一字，顯見編者對它們的重視與恭敬之態度。

避諱是一種特殊的漢語言文化現象，原只國諱、家諱就常天翻地覆，後來且變得日益世俗化，《紅樓夢》中薛蟠的妻子夏金桂，是個富家任性小姐，就把自己的名字看得很重：

因他家多桂花，他小名就叫金桂。他在家時，不許人口中帶出「金」「桂」二字來凡有不留心誤道一字者，他便定要苦打重罰才罷，他因想「桂花」二字是

禁止不住的，須得另換一名，想桂花曾有廣寒嫦娥之說，便將桂花改為「嫦娥花」，又寓自己身分。⓱

著實也誇張了些。現實中我們也常聽人玩笑說：「某某某，也是你叫的啊！」，這大約也是，避諱文化的遺跡。階級本位意識，權力慾的語言化，加上顯赫尊貴的心理追求，使以名為諱的範圍擴大了，形成中國傳統文化中的一大語言文化奇觀。

㈣ 傳統訓詁所表現的心態文化層

民族心態指一個民族在長久歷史中，面對不同事物所產生的思維方式，價值觀念的累積與昇華。這種具有整體性的民族心態，常是文化的核心部分，與整個民族的生命歷程是息息相關的。細細咀嚼傳統訓詁資料，也常見這些蘊涵民族本質的內容。

儒家學說的精神與價值觀，是漢民族心態文化層中最傲人的部分，也是和其他民族最不同之處。舉一個可以由小見大的例子，《爾雅·釋木》：

瓜曰華之，桃曰膽之，棗李曰疐之，樝梨曰鑽之。

「華」通「刳」是剖半之意；「膽」通「撣」，「撣」是擦拭之意；「疐」通「治」是去除之意；「鑽」在此是鑽去其核之意。整體的意思是：「吃瓜果時，瓜要剖為兩半，桃要拭去皮上的毛，棗子、李子要去根蒂，山楂（樝梨）要鑽孔去其核。」

本篇內容看起來像是說如何吃瓜果，其實介紹的是儒家的禮節。儒家強調以禮治天下，非禮不動，大到安邦治國，小到衣食住行，舉手投足之間無處不有禮節，而且「禮」於不同的對象也有差別，本篇所述就是侍奉尊長吃瓜果的禮節。這些做法在《禮記》裏有詳細規定，〈曲禮〉：

為天子削瓜者副之，巾以絺。為國君者華之，巾以綌。為大夫累之。士疐之。

⓱ 《紅樓夢》七十九回。

庶人齕之。

說供奉天子吃瓜，要削皮再分成四塊，且用細葛巾覆蓋獻上。侍奉國君吃瓜，要切成兩片，用粗葛巾覆蓋獻上。侍奉大夫吃瓜，只要削皮橫切兩片獻上，不必蓋巾。侍奉士吃瓜，只要去蒂就行。給庶民百姓吃瓜，就讓他們拿著咬。

在吃瓜果這樣細瑣的小事上，還根據人不同的等級分成五種禮節，似乎是封建制度的階級觀念作祟。其實不然，就算庶民之家，此種尊敬也是必要的，《禮記·內則》記載了男女晚輩居家侍奉父母舅姑的做法，其中就有：

棗曰新之，栗曰撰之，桃曰膽之，樝梨曰鑽之。

的規定。可見，即使是吃瓜果這樣的小事，都是「非禮勿動」，並且載入《爾雅》這樣的辭書，作為讀經乃至童蒙教育的規範。時至今日，將也公元二千年之際，封建不在，國君不在，但每一個平凡家庭中，侍奉父母長輩食瓜果，不也都如此，也該如此嗎！由此看來，儒家的禮教可謂是「於細微處見精神」了。這無關封建，也無關君臣，是尊敬的民族心態、是虔誠的漢民族價值觀。

許多人不讀《禮記》了，更遑論《爾雅》這種互訓條列式的訓詁舊典。或許這更是我們該正視、發揚，傳統訓詁在語文之外的深層文化意涵的時候。

四、結論:傳統訓詁是古代文化及語言演繹的統一

訓詁是中國古代語言研究的起源，但它的本質卻是紮實的、文化性的經典闡釋。蓋春秋戰國時期，一來，諸侯割據，王權旁落；二來，學術繁榮，百家爭鳴，促使新思維出現，也造就了許多典籍的完成。但是，春秋以後，雅言的政治與語文功效，因著王權削弱，而擋不住以方言土音為主的新興政治勢力，造成了語文因「時有古今，地有南北。」而產生了巨大差異。當春秋以下，各種文化歷經了大變革，有志之士急

欲整合、創新之際，語文竟成了最大的障礙。於是文化的發展，便須以語文的專業理論與現代闡釋為前提，而這就是訓詁。

當時，孔子為了這些典籍，創立學校、編輯整理文化資料，刪定了六經。而要掌握這些經典的文化內涵，就必須如孔子所說：「熟知其故」，⑱這個「故」既指「故事」而言，更指「故訓」。傳統訓詁在此環境下，成為古代歷史文化及其語言演繹的統一力量，為中國語言文字學的開端，奠定了一個文化闡釋型的語文訓詁的架構，《春秋三傳》如此，《爾雅》、《說文》如此，《周易·十翼》、《管子·牧民解》、〈立政九敗解〉、《韓非子·解老》、〈喻老〉，也都可以是這個角度下的訓詁。

許慎《說文解字》：

> 訓，說教也。
>
> 詁，訓故言也。

段玉裁《說文解字注》：

> 訓故言者，說釋故言以教人。分之則如《爾雅》析詁、訓、言為三，三而實一也。

孔穎達《毛詩周南關鳩詁訓傳疏》：

> 詁訓傳者，注解之別名……詁者古也，古今異言，通之使人知也。訓者道也，道物之貌以告人也。

馬瑞辰《毛詩詁訓傳名義考》：

> 蓋詁訓就經文所言者而詮釋之，傳則并經文所未言者而引申之，此詁訓與傳之

---

⑱ 《莊子·天運》：「孔子謂老聃曰：『丘治詩、書、禮、樂、易、春秋六經，自以為久矣，孰知其故矣。』」

別也……蓋詁訓本為故言，由今通古皆曰詁訓，亦曰訓詁。而單詞則為詁，重語則為訓詁。第就其字之義旨而證明之，訓則兼其言之比興而訓異之，此詁與訓之辨也。⑲

這些說明，指出了訓詁的解釋功能，並對解釋的方式做了層次區分。從這些說明，我們可以看出傳統訓詁的基本型態及特徵：

㈠其本質源於春秋戰國起對經典著作的文化闡釋。

㈡其形式是解釋性的。

㈢其對象從說經開始。

㈣其功能原在教化。

㈤其基本原理是中國語文的系統理論。

這種傳統訓詁所奠定的語文研究模式，使中國古代語言學在往後兩千年的發展中，以逐漸成型的解釋方式，從事文化闡釋工作；而在積極闡釋的過程中也掌握了漢語文問題的本質，豐富了漢語文的系統理論建立。這種語文與文化互動、具人文精神的研究型態，現代漢語研究如此，傳統訓詁更是如此。本文聯繫表層語文議題與深層文化闡釋的傳統訓詁價值，其積極意義也就在此。

後　記

近年研究著作如〈漢字在中國文化進程中的功能與意義〉、〈漢字特質與詩歌形式之互動〉、〈由字異訓異義同例看《爾雅》與《毛傳》之關係〉、〈臺灣地區語言政策的跨世紀省思〉等。均以「漢語文化學」為努力方向。

漢語文的研究，起源於先秦時期紮實的、文化性的經典闡釋。因春秋以後，雅言

⑲ 馬瑞辰：《毛詩傳箋通釋》卷一。

的政治與語文功效，因著王權削弱，而擋不住以方言土音為主的新興政治勢力，造成了語文因「時有古今，地有南北。」而產生了巨大差異。當春秋以下，各種文化歷經了大變革，有志之士急欲整合、創新之際，語文竟成了最大的障礙。於是文化的發展，便須以語文的專業理論與現代闡釋為前提，這便開啟了中國的語文研究。

當時各種經典傳世，而要掌握這些經典的文化內涵，就必須有語文闡釋。在此環境下，中國訓詁學成為古代歷史文化及其語言演繹的統一力量，為中國語言文字學的開端，奠定了一個文化闡釋型的語文訓詁的架構。

從先秦所奠定的語文研究模式，使中國古代語言學在往後兩千年的發展中，以逐漸成型的解釋方式，從事文化闡釋工作；而在積極闡釋的過程中也掌握了漢語文問題的本質，豐富了漢語文的系統理論建立。這種語文與文化互動、具人文精神的研究型態，實亦現代的漢語研究，所必須積極走出的方向。

近來，一般漢語文研究及教學，多以純粹理論語言文字學為主，忽略了語文研究的主要功能與價值。甚至使一般文史學生，誤解其乃深奧而不具應用性之學門，此實漢語文發展及研究之憾事，良可惜也。

為扭轉此勢，故近年研究方向遂以此為重心，希為我傳統精緻之文化及語文，開拓更寬廣之生命。

昌彼得教授八秩晉五壽慶論文集
2005年2月　　　頁105～128

利用《四庫全書》治學時應注意的問題

陳恆嵩

一、前言

從事學術研究，首先且必要的工作即在如何獲得研究所需的學術資料，而所獲得之資料其完整性與正確性又是個中極關鍵而不可或缺者。學術資料包括類書、叢書、方志、年譜、實錄資料、石刻、古器物、甲骨刻辭等等。資料雖然十分繁眾博雜，其中又以叢書最為研究者所看重，視為檢索資料時最重要而不可或缺的。叢書是匯集各種不同圖書於一編之中，並按照圖書的性質予以分類編排，另外冠以一個總名❶。叢書匯聚群書，不僅具有保存文獻之價值，且讀者可以即目求書，搜尋到所需的圖書資料，對從事學術研究工作者來說，是最有用而方便的重要文獻資料。

清高宗乾隆間所纂修的《四庫全書》，是我國歷代以來所編纂綜合性叢書中最大的一套，全書共收錄先秦到清初的古代典籍三千四百七十種，七萬九千一十八卷。由於它幾乎囊括歷代傳世重要的圖書，學者常用典籍大都可在《四庫全書》中找到，因

❶　關於叢書的定義，自清末張之洞於所撰《書目答問》中首立「叢書部」，卻未予以明確界定，然歷來學界大都認為是匯聚群書而為書，並無多大爭議，近年大陸學者曾貽芬、崔文印在所撰〈明代叢書的繁榮〉一文中試圖重新界定叢書的定義，認為不應將個人著述全集歸入叢書。見氏撰：《中國歷史文獻學史述要》（北京：商務印書館，2000年4月），頁478。

而自成書以來深為學者重視。

《四庫全書》的修纂成書，薈萃古代重要典籍於一編之中，非但係對傳統古籍的一次總整理，也兼具有集中歷史文獻、傳存珍貴史料等功用。其正面具有之價值，本不容懷疑，然因乾隆編纂《四庫全書》有其寓禁於徵的政治目的存在，為達成其目的，對於古代圖書凡是不符合其要求者，皆動輒予以刪削、竄改，甚至予以銷毀。成書後自謂「分綱列目，見義例之有條；按籍披圖，信源流之大備；水四瀛而山五嶽；侔此壯觀；前千古而後萬年，無斯巨帙」❷，迭受稱譽。唯纂修時隱含政治目的，故指斥批判者亦復不少。貶之者以為「明季之野史及稍涉嫌疑之詩文集」，皆遭到清廷的消滅，當時著述慘遭焚毀者，「世或比之秦皇之焚書」❸，「以天子黜陟生殺之權，行仲尼褒貶筆削之事」，「刪改之橫」、「挑剔之刻，播弄之毒，誘惑之巧，搜索之嚴，焚毀之繁多，誅戮之慘酷」、「摧殘文獻，皆振古所絕無」❹，批評極為嚴厲。形成對該書的評價，毀譽參半，功過評價兩極。

《四庫全書》存藏江南的三閣，雖然允許士子借閱，但因《四庫全書》著錄書籍的數量之龐大，類目之繁多，均非學者短時間可遍覽，且在文獻資料普遍流通不便利的古代，能親自前去閱覽使用《四庫全書》的讀書人，究屬有限，較難瞭解其書之得失面貌，更遑論旁參其他書籍版本，據以詳細比勘，深入研究，以期客觀評估《四庫全書》的編輯缺失及其圖書版本內容情況，當然也較難對前人的相關評論，作出客觀

---

❷ 見永瑢等撰：〈欽定四庫全書告成奏進表〉，《欽定四庫全書總目》（臺北：臺灣商務印書館，1983 年 10 月），卷首，頁 12 上。案：該文實為紀昀所撰，後又被收入《紀曉嵐文集》中。

❸ 蕭一山：「清廷對於明季之野史及稍涉嫌疑之詩文集，一經擬定，概付焚毀，故當時著述之消滅者，不下一萬餘部，致寶笈之中，減一巨觀。世或比之秦皇之焚書云。」見蕭氏撰：《清代通史》（臺北：臺灣商務印書館，1988 年），頁 86－96。

❹ 任松如：「吾國王者專斷，以乾隆為極致。其於四庫書，直以天祿石渠為腹誹偶語者之死所。不僅欲以天子黜陟生殺之權，行仲尼褒貶筆削之事已也。刪改之橫，製作之濫，挑剔之刻，播弄之毒，誘惑之巧，搜索之嚴，焚毀之繁多，誅戮之慘酷，鏟毀鑿僕之殆遍，摧殘文獻，皆振古所絕無。雖其工程之大，著錄之富，足與長城、運河方駕，迄不能償其罪也。」見任氏撰：〈四庫全書答問序〉，《四庫全書答問》（成都：巴蜀書社，1988 年 1 月），頁 1－2。

而確切的論斷。然自民國七十二年，臺灣商務印書館根據國立故宮博物院所藏文淵閣本《四庫全書》影印行世以來，《四庫全書》已經化身千萬，幾乎所有的大學圖書館都有典藏，使得利用《四庫全書》蒐集資料，以從事學術研究工作，變得簡單而容易，讀者因而漸次增加。由於使用者增多，學者深入探討研究，遂使環繞《四庫全書》而產生的編輯、版本選擇及內容刪改等相關問題，一一浮現，長久以來遂形成一門嶄新而專門的學問——「四庫學」。四庫學的研究，近年蓬勃發展，不論是單篇論文或學術專著，都取得相當可觀的成果❺。本文並非為探究四庫學專門問題而撰寫，主要係著眼於提醒一般初學者閱讀或使用《四庫全書》時，需要特別注意之處。以下謹就個人使用《四庫全書》時，經常遇到而需要特別注意的序跋目錄、收錄版本、內容刪改、《四庫全書總目》等常遇到的缺失問題，提出以供初學的讀者參考。

二、刪除序跋及目錄問題

古人在刊刻典籍或有所述作時，必然都會有撰寫序跋的習慣，藉以申述其寫作之緣起與著書目的，或說明全書編撰體例與成書時間，簡述全書內容大要旨意，或精要的評論經籍文字等相關資料。吾人藉由前人序跋的內容，可以很清楚的瞭解到作者的生平資料、寫作動機及其苦心孤詣所在，是相當具有文獻價值的文史資料。而目錄則詳細排比條列書籍內容中之卷數、作者、篇名等資料，專門為指引讀者瞭解及檢索書籍內容之需要而設，雖非書籍實質內容，然至今已成為書籍不可或缺的必要配件之一。

《四庫全書》纂輯鈔錄前賢全部典籍內容，但纂修館臣在收錄之際，卻往往對匯

❺ 有關研究《四庫全書》修纂的專著，計有任松如撰：《四庫全書答問》（成都：巴蜀書社，1988年1月）；郭伯恭撰：《四庫全書纂修考》（臺北：臺灣商務印書館，1967年7月臺一版）；黃愛平撰：《四庫全書纂修研究》（北京：中國人民大學出版社，1989年1月）；吳哲夫撰：《四庫全書薈要纂修考》（臺北：國立故宮博物院，1976年12月）及《四庫全書纂修之研究》（臺北：國立故宮博物院，1990年6月）等書；其他相關論著，可參閱林慶彰先生主編《乾嘉學術研究論著目錄》（臺北：中央研究院中國文哲研究所，1995年5月），頁35－117。

聚一起的各種著作，其處理方式卻缺乏一致的做法，使得全書的體例頗不一致。館臣對於清帝所御纂、敕編或欽定之書，全盤照錄，不敢絲毫有一字之增損改異。至於其他各朝代的著作，則往往任意的將書前的古人序跋或目錄加以刪除。如此作法，或許係為減少篇幅，節省抄錄的時間，表面上看似對著作內容完整無損，然此舉卻使得後世學者使用《四庫全書》時，徒然增加讀者許多無謂的困擾與不便。

㈠ 刪除序跋

《四庫全書》的館臣隨手刪除序跋的情形，雖然不像刪除目錄那樣多，但也隨處可見，例如「經部・易類」著錄黃宗羲《易學象數論》六卷及黃宗炎（1616－1686）的《周易象解》二十二卷（冊 40）兩兄弟之書，就將序跋連同「目錄」一併刪除。「經部・詩類」錢澄之（1612－1694）的《田間詩學》（冊 84）、王夫之《詩經稗疏》（冊 84）的序跋也同樣遭到全部刪除的命運。江炳璋的《詩序補義》則刪除序跋而保留目錄。「春秋類」著錄宋儒劉敞《春秋權衡》十七卷（冊 147），序跋、目錄均被刪除，而同是劉敞撰寫的《春秋傳》十五卷，他的自序就被保留。此外同是「集部・別集類」的明人文集，蘇伯衡的《蘇平仲集》十六卷（冊 1228），序跋及詳細目錄均被保留。朱右（1314－1376）《白雲稿》五卷（冊 1228），館臣刪除目錄而存留書前有李孝光、張天英、危素（1303－1372）、倪中、楊翮（？－1367）、劉仁本（？－1367）、宋濂（1310－1381）七人的序。而貝瓊（？－1379）的《清江詩集》十卷（冊 1228）卻又將全部序跋及目錄都予以刪除。

㈡ 刪除目錄

《四庫全書》刪除目錄的作法，相較於書前序跋遭刪除情況更加普遍，幾乎存在於經史子集四部典籍之中，本文僅舉其犖犖大者。如『子部・儒家類』著錄明代邱濬（1420－1495）所編撰《大學衍義補》（冊 712－713），全書有一百六十卷，卷帙數量相當龐大。該書寫作動機係肇因於宋儒真德秀（1178－1235）《大學衍義》（冊 704）所載

「止於格致、誠正、修齊，而闕治國平天下之事」，認為真氏原書，實有所闕遺，邱氏遂「博綜旁搜，以補所為備」❻，書前原有一份極詳細的目次，以方便讀者按目檢索閱讀，而文淵閣本《四庫全書》著錄此書時，館臣卻擅自將書前的目錄全部刪除，僅保留明神宗萬曆皇帝禦製序、邱濬《自序》及〈進《大學衍義補》表〉三篇序跋文字，卻又刪除明人陳仁錫（1581－1636）的序文，同書上之序文，或存或刪。而同為奉敕纂修供御覽的摛藻堂本《四庫全書薈要》，收錄該書時，書前目錄卻又全部保留，未加以刪除。兩種作法截然不同，頗令人不解，真不知其標準何在？

又如『集部·總集類』，程敏政（1445－1499）編纂的《明文衡》一百卷（第 1373－1374 冊），程氏序文被保存而刪除目錄。黃宗羲（1610－1695）編纂的《明文海》（第 1453－1458 冊）四百八十卷，為查閱明人文章的總彙，李賢（1408－1466）等編纂的《明一統志》九十卷（冊 472－473），係檢索明代行政區域、地理沿革不可或缺的重要典籍，兩書卷數都相當繁多，若無目錄供檢索，查閱書籍內容資料勢必相當困難。然而《四庫》館臣纂錄時，皆將書前的序跋文字及目錄全部刪去，讓後世學者使用兩部書時，必須逐卷逐頁翻閱搜尋，才能找到所需要的文章資料，無端為研究者增添相當大的困擾與不便。

明代馮惟訥（？－1572）編纂的《古詩紀》有一百五十六卷（冊 1379－1380），存序文及凡例，而將其書前的目錄全部刪除。程敏政編纂的《新安文獻志》一百卷（冊 1375－1376）、茅坤（1512－1601）編的《唐宋八大家文鈔》一百六十四卷（冊 1383－1384）兩部文章總集，《四庫全書》編纂者也都將書前的目次加以刪削，僅保留程氏及茅氏的〈自序〉。曹學佺（1574－1647）編纂的《石倉歷代詩選》五百零六卷（冊 1387－1394），卷帙亦極繁重，《四庫全書》纂修者照樣將書前的目錄全部刪除，反而是摛藻堂《四庫全書薈要》本將目錄保留，並未予以刪除。

類書是採集古籍圖書的內容資料，將它分門別類編輯於一編之中，以方便讀者檢

❻ 參見文淵閣本《四庫全書》書前提要。

查事實掌故、事物起源、文章辭藻、典章制度、歲時典故等資料，收錄資料內容，涵蓋天文地理、飛禽走獸、草木蟲魚、詩文辭藻等及其他許多事物，可說包羅萬象，門類眾多，範圍相當廣泛，資料又盡量求其詳備，致成書後卷數都相當龐大，書前若無目錄供檢索，不僅使搜尋資料和瞭解內容增加困難，且損害書籍的完整性。

類書是檢索古代百科資料的重要工具書。《四庫全書》中所著錄的類書，大致上係唐宋以後學者編纂傳世而較重要的文獻作品，《四庫》在纂錄類書的目錄及序跋時，或刪除目錄而保留序跋，或目錄序跋全遭刪除，作法亦不甚一致。如「子部·類書類」宋人所編的《錦繡萬花谷》一百二十卷（冊 924）及祝穆編撰的《古今事文類聚》二百三十六卷（冊 925－929），《四庫》著錄時，都保留作者自序，刪除書前目錄。潘自牧編撰之《記纂淵海》一百卷（冊 930－932），存留書前明人的序言，將目錄刪除。章如愚編纂的《群書考索》二百一十二卷（冊 936－938）及不著撰者之《翰苑新書》一百五十六卷（冊 949－950）兩書，書前序跋及目錄，則全部都遭到刪除。

明代的類書部份，唐順之（1507－1560）編纂的《荊川稗編》一百二十卷（冊 953－955）、陳耀文編纂的《天中記》六十卷（冊 965－967）和章潢（1527－1608）編纂的《圖書編》一百二十七卷（冊 968－972）三書，書前的序跋及目錄也全部遭到刪除。徐元太編纂的《喻林》一百二十卷（冊 958－959），編修館臣則保留徐氏的〈自序〉，而刪除其書前的目錄。清人陳元龍（1652－1736）編纂的《格致鏡原》一百卷（冊 1031－1032），《四庫》館臣僅保留書前的〈凡例〉，而將該書所有的序跋及目錄全部予以刪除。

三、收錄的版本問題

中國歷史悠久，古書太多，從事學術研究工作，蒐尋資料，往往會遇到三樣困難，「一在古籍太多而不易完備，二在典籍分散而不易聚，三在書太雜而不易選擇」❼，

❼ 參見昌彼得先生〈影印四庫全書的意義〉，《故宮季刊》第 17 卷 2 期，頁 34，1982 年 12 月。

《四庫全書》的編纂，將歷代重要典籍有條理而系統的總匯於一編之中，予研究者極大便利，對學術文化發展亦極有價值。然從當時的編輯條件來看，《四庫全書》徵求書籍的主要來源有《永樂大典》輯本、內府所藏、各省採進本，以及官員與藏書家進呈本等。書籍搜求管道來源雖多，可以彼此參考通融互補，然當時纂修館臣態度並無法像張元濟（1867－1959）纂輯《四部叢刊》時那種認真負責的態度，竭盡所能去搜尋存世最佳善本。以致訪求的書籍版本常有不佳或不足時，纂修館臣僅會遷就現實情況，從各地呈進的版本中擇一謄抄，若遇有闕漏漫漶時，亦將就從事不予補救，殊屬可惜之事。今日在利用《四庫全書》所抄錄的書籍時，有幾點需要特別注意，以免為其所誤：

㈠ 古籍卷數不同者，內容往往有出入

古人對於書籍，大多以卷數作為計算單位。古籍的內容，往往由該書的卷數多寡即可看出。卷數多者內容眾，卷數少者內容亦寡。蒐集資料時，對於古籍版本卷數是否完整，需要特別注意，以免誤將殘本或不全之本當作全本，如此則會影響資料的正確性及對結論的判斷。如『經部·尚書類』明代梅鷟《尚書考異》（冊 64），《四庫全書》本係採用浙江範懋柱家天一閣藏本謄錄，天一閣鈔本並未題撰者姓名，亦不分卷數，《四庫》館臣在謄鈔時，《尚書考異》書前提要說：「以〈舜典〉以下為卷二，〈仲虺之誥〉以下為卷三，〈泰誓〉以下為卷四，考舊本異同為卷五」❽，足見館臣係依照內容篇章頁數約略釐定為五卷，孫星衍（1753－1818）《平津館叢書》本所收錄《尚書考異》則為六卷。就卷數來看，兩者表面上雖僅相差一卷。但若將兩本書拿來比較，就會發現孫氏《平津館叢書》本的內容約比《四庫全書》本多出五分之之一左右。因此若據《四庫全書》本的《尚書考異》來研究梅鷟的《尚書》學，將會影響對梅氏學術成就的價值判斷。另外「子部·儒家類」明羅欽順（1465－1547）《困知記》

❽ 參見文淵閣本《尚書考異》書前提要。

（冊 714），《四庫》本鈔錄的是五卷本，而國家圖書館藏有明萬曆七年澄海唐氏刊印的七卷本，內容比《四庫》本多出許多。

又如「集部·別集類」唐代權德輿（759－818）《權文公集》（冊 1072），《四庫全書》在鈔謄時是依據明嘉靖二十年劉大謨序刊之十卷本著錄，然而實際上權氏全書的卷數卻是五十卷，《四庫》館臣編修時未能見到，致誤以十卷的不全本抵充全本，今國家圖書館即收藏有鈔本《權載之文集》五十卷本。❾

宋人文集的版本，亦有頗多版本不佳，內容卷數並不完整者，如戴復古（1167－？）的《石屏詩集》，今國家圖書館藏有明弘治戊午（十一年）廬州刊本《石屏詩集》十卷本，《四庫》本所依據的卻僅有六卷本。劉克莊（1187－1269）的《後村集》，《四庫》本據以鈔錄的是五十卷本，國家圖書館藏有的舊鈔本《後村先生大全集》卻有一百九十六卷，兩者卷數相當懸殊。方嶽（1199－1262）的《秋崖集》，《四庫》本據以鈔錄的是四十卷本，今國家圖書館藏有明嘉靖六年祁門方氏家塾刊本的《秋崖先生小稿》卻有八十三卷，多出四十三卷。文天祥（1236－1282）的《文山集》，《四庫》本依據的是二十一卷本，國家圖書館所藏的明嘉靖壬子（三十一年）鄢懋卿河間刊本卻有二十八卷。而元人黃溍（1277－1357）的《黃文獻公集》，《四庫》本依據明嘉靖十年虞守愚刊本的十卷本著錄，國家圖書館藏有二十三卷《黃文獻公集》，相差有十三卷。

另外，明人柯潛（1423－1473）的《竹巖集》（冊 1246），《四庫》本依據福建巡撫採進的三卷本鈔錄，今故宮博物院藏有明光澤堂鈔本《竹巖先生文集》十二卷本，兩本無論卷數或內容方面均有極大差異，若據以研究柯潛的學術成就恐怕會影響論文品質。❿又明人張寧（1423－1473）的《方洲集》四十卷（冊 1247），《四庫》本依據的是兩淮馬裕家藏本，僅有二十六卷，「而今本乃止二十六，合以所附《讀史錄》僅三十卷，或錢陛重刊改併歟？」今國家圖書館及北京圖書館都收藏有明弘治四年海昌許清

❾ 參見吳哲夫：《四庫全書補正工作之回顧與前瞻》，《故宮學術季刊》第 16 卷 1 期，頁 14，1998 年秋季。

❿ 參見吳哲夫：《柯潛及其竹溪集》，《故宮學術季刊》第 5 卷 3 期（1988 年春季），頁 86－96。

編刊的《方洲張先生文集》四十卷本。因此，使用《四庫全書》的書籍版本治學時，應該要特別注意其版本內容的完整性，方不致有以偏概全之憾。

(二) 書中常有錯簡、脫漏或誤抄等情形

《四庫全書》著錄的典籍，數量過於浩博，若採行刻印出版方式，不但耗費金錢，且時間拖延過久，勢必無法在短期內完成，因而著錄時即決定全部採謄鈔方式。為應付龐大的謄鈔工作量，當時陸續徵調三千八百二十六人員參與謄錄。⓫人數如此之眾，各人的敬業精神有別，學識程度亦不整齊，加上主事者態度部分草率敷衍，導致所抄謄書籍，頗多發生魯魚亥豕之誤，造成訛誤缺漏的情形相當嚴重，其中尤以有錯簡、脫漏或誤抄，更令人難以卒讀，不僅對圖書的品質有所損傷，更為學術研究者帶來極大的不便。以下茲分項敘述，並舉顯著之例數則，以提醒初學者利用時應加小心。

1. 內容錯簡

乾隆皇帝詔編之際，雖嘗三令五申，嚴命館臣應悉心校勘，仔細謄錄，希望使書籍達到無訛誤之境地，舛誤情形仍無法避免，依然錯誤頻傳。館臣因態度敷衍，粗心大意，抄錄文獻時發生誤植現象，導致錯簡，遂使書籍內容的文義無法順讀，嚴重影響學術研究的正確性。如：「經部‧書類」宋代陳經的《尚書詳解》（冊 59），卷六〈禹貢〉篇經文『岷山之陽』至『於於敷淺原』下，頁五十六下至五十九下的陳經的解釋文字同樣出現嚴重的錯簡，經筆者以新文豐出版公司《叢書集成新編》影印武英殿聚珍版叢書本核對，發現頁五十六下「彼西傾嶓冢岷」後應當頁五十八上「山之列，其山脈所至，去海尚遠」的一段文字。而頁五十七下『導黑水至於三危，入於南海』經文下「即得其故道，蓋從此」的釋文當接頁六十上「徑入南海，不勞人功之修治也」一段。頁五十八下『導弱水至於合黎，餘波入於流沙』經文後的釋文「《孟子》言行其所無事，故經言濬」後有錯簡，應當接頁五十七上之「川者皆以導為言」等一段文

⓫ 郭伯恭：《四庫全書纂修考》（臺北：臺灣商務印書館，1967 年 7 月臺一版），頁 71－75。

字。

另外，「集部·別集類」中著錄的南宋王之道（1093－1169）《相山集》（冊 1232），卷二十九的〈故武節大夫陳文叟墓誌〉一文就有嚴重的錯簡現象，據學者黃寬重研究，該文頁七下「將以今年某月某日葬公於紹興府蕭山縣之湘湖南越王城之」以下當接頁九上「原葬有日求己遣人致懇於婦翁」。而卷二十九頁八上、下的文字，則應連接於卷三十頁一下之後。⓬

2. 內容脫漏

《四庫全書》中著錄之書，因館臣態度輕率馬虎，致抄錄文獻時發生脫漏或遺漏未抄的情形，亦時常產生，例如：「經部·詩經類」明代何楷（？－1633 後）所撰的《詩經世本古義》二十八卷（冊 81），書內卷十〈大雅·生民篇〉，《四庫》本在『不康禋祀，居然生子』句下小注「不康禋祀，追王之典，春秋所載，亦是如此」句，以明崇禎十四年刊本持之比勘，發現在「不康禋祀追」之後，「春秋所載，亦是如此」之前，《四庫》本實際上是脫漏掉一大段文字。⓭

3. 內容誤抄

《四庫全書》因疏忽草率導致的錯誤，除謄抄錯簡、脫漏之外，也常有將兩段原本毫不相干的文句誤抄合在一起的情形。文獻資料因誤抄，使得內容出現前言不對後語的情況，文字無法順讀，造成研究上極大的困擾。例如：「史部·紀事本末類」南宋郭允蹈《蜀鑑》（冊 352）卷六「梁天監六年，魏統軍王足進攻涪城」章「蜀人震恐，益州城戍降魏者什二三」句，《四庫》本將句中之「什二三」誤抄為「梁州東西七百里，南北千里流」，使文字前後出現不知所云的現象。⓮又如：「史部·政書類」著

⓬ 黃寬重：文淵閣《四庫全書》本錯簡、脫漏示例——以《相山集》與《慈湖遺書》為例，《古今論衡》第 1 期（1998 年 10 月），頁 63－69。

⓭ 參見國立故宮博物院編：《四庫全書補正》——經部（臺北：臺灣商務印書館，1995 年 10 月），頁 59－61。

⓮ 見《蜀鑑》，卷 6，19 上；《四庫全書》冊 352，頁 537。

錄明代董說（1620－1686）的《七國考》（冊 618），其卷八燕器服之「召公尊」條「又旅陳其王所錫之馬駣駣眾多」句以下文字，《四庫》本將其誤抄入「銅鼎銘墓」條「《酉陽雜俎》載：齊景公墓在身」句之下。⑮

㈢ 書中常有闕文而未予抄補者

古籍傳世既久，因傳抄或刊刻者眾，有各種版本的產生，各本又因刊刻時校勘的精審與否，文字亦因之而偶有彼此出入。若遇古籍有缺損漫漶，則可參稽眾本，比勘核對文字。《四庫全書》編修館臣收錄的典籍中，經常可以發現在字裡行間標注「闕」字的字樣，用來表明所根據謄錄的圖書底本有缺漏情形，以示其不苟的態度。對此，吳哲夫以為「此種現象的出現，或因《四庫》館中所掌握的圖書版本不足，無從核對比勘，補足闕文；或是館臣疏懶，未盡校勘之責，而以『闕文』作為搪塞。」⑰實際上，《四庫全書》中有闕文而未補的情形，可說經常可見，非僅一二處而已。例如：「經部．春秋類」元人程端學（1280－1336）《春秋或問》（冊 160），其卷一魯隱西元年「況元年者，上古以來歷歷稱之，何獨春秋始有深義」句下即注明『以下闕文』四字，吳哲夫曾根據國立故宮博物院所藏明鈔本補足其闕文「夫春秋紀年因魯史舊史主記事」至「何也？曰王厚齋魯史謂之春」等 374 個字。⑰同卷「亦以見魯郊非子月也鄭氏」（頁 36 下－37 下）也注明「以下闕文」、「以上原闕二十行」等字樣。

又如：「集部．別集類」著錄明王樵（1521－1599）的《方麓集》十六卷（冊 1285）一書，《四庫全書》所採用的是兩淮馬裕家藏本，不論是書前提要或《總目》提要皆未說明書中卷帙有任何闕漏問題。然而翻閱最末的卷十六，很容易就會發現從篇首起至第十七頁，連續有十七頁是全然缺空的白紙，未抄錄任何隻字片語，令人難以清楚

⑮ 見《七國考》，卷 8，頁 29 上。冊 618，頁 916。

⑰ 見吳哲夫：〈四庫全書經部春秋類圖書著錄之評議〉，《故宮學術季刊》第 9 卷 3 期（1992 年春季），頁 12。

⑰ 同上註，頁 12。

究竟係因抄錄的底本缺頁所造成？或是底本漫漶不清無法辨識形成？抑或是《四庫》館臣疏懶「未盡校勘之責，而以『闕文』作為搪塞？

四、內容之篡改問題

滿清以異族入主中原，凜於明季反抗異族的心理，遂加強思想方面的控制，對於具有民族意識的著作或文字，屢興文字獄，製造血腥冤獄，藉刑立威，儆示世人，壓制漢人的反抗心理，企圖鞏固其政權統治的穩定性。文字獄形成杯弓蛇影心理。使得讀書人時時抱持著「避席畏聞文字獄」的驚疑心理，惶懼度日，唯恐觸諱。乾隆帝除興文字獄外，仍恐有防範不周之處，適逢大臣倡議纂輯儒藏之說，遂假借纂修《四庫全書》之機，冠冕堂皇地以稽古右文、嘉惠學林為號召，骨子裡卻因機乘時，對反抗清廷或具民族意識的著作，進行徹底地毯式的大清掃工作。他時常嚴令館臣對所蒐羅來的典籍著作，「擇其中罕見之書，有益世道人心，壽之棗梨，以廣流傳」，振興文教，本意看來相當光明正大。然卻又對各督撫臣未查出違礙書籍有所不滿，於是在乾隆三十九年八月初五日〈寄諭各督撫查辦違礙書籍即行具奏〉中下令：

> 明季末，造野史者甚多，其間毀譽任意，傳聞異詞，必有詆觸本朝之語，正當及此一番查辦，盡行銷毀，杜遏邪言，以正人心而厚風俗，斷不宜置之不辦。……若見有詆毀本朝之書，或係稗官私載，或係詩文專集，應無不共知切齒，豈有尚聽其潛匿流傳，貽惑後世？……如有關礙者，即行撤出銷毀。[18]

乾隆纂輯《四庫全書》的真正動機，從「有詆觸本朝之語，正當及此一番查辦，盡行銷毀」這一番話，清楚顯露無疑。《四庫》館臣秉持乾隆旨意，對採輯之書籍，逐一

---

[18] 參見中國第一歷史檔案館編：《纂修四庫全書檔案》（上海：上海古籍出版社，1997年7月），177條，頁240。

檢閱核勘，將書籍為應刊、應抄、應刪三項。除應刪者徹底禁毀外，前兩項均鈔入《四庫全書》內，唯即使收錄於《四庫全書》中，對其內容也經常肆無忌憚的加以刪除或篡改。此種竄改書籍內容的做法，大約可分為幾類：

㈠ 刪除全部違礙文字

舉凡前代儒者的著作，內有涉及指斥夷狄、胡虜等禁忌文字的情形，因文字較多且文義蘊涵民族意識，詆觸乾隆之忌，難以改換重寫或刪除違礙文字，遂將全章、全段釋文刪除殆盡，不留絲毫痕跡。由於沒有注明「闕文」字樣，這種作法容易欺瞞學者，讓人誤以為作者於此經文處並未有解釋文字。這種刪削情形，以「經部·春秋類」收錄的書籍最為普遍，遭到刪改情況也最嚴重。

宋代重文輕武，導致國勢長期積弱不振，迭遭外族侵略欺侮，宋儒在外族侵凌、環境刺激之下，崇尚氣節，特重華夷觀，著書立說之際，大多寓有「尊王攘夷」、「嚴夷夏之防，明是非之辨」的思想觀念，尤以《春秋》類圖書為甚。此類圖書適為清廷所銜忌，《四庫》館臣基於需仰承上意，以保尊榮情形下，在難以刪改替換之下，往往將整段文字全部刪除。例如：南宋胡安國（1074－1138）所撰寫的《春秋傳》（冊151）「（魯隱公二年）春，公會戎于潛」章之下，原本有：

> 戎狄舉號，外之也。天無所不覆，地無所不載，天子與天地參者也。春秋，天子之事，何獨外戎狄乎？曰：中國之有戎狄，猶君子之有小人，內君子外小人為泰，內小人外君子為否，《春秋》聖人傾否之書，內中國而外四夷，使之各安其所也。無不覆載者，王德之體；內中國而外四夷者，王道之用。是故以諸夏而親戎狄，致金繒之奉，首顧居下，其策不可以施也。以戎狄而朝諸夏，位侯王之上，亂常失序，其禮不可行也。以羌胡而居塞內，無出入之防，非我族類，其心必異，萌猾夏之階，其禍不可長也。為此說者，其知內外之旨，而明於馭戎之道，正朔所不加也，奚會同之有？書會戎，譏之也。（《四部叢刊》本，

卷1，頁4下；《四庫》本，卷1，頁8上－8下）

文中強調蠻胡「非我族類，其心必異」，易萌猾階禍，故申明需「內中國而外四夷」，如此才能「各安其所」，深觸時忌，故館臣逕將此處二百二十字的穿文全部刪除。又葉夢得（1077－1148）的《春秋傳》卷一頁十三上同樣魯隱公二年「春，公會戎於潛」條經文之下，葉氏書內也有一大段釋文，《四庫》館臣也因其觸犯忌諱，而全部遭到刪除。

又如元代趙汸（1319－1369）《春秋集傳》（冊164）：「（僖公）十有八年，冬，邢人、狄人伐衛」章，原本有：

> 狄言人何？杜諤氏曰：便文也。中國與夷狄會，君殊之（據宣十一年晉侯會狄於攢函。僖三十三年晉人及姜戎敗秦於殽），師與大夫序（據宣八年晉師白狄伐秦，成九秦人白狄伐晉），必微者而後得稱人，稱人以便文者，非其君也。（又見二十年、襄五年）（《通志堂經解本》本，卷5，頁28上；《四庫》本，卷5，頁37上）

《四庫》本同樣基於夷狄忌諱，將此章內容全部刪除，不留一字。此類刪削全章或全段文字之舉，普遍多有，學者使用《四庫全書》「經部·春秋類」圖書時，需要特別注意其原文是否有遭到刪除的情形，以免為《四庫》本所誤導。

㈡ 刪除違礙，抽換篇章

《四庫全書》書中除遇書籍中極敏感的違礙文字，館臣會乾脆將整篇詩文全部刪除不補外，有時碰到書籍本已編纂並抄謄完畢，後因遇到乾隆帝抽檢發現違礙等事故，遂將違礙觸諱的詩文刪除，原處勢必留下缺空，不得已乃改採移改他處詩文以補缺空的作法。例如：宋代蘇舜欽（1008－1048）的《蘇學士集》十六卷（冊1092），《四庫全書》所著錄的是採用浙江鮑士恭家藏本。文淵閣《四庫全書》本在卷六〈送家靜及第後赴官清水〉及〈靜勝堂夏日呈王尉〉兩首詩之間，錄有五言古詩〈寄題周源家亭〉

一首，全詩為：

> 君家有虛亭，跨澗復面山。泉聲碎環珮，清繞窗戶間。潛鱗俯自釣，嘉樹坐可攀。我思醉其上，與子開塵顏。微吟對一杯，放此白日閒。（卷6，頁2下）

此詩吟詠居家亭園之樂趣，並無觸犯忌諱，亦無可疑之處。然因《蘇學士集》本係分詩體編排者，第四卷為古詩，第六卷為律詩和聯句。卷六所錄本應為律詩及聯句，如今無端冒出一首五言古詩，實令人不解。經查《四部叢刊》初編根據清康熙三十七年徐惇孝、徐惇復白華書屋刊本所影印的蘇舜欽《蘇學士集》十六卷，其書的卷數篇目次序及文字，均與《四庫全書》本相同，然而康熙徐氏刻本在卷六原著錄古詩〈寄題周源家亭〉處，卻是抄錄七律〈串夷〉一首，全詩為：

> 區區黠虜敢狂呼，遣使峨冠謁上郡。輒出封章辭國命，妄傳聲勢困軍須。閉之塞漠為良策，啖以民膏是失圖。淳俗易搖無自撓，每聞流議一長籲。（卷6，頁12下）

此詩詈罵夷狄為「黠虜」，公然到華夏中原來「狂呼」亂吼，對付他們的最佳良策是「閉塞」沙漠地帶，且不可向他們稱臣納貢，「啖以民膏」。全詩文義詆觸清人忌諱，《四庫》館臣遂將它刪除。如此一來，會影響全卷，不得已而改採挖東牆補西牆的辦法，將原本在卷四末的五言古詩〈寄題周源家亭〉移改至卷六，以彌縫該空白處，但無形中卻留下竄改的大罅漏。⑲又如昌彼得先生亦曾談論到「子部·小說家類」著錄的南宋莊綽《雞肋編》（冊1039）遭刪改抽換情形，他說：

> 其中原有一篇孔子宅，敘述金兵南侵時，經過山東曲阜孔子的老家，指著孔子宅大罵，說：這就是曾說「夷狄之有君，不如諸夏之無」的人，於是放火焚毀

⑲ 參見陳新：〈由宋人別集淺論四庫全書〉，《古典文獻研究論叢》（北京：北京大學出版社，1995年3月），頁5－7。

孔子老家，文中記載金兵的暴行甚酷。修《四庫全書》時，大概因此篇文字無法部份竄改，於是將全篇刪去，而另杜撰一篇敘述孔子世系的文章以補其位。⑳

可見凡是文章內容論述外族事情，而涉及夷狄字眼，可以含沙射影解釋者，幾乎都難逃《四庫》館臣的刪削竄改。

㈢ 竄改違礙文字

《四庫》館臣竄改書籍內容的情形，主要有兩種，一為直接刪除部份違礙文字，一類是將相關觸諱字句肆意刪削，另外以其他文字替代。如明末清初知名學者錢謙益（1582－1664）的文章詆觸乾隆的忌諱，認為錢氏《初學集》、《有學集》等詩文集著作中，有「荒誕悖謬」、「詆毀本朝」之語，遂下令禁燬錢氏著作，亦不應當錄存《四庫全書》之內。同時並旁及諸家詩文集或選本中，若有錢氏作品者，均應削去不存。清初朱彝尊（1629－1709）的《經義考》（冊 677－680），著錄經學文獻資料，總結歷代經學研究成果，對研究儒家學術思想者極為重要。書中引錄有七十條錢謙益的資料，《四庫全書》館臣錄入《經義考》時，對於引錄錢謙益有關資料處，或將姓名改為錢陸燦（1612－1698）、陳子龍（1608－1647）、毛奇齡（1623－1716）、陸元輔（1617－1691）、高攀龍（1562－1626）、何景明（1483－1521）、何光明、穀應泰、羅喻義等人的名字。或改為《江南通志》、《蘇州通志》、《江西通志》等方志，或改作「闕曰」，《四庫》館臣為求泯滅錢謙益的姓名，幾乎可說是肆意去篡改《經義考》所引資料。㉑

又如《四庫全書》收錄宋人程珌《洺水集》（冊 1171）時，對於書中所引用的敏感性字眼，不論字詞或文句，皆任意予以改動，如將「戎狄」改為「外國」、「強敵」、

⑳ 昌彼得先生：〈談善本書〉，收入喬衍琯、張錦郎編：《圖書印刷發展史論文集續編》（臺北：文史哲出版社，1977 年 9 月），頁 201。

㉑ 參見林慶彰先生：〈四庫館臣篡改《經義考》之研究〉，頁 441－473。楊晉龍：〈《四庫全書》處理《經義考》引錄錢謙益諸說相關問題考述〉，頁 407－440。二文均收入林慶彰、蔣秋華編：《朱彝尊經義考研究論集》（臺北：中央研究院中國文哲研究所，2000 年 9 月）一書中。

「遠人」，「戎虜」改為「外國」，「五胡」改成「四方」等，文句的竄改，如「戎狄益類」改成「偏隅閏統」、「馘狂酋」改成「滅強敵」、「孤鼠師穴」改為「邊人失利」等等，舉凡犯忌文句一律遭到任意竄改。㉒至於《春秋類》的書籍，類似的竄改情形，更是多得不勝枚舉。

㈣ 抽毀刪除文字

《四庫》館臣纂修過程中，若遇到整篇文章詆觸乾隆的忌諱，不應當錄存《四庫全書》之內者，往往會將全篇文章刪去，不予抄錄。如「史部·詔令奏議類」明代黃訓編纂的《皇明名臣經濟錄》（冊443－444），收錄明儒論述經世濟民有關的文章，其中部份篇章內容涉及蠻夷事務，或彰顯明朝皇帝功業德政，舉凡有關此類內容均遭刪除，計有：卷六，丘濬〈審機微〉、〈正朝廷〉，馬文什〈題正心謹始以隆繼述事〉，宋端儀〈彭韶行狀錄〉，楊守陳〈請講學聽政事〉；卷十九，霍韜〈題泰和伯襲封疏〉，羅倫〈扶植綱常疏〉，王恕〈論奪情非令典奏狀〉；卷二十，丘濬〈貢賦之常〉一、〈貢賦之常〉二；卷二十六，王鏊〈論制科〉；卷二十七，何喬新〈題禁治異服異言事〉；卷三十二，王安〈襲替功疏〉；卷三十八，於謙〈為關隘事〉；卷四十五，丘濬〈總論制刑之義〉、尹直〈論條例〉等共十六篇文章。他如宋蘇洵（1009－1066）的《嘉祐集》（冊1104）卷一的《審敵篇》及卷六〈廣士篇〉，兩篇文章，同樣因文章內容涉及蠻族夷狄的敏感忌諱問題，致遭到抽毀的命運。

五、《四庫全書總目》各本間之文字歧異問題

「四庫學」的研究，雖涵括《四庫全書》、《四庫全書薈要》、《四庫全書總目》

㉒ 參見黃寬重：〈四庫全書本得失的檢討——以程珌《洺水集》為例〉，《漢學研究》第2卷第1期（1984年6月），頁229－237。

等三大部分。《四庫全書》、《四庫全書薈要》兩者僅係館臣編纂工作而已，未施加主觀的評論意見。而《四庫全書總目》卻是館臣對中國歷代圖書內容與價值的總評斷，相較於研究者而言，反較前兩套叢書受到更多的關注。舉凡從事中國學術研究者，幾乎都會使用到《四庫全書總目》中的提要，《總目》中匯聚館臣為先秦至清初一萬二百五十四種各類圖書所撰寫的提要，為我國目錄學高度成就的展現。《四庫全書》纂修時，各纂修官在校閱或輯佚每一種書的過程中，同時需要為該書撰寫一篇提要，而對於提要的寫作，乾隆在當時即有清楚明確的規定：

> 今於所列諸書，各撰為提要，分之則散弁諸編，合之則共為總目。每書先列作者之爵裏，以論世知人；次考本書之得失，權眾說之異同，以及文字增刪、篇帙分合，皆詳為訂辨，巨細不遺。（《四庫全書總目》，卷首三，凡例，頁6下）

纂修官所撰寫的各種書籍內容評介文字為「提要」，而將各單篇提要彙編在一起者，就總稱為《總目》，據此可知書名應當為《四庫全書總目》，而非世人習稱的《四庫全書總目提要》。㉓而世人習稱的《四庫提要》，實指《四庫全書》的書前提要，「《四庫全書總目》與《四庫提要》關連至密，但是不能視為同書異名或異名同實」㉔，兩者實際有所區別，不應混而無別。

《四庫全書總目》由於「備載時地姓名及作書大旨」、「考古必衷諸是，持論務得其平」㉕，兼具目錄與解題指引的功用，實是承學者學術之津筏，亦為初學者讀書時之重要指南，非僅供資料之檢索而已。故周中孚（1768－1831）、張之洞（1833－1909）、

㉓ 楊晉龍：〈四庫學研究的反思〉，《中國文哲研究集刊》，第4期（1994年3月），頁24。

㉔ 參見崔富章：〈關於《四庫全書總目》的定名及其最早刻本〉，《文史》2004年第2輯（總第67輯，2004年5月），頁245。

㉕ 阮元：〈紀文達公集序〉，《揅經室三集》（北京：中華書局，1993年5月），卷5，頁678。

繆荃孫（1844－1919）㉖等學者交相稱譽。故《總目》完成後，學者鈔錄不輟，繙刻者眾，傳播士林，幾至「家有一編」的地步，可見其影響之深遠。

據傳統學界的說法，《四庫全書總目》編纂過程，雖先由分纂諸儒撰寫提要，而後再由總纂紀昀統稿，並進行增刪潤飾。因而近人郭伯恭就認為《四庫全書總目》「嗣經紀昀增竄刪改，整齊畫一而後，多人之意志已不可見，所可見者，紀氏一人之主張而已」。㉗誠如郭氏所言，則《四庫全書總目》的提要文字，理當完全一致，無所出入才對。然就目前學者常用的《四庫全書總目》即有清武英殿本、浙本、粵本三種系統。再者，文淵閣本《四庫全書》和摛藻堂本《四庫全書薈要》兩套叢書所著錄之各種典籍的書前也都附有該書的提要。這五種提要是否完全相同，學者使用這五種提要時，幾乎很少去注意各本提要的歧異，而毫不考慮的隨意使用，根據筆者平日使用《四庫全書總目》提要的過程中，發現各本提要間的文字，仍出現相當多的歧異現象，有必要加以說明，以便學者在利用《四庫全書總目》提要時特別注意。《四庫全書總目》臺灣目前常見通行的有清武英殿本、浙本兩種。文淵閣本《四庫全書》和摛藻堂本《四庫全書薈要》兩套叢書在國內圖書館及研究機構都有購藏，下文即依此簡單舉例說明其提要文字歧異的情形：

(一) 武英殿本、浙本文字互有歧異

武英殿本《四庫全書總目》刊刻於乾隆六十年，並分送四庫各閣貯藏。阮元所刊

㉖ 周中孚（1883－1995）評論《總目》時說：「自漢以後，簿錄之書，無論官撰私著，凡卷第之繁富，門類之允當，考據之精審，議論之公平，蔑有過於是編矣。」參見周氏撰：《鄭堂讀書記》（臺北：臺灣商務印書館，1978 年 8 月臺一版），卷 32，頁 587。張之洞云：「今為諸生指一良師，將《四庫全書總目提要》讀一過，即略知學問門徑矣。」「析而言之，《四庫提要》為讀群書之門徑。」參見張氏撰：《輶軒語》，收入嚴靈峰編：《書目類編》（臺北：成文出版社，1978 年 7 月），頁 11 上。繆荃孫云：「至於考撰人之仕履，釋作書之宗旨，顯徵正史，僻采稗官，揚其所長，糾其不逮，《四庫提要》實集古今之大成。」見繆氏撰：〈善本書室藏書志序〉，《善本書室藏書志》（北京：中華書局，1990 年 3 月），頁 1 上。

㉗ 同註❼，頁 213。

刻的浙江本，與武英殿本文字上幾乎都相同，以致傳統說法將浙本認定係繙雕武英殿本。然而據大陸學者崔富章的研究，他認為是長期以來學者誤把「乾隆六十年的浙江刻本說成翻刻武英殿本」，實際上浙本是翻刻文瀾閣本寫本，「文瀾閣《四庫全書》中有寫本《欽定四庫全書總目》二百卷首一卷，抄竣於乾隆五十七年前後，比殿本早好幾年，卷數、內容都有歧異」㉘，崔氏的說法不僅澄清浙本來源問題，也指出兩本間文字、內容依然存在有許多歧異的地方，並非應無不吻合。茲舉例說明如下：

1.武英殿本、浙本文字互有出入

《四庫全書總目》在卷九十八「子部·儒家類存目」，清李紱《朱子晚年全論》之提要，武英殿本：「而當時未嘗相非，後之儒者各明一義，理亦如斯，何必引而同之，使各失故步乎？」一段文字，浙江本則在「理亦如斯」句下增改為：

> 惟其私見不除，人人欲希孔廷之俎豆，於是始而爭名，終於分黨，遂尋仇報復而不已，實非聖賢立教之本旨。即以近代而論，陸隴其力尊程朱之學，湯斌遠紹陸王之緒，而蓋棺論定，均號名臣。蓋各有所得，即各足自立，亦何必強而同之，使之各失故步乎？紱此書皆以朱子悔悟為言。又舉凡朱子所稱切實近理用功者，一概歸之心學。夫回也屢空，焦竑以心無罣礙，空諸所有解之矣，顏子其果受之乎？仍各尊所聞而已矣。（武英殿本，卷98，頁9上；浙本，卷98，頁9上−9下）

浙本的提要文字比武英殿本多出一百六十三字。又如：卷九十七張伯行《性理正宗》之提要，浙本在篇末就比殿本多出一百四十八個字。又卷七「經部·易類存目」宋代馮椅《周易輯說明解》四卷、卷五十四「史部雜史類存目」明代李化龍《平播全書》十五卷之提要，浙本都比殿本增加一百餘字以上。

㉘ 見崔富章：〈《四庫全書總目》版本考辨〉，《文史》第35期（北京：中華書局，1992年6月），頁173。又見昌彼得先生：〈武英殿本《四庫全書總目》考〉，《故宮學術季刊》，第1卷第1期（1983年秋季），頁59−66。

2.浙本、殿本文字互有歧異者

《四庫全書總目》在卷十七「經部·詩類存目」，明徐光啟撰、清范方重訂的《詩經六帖重訂》十四卷之提要，武英殿本最後幾句為：「光啟以名解經，為轉不失其初。然以一類為一帖，則又杜撰也。」浙江本改為：

> 然考《明史藝文志》載徐光啟《毛詩六帖》六卷，是每帖為一卷也。方既刪博物一門，則六帖僅存其五，與光啟作書之意，全不相合，安得復以六帖稱乎？
> （武英殿本，卷17，頁18上；浙本，卷98，頁18下）

又如卷五十「史部·別史類」清李諧《尚史》及卷五十五「史部·詔令奏議類」明周起元《周忠湣奏疏》之提要，文字均有相當大的出入。[29]

(二) 文淵閣本與浙本、殿本文字互有歧異者

在通行所見的四種提要，文淵閣本與浙本、殿本《四庫全書總目》的來源系統相同，文字也基本上相同，然亦偶有互有歧異者，如：「經部·書類」明代梅鷟《尚書考異》，此書為懷疑偽《古文尚書》，逐篇舉證考辨其偽跡的辨偽專書，對清代閻若璩的《尚書古文疏證》有相當深遠的影響。編修館臣基於此書對辨偽古文有「創始之功」，且內容甚為「精核」，將其錄入《四庫全書》中，而採用浙江範懋柱家天一閣藏本謄錄。武英殿本與浙江本《四庫全書總目》的提要文字完全相同，然文淵閣本書前提要的文字卻與殿本、浙本有相當多的差異。

(三) 《薈要》本提要文字與文淵閣本、殿本大多不同

《四庫全書薈要》是乾隆下令編纂時，擔心有生之年來不及看見《四庫全書》的

---

[29] 以上部份《四庫全書總目》提要之舉例，參考昌彼得先生：〈武英殿本《四庫全書總目》考〉一文。

完成，因而擷取精華，謄錄成規模較小的《四庫全書》。各書前面依照編輯體例都附有提要，唯令人感到奇怪者，是《四庫全書薈要》本的提要，與文淵閣《四庫全書》及武英殿本、浙本《四庫全書總目》提要的文字大部分都不相同。吳哲夫先生曾將《四庫全書薈要》的書前提要逐一與文淵閣本提要比勘核對，發現在兩書提要相同者有一百三十種，部份相異者有五十七種，全部不同者有二百七十一種。將部份相異及完全相異者合計，則提要不相同者共有三百二十八種，佔七成左右，比例可說相當高。㉚如：「經部易類」李心傳《丙子學易編》一卷、「經部書類」宋程大昌《禹貢山川地理圖》二卷的提要，《薈要》與文淵閣本、殿本提要都不相同。

六、利用《四庫全書總目》應參考後人之辨正資料

《四庫全書》編纂時，書籍不管是著錄或存目，纂修官員都要為每種著作撰寫一篇詳略不同的提要。《提要》常經過纂修館臣多次修改，精心詳審的考校刪潤，故號稱博洽詳贍，備受後人的肯定與稱讚。近代學者余嘉錫（1883－1995）就曾述及《四庫全書總目》說：

> 漢唐目錄書盡亡，《提要》之作，前所未有，足為讀書之門徑，學者舍此莫由問津。一二通儒，心知其謬，而未肯盡言，世人莫能深考，論學著書，無不引以為據，提要所是者是之，非者非之，並為一談，牢不可破，鮮有能自出新意。㉛

余氏稱讚《總目》之作是「前所未有」，「足為讀書之門徑，學者舍此莫由問津」，足見此書對後世學者從事學術研究的重要影響。但《四庫全書總目》的纂修，雖經館

㉚ 參見吳哲夫：《四庫全書薈要纂修考》（臺北：國立故宮博物院，1976年12月），頁65。
㉛ 余嘉錫：《四庫提要辨證》（北京：中華書局，1985年1月），序錄，頁51。

臣多次修改，再經總纂官紀昀等精心刪潤才定稿，仍然存在許多缺失，不時被發現論述有所錯誤。余嘉錫也批評《四庫全書總目》的訛謬缺失時說：

> 若夫人名之誤，移甲就乙；時代之誤，將後作前；曲解文義，郢書燕說；謬信讕言，榛楛勿翦。㉜

《四庫全書總目》編纂，雖經過諸館臣多次修改，精心詳審的考校刪潤，然因時間過於倉促，受限圖書來源，版本資料並不完備，益以撰者識見所囿，疏漏乖誤之處，誠無可避免。清代之際，雖已有糾補的意見，但因《總目》為官定欽頒典籍，學者都不敢貿然訂正匡補其缺失。直至民國以後，因政治風氣轉變，學風自由，資料的取得較昔日容易，促使學者根據新資料及研究成果，撰文辨正其錯誤，匡補其失漏，後人補正之作，重要而已勒成書者有：胡玉縉的《四庫全書總目提要補正》、余嘉錫的《四庫提要辨證》、李裕民的《四庫提要訂誤》、崔富章的《四庫提要補正》、劉兆祐先生的《四庫著錄元人別集提要補正》、楊武泉《四庫全書總目誤》等書，或訂正書名、卷數、版本之訛謬，或指陳其內容評介之失當，或糾其考據之誤失。吾人在利用《四庫全書總目》資料時，除須注意瞭解使用的《四庫全書總目》版本外，對於提要的錯誤或不盡正確的論述，應再參考胡玉縉、余嘉錫、劉兆祐等學者所撰寫的幾種辨正《四庫全書總目》疏失的專著，以免研究論點的正確性受到影響。

七、結論

有關利用《四庫全書》資料治學時，應注意的事項，依據上文的論述，可歸納為下列幾種情形：

其一、目錄與序跋雖屬於書籍的配件，然目錄提供檢索書籍內容的公用，序跋可

㉜ 同上註，序錄，頁 50。

藉以瞭解作者生平資料與作書旨意，兩者遭到任意刪除，對學術研究工作者造成極大的不便。且就刪除序跋及目錄問題而言，館臣似乎並無一定的標準，或刪目錄而留序跋，或刪序跋而存目錄，大體而言清帝御纂諸書則全部保留，不敢妄刪一字，至於各朝代著作，則任意肆行，尤以「類書類」或「總集類」等卷數龐大繁重的典籍，遭到刪去的機率最高。

其二、《四庫全書》纂修時，底本來源雖有《永樂大典》輯本、內府藏本、各省巡撫採進本、官員及藏書家家藏本等多管道，然因時空、環境限制，仍難免出現一些缺失，如收錄古籍版本時，因抄本、殘本等因素，導致書中所收有時並非最佳版本的情況，如梅鷟《尚書考異》、張寧《方洲集》、權德輿《權文公集》等，誤將不全之本視為全本，內容有所出入，如此資料必有所不足。且《四庫》館臣在抄錄時，往往因態度不夠認真負責，書中內容往往有許多錯簡、脫漏或誤抄或闕文等情形發生，使得資料的完整性與正確性受到相當大的影響。

其三、纂修館臣為迎合乾隆皇帝藉機銷毀詆觸清朝的著作，於《四庫全書》著錄的書籍，逐一檢閱，對內容有違礙者，或刪除全部文字，或刪除違礙，抽換篇章，或竄改部份違礙的文字，或抽毀刪除全篇文字等，著作內容遭到竄改，吾人使用《四庫》本時，亦應特別小心該書有否遭到館臣的竄改。

其四、就使用《四庫》提要的文字來說，臺灣目前常見者有摛藻堂本《四庫全書薈要》書前提要、文淵閣本《四庫全書》書前提要，及武英殿本、浙江本的《四庫全書總目》。其中《四庫全書薈要》的提要與各本文字差異最大。其他三種文字來源相近，文字相似程度頗多，然各本間之文字依舊有許多歧異問題出現，利用《四庫全書總目》提要文字，不但需要注明清楚所使用的版本，且需留意文字之間是否有差異，以免資料來源有所出入。再者，《四庫》館臣在撰寫提要過程中，難免因資料不足或識見所囿，致提要文字有所疏誤，胡玉縉、余嘉錫等學者紛紛撰文訂其闕漏，補其不足，利用《四庫全書總目》時，應注意參考後人的辨正資料，以減少論述的偏失。

昌彼得教授八秩晉五壽慶論文集
2005 年 2 月　　　頁 129～156

臺灣商務印書館篡改《東方雜誌》重印本

林慶彰

一、前言

民國七十年某月間，我從目錄書上得知顧頡剛先生曾在《東方雜誌》三十二卷十四期（民國 24 年 7 月）發表〈明代文字獄禍考略〉。我到東吳大學圖書館查看重印本《東方雜誌》，發現該文的作者卻作「顧其剛」。由於先前我曾在《書評書目》中寫過四篇探討戒嚴時期書局作偽書的文章❶，所以對此事特別敏感，直覺地以為臺灣商務印書館在重印《東方雜誌》時，曾有系統的加以篡改。為了證實此事，我又找了陳獨秀發表在《東方雜誌》三十四卷十一期（民國 26 年 6 月）的一篇〈老子考略〉，發現作者卻作「程秀」。《東方雜誌》篡改作者名字的事幾乎可完全確定。但篡改的幅度有多大，僅數位，或數十位，沒經過仔細核對，不容易說清楚。要核對此事，必須有舊本和重印本的雜誌對勘，才能進行。國內歷史較悠久的圖書館僅有舊本，而有重印本的

❶ 這四篇文章是：⑴一本偽書——談朱自清的《說文通論》，《書評書目》84 期（1980 年 4 月），頁 65-68。⑵誰幽林語堂一默？——談林著《世界文學名著史話》，《書評書目》88 期（1980 年 8 月），頁 30-32。⑶胡適之先生編過《白話詞選》？《書評書目》95 期（1981 年 3 月），頁 137-138。⑷偽書概觀——以華聯（五洲）出版社的文史書為例，《書評書目》95 期（1981 年 3 月），頁 97-108。

則無舊本，要完成此事，似乎相當困難。某年，赴中國大陸洽公，在書店發現有三聯書店編輯部所編的《東方雜誌總目》（北京：三聯書店，1957 年 12 月第 1 版，1980 年 12 月重印），喜出望外。民國八十年間，我利用晚上時間拿著《東方雜誌總目》到書庫，和重印本相核對，重印時遭篡改的地方，一一註記在《東方雜誌總目》上，本來想及早將核對的結果發表出來，但因中央研究院工作太過繁忙，且我的研究重點在經學，似乎騰不出時間來撰寫圖書文獻方面的論文。就這樣，一擱就十餘年。

去年八、九月間接到由吳哲夫先生、陳仕華兄主事，要為昌瑞卿師八十五壽辰出論文集的邀稿函。我在思考怎樣的文章才能為瑞卿師祝壽，且對學術界有點幫助。忽然想起這十多年來未完成的事。今年（民國 94 年）一月初，陳仕華兄來電催稿，我向他報告，將撰寫臺灣商務印書館篡改《東方雜誌》重印本的事，他欣然同意。我將當時在《東方雜誌總目》所作的註記加以整理，勉強湊成這篇報告，算是為瑞卿師八五嵩壽略表心意。也了卻這十多年來想完成此事的心願。

商務印書館篡改《東方雜誌》重印本，是在臺灣戒嚴文化下不得不有的生存手段，我們對臺灣商務印書館也不忍心苛責。現在來探討此事，也不是要怪罪商務印書館，而是要還原該雜誌的真正面目，也為國民政府的高壓統治手段作註腳。❷

商務印書館篡改《東方雜誌》重印本的方法，不外是篡改作者名和刪除部分篇章兩種方法。本文將有篡改的部分分成兩大類，按卷期先後逐條加以排列，如何篡改也就一目了然。

二、篡改作者姓名（上）

篡改作者姓名的方法，大抵改用作者的字號，或姓名的同音字，這是戒嚴時期翻

❷ 當時國民政府實施戒嚴令，除特殊管道外，任何人都不可能擁有大陸出版的書刊。不過，國防部所出版的《國魂》，將馮友蘭的著作改名，長期連載，是「只許州官放火，不許百姓點燈」，最明顯的例子。此事二十年前筆者翻閱《國魂》時，已經發現，祇未形諸文字而已。

印大陸出版品最常見的方法。由於被篡改的作者太多，篇幅太長，所以分上、下兩小節討論。

二十卷第一號（1923 年 1 月 10 日）

1.「這是甲」……張東蓀。→改作「北溟」。

2.小泉八雲……愈之。→改作「愉之」。

3.華萊斯的達爾文之義……周建人。→改作「見仁」。

4.街之歌者（隨筆）……愈之譯。→改作「愉之」。

二十卷第三號（1923 年 2 月 10 日）

1.賠款與戰債……張聞天。→改作「憤天」。

2.批導的實在論……張東蓀。→改作「北溟」。

二十卷第四號（1923 年 2 月 25 日）

1.賠款與戰債（完）……張聞天。→改作「憤天」。

2.遺傳與環境……周建人。→改作「見仁」。

3.鐘（小說）……愈之譯。→改作「愉之」。

二十卷第五號（1923 年 3 月 10 日）

1.植物的心理……周建人。→改作「見仁」。

二十卷第十一號（1923 年 6 月 10 日）

1.近代生物學的傾向與人生……周建人。→改作「見仁」。

二十卷第十二號（1923 年 6 月 25 日）

1.誰能救中國……張東蓀。→改作「北溟」。

二十卷第十五號（1923 年 8 月 10 日）

1.唯用論在現代哲學上的真正地位……張東蓀。→改作「北溟」。

二十卷第十六號（1923 年 8 月 25 日）

1.唯用論在現代哲學上的真正地位（完）……張東蓀。→改作「北溟」。

二十卷第十七號（1923 年 9 月 10 日）

1.歐洲前途之豫測……仲持。→改作「重持」。

二十卷第十八號(1923年9月25日)

1.東與西(太戈爾著)……愈之譯。→改作「愉之」。

二十卷第二十一號(1923年11月10日)

1.文學教員(小說)……仲持譯。→改作「重持」。

二十卷第二十二號(1923年11月25日)

1.時間的誤點……惲代英。→改作「待英」。

2.坎地亞的沉崙(小說)……仲持譯。→改作「重持」。

二十卷第二十三號(1923年12月10日)

1.新實在論的研究……張東蓀。→改作「北溟」。

二十一卷第一號(二十週年紀念號(上))(1924年1月10日)

1.中國改制問題……張東蓀。→改作「北溟」。

2.上海之銀洋並用問題……馬寅初。→改作「影疏」。

3.現代文明的問題與社會主義……瞿秋白。→改作「秋勃」。

二十一卷第五號(1924年3月10日)

1.新曼兌爾主義和習得性遺傳說的復興……周建人。→改作「見仁」。

2.上帝的聲音(小說)……仲持譯。→改作「重持」。

二十一卷第七號(1924年4月10日)

1.婦女問題與貧富問題……于樹德。→改作「女得」。

2.介紹愛爾蘭詩人夏芝……愈之譯。→改作「愉之」。

二十一卷第九號(1924年5月10日)

1.英國工黨政治的開始……愈之。→改作「愉之」。

二十一卷第十一號(1924年6月10日)

1.價值論……馬寅初。→改作「馬影疏」。

2.性率和性的分配問題……周建人。→改作「見仁」。

二十一卷第十三號（1924年7月10日）

1.妖術（小說）……仲持譯。→改作「重持」。

二十一卷第十五號（1924年3月10日）

1.試驗胚胎學的成功……周建人。→改作「見仁」。

2.春光不是她的了（小說）……葉紹鈞。→改作「肇鈞」。

二十二卷第一號（1925年1月10日）

1.外國旗（小說）……葉紹鈞。→改作「肇鈞」。

二十二卷第二號（1925年1月25日）

1.科學與哲學……張東蓀。→改作「北溟」。

二十二卷第四號（1925年2月25日）

1.國故學之意義與價值……曹聚仁。→改作「趙及人」。

2.喀爾美蘿姑娘（小說）……郭沫若。→改作「末碩」。

二十二卷第六號（1925年3月25日）

1.聯邦論辯……張東蓀。→改作「北溟」。

二十二卷第七號（1925年4月10日）

1.行路難（小說）……郭沫若。→改作「末碩」。

二十二卷第八號（1925年4月25日）

1.讀中國之優生問題……周建人。→改作「見仁」。

2.行路難（小說）……郭沫若。→改作「末碩」。

二十二卷第九號（1925年5月10日）

1.唯用派哲學之自由論……張東蓀。→改作「北溟」。

二十二卷第十號（1925年5月25日）

1.唯用派哲學之自由論（完）……張東蓀。→改作「北溟」。

二十二卷第十二號（1925年6月25日）

1.赫胥黎與達爾文進化說……周建人。改作「見仁」。

2.飄零的黃葉（小說）……張聞天。→改作「憤天」。

五卅事件臨時增刊（1925年6月）

1.五卅事件紀實……胡愈之。→改作「愉之」。

二十二卷第十二號（1925年8月10日）

1.內外時評：滬案之世界的反響……愈之。→改作「愉之」。

二十二卷第十六號（1925年8月25日）

1.不平等條約於我國經濟上之影響……馬寅初。→改作「影疏」。

二十二卷第十八號（1925年9月25日）

1.出世思想與西洋哲學……張東蓀。→改作「北溟」。

2.落葉（小說）……郭沫若。→改作「末碩」。

3.選錄：匯豐銀行……馬寅初。→改作「影疏」。

二十二卷第十九號（1925年10月10日）

1.落葉（小說）……郭沫若。→改作「末碩」。

2.選錄：匯豐銀行……馬寅初。→改作「馬影疏」。

二十二卷第二十號（1925年10月25日）

1.落葉（小說）……郭沫若。→改作「末碩」。

二十二卷第二十一號（1925年11月10日）

1.落葉（小說）（完）……郭沫若。→改作「末碩」。

二十三卷第一號（1926年1月10日）

1.國民外交與國際時事研究……胡愈之。→改作「愉之」。

2.敘利亞問題……胡愈之。→改作「愉之」。

3.初學哲學之一參考……張東蓀。→改作「北溟」。

二十三卷第二號（1926年1月25日）

1.比薩拉比亞問題……胡愈之。→改作「愉之」。

2.宋代表（小說）……沈從文。→改作「重文」。

二十三卷第三號（1926年2月10日）

1.由自利的我到自制的我……張東蓀。→改作「北溟」。

2.棒喝運動……胡愈之。→改作「愉之」。

二十三卷第四號（1926年2月25日）

1.銀行之勢力何以不如錢莊……馬寅初。→改作「影疏」。

二十三卷第五號（1926年3月10日）

1.國際聯盟……胡愈之。→改作「愉之」。

2.豬的歷史（小說）……愈之譯。→改作「愉之」。

二十三卷第六號（1926年3月25日）

1.的羅爾問題……胡愈之。→改作「愉之」。

二十三卷第十五號（1926年8月10日）

1.獸性問題……張東蓀。→改作「北溟」。

二十三卷第十六號（1926年8月25日）

1.拉馬克的習得性遺傳問題……周建人。→改作「見仁」。

二十三卷第十八號（1926年9月25日）

1.都侖大那（小說）……仲持譯。改作「重持」。

二十四卷第一號（1927年1月10日）

1.英國今日幾個最大的問題……張奚若。→改作「熙若」。

二十四卷第二號（1927年1月25日）

1.巴爾幹半島的今日……胡愈之。→改作「愉之」。

2.中東的現勢與國際關係……胡愈之。→改作「愉之」。

3.拉丁亞美利加……愈之。→改作「愉之」。

二十四卷第三號（1927年2月10日）

1.名相與條理……張東蓀。→改作「北溟」。

2.英雄（小說）……仲持譯。→改作「重持」。

二十四卷第四號（1927年2月25日）

1.中國經濟上之根本問題……馬寅初。→改作「馬影疏」。

2.名相與條理（完）……張東蓀。→改作「北溟」。

二十四卷第五號（1927年3月10日）

1.動物陸棲後的適應方法……周建人譯。→改作「見仁」。

二十四卷第九號（1927年5月10日）

1.劊子手（小說）……沈從文。→改作「重文」。

二十四卷第十一號（1927年6月10日）

1.中國畫的特色……豐子愷。→改作「封愷」。

二十四卷第十三號（1927年7月10日）

1.狂濤將至的太平洋……愈之。→改作「愉之」。

二十四卷第十九號（1927年10月10日）

1.清帝打獵地方的自然史……周建人。→改作「見仁」。

2.貓（小說）……胡也頻。→改作「演平」。

二十四卷第二十二號（1927年11月25日）

1.新語林：世界語四十年……愈之。→改作「愉之」。

二十五卷第一號（1928年1月10日）

1.我們需要和平……愈之。→改作「愉之」。

2.新創化論……張東蓀。→改作「北溟」。

二十五卷第七號（1928年4月10日）

1.宇宙觀與人生觀……張東蓀。→改作「北溟」。

二十五卷第十五號（1928年8月10日）

1.巴黎國際戲劇節的兩晚……愈之。→改作「愉之」。

二十五卷第十六號（1928年8月25日）

1.和平新方案——戰爭非法運動……愈之。→改作「愉之」。

二十五卷第十七號（1928年9月10日）

1.紙上和平的開路公約……愈之。→改作「愉之」。

二十五卷第十九號（1928年10月10日）

1.託爾斯泰與東方……愈之譯。→改作「愉之」。

2.脫洛斯基的托爾斯泰論……巴金譯。→改作「柏金」。

二十五卷第二十二號（1928年11月25日）

1.貧窮世界的第一次發現（小說）……愈之譯。→改作「愉之」。

二十六卷第七號（1929年4月10日）

1.教皇的新國與羅馬問題的解決……愈之。→改作「愉之」。

二十六卷第十一號（1929年6月10日）

1.新語林：食物選擇與性格的變化……賀昌群。→改作「滄群」。

2.元宵（小說）……沈從文。→改作「重文」。

二十六卷第十二號（1929年6月25日）

1.裁軍問題與列強之戰爭準備……愈之。→改作「愉之」。

2.元宵（小說）……沈從文。→改作「重文」。

二十六卷第十三號（1929年7月10日）

1.英國總選舉與工黨政治之開始……愈之。→改作「愉之」。

二十六卷第十六號（1929年8月25日）

1.梵諦岡與中國……愈之。→改作「愉之」。

二十六卷第十七號（1929年9月10日）

1.海牙會議的前夜……愈之。→改作「愉之」。

2.現代哲學鳥瞰……張東蓀。→改作「北溟」。

二十六卷第十八號（1929年9月25日）

1.小縣城中的兩個婦人（小說）……胡也頻。→改作「演平」。

二十六卷第十九號（1929年10月10日）

1.新波斯……賀昌群。→改作「滄群」。

二十七卷第一號（中國美術號）（1930年1月10日）

1.中國的繪畫思想……豐子愷。→改作「封愷」。

2.東洋畫六法的理論的研究……豐子愷。→改作「封愷」。

二十七卷第三號（1930年2月10日）

1.倫郭會議與帝國主義海上勢力的消長……愈之。→改作「愉之」。

二十七卷第十一號（1930年6月10日）

1.因了單調的緣故（小說）……巴金譯。→改作「柏金」。

二十七卷第十二號（1930年6月25日）

1.習得性果能遺傳麼……周建人。→改作「見仁」。

2.因了單調的緣故（小說）（完）……巴金譯。→改作「柏金」。

二十七卷第十五號（1930年8月10日）

1.亡命（小說）……巴金。→改作「柏金」。

二十七卷第二十一號（1930年11月10日）

1.德國選舉的經過及其國際的反響……愈之。→改作「愉之」。

二十七卷第二十四號（1930年12月25日）

1.父女倆（小說）……巴金。→改作「柏金」。

二十八卷第一號（1931年1月10日）

1.印度革命論（上）……愈之。→改作「愉之」。

二十八卷第七號（1931年4月10日）

1.生之戀（小說）……施蟄存譯。→改作「史存」。

二十八卷第九號（1931年5月10日）

1.近代科學對於壽命的研究……建人。→改作「見仁」。

二十八卷第十四號（1931年7月25日）

1.嘉馬拉雅山脈史前的先民住窟……賀昌群譯。→改作「滄群」。

二十八卷第十七號（1931年9月10日）

1.中國家制問題論爭——關於集居獨立的可能性……周建人。→改作「見仁」。

2.敦煌佛教藝術的系統……賀昌群。→改作「滄群」。

二十八卷第二十號（1931年10月25日）

1.新語林：金魚的由來和蘭花的奇種……建人。→改作「見仁」。

2.霧（小說）……巴金。→改作「柏金」。

二十八卷第二十一號（1931年11月10日）

1.霧（小說）（續）……巴金。→改作「柏金」。

二十八卷第二十二號（1931年11月25日）

1.霧（小說）（續）……巴金。→改作「柏金」。

二十八卷第二十三號（1931年12月10日）

1.霧（小說）（完）……巴金。→改作「柏金」。

二十九卷第一號（1932年1月1日）

1.現代的危機……愈之。→改作「愉之」。

2.楊嫂（小說）……巴金。→改作「柏金」。

3.道德的生物學觀察……周建人。→改作「見仁」。

二十九卷第四號（1932年10月16日）

1.東方論壇：本利的新生（愈之）。→改作「愉之」。

2.李頓報告書的分析與批評（胡愈之）。→改作「愉之」。

3.夜叉……施蟄存。→改作「史存」。

4.白鳥之歌……巴金。→改作「柏金」。

二十九卷第五號（1932年11月1日）

1.東方論壇：第聶伯大水閘落成……愈之。→改作「愉之」。

二十九卷第六號（1932年11月16日）

1.東方論壇：哈佛教授的非戰方法……愈之。→改作「愉之」。

2.節日……沈從文。→改作「重文」。

二十九卷第七號（1932年12月1日）

1.美德兩國的選舉……胡愈之。→改作「愉之」。

二十九卷第八號（1932年12月16日）

1.東方論壇：蘇聯和平外交的進展……愈之。→改作「愉之」。

2.冥屋……茅盾。→改作「毛頓」。

3.秋的公園……茅盾。→改作「毛頓」。

三、篡改作者姓名（下）

三十卷第一號（1933年1月1日）

1.東方論壇：中俄關係的將來……愈之。→改作「愉之」。

2.國民政府與內國公債……千家駒。→改作「佳駒」。

3.湯禱篇……鄭振鐸。→改作「西蒂」。

4.未來的道德……周建人。→改作「見仁」。

5.我們這文壇……茅盾。→改作「毛頓」。

6.慈母（詩）……老舍。→改作「老傳」。

7.文房具詩銘三章……施蟄存。→改作「史存」。

8.在夾板中的隨筆（散文）……謝六逸。→改作「駱逸」。

9.養蜂（散文）……葉聖陶。→改作「性陶」。

10.夢耶真耶（散文）……豐子愷。→改作「封愷」。

11.煤坑（小說）……巴金。→改作「柏金」。

12.給孩子們（小說）……丁玲。→改作「丁寧」。

13.新年特輯（漫畫）

有漫畫「建築家的夢」、「母親的夢」、「教師之夢」、「黃包車夫的夢」、

「投稿者的夢」等五幅，作者皆改作「封愷」。

14.新年的夢想

有作者數十人，名字遭篡改者有：

鄭振鐸→改作「鄭鐸」。

謝文逸→改作「駱逸」。

老舍→改作「老傳」。

葉聖陶→改作「性陶」。

茅盾→改作「毛頓」。

三十卷第二號（1933年1月16日）

1.蘇聯的文化革命……胡仲持譯。→改作「重持」。

2.文藝欄

胡桃雲片……豐子愷。→改作「封愷」。

公墓……茅盾。→改作「毛頓」。

健美……茅盾。→改作「毛頓」。

給孩子們……丁玲。→改作「丁寧」。

三十卷第三號（1933年2月1日）

1.東方論壇：日本帝國主義的挑戰……愈之。→改作「愉之」。

2.文藝欄

月下小景……沈從文。→改作「重文」。

新生……巴金。→改作「柏金」。

封建的小市民文藝……茅盾。→改作「毛頓」。

現代的……茅盾。→改作「毛頓」。

三十卷第四號（1933年2月16日）

1.最近兩年度的中國財政……千家駒。→改作「佳駒」。

2.文藝欄

神的滅亡……茅盾。→改作「毛頓」。

新生（續）……巴金。→改作「柏金」。

三十卷第五號（1933 年 3 月 1 日）

1.東方論壇：日內瓦報告書及後……愈之。→改作「愉之」。

2.從男女的爭鬥說到生育節制……建人。→改作「見仁」。

3.文藝欄

新生（續）……巴金。→改作「柏金」。

三十五卷第六號（1933 年 3 月 16 日）

1.新生（續）……巴金。→改作「柏金」。

三十五卷第七號（1933 年 4 月 1 日）

1.新生（續）……巴金。→改作「柏金」。

三十卷第八號（1933 年 4 月 16 日）

1.文藝欄

陋巷……豐子愷。→改作「封愷」。

憐傷……豐子愷。→改作「封愷」。

新生（續）……巴金。→改作「柏金」。

三十卷第九號（1933 年 5 月 1 日）

1.文藝欄

早上——一堆土一個兵……沈從文。→改作「重文」。

新生（續）……巴金。→改作「柏金」。

三十卷第十號（1933 年 5 月 16 日）

1.文藝欄

新生（續）……巴金。→改作「柏金」。

三十卷第十一號（1933 年 6 月 1 日）

1.文藝欄

新生（續）……巴金。→改作「柏金」。

三十卷第十二號（1933年6月16日）

1.文藝欄

一個農夫的故事……沈從文。→改作「重文」。

三十卷第十三號（1933年7月1日）

1.漫畫……豐子愷。→改作「封愷」。

2.文藝欄

灰色人生……茅盾。→改作「毛頓」。

機械的詩……巴金。→改作「柏金」。

三十卷第十五號（1933年8月1日）

1.文藝欄

旅途隨筆……巴金。→改作「柏金」。

三十卷第十六號（1933年8月16日）

1.文藝欄

取名……豐子愷。→改作「封愷」。

愛子之心……豐子愷。→改作「封愷」。

三十卷第二十三號（1933年12月1日）

1.文藝欄

抱孫……老舍。→改作「老傳」。

三十一卷第一號（三十週年紀念號）（1934年1月1日）

1.最近三十年的中國財政……千家駒。→改作「佳駒」。

2.明末清初之四川……顧頡剛、黎光明。→刪去顧頡剛的名字。

3.倫理的宗教……王昆侖譯。→改作「王侖」。

4.個人計畫

有作者數十人，被篡改者如下：

馬寅初→改作「馬影疏」。

章乃器→改作「張迺契」。

茅　盾→改作「毛頓」。

顧頡剛→改作「顧拮剛」。

王造時→改作「黃時」。

老　舍→改作「老傳」。

豐子愷→改作「封愷」。

三十一卷第十號（1934年5月16日）

1.文藝欄

柳屯的……老舍。→改作「老傳」。

三十二卷第一號（1935年1月1日）

1.生活之一頁

有作者數十人，名字遭篡改者如下：

馬寅初→改作「馬影疏」。

謝六逸→改作「駱逸」。

千家駒→改作「佳駒」。

王造時→改作「黃時」。

李公樸→改作「李共卜」。

2.文藝

裕興池裏……老舍。→改作「老傳」。

三十二卷第七號（1935年4月1日）

1.倫敦宣言與歐洲國際局勢……胡愈之。→改作「愉之」。

三十二卷第八號（1935年4月16日）

1.德國武裝是怎樣解除的……王造時。→改作「黃時」。

三十二卷第九號（1935年5月1日）

1.巴黎和會中列強的軍縮態度……王造時。→改作「黃時」。

三十二卷第十號（1935年5月16日）

1.斯德萊柴會議的前後……王造時。→改作「黃時」。

三十二卷第十一號（1935年6月1日）

1.國聯初步裁軍的活動……王造時。→改作「黃時」。

三十二卷第十三號（1935年7月1日）

1.中國經濟問題

世界經濟恐慌如何影響及於中國與中國之對策……馬寅初。→改作「馬影疏」。

三十二卷第十四號（1935年7月16日）

1.明代文字獄禍考略……顧頡剛。→改作「顧其剛」。

2.河車記（上）……黃炎培。→改作「軼培」。

三十二卷第十七號（1935年9月1日）

1.河車記（下）……黃炎培。→改作「軼培」。

三十二卷第十九號（1935年10月1日）

1.羅斯米華聲中之鎊匯利用外資及貿易平衡問題……谷春帆。→改作「春帆」。

三十二卷第二十三號（1935年12月1日）

1.華盛頓初次限制海軍……王造時。→改作「黃時」。

三十二卷第二十四號（1935年12月16日）

1.華盛頓軍縮會議所沒有成功的……王造時。→改作「黃時」。

三十三卷第一號（特大號）（1936年1月1日）

1.上海證券交易所有開拍產業證券行市之可能乎……馬寅初。→改作「馬影疏」。

2.無結果的日內瓦三國海軍會議……王造時。→改作「黃時」。

3.我的興趣

有作者數十人，姓名遭篡改者有：

王造時→改作「黃時」。

4.文藝

搬的喜劇……茅盾。→改作「毛頓」。

三十三卷第二號（1936年1月16日）

1.世界各國著名雜誌論文摘要

大厦谷事件與國際和平機關……王造時。→改作「黃時」。

三十三卷第三號（1936年2月1日）

1.世界各國著名雜誌論文摘要

國際合作的進步……王造時。→改作「黃時」。

三十三卷第四號（1936年2月16日）

1.世界各國著名雜誌論文摘要

在危機中之法國政策……王造時。→改作「黃時」。

三十三卷第六號（1936年3月16日）

1.世界各國著名雜誌論文摘要

中國的人力……王造時。→改作「黃時」。

三十三卷第七號（1936年4月1日）

1.從中國語言構造上看中國哲學……張東蓀。→改作「北溟」。

三十三卷第十五號（1936年8月1日）

1.中國之人力（二）……王造時。→改作「黃時」。

三十三卷第十六號（1936年8月16日）

1.世界各國著名雜誌論文摘要

軍備競爭……王造時。→改作「黃時」。

三十三卷第十七號（1936年9月1日）

1.世界和平與軍縮問題……王造時。→改作「黃時」。

2.世界各國著名雜誌論文摘要

一個的集體安全計畫……王造時。→改作「黃時」。

三十三卷第十八號（1936年9月16日）

1.世界各國著名雜誌論文摘要

無防備的新西蘭……王造時。→改作「黃時」。

三十三卷第十九號（1936年10月1日）

1.多元認識論重述……張東蓀。→改作「北溟」。

三十三卷第二十號（1936年10月16日）

1.世界各國著名雜誌論文摘要

門羅主義與國際聯盟……王造時。→改作「黃時」。

三十三卷第二十一號（1936年11月1日）

1.世界各國著名雜誌論文摘要

西班牙的內戰……王造時。→改作「黃時」。

三十四卷第一號（1937年1月1日）

1.中國古代車戰考略……顧頡剛、楊向奎。→將顧頡剛改作「顧拮剛」。

2.經濟思想隨社會環境變遷之程序……馬寅初。→改作「馬影疏」。

3.中國的平時和戰時財政問題……千家駒。→改作「佳駒」。

4.哲學究竟是什麼……張東蓀。→改作「北溟」。

5.中日問題

有作者數十人，姓名遭篡改者有：

馬寅初→改作「馬影疏」。

千家駒→改作「佳駒」。

三十四卷第二號（1937年1月16日）

1.荀子韻表及考釋……陳獨秀。→改作「程秀」。

三十四卷第三號（1937年2月1日）

1.文藝

討漁稅……歐陽予倩。→改作「餘青」。

三十四卷第四號（1937 年 2 月 16 日）

1.文藝

討漁稅（完）……歐陽予倩。→改作「餘青」。

三十四卷第五號（1937 年 3 月 1 日）

1.實庵字說（一）……陳獨秀。→改作「程秀」。

三十四卷第六號（1937 年 3 月 16 日）

1.實庵字說（二）……陳獨秀。→改作「程秀」。

三十四卷第七號（1937 年 4 月 1 日）

1.實庵字說（三）……陳獨秀。→改作「程秀」。

三十四卷第九號（1937 年 5 月 1 日）

1.一個省地方財政的實例……千家駒。→改作「佳駒」。

三十四卷第十號（1937 年 5 月 16 日）

1.實庵字說（四）……陳獨秀。→改作「程秀」。

三十四卷第十一號（1937 年 6 月 1 日）

1.老子考略……陳獨秀。→改作「程秀」。

三十四卷第十三號（1937 年 7 月 1 日）

1.中國棉業之前途……馬寅初。→改作「馬影疏」。

2.論中國國際平衡……千家駒。→改作「佳駒」。

3.實庵字說（五）……陳獨秀。→改作「程秀」。

4.世界各國

民主主義之將來……史國綱。→改作「史岡」。

三十四卷第十八、十九號（1937 年 10 月 1 日）

1.孔子與中國……陳獨秀。→改作「程秀」。

2.文藝

曙光（獨幕劇）……歐陽予倩。→改作「餘青」。

三十四卷第二十、二十一號（1937年11月1日）

1.中國古代語音有複聲母說……陳獨秀。→改作「程秀」。

三十五卷第二號（1938年1月16日）

1.杭州陷落前後……曹聚仁。→改作「趙及人」。

三十六卷第四號（1939年2月16日）

1.廣韻東冬鍾江中之古韻考……陳獨秀。→改作「程秀」。

三十六卷第六號（1939年3月16日）

1.廣韻東冬鍾江中之古韻考（續）……陳獨秀。→改作「程秀」。

三十六卷第十五號（1939年8月1日）

1.兩年來我國戰時財政的檢討……千家駒。→改作「佳駒」。

三十六卷第二十號（1939年10月16日）

1.文法稽古篇……傅東華。→改作「何華」。

三十六卷第二十一號（1939年11月1日）

1.文法稽古篇……傅東華。→改作「何華」。

三十七卷第十一號（1940年6月1日）

1.積微居字說……楊樹達。→改作「楊士達」。

三十七卷第十四號（1940年7月15日）

1.積微居字說（續）……楊樹達。→改作「楊士達」。

三十七卷第二十二號（1940年11月16日）

1.中國古史表……陳獨秀。→改作「程秀」。

三十八卷第一號（建國三十年紀念號）（1941年1月1日）

1.政治

進步的三十年……陳翰笙。→改作「程翰」。

2.國際關係

一九四一年的美日關係……儲玉坤。→改作「諸坤」。

三十八卷第二號（1941年1月16日）

1.禹治九河考……陳獨秀。→改作「程秀」。

三十八卷第五號（1941年3月1日）

1.從巴爾幹戰爭說到德蘇關係……儲玉坤。→改作「諸坤」。

三十八卷第十號（1941年5月16日）

1.從蘇日關係說到太平洋戰爭……儲玉坤。→改作「諸坤」。

三十八卷第十四號（1941年7月16日）

1.美國參戰問題的研究……儲玉坤。→改作「諸坤」。

三十八卷第十七號（1941年8月30日）

1.種族綿續的保障……費孝通。→改作「費統」。

三十八卷第二十號（1941年10月15日）

1.雙系撫育的確立……費孝通。→改作「費統」。

三十九卷第一號（復刊號）（1943年3月15日）

1.羅斯福四大自由之知與行……錢瑞升。→改作「瑞昇」。

三十九卷第二號（1943年3月30日）

1.菁園絮語——關於方言……黃炎培。→改作「軼培」。

三十九卷第三號（1943年4月15日）

1.論傳記文學……許君遠。→改作「許群」。

三十九卷第四號（1943年4月30日）

1.德國軍事形勢與日本……張志讓。→改作「章志」。

2.叢書子目類編序……顧頡剛。→改作「顧拮剛」。

三十九卷第七號（1943年6月15日）

1.論意境……許君遠。→改作「許群」。

三十九卷第八號（1943年6月30日）

1.論戰後國之大小……錢端升。→改作「瑞昇」。

2.論小說的人物……許君遠。→改作「許群」。

三十九卷第十號（1943年7月30日）

1.納粹潛艇魔王鄧尼資……許君遠。→改作「許群」。

三十九卷第十一號（1943年8月15日）

1.由人類血型說到戰後世界……郭沫若。→改作「末碩」。

三十九卷第十二號（1943年8月30日）

1.今後軸心戰事趨向之推測……丁文淵。→改作「丁向遠」。

2.論報紙文學……許君遠。→改作「許群」。

三十九卷第十三號（1943年9月15日）

1.普立則獎金……許君遠。→改作「許群」。

三十九卷第十四號（1943年9月30日）

1.論觸景生情……許君遠。→改作「許群」。

四十卷第一號（1944年1月15日）

1.述吳起……郭沫若。→改作「末碩」。

四十卷第四號（1944年2月29日）

1.邱吉爾的雪茄烟……許君遠譯。→改作「許群」。

四十卷第十四號（1944年7月31日）

1.貓的故事……許君遠。→改作「許群」。

四十卷第十九號（1944年10月15日）

1.宋鈃尹文遺著考……郭沫若。→改作「末碩」。

四十卷第二十一號（1944年11月15日）

1.寫在「兒童福利會議」後……潘光旦。→改作「廣誕」。

四十一卷第十六號（1945年8月31日）

1.舊金山的報案……許君遠。→改作「許群」。

四十三卷第七號（1947年4月15日）

1.百老匯是藝術寶庫……許君遠。改作「許群」。

四十三卷第十二號（1947年6月30日）

1.家譜還有些什麼意義？……潘光旦。→改作「廣誕」。

從上面兩節所羅列遭篡改的作者來看，數量可說相當多。但這些作者，如胡愈之、仲持、張東蓀、周建人、馬寅初、沈從文、巴金、豐子愷、施蟄存、顧頡剛、王造時等人，由於常在《東方雜誌》發表文章，商務印書館工作人員篡改時漏改的地方不少。可見該書局的工作人員跟清乾隆時代的四庫館臣心態差不多，虛應故事而已❸。從此事更可看出當時檢查單位警備總部存著馬虎的心態，不然，有那麼多處漏改而露出馬腳，商務印書館卻安然無恙？

四、刪除部分內容

戒嚴時期所翻印的大陸書籍，為逃避警備總部的檢查，往往將違礙字句刪除。論文集如整篇論文有不妥的地方，則整篇刪去。這種情形，祇要打開翻印本大陸書籍，就可找到無數的例子，不煩這裏來舉例。臺灣商務印書館重印《東方雜誌》時，也使用了刪除的技倆。茲將各卷期中被刪除的篇目，條例如下：

二十一卷第三號（1924年2月10日）

本期刪去與李寧有關的文章五篇，篇名是：

1.李寧的死與其事業……誦虞。

李寧死時（補白）

2.李寧傳略……幼雄。

---

❸ 四庫館臣篡改朱彝尊《經義考》中所引錢謙益的話，也有許多漏改。可參考林慶彰〈四庫館臣篡改《經義考》之研究〉，原載《兩岸四庫學——第一屆中國文獻學學術研討會論文集》（臺北：臺灣學生書局，1998年9月），頁239-262。收入林慶彰著《清代經學研究論集》（臺北：中央研究院中國文哲研究所，2002年8月），頁233-273。

3.諸名家的李寧觀……愈之。

4.著作家的字寧……化魯。

5.李寧在巴黎時（巴黎通信）……李劼人。

如果因李寧本人有問題，必須刪除。那麼，這期中還有其他與李寧相關的文章，如化魯的〈李寧和威爾遜〉、化魯〈李寧及其後〉、化魯和幼雄〈李寧軼事〉等，為何不刪除。如果是這幾位作者有問題，那在本期還有其他數篇與這幾位作者有關的文章，為何不一併刪除？臺灣商務印書館刪除這幾篇的原因，似乎很難索解？

二十一卷第六號（1924年3月25日）

本期刪去與李寧有關的文章一篇，篇名是：

1.李寧與社會主義……瞿秋白。

如將本篇和上期刪除的五篇一起考察，似乎因為李寧而被刪除？但《東方雜誌》中還有其他與李寧相關的文章，為何不刪？

另外，根據重印本《東方雜誌》四十二卷十八號，頁六十，有段話說：

> 卅五年八、九月間適當編審部復員東下，因交通擁擠，抵滬時將及歲杪，故在渝所編止於第四十二卷第十八號，返滬後所編則始於四十三卷第一期。

根據這段話，《東方雜誌》在重慶時，僅出至四十二卷十八號，回上海後，則從四十三卷一號出起。可是，《東方雜誌總目》卻有四十二卷十九、二十期的目次，這也是待查證的問題。茲將這兩期的目次抄錄如下：

四十二卷第十九號（1946年10月1日）

有這兩期的目次，且明註出版日期，可見第四十二卷應有十九號、二十號，為何重印本說只出到十八號，這有待研究近代出版史的人來解答。

五、結語

《東方雜誌》創刊於清光緒三十年（1904），是清季以來發行較廣，且持續最久的期刊。在抗戰勝利之前，曾四度停刊，時間或長或短，都能迅速復刊，足見商務印書館能充分了解《東方雜誌》所擔負的學術文化和社會責任。

民國三十七年（1948）十二月後，至民國五十六年（1967）六月，停刊達十八年有半，是為第五度停刊。雖然停刊這麼久，但民國五十六年七月商務印書館仍舊在極困難的情況下將《東方雜誌》復刊，這種鍥而不捨的精神，實令人感動。

由於《東方雜誌》發行時間超過半世紀以上，臺灣和海外各圖書館大多未能整套收藏。臺灣商務印書館花費巨資重印全部舊刊，造福學界，值得稱許。但是屈服於臺灣戒嚴文化，將重印本篡改成此一模樣，也著實令人驚訝！此一重印本，學者引用時請務必小心，最好將重印本蒐集來的資料，與原刊本核對一遍，確定有無篡改，才能安心引用。

商務印書館為逃避警備總部的檢查，作了那麼多的篡改，為當代學術研究增添不少麻煩，唯一獲利的是文獻學家，增加了寫論文的題材。中國歷史上有許多篡改書籍的例子，有人篡改，就有人加以考辨。歷史一直在重演，《東方雜誌》重印本就是一佐證。

昌彼得教授八秩晉五壽慶論文集
2005年2月　　頁157～180

論檔案整理的來源原則

宋兆霖

一、導言

檔案整理的目的在辨別文件異同，使性質相同者得以匯集凝聚，性質相異者得以分列歸類；並循一定準則，使之形成系統組織，俾便繙檢利用。目今，檔案界所知最具實際成效的檔案整理方法，也是維繫檔案整體存在價值最直接的途徑，稱作「來源原則（principle of provenance）」。所謂來源原則，係指檔案館循文件形成機關及文件形成順序對館藏進行整理，不使來源相同者分散，亦不使來源相異者混雜的作業規範。自十九世紀中葉於法國萌芽，並經檔案工作者長期實務驗證以來，來源原則一直被視為「檔案整理的至善原則和一切原則中的最高原則」❶，不僅是組織檔案基本管理單元的依據，更是區別檔案整理與圖書（或其他類型文獻）分類的指標❷。

「檔案」一詞，具有廣義與狹義兩種解釋：前者泛指自然人或法人為處理事務所製作的記錄性材料組合，是一種工具，也是一種依據；後者則專指公務機關為履行其社會職能所形成、所接收，且經過行政處理程序的文件材料組合。由於個人檔案多屬私領域的文書、手稿材料，其形成過程或發展規律常因人因事而異，較難概括歸納，故本文所稱檔案，要以公務機關直接形成，經鑒定具保存意義，足供查考研究憑證的

❶ 韓玉梅（編），《外國現代檔案管理教程》，北京：中國人民大學出版社，1995年，頁130。
❷ 韓玉梅，〈來源原則〉，收錄於：《中國大百科全書：圖書館學、情報學、檔案學》，臺北：錦繡出版事業，民國82年，頁240。

文件組合為對象。

以來源為基礎的檔案整理作法，強調檔案整理必須按文件形成者為之，方可「保持檔案文件的來源一致性，維護檔案的群體性」❸。作為人類文獻體系的一環，檔案的意義在保存社會職能活動進程的原始歷史記錄；其實體整理，自應以真實反映其活動發展的原貌為要務。當然，為期維繫歷史的完整性，檔案的真實性（亦即證據價值）必須獲得維護。為期維護檔案的真實性，檔案中涵文件的形成規律必須獲得保持；而保持文件形成規律的不二法門，就是尊重文件形成的原有次序。文件原有次序乃文件之間的來源聯繫，係文件在產生過程中所形成之相互自然關係。易言之，來源原則的立論基礎「即歷史主義的思想方法」，或謂來源原則「是歷史主義在檔案管理領域中的具體體現」❹。

百餘年來，來源原則之所以為檔案界所重，能夠影響各國國家檔案館以次各級檔案機構的佈局與經營，並制約館藏檔案的分類與組織，絕非偶然。首先，在來源原則的框架中，檔案被視為一個有機整體，具自身結構；而此自身結構，正是檔案本質與檔案價值賴以體現的基礎❺。其次，來源原則以文件形成者為整理標準，為檔案實體的管理提供了具體可行的方法，足以有效改善檔案館內各類文件相互混雜的現象。再次，來源原則由歷史主義分類方法出發，不僅對保持檔案的完整及維護檔案的證據價值具有直接正面的意義，也揭示了檔案整理的專業特色，從而使檔案工作的獨立性獲得確認。尤有進者，來源原則的思想核心經歐美檔案界不斷闡釋導揚，與檔案價值、文件運動概念相互結合，更間接促進了二十世紀文件鑒定、文件生命周期、文件連續

---

❸ 秦國經，〈論中國檔案的分類〉，收錄於：中國第一歷史檔案館（編），《明清檔案與歷史研究論文選》，北京：國際文化出版公司，1995年，頁268。

❹ 張輯哲，〈檔案管理中的邏輯主義與歷史主義——關於全宗原則理論根源及深刻理論意義的探討〉，《檔案工作》，1992年6月，頁34。

❺ 來源原則被提出後，若干西方檔案學者曾將之喻為「結構主義的檔案學理論」。見：王英瑋（編），《檔案文化論》，北京：中國人民大學出版社，1998年，頁118。

運動理論的長足發展❻。為期國內文獻工作者對來源原則有所瞭解，筆者特為此文，針對其形成、傳播、短暫式微、重獲重視之發展脈絡，以及來源一詞在檔案工作中之內容意涵，提出說明如次。

二、來源原則的萌芽與形成

來源原則起源於十九世紀的法國,其發展與一直被視為現代檔案學核心理論的「尊重全宗原則（principe de respect des fonds）」息息相關。全宗（fonds）一詞，為法國古文字學史家納塔利斯·威利（Natalis de Wailly）於1838年所提出，意指「庫藏的一個單位」，後經衍繹為「一所機關的全部檔案」❼。1841年，法國內政部頒布《各省和各地區檔案整理分類基本條例》通令，正式將全宗觀念導入檔案工作範疇。案其規定，「來源於任何一個特定機構（例如一個行政當局、一個公司、一個家庭）的全部文件，都要組合在一起，並且依特定次序整理，始得成為該特定機構的檔案全宗」❽。同時，「與一個組織、團體、家庭有關的文件，絕對不能與其他組織、團體、家庭的檔案全宗相混合」❾。《各省和各地區檔案整理分類基本條例》雖具合理立論基礎，惟甫一實施，即遭到若干守舊人士質疑。時任法國內政部檔案局行政處長的威利氏為之辯解，謂：「按

❻ 宋兆霖，〈二十世紀西方文件價值鑒定理論發展概述〉，《書目季刊》，近期刊載；「從文件生命周期到文件連續運動：有關文件生命現象的探討」，《書目季刊》，37卷3期（民國92年12月），頁1-26。

❼ Jaroslava Hoffmannova, “Archives and Archivists in the Czech Lands,” http://www.libri.cz/databaze/archivari/english.php. See also: Moya K. Mason, “Archival Arrangement: Ensuring Access to Materials,” http://www.moyak.com/researcher/resume/papers/arch2mkm.html.

❽ Ole Kolsrud, “Developments in Archival Theory,” in Allen Kent and Carolyn M. Hall (eds.), *Encyclopedia of Library and Information Science*, Vol. 61, Suppl. 24 (New York: Marcel Dekker, 1968), p. 91-92.

❾ 米歇爾·迪香，〈檔案管理工作中的來源原則——理論原則和實際問題〉，收錄於：彼得·瓦爾納（編），《現代檔案與文件管理必讀》，北京：檔案出版社，1992年，頁84。

檔案全宗匯集整理文件，是獲致規律性、一致性、有序性檔案的唯一切實可行方法」。「如果以分類的理論方法取代，將使檔案館陷入難以補救的混亂」。「不以來源為基礎的分類方法有巨大危險，將使檢索文件成為不可能」⑩。

在法國政府揭櫫尊重全宗原則之前，歐洲諸國檔案界遵循的檔案整理方法並不一致，有按部門、人名、地名部次者，亦有依時序、字順、文件尺寸分類者；惟其中較常見者，首推法國法學家皮耶－卡繆·樂曼恩（Pierre-Camille Le Moine）於 1765 年倡議的「事由原則（principle of pertinence）」，亦即不計檔案來源及原有次序，悉按其內容主題進行分類的原則⑪。在典藏規模不大，且專為一所來源機關服務的檔案室，此一借鏡於圖書館館藏主題分類法的作為，尚不致造成檔案整理或取用的不便。然而，一旦涉及藏品數量龐大，且事由主題類目繁多的國家層級大型檔案館，各來源機關文件相互混雜的現象，便益發嚴重；而源自同一機關的檔案文件，更易支離破碎，造成難以管理，又不利查檢的嚴重後果⑫。法國國家檔案館（Archives Nationale de France）創立初期的經驗，最足以說明此一現象。1789 年資產階級大革命後，共和國政府成立國民議會檔案館，著手推動檔案改革；嗣於次年將之改組為綜合性的國家檔案館，負責保管國民議會與政府各部門的檔案，並接收各種歷史文件。首任館長阿曼·卡穆（Armand Gaston Camus）認為，文件自有內在意義，與其前後聯繫未必相關，乃決定將大量湧入的檔案視作一組單獨的文件材料匯集，並全面將其內容劃分為四類。所有文件於歸類後，再依地點、朝代、時序等標準複分。十五年後，卡穆氏的後繼者皮耶·多努館長

---

⑩ 同上註。

⑪ Pierre-Camille Le Moine, *Diplomatique Pratique ou Traite de l'rrangement des Archives et Tresor des Chartes* (Paris: Joseph Antoine, 1765).

⑫ 英國檔案學家邁克·庫克（Michael Cook）曾將事由原則喻為「一種溶解性的、分裂性的方法」。他以為，「主題分類法是行不通的，因為它不符合對檔案的道義保護」。見：黃坤坊、韓玉梅，〈事由原則〉，收錄於：《中國大百科全書：圖書館學、情報學、檔案學》，臺北：錦繡出版事業，民國 82 年，頁 381。另見：黃坤坊，〈關於事由原則〉，《檔案學通訊》，1995 年第 1 期，頁 11-13。

（Pierre Claude François Daunou）蕭規曹隨，亦循事由原則舊制，未就整理方法進行重大調整；所不同者，係將主題擴充為二十四大類，期以含括立法、行政、疆域，以及財政、司法、歷史等內容的文件。由於兩者作法沿襲圖書館界主題著錄模式，未顧及檔案形成規律與文件來源變化，是以長期拆散了文件形成的前後聯繫，攪亂了檔案實體的歷史次序，「要找出文件的來源，在多數情況下已不可能」，致「所有文件都無法擺脫被打亂分散的命運」⓭。卡穆氏雖因催生世界第一所現代檔案館，復因率先推動開放公眾提閱文件，獲得檔案界高度推崇，其館藏整理作為卻完全不利於檔案的翻檢利用，故嘗為後來者嚴厲責難⓮。

法國《各省和各地區檔案整理分類基本條例》強調尊重全宗，要求整理檔案必先確認文件形成者，以維護檔案內容的來源聯繫。凡同一形成者的檔案必須被視為一個整體，不容任意割裂分散；不同形成者的檔案，更不得予以混合並列。易言之，全宗係以社會職能機關為基礎所彙集的檔案有機體，具有不可分割特性。同時，全宗必定在社會職能活動中形成，絕非人為的、隨意的文件組合；其客觀的整體性，則由檔案內部之歷史與來源聯繫決定⓯。此即檔案界所稱之來源原則，亦為檔案全宗思想核心內容之所在。正因為其目的在維護檔案實體的完整性，使文件查索應用更為迅捷，來源原則一經提出，便即撼動了事由原則在法國國家檔案館館藏分類上的主流地位；其實際效益甚且漸次為歐洲檔案界所接受，最終成為許多國家的檔案工作準據。

雖然來源原則在法國的形成導源於事由原則的失敗，兩者並未從此互不相屬。案《各省和各地區檔案整理分類基本條例》規定，檔案來源釐清後，「每個全宗內的文件要先按主題，後按年代、地區、或字母順序劃分整理」⓰。其中，主題不正意指案

⓭ 見註❾，頁 83-84。

⓮ 黃坤坊，〈卡繆（Armand Gaston Camus, 1740-1804）〉，收錄於：《中國大百科全書：圖書館學、情報學、檔案學》，臺北：錦繡出版事業，民國 82 年，頁 224。

⓯ 鄧紹興、和寶榮（編），《檔案管理學》，北京：中國人民大學出版社，1989 年，頁 36。

⓰ 同註❷。

由，或文件內容的緣由、文件形成的原因與目的？不就是法國國家檔案館卡穆與多努兩位館長奉為圭臬的事由？由此看來，來源原則並不如若干檔案學家所言，係在否定事由原則的過程中產生⑰。相反地，法國內政部於提倡全宗概念，禁絕檔案破壞之際，似乎已兼容了事由原則的優點，作為來源原則的補充，期使檔案全宗內部整理得獲一合乎邏輯的規範。總之，來源原則為檔案界提供了文件整理著錄的有效實用途徑。檔案工作者欲瞭解檔案的意義或價值，必先準確掌握文件的形成來源，並應充分瞭解文件產生的原因目的，以及與全宗內其他文件的關係。如果不遵循來源原則，檔案整理勢將呈現隨意、主觀、缺乏條理的亂象。

無獨有偶，歐陸的普魯士國家機密檔案館（Geheimes Staatsarchiv）亦曾陷入類似窘境。德意志邦聯於 1815 年成立後，原國家參議會所隸之普魯士國家機密檔案館轉型為全國性綜合檔案館，接收源自各政府機關的檔案。由於服務範圍驟然擴大，藏品數量急遽增加，館內採行多年的事由原則不僅再難適應檔案整理之需，其分類方式更不斷破壞檔案與形成者間的來源聯繫，每致案卷紛亂，繙檢困難⑱。1819 年，柏林科學研究院歷史哲學系向普魯士政府送交意見書，反對將不同檔案混合置放。意見書指出：「若各地方、教會、寺院檔案合併之後，仍予分開保存，將（對學術研究）更為有利；而特種地方史的編研，獲益尤多」⑲。此一敘述雖未言及任何檔案整理之道，多少說明了當時檔案使用不便的現況。一八八一年，普魯士國家機密檔案館漢利克·馮·西伯爾（Heinrich von Sybel）館長發布由史學家麥克斯·雷曼（Max Lehmann）所撰擬，並經館務會議討論通過之《國家機密檔案館檔案整理條例》，提出所謂「登記室原則（registraturprinzip）」。案其作法，整理檔案除應依來源分類外，更應保留文件在形成

⑰ 馮惠玲、張輯哲（編），《檔案學概論》，北京：中國人民大學出版社，2001 年，頁 198。另見：陸陽，〈來源原則與事由原則再認識〉，《檔案學通訊》，2003 年第 6 期，頁 26；潘連根，〈論來源與全宗概念的發展變革〉，《浙江檔案》，2003 年第 11 期，頁 14。

⑱ 見註⑫，黃坤坊〈關於事由原則〉款，頁 12；註⑰，馮惠玲、張輯哲《檔案學概論》款，頁 199-200。

⑲ 見註❺，王英瑋《檔案文化論》款，頁 117。

者職能活動中的產生順序與原始登錄次第；唯有如此，文件的來源聯繫與檔案全宗的整體結構才能獲得維護[20]。

登記室原則以融入歷史主義，復強調檔案完整，雖被視為「來源原則思想的完全體現」、「來源原則正式形成的標誌」[21]，其實實務操作並非毫無困難。苟欲使檔案全宗原封不動，各機關登記室的文件著錄必須正確無誤；而達到此一理想境地的先決條件，在於各機關的職能活動環境與行政體系必須常保穩定[22]。

三、來源原則的論證與播揚

來源原則萌芽於法國，形成於德國，惟最早對之進行科學論證者，係荷蘭檔案學家山繆·繆勒（Samuel Muller）、約翰·斐斯（Johan A. Feith）、羅伯·福羅英（Robert Fruin）。一八九八年，他們發表《檔案的整理與編目手冊》專著，闡釋了事由原則與來源原則的差異，以及來源原則的理論基礎與實務操作的優越性[23]。三位學者由尊重全宗的思想出發，強調檔案整理必以其來源機關為中心。他們認為，「祇有公文，亦即那些由行政單位或行政人員以正式的資格受理或產生的文件，才屬於檔案全宗。至於檔案全宗中所常見的那些由行政單位的成員或行政人員以別的資格受理或產生的文件，則不屬於檔案全宗」。案其定義，檔案全宗所涵蓋者，是「一個行政單位或其行政人員所正式受理或產生，並經指定由該單位或該行政人員保管之書寫文件、圖片、印刷品」；

---

[20] Nils Brubach, “Archiving a United Germany, 1: Development and Traditions of Records Management and Archives in Germany,” http://www.caldeson.com/RIMOS/brubach.html. See also: Ernst Posner, “Max Lehmann and the Genesis of the Principle of Provenance,” in Ken Munden (ed.), *Archives & the Public Interest: Selected Essays by Ernst Posner* (Washington, D.C.: Public Affairs Press, 1967), 36-44.

[21] 見註[17]，馮惠玲、張輯哲《檔案學概論》款，頁 200。

[22] 同註[20]。

[23] S. Muller Fz., J.A. Feith, and R. Fruin Th. Az., *Manual for the Arrangement and Description of Archives* (The Hague: The Netherlands Association of Archivists, 1898).

又「一份文件即使在後來的保管者之間多次移交，也不會因此而失去其為檔案的性質」。同時，檔案全宗也是一個活的有機體，依既定規則形成、發展、變化；如果來源機關的「職能有了改變，那麼這一檔案全宗的性質，也會同樣地改變」㉔。因此之故，一個完整的檔案全宗應獨立存在；同一檔案全宗內的文件，尤不得分散。要之，來源原則的實質在於來源的一致性。由同一形成者文件組成的檔案全宗不容割裂；否則，檔案的形成與發展規律將難獲得維繫。《檔案的整理與編目手冊》的另一主旨，係檔案分類系統必須與來源機關的組織架構一致，因為檔案來源機關的文書人員「往往根據承辦部門或經辦過程整理文件」，而「他們為檔案建立的原始整理順序，更能反映機關職能與業務特點」㉕。易言之，檔案整理的原則絕非文書人員所能隨意創造，必須取決於來源機關的社會職能與文件之間的歷史聯繫。

《檔案的整理與編目手冊》係全球檔案學名著之一，於檔案與文件之系統性分類管理，申述甚詳，曾被譯為多種語文，對檔案全宗理論及來源原則的播揚，貢獻頗大。1910 年，來自二十餘國，數踰一百二十位的西方檔案工作者在比利時首都布魯塞爾召開的圖書館與檔案館國際會議（International Congress of Libraries and Archives）中，就《檔案的整理與編目手冊》進行廣泛、深入討論；除普遍推崇繆勒、斐斯、福羅英三人檔案整理思想的實務指導意義外，更一致認定來源原則是檔案工作的基本原則，為所有檔案管理應用的基礎㉖。如果說荷蘭學者最終使來源原則理論化、國際化，成為近現代檔案工作的核心思維，實不為過。

檔案形成於社會職能活動，也作用於社會職能活動；檔案工作因而是一種社會性非常鮮明的專門事業，其實務操作多受社會現狀與社會發展規律所制約。不同社會形

㉔ 斯·繆勒、伊·阿·斐斯、阿·福羅英，《檔案的整理與編目手冊》，初版，北京：中國人民大學，1959 年，頁 3-8。

㉕ 同註㉑。

㉖ 王德俊，〈荷蘭手冊評述〉，《檔案學研究》，1998 年第 1 期，頁 3-6。另見：Jan van den Broek, "From Brussels to Beijing," *Archivum: International Review on Archives*, 43 (1997): 31-62.

態中的檔案工作往往呈現截然不同的性質，惟皆須與各國的社會制度相配合、相適應。二十世紀初，尤其是布魯塞爾圖書館與檔案館國際會議之後，來源原則獲得檔案界普遍認同。對來源原則的應用，多數國家的檔案工作者都會結合本國檔案管理作業，予以適度調整變革，使符合現實需求。以英國為例，其來源原則思想集中體現於檔案學家希勒瑞・詹金生（Hilary Jenkinson）於 1922 年撰著之《檔案管理手冊》一書㉗。大體而言，詹金生氏接受了《檔案的整理與編目手冊》揭櫫之來源原則，強調檔案的來源聯繫必須獲得尊重，且整理檔案必須反映來源機關的組織架構與文件保管體系。不過，他根據英國語文習慣與國內檔案管理實務，提出了「檔案組合（archive group）」概念。所謂檔案組合，係指任何結構穩定、組織完整之行政機關在職能活動中形成的全部文件。就定義而言，英國的檔案組合與法國、荷蘭的全宗並無二致，都側重文件來源的同一性與文件的歷史聯繫。不過，檔案組合以要求結構穩定、組織完整，似乎更能突顯文件形成者的職能獨立性（亦即不必依附於外部職權即可推動各項工作），從而使判定文件的來源更為精確㉘。另一方面，美國史學家瓦爾道・基佛・利蘭德（Waldo Gifford Leland）雖自 1909 年起即大力鼓吹荷蘭手冊揭櫫之檔案整理思想㉙，國內檔案界注重實用主義的心態令一般工作者仍不免憂心來源原則或不利於文件主題資訊的查檢，更無助於文件使用率的提昇。其後，在檔案學家提爾鐸・謝倫伯格（Theodore R. Schellenberg）分由文件整理、價值鑒定、檢索諮詢等方向克服來源原則對使用者造成不便的嘗試中，美國檔案界始逐漸接受歐洲的來源思想㉚。美國國家檔案館（U.S. National Archives）於 1941 年開始採用之「文件組合（record group）」，就是在來源聯繫基礎上組成之文件集合體。然而，為配合美國檔案管理實務需求，文件組合的構建又須兼顧行政管理傳統與組織

㉗ Hilary Jenkinson, *A Manual of Archives Administration* (London: Percy, Lund, Humphries & Co., 1922).

㉘ 見註⑰，潘連根〈論來源與全宗概念的發展變革〉款，頁 15。

㉙ "The Development of Archivology in the Western World," http://is.gseis.ucla.edu/courses/431/431_w04/chronology.pdf.

㉚ 黃霄羽，〈北美檔案界對來源原則的重新發現〉，《檔案學通訊》，2001 年第 2 期，頁 73-74。

沿革、文件複雜多元程度、文件數量等因素，成為一種具備組織與職能相關性的文件整體。類此靈活應用的結果，使得文件組合能夠容許不同地位、職權機關的文件在分級情況下形成組合；其內容既可能是獨立機關的全部文件，也可能是大型機關某一內部單位的全部文件，或若干行政機關的檔案匯集㉛。

在此值得一提者，係來源原則在傳播過程中，並非無往不利，未曾遭到任何質疑。1930 年後擔任德國國家機密檔案館館長的亞道夫·布倫內克（Adolf Brenneke）即曾呼籲，檔案界不宜固守荷蘭手冊提倡之檔案有機體概念，而應從哲學視角瞭解來源原則與文件之有機聯繫㉜。1953 年，布倫內克氏的好友渥夫崗·里許（Wolfgang Leesch）將其生前授課內容與研究手稿彙為《檔案學——歐洲檔案工作的理論與歷史》專書㉝。後人由書中得知，他在世時曾特別強調：檔案工作者應透過科學觀察，採取較為靈活的檔案整理方式。來源原則雖屬通則，並非一成不變的金科玉律；看似相互矛盾的事由原則，未嘗不可作為構建檔案的標準之一。布倫內克氏指出：「來源思想不是衹保持固定的來源，而是要把來源和事由配合成一種相當的比例關係，建立一種介乎兩者之間的綜合體」。對此，他以「來源共同性基礎上的事由共同性」相稱，並以之作為其「自由來源原則（free principle of provenance）」的核心㉞。在布倫內克氏的認知中，事由並非單純的案由，而應被廣義地視作行政機關的社會職能。所謂事由共同性，意指一項社會職能在不中斷、不停止的情況下，可由不同機關前後交替執行，或同時協力為之。易言之，當一項職能活動的進行完全不受行政機關變動更迭影響時，與之有關的所有

㉛ 同註㉘。另見註⑰，馮惠玲、張輯哲《檔案學概論》款，頁 202；註❺，王英瑋《檔案文化論》款，頁 128-129。

㉜ 見註❺，王英瑋《檔案文化論》款，頁 123。

㉝ Adolf Brenneke, *Archivkunde: ein Beitrag zur Theorie und Geschichte des Europaischen Archivwesens*, ed. Wolfgang Leesch (Leipzig: Koehler & Amelang, 1953).

㉞ 馮惠玲、何嘉蓀，〈全宗理論的實質——全宗理論新探之二〉，《檔案學通訊》，1988 年第 5 期，頁 9。另見：何嘉蓀，〈歷史聯繫就是廣義的來源聯繫〉，《檔案學研究》，1998 年第 2 期，頁 2-4。

文件自可與形成機關脫離，且一如獨立有機體般，依原有精神繼續成長，彙集成為檔案。由此看來，自由來源原則於傳統的機關來源聯繫之外，又揭示了職能來源聯繫或職能原則的概念，從而使檔案整理的作法更為自由靈活㉟。據悉，自由來源原則對若干專門性質檔案或大型活動檔案的管理，頗具成效㊱。筆者以為，來源原則與事由原則係同一位階上性質迥異的兩種檔案整理方式。在同位分類中，若維繫了來源共同性，恐難保持事由共同性；反之亦然。布倫內克氏將來源與事由同步綜合處理，擴充傳統思維的立意雖佳，在實務推廣上，似應輔以嚴格的限制條件。除非檔案實體整理與文件內容查檢兩項實務作為之間連結已臻完備，自由來源原則不僅將使文件來源聯繫與檔案全宗架構受到破壞，造成無可避免的文件排列混亂窘境，亦足令事由原則在文件內容檢索方面的效益無從發揮。

四、來源原則的短暫式微與重獲重視

1960年代中期、1970年代以後，在謝倫伯格氏「文件雙重價值」論的影響下㊲，

㉟ 見註⑰，潘連根〈論來源與全宗概念的發展變革〉款，頁15-16；註❺王英瑋《檔案文化論》款，頁124-125。所謂職能原則，係檔案館以公務機關社會職能為檔案整理依據的原則。贊成此論者認為，檔案是形成者職能活動的記錄，其整理、分類、檢索自以職能原則最宜。在職能原則的管理架構下，檔案能真實反映形成者的業務特性與活動面貌。同時，公務機關的社會職能皆有章可循，有案可依，具備一定的規律性與權威性。此一現象使職能原則具有明確的客觀標準，可避免檔案整理時的主觀、隨意作為。見：鄧紹興，〈職能原則是檔案管理的重要原則〉，《上海檔案》，1998年第5期，頁9-12。

㊱ 見註⑰，馮惠玲、張輯哲《檔案學概論》款，頁203。

㊲ 1956年，謝倫伯格發表《現代檔案：原則與技術》專書，就美、英、德三國重要檔案思想進行對比分析，並做了嚴謹的整合。首先，他區別文件的「主要」與「次要」雙重價值；認為前者是文件對其形成者履行職能時的直接（或原始）價值，後者則係文件對一般或學界人士日後從事研究時的間接（或附屬）價值。同時，他也特別強調：檔案工作者判判斷文件價值，必先瞭解文件如何形成；如果產生「文件的……來源不明，其作用與意義將難以確定」。要之，謝倫伯格氏不僅強調文件對其形成者的原始價值，更確認了文件對未來使用者（包括史學家）進行研究時的證據價值與資訊價值。見：Theodore R. Schellenberg, *Modern Archives: Principles and Techniques* (Chicago: University of Chicago Press, 1956), 135-159.

國際檔案界逐漸將工作重心由傳統的守藏管理轉移至檔案資料的利用。其時，資訊科技快速發展與電子文件大量出現的趨勢方興未艾，檔案工作者普遍將檔案管理視為資訊管理的重要環節，並以經營便捷有效的檔案查檢利用環境為首要任務。一時之間，檔案學研究文獻充斥著資訊科技應用的相關討論，諸如透過資訊化標引提昇主題檢索準確度、研發標準化的文件編目著錄系統、建設資訊化檢索網路以落實檔案資源共享等等[38]。檔案界（尤以美國為主）對資訊技術革命的憧憬，使得主持管理業務者更加重視文件的內容與主題；傳統的來源聯繫觀念，反倒乏人注意[39]。同時，現代政府機關的體質與十九世紀來源原則初興時的政府組織架構不同，其變動重整較諸過往更為頻繁劇烈；按機關來源劃分檔案全宗，並據以整理分類，提供繙檢利用，自然困難重重，且收效不大[40]。其間，美國檔案學者馬里歐・芬佑（Mario D. Fenyo）與澳洲檔案學者彼得・史考特（Peter Scott）曾分別撰文，強調來源原則終究是推展檔案工作的前提，萬萬不可將之捐棄。他們認為，現代檔案的來源複雜性遠勝疇昔，文件組合或檔案全宗內的文件形成者可能並非同一機關。因此，檔案工作者從事整理著錄，往往必須將文件內容與機關職能仔細對應比較，才能順利梳理現代檔案的複雜來源。面對此一現象，最妥善的解決之道，就是確實掌握文件形成的背景知識及來源聯繫[41]。不過，史考特與芬佑兩氏的呼籲，一直未獲重視。

來源原則遭到衝擊的另一原因，則與電子文件直接相關。案電子文件係計算機技術應用中的產物，屬於虛擬的非實體文件；其經辦完全依賴電子網路通訊，且體現文

[38] 同註[30]。

[39] 見註[17]，馮惠玲、張輯哲《檔案學概論》款，頁207；註[17]，潘連根〈論來源與全宗概念的發展變革〉款，頁17。

[40] 馮惠玲，〈電子文件時代新思維——「擁有新記憶：電子文件管理研究」摘要之六〉，《檔案學通訊》，1998年第6期，頁45-49。

[41] Mario D. Fenyo, "The Record Group Concept: a Critique," *American Archivist*, 29:2 (Apr. 1966): 229-239. See also: Peter Scott, "The Record Group Concept: a Case for Abandonment," *American Archivist*, 29:4 (Oct. 1966): 493-504.

間內在邏輯聯繫的各種資訊，可能分別貯置於不同的計算機具設備。由於資訊內容與存貯載體分別存在，電子文件多無法如實體的紙本文件般，在運動過程各階段中受到傳統管理規範制約㊷。易言之，作為一種所謂「數據間的瞬間邏輯聯繫」㊸，電子文件以其邏輯結構與物質載體的可分離性、資訊網路環境中的可流動性，似乎已使來源聯繫的觀念不再具體明確，從基礎上否決了來源原則在資訊時代的適用性。1976 年，英國檔案學者萊奧納·貝爾（Lionel Bell）在第八屆國際檔案大會（International Congress on Archives）宣讀論文，指出：「計算機技術的應用不僅產生了機讀文件（即電子文件），也使檔案工作者得以大範圍地處理資訊。因此，……檢視檔案價值時，僅考慮文件是否含有未來利用者所需的資訊即可。較諸傳統紙本文件，來源原則對於機讀文件的整理與著錄，所能發揮的作用並不顯著」㊹。1981 年，曾任美國國家歷史出版品與文件委員會（National Historical Publications and Records Commission）主席的檔案學家法蘭克·勃克（Frank G. Burke）也發表專文，認為來自歐洲的來源原則絕非恆久不變的金科玉律，其實務操作效益不僅有限，且祇能體現於某類公務機關的某類文件。他希望能為美國檔案界覓得檔案管理的普遍規律，但承認目標實現的可能性微乎其微㊺。

以上種種，看似說明來源原則已經過時，再無發展精進空間。不過，1980 年代之後，西方檔案界在檔案資訊檢索利用的研究趨勢中，又開始檢視來源聯繫與現代文件形成過程的關係，並重新思考來源原則對非傳統類型檔案整理的價值。引領此一風潮者，係美國檔案工作者協會（Society of American Archivists）李察·萊特（Richard H. Lytle）、李察·伯納（Richard C. Berner）、戴維·比爾曼（David Bearman）諸君。萊特氏曾參與美國國家資訊系統特別小組（National Information Systems Task Force）的研究調查工作，對檔

㊷ 馮惠玲，〈認識電子文件〉，《檔案學通訊》，1998 年第 1 期，頁 44-48。

㊸ 陸陽，〈中外電子文件問題研究綜述〉，http://lantai.myrice.com/2xshu/1dwen/210003zw.htm。

㊹ Lionel Bell, "The Archival Implications of Machine-Readable Records," *Archivum: International Review on Archives*, 26 (1979): 85-92.

㊺ Frank G. Burke, "The Future Course of Archival Theory in the United States," *American Archivist*, 44:1 (Winter 1981): 40-46.

案利用有效途徑的體驗甚深。他認為，主題檢索雖屬主流作為，然提供的檔案內容資訊往往不足，且索引品質較不穩定，難以控制。檔案工作者不圖探究來源原則的優越性，是完全「不瞭解自己手中握有多麼強大的檢索工具」[46]。伯納氏也相信，檔案工作者若無法深入瞭解文件的來源，勢難謀得促進檔案利用的適當方法。又美國檔案界偏好內容分析與主題標引的走向，實則忽略了來源觀念在檔案資訊查檢中的重要作用[47]。來源原則的興起，原為適應檔案實體整理之需，內容主題的組織分類非其所長。在幾乎被宣告無助於檔案整理利用數年後，文件的來源聯繫竟被視為繙檢檔案內容的又一利器。此中因由為何？對此，比爾曼與萊特兩氏提出說明：所謂現代檔案環境中的來源，並非荷蘭手冊或詹金生氏等人強調的文件形成者，而係「以文件內容或業務職能體現其社會價值」的機關團體。現代來源觀念並不否定任何單一行政機關形成的檔案，亦不輕忽傳統來源原則在檔案整理方面的作用；所側重者，乃文件形成者組織職能與檔案形式、內容、功能的一致性，以及彼此間的有機聯繫。他們相信，以來源為基礎的檔案管理與檢索體系優於以主題或內容為核心的傳統方法，是檔案工作者在電子資訊時代發揮作用的關鍵。易言之，來源原則絕非檔案界配合資訊化管理所應捐棄的老舊規範，而係決定檔案管理前景的要素；在二十世紀末的資訊時代，來源原則仍是最有意義的原則，電子機讀文件依然須按來源整理。因此，他們呼籲檔案工作者將關注的重心由檔案主題標引的採擇轉移至文件形成者的職能背景與文件的內容資訊，從而建立超越主題索引，且能充分反映機關組織架構、職能任務，以及其他相關

---

[46] Richard H. Lytle, "Intellectual Access to Archives: I. Provenance and Content Indexing Methods of Subject Retrieval," *American Archivist*, 43:1 (Winter 1980): 64-75; and "Intellectual Access to Archives: II. Report of an Experiment Comparing Provenance and Content Indexing Methods of Subject Retrieval," *American Archivist*, 43:2 (Spring 1980): 191-207. See also: Richard H. Lytle, "An Analysis of the Work of the National Information Systems Task Force," *American Archivist*, 47 (Fall 1984): 357-365.

[47] Richard C. Berner, "Historical Development of Archival Theory and Practices in the United States," *Midwestern Archivist*, 7:2 (1982): 103-117. See also: Richard C. Berner, *Archival Theory and Practice in the United States: a Historical Analysis* (Seattle: University of Washington Press, 1983).

特徵的檔案管理應用體系㊽。同時，比爾曼氏也呼應澳洲檔案學者麥克斯·伊凡斯（Max J. Evans）之議，贊成建立權威控制體系，於檔案編目記錄中補充文件形成者的組織職能說明，並在目錄系統增設相關參考檢索途徑，一以提昇檔案工作者對來源的重視，使檔案的整理著錄更為完善，一以提供使用者直接查檢文件來源資訊與文件形成背景㊾。

大約同一時間，加拿大檔案學家休·泰勒（Hugh A. Taylor）則以著名傳播學者馬歇爾·麥克魯漢（Marshall McLuhan）的理論為基礎㊿，透過一系列論文，鼓勵歐美檔案界超越傳統的歷史主義框架，跨入電子文件、數位網路的資訊環境，進一步探究社會、行為、檔案之間的關係51。他有見於傳播媒介對人類思想及社會行為之影響頗為深遠，瞭解社會、文化的變遷必先認識人類藉以溝通、傳播的媒介，乃建議檔案工作者重新思考人類社會由遠古、史前，經中世紀、工業革命，進入資訊時代的發展過程，以及

㊽ David Bearman and Richard Lytle, "The Power of the Principle of Provenance," *Archivaria*, 21 (Winter 1985-1986): 14-27.

㊾ David Bearman, "Authority Control: Issues and Prospects," *American Archivist*, 52:3 (Summer 1989): 286-299. See also: Max J. Evans, "Authority Control: an Alternative to the Record Group," *American Archivist*, 49:3 (Summer 1986): 249-261.

㊿ 1960 年代，麥克魯漢氏曾以「媒體是人體的延伸」、「媒體即訊息」、「媒體之熱性冷性」、「地球村」等獨特的傳播見解為世人所重，嘗被譽為「媒體先知」、「牛頓、達爾文、佛洛依德、艾因斯坦、巴甫洛夫之後最重要的思想家」。不過，他於 1980 年去世後，聲望漸漸褪色，所提出的論述也不再被重視。直到網路通訊科技開始快速發展，傳播學界始瞭解，他生前創造的種種概念正是數位資訊時代最真實的寫照。詳見：陳應強、陳淑萍、蔡坤哲，〈媒介與訊息傳遞——麥克魯漢理論介紹〉，http://mail.nhu.edu.tw/~society/e-j/29/29-24.htm。

51 Hugh A. Taylor, "The Collective Memory: Archives and Libraries as Heritage," *Archivaria*, 15 (Winter 1982-83): 118-130; "Information Ecology and the Archives of the 1980s," *Archivaria*, 18 (Summer 1984): 25-37; "Transformation in the Archives: Technological Adjustment or Paradigm Shift," *Archivaria*, 25 (Winter 1987-88): 12-28; and "My Very Act and Deed: Some Reflections on the Role of Textual Records in the Conduct of Affairs," *American Archivist*, 51:4 (Fall 1988): 456-469. See also: Tom Nesmith, "Hugh Taylor's Contextual Idea for Archives and the Foundation of Graduate Education in Archival Studies," in Barbara L. Craig (ed.), *The Archival Imagination: Essays in Honour of Hugh Taylor* (Ontario: Association of Canadian Archivists, 1992), 13-37.

口述、文字、影像、數位等傳播方式在其間的演變。於不停反思中，他個人領悟了今日電子化、資訊化檔案工作環境所呈現之「概念式口述傳播（conceptual orality）」現象。所謂檔案的概念式口述傳播，泛指「文件或其內容文字必須與形成背景及涉及之職能行為有關，始具意義」的狀態。據此，文件的意義「並不存在於文件本身，而是存在於以文件作為證據的機關業務處理程序中」，亦即文件產生的前後來源關係，以及與機關職能的聯繫。再者，泰勒氏認為，文件存在意義既然繫乎其職能活動的歷史憑證價值，檔案工作者自應由社會歷史學（social historiography）的角度出發，積極瞭解社會職能機關為何產生文件，文件又如何形成[52]。泰勒氏以堅實的學養與豐富的專業經驗，曾為 1970 年代末加拿大國家檔案館（National Archives of Canada）推動「總體檔案（total archives）」典藏體系的主要舵手[53]；其發人深省的檔案見解，不僅促使來源觀念再獲重視，更帶動了九〇年代初期西方檔案界對「來源原則的重新發現（the rediscovery of provenance）」。1989 年，美國歷史學家法蘭西斯·卜羅因（Francis X. Blouin）於第二屆歐洲檔案會議（European Conference on Archives）提出報告，介紹美國檔案界同儕對現代來源原則的詮釋。他指出，歐洲檔案工作者亦無法迴避資訊科技帶來的挑戰，必須正視電子文件的管理問題；祗有恢復對文件來源的重視，才能應付數量龐大、結構複雜的現代檔案。兼習資訊科學的卜羅因教授也預測，新世紀檔案工作者將更為關注組織機構文件的形成過程，而非文件載述的內容[54]。

---

[52] 泰瑞·庫克，〈1898 年荷蘭手冊出版以來檔案理論與實踐的相互影響〉，收錄於：國家檔案局、中央檔案館（編），《第十三屆國際檔案大會文件報告集》，北京：中國檔案出版社，1997 年，頁 156。

[53] 加拿大總體檔案思想旨在透過明確的徵集策略，建立完整的國家檔案典藏；所強調者，係突破來源機關限制，依文件載體類型，將文件、檔案分開貯置存放（例如：集地圖資料於一處，照片資料於另一處，影片資料又於一處……），既收專業管理之效，亦以避免同類資料分存多處，造成管理資源浪費。

[54] Francis X. Blouin, "Convergences and Divergences in Archival Tradition: a North American Perspective," in Judith A. Koucky (ed.), *Second European Conference on Archives: Proceedings* (Paris: International Council on Archives, 1989), 22-29.

進入 1990 年代之後，許多歐美檔案工作者以電子文件產生過程中涉及的部門過多，已不再是單一等級，且文件保管體制也不再屬集中式，益發感到以文件形成機關為基礎的來源原則必須予以調整。他們以為，新的來源觀念應「是概念化的、虛擬的、多元化的，而非……結構性的，也並不直接與一個行政單位相聯繫」[55]。同時，作為檔案整理基礎的文件原始順序原則亦將發生變化，因為電子文件的數據單元係隨機存貯，不具物理意義上的實際存在形態或固定的存在位置；其形成者可以根據不同功能，針對不同目的，用不同方式，在不同時間、地點，將相同數據單元組合成不同文件，並使每份文件都具有多種順序。另一方面，電子文件的產生、處理、傳遞過程也使檔案的本質屬性受到波及。傳統上，文件材料的唯一性與記錄內容的原始性一直被視為檔案有別於其他類型文獻的主要特徵。不過，對於以電子文件為主體的現代檔案而言，唯一性與原始性已難明確界定，因為電子網路環境使文件與數據單元始終處於相對獨立的狀態，且相同的數據單元更可能產生許多概念式的排比方法[56]。正由於電子文件由產生、經辦，以迄存貯、查考，都極易發生人為變化，傳統理論中的唯一原件觀念自難全然予以移植，作為其文獻本質的屬性。目今，檔案界面對虛擬網路環境中的電子文件，雖仍多以唯一性與原始性為檔案之所以為檔案的要件，然已瞭解必須「視乎其形成特點和實踐要求，在新的維度上重構……電子文件觀」[57]。事實上，為數日夥的西方檔案學者甚且認為，對於實體並不存在的電子文件，內容的真實性、可靠性、完整性才是其所應具備的本質特徵。後來者在回顧二十世紀末檔案學理論發展現象時曾云：「這種變化的產生，不能被簡單地理解為文字上的替換」；最值得深入瞭解者，是「其背後觀念與認知上的轉變」[58]。總而言之，隨著電子文件的日益普遍，西方檔

[55] David Bearman, "Diplomatics, Weberian Bureaucracy and the Management of Electronic Records in Europe and America," *American Archivist*, 55:1 (Apr. 1992): 168-180.

[56] Brian Brothman, "Orders of Value: Probing the Theoretical Terms of Archival Practice," *Archivaria*, 32 (Summer 1991): 78-100.

[57] 張寧，〈淺析電子文件的原始性與真實性〉，《檔案學通訊》，2003 年第 1 期，頁 43。

[58] 同上註。

案工作者已深切體會：無論傳統的檔案全宗，抑或現代的檔案組合或文件組合，皆必須面對來源定義內涵的改變，以肆應文件形成與檔案存貯的新現實(59)。

其實，西方檔案界所稱來源原則的被重新發現，並不意謂來源原則曾一度消失，也「並非對傳統來源原則的簡單重複」(60)，而是對傳統檔案理論的進一步認識，是電子文件資訊技術衝擊檔案管理作業後形成的一種新來源觀。前述萊特、伯納、比爾曼、泰勒等北美學者的呼籲，固然是使之應勢而起的原因，檔案界從實務操作中逐漸瞭解電子文件特性，進而充分掌握其網路運動軌跡的啟蒙歷程，未嘗不是使來源原則於二十世紀末再現異彩的觸媒劑。在此波重新肯定來源原則的潮流中，加拿大著名檔案學者泰瑞·庫克（Terry Cook）教授是最具代表性的人物。庫克氏曾於 1980 年代末發表「宏觀鑒定與職能分析（macro-appraisal and functional analysis）」論述(61)，俟經加拿大國家檔案館納入其鑒定接收策略核心，作為文件鑒定作業標準原則，對於現代檔案工作現象，往往能提出一針見血的觀察。他認為，棄置來源原則將背離檔案事業的基本軌道；固守以內容為主的檔案管理傳統，也並不能使檔案界從容應付資訊網路環境的嚴峻挑戰。檔案理論必須配合文件材料特性，與時俱進，才能充分反映時代、地域的需求；「新理論的內涵一旦被普遍瞭解，就會成為專業發展的動力」。因此，檔案界的當務之急，是「如何避免淹沒在無意義的數據海洋裡，如何探究相互關聯的意義，來重新肯定其專業的適用性」，是如何將「後保管（post-custodian）」的管理概念導入以來源為中心的檔案實體管理模式。在後保管的作業範式中，檔案工作者的焦點，將「從文件實體的整理、編目、保管轉向瞭解資訊系統與文件形成者相關文獻間的有機聯繫」，並「從等級結構中原始文件產生……的實際來源轉變為以變動、臨時、虛擬文件形成

---

(59) 見註(52)，頁 162。

(60) 見註⑰，馮惠玲、張輯哲《檔案學概論》款，頁二〇八。

(61) 庫克氏所謂宏觀鑒定與職能分析，係一種「後現代」的文件價值理論。他主張價值鑒定應以文件前後聯繫為基礎，並以文件來源為核心，而非將之置於一種完全以文件內容為主體的歷史文獻框架中。文件鑒定的要務不在個別文件或其資訊內容，而在產生文件的機關職能，以及機關為履行其職能所推動的各種業務。

者職能業務活動為重點的概念來源」。庫克氏相信，後保管的檔案管理概念「不僅反映了檔案論述的自身發展」，也「反映了十九世紀以來文件形成與文件保管現實的深刻變化」。檔案工作者果能透過後保管模式定位的確立，關注「機關職能、形成者、文件之間動態關聯的概念化來源定義」，自可應對資訊時代的層層試煉(62)。

無論是重新發現來源原則、新來源觀，抑或後保管範式，不過是相同檔案管理思想的不同稱呼，目的都在解決電子文件的控制問題。相關論述的核心——全面瞭解電子文件在職能活動等方面的有機聯繫，並將之納入管理，不就是維護文件形成者與文件內容間的來源關聯？事實上，檔案工作者若無法瞭解電子文件的形成背景或產生環境，自然無從掌握電子文件的內容及其代表之意涵。由此觀之，資訊網路時代的文件有效管理，更須重視來源觀念的應用。無怪乎庫克氏言道：「祇有堅持……專業和理論的傳統核心——來源、尊重全宗、因果聯繫、發展、相互關係、次序，檔案工作者才能將資訊轉化為知識，才能適應電子文件與通訊時代」；也「祇有保持原有檔案原則與實踐的穩固基礎，祇有全面瞭解文件，才能……應付新載體與新技術帶來的挑戰」(63)。

五、結語——兼述來源之內容意涵

就檔案管理實務而言，來源原則的最大規範作用，在使來自同一形成者之所有文件得以統合凝聚，組織成為能夠充分反映文件歷史聯繫之檔案有機整體。自法國內政部於十九世紀中葉頒布《各省和各地區檔案整理分類基本條例》以來，雖歷經登記室原則、檔案組合、文件組合、自由來源原則等應用方式的調整，檔案界在尊重全宗原則的制約下，仍多以同一形成者為來源的唯一解釋；對於檔案來源聯繫的維護，亦皆

(62) 見註(52)，頁 163。

(63) 見註(52)，頁 156。

以同一形成者為經為緯。逮乎二十世紀末，隨著社會組織的發展與資訊技術的進步，傳統來源原則以無法有效應付電子機讀文件的管理需求而受到質疑，甚且一度被認為無助於現代檔案工作。未幾，北美檔案學者透過對實體來源觀念的辯證反思，逐步發展出概念式的來源思想，將具體的文件形成者與文件形成過程的意義擴充，使及於相對抽象的文件形成者社會職能與來源表現形式。在此一理論回歸與拓展的過程中，來源原則的理論價值再獲肯定。他們認為，在電子文件生成、管理、利用的全程中，檔案工作者祇要忠實記錄數據單元及其中涵之職能意義，就能完整維繫並客觀呈現文件形成與運動的歷史原貌。

促使西方檔案界重新發現來源原則者，係電子文件；經深入探究來源原則後所得之新來源觀，亦以電子文件為對象。在理論內容由實體來源蛻變為概念來源的同時，來源思想的指導意義似乎已被一分為二：傳統來源原則適用於紙本文件的分類管理，新來源觀則有利於電子文件的檢索應用。然而，原則之所以為原則，必須具備放諸四海皆準的特色，且其實務價值的驗證或體現，亦不宜在預設範圍內為之。傳統來源原則之足為新來源觀所借鑒，新來源觀念之足以可長可久，當在其揭櫫之來源涵義能夠充分適應現今與未來各種類型文件檔案的管理利用。

檔案的形成，導源於社會職能活動歷史的記錄過程，係公務機關、企業團體、社會組織等為實踐其職能所產生之文件（或謂原始記錄）集合體。準此，同一形成者為履行其社會職能所製作、接收、經辦、應用的文件，勢必在實踐活動過程中自然聚合，並被賦予與形成者及其社會職能相關之有機聯繫。此一現象使文件本身具備同時存在的雙重從屬性：一方面，文件表現出對形成者的從屬性，具有明確的來源特徵；另一方面，文件亦表現出對社會職能活動的從屬性，具有明顯的職能特徵[64]。因此，判斷檔案或組成檔案的文件是否具備來源聯繫，除了傳統來源原則所強調的形成者之外，另一關鍵就是形成者的社會職能活動。

---

[64] 鄧紹興，〈職能原則是檔案管理的重要原則〉，《上海檔案》，1998年第5期，頁9。

一般而言，構成社會職能活動的要素有三：主體、客體，以及其間的運動程序。主體係社會職能活動的執行者，乃「有目的、有意識從事實踐活動」的法人或自然人(65)。客體為社會職能活動的目標，亦即「主體活動所指向的，並反過來制約主體活動的外界對象」(66)。主體與客體間的運動程序，則泛指主體為完成社會職能目標所從事的相對獨立性活動，係「主體……改造客體，同時……也得到改造的一種物質性社會活動」(67)。檢視社會職能活動因而可循兩種方式進行：其一，以主體為核心，將其全部職能項目概括於活動過程；其二，以客體為基礎，將不同主體為達成同一目標而分別進行之職能項目，悉數納入活動過程。至於將文件彙為檔案所依據的來源原則，是否亦有主、客體之分？對此，中國大陸檔案學者何嘉蓀與馮惠玲兩位教授曾提出狹義、廣義來源聯繫之說，頗足釐清主體與客體定位的關係。他們以為，傳統來源原則制約下產生的同一形成者檔案全宗，係根據狹義來源聯繫組成之文件集合，可稱作「主體全宗」，因為主體的社會職能活動，已然構成一種相對獨立且客觀存在的檔案來源。祇要主體繼續存在，社會職能未發生根本變化，其所進行的實踐活動即永無結束之期；凡因職能活動而產生、接收、經辦的文件，自然能聚合為以形成者為核心的檔案全宗。與之對應者，乃根據廣義來源聯繫組成之文件集合，喚為「客體全宗」。客體全宗內部文件的來源聯繫，係以社會職能活動的共同目標為基礎。此類社會職能活動既包括某一主體之職能任務，亦涵蓋其他個別主體為配合達成目標而共同參與之職能項目。因此，目標落實過程中所產生的文件，雖未必源自同一形成者，倒也具有相同來源（即社會職能活動共同目標）聯繫的特徵。一旦目標達成，所有相關職能活動結束，各主體於

(65) 齊振海、袁貴仁（編），《哲學中的主體和客體問題》，初版，北京：中國人民大學，1992年，頁91。

(66) 見註(65)，頁117。

(67) 見註(65)，頁199。

過程中形成的文件，自然可匯聚而為具有密切來源聯繫之檔案全宗[68]。

主、客體檔案全宗的構成核心雖分屬社會職能活動的執行者與目標，然兩者中涵的文件皆為主體職能活動之伴生物。由一般主體檔案全宗的形成過程觀之，一個為從事特定社會職能活動而成立的機構組織，其職能範圍與活動目標之間，必定存在密不可分的邏輯關聯；所有因職能活動而產生的文件，亦必定存在難以割裂的歷史聯繫。由於文件的來源一致，檔案工作者不難本諸傳統來源原則的精神，構建體系單純完整之檔案全宗。相對地，客體全宗的出現，是現代機構職能分工專業化、複雜化的必然結果，因為許多社會職能活動的目標已非任何機關團體所能獨力完成，必須倚賴其他機構協調配合，始得落實[69]。因此，客體全宗所體現者，係若干社會組織在協同從事職能活動過程中，客體對象的運動規律與狀況，亦即以客體對象為中心的社會職能活動過程。由於客體全宗涵蓋的範圍並非單一主體的社會職能活動記錄，而是若干主體為達成同一目標所形成的文件，其組織基礎自難相容於傳統來源原則強調之文件來源聯繫。縱使如此，客體全宗以其文件之間的邏輯聯繫，已足構成相對獨立、完整的檔案體系，亦屬不爭的事實。

正因為檔案是社會職能活動的原始記錄，是歷史稽憑研究的第一手證據，檔案工作者自來特別重視維護文件的完整與彼此間的來源關聯，期以全面反映其產生時之職能活動實況。任何使文件脫離其形成來源的作法，皆被視為破壞檔案體系本來面貌，從而使之失去稽檢利用價值的禍首。傳統來源原則強調文件來源聯繫的主要表現形式，堅持以文件的現實存在狀態與客觀界限，作為分類整理的標準，正是尊重文件形成過程，體現歷史精神的思維。論者所謂「來源原則是歷史主義與檔案學科接軌的橋

[68] 見註[34]，馮惠玲、何嘉蓀〈全宗理論的實質〉款，頁 10-11。另見：馮惠玲、何嘉蓀，〈關於更新全宗概念的設想——全宗理論新探之三〉，《檔案學通訊》，1988 年第 6 期，頁 6-7；何嘉蓀，〈關於主、客體全宗論的思辨〉，《檔案學通訊》，1992 年第 5 期，頁 18-22；〈全宗問題理論基礎辨析〉，《檔案學通訊》，1993 年第 2 期，頁 13-15。

[69] 于麗娟，〈全宗原則、來源原則及其有關問題〉，《檔案學通訊》，1997 年第 6 期，頁 22-23。

樑，是指導整個檔案管理領域的基本方針」⑳，並非虛言。然而，來源原則作為檔案學的核心思想之一，不僅應針對傳統主體檔案之發展規律與分類管理提供合理的參考規範，尤須賦予非傳統客體檔案的實質內容與類型歸屬以科學化之分析基準。何嘉蓀教授研究來源原則，曾明確指出：以特定社會職能活動目標為核心的客體全宗，其構建乃出自「實踐的需要」，「是來源原則在特殊條件下的特殊應用」㉑。觀諸二十世紀末電子機讀文件對檔案管理造成的嚴重衝擊，檔案工作者未能在資訊網路之「特殊條件」中對來源原則做「特殊應用」，恐係主因。來源原則短暫式微的發展態勢，明顯說明了傳統實體來源觀念在對應現代或未來檔案管理需求的概括程度有所不足；對於歸納現實存在的客觀現象，亦見猶待補強之處。

檔案及其所從出的文件是社會職能活動的產物，與活動的內容、過程、目標息息相關。筆者以為，檔案界如能由社會職能活動出發，將來源的定義由單純的文件形成者擴充至客觀存在的社會職能活動，當係延伸來源原則作用範圍，使其理論基礎益臻完備的具體作為。在此思維體系中，檔案的來源將不再囿於單一文件形成者，而屬於一種更廣義的聯繫，係以文件形成者職能活動為立足點的概念來源。再者，以廣義來源聯繫作為檔案體系的架構核心，既可兼容各種載體類型的文件，亦可兼顧現代與未來的管理應用需求，從而使理論更精確地反映客觀存在的現實。無論是以主體或以客體為形成核心的檔案，其最明顯的內涵交集，即在於職能活動的內容、過程、目標。被視為社會職能活動真實記錄的檔案文獻，不正是導源於此？

---

⑳ 劉越男，〈來源原則是檔案專業的一般方法〉，《中國檔案》，1999年第4期，頁38。

㉑ 何嘉蓀，〈對來源原則的新探索〉，《檔案學通訊》，1996年第5期，頁25。

昌彼得教授八秩晉五壽慶論文集
2005年2月　　頁181～198

類書的流變與世變

陳仕華

一、前言

《四庫全書總目提要》類書小序云：

> 類事之書兼收四部，而非經非史，非子非集；四部之內，乃無類可歸。《皇覽》始於魏文，晉・荀勗《中經》部門隸何門，今無所考；《隋志》載入子部，當有所受之。歷代相承，莫之或易；明・胡應麟作《筆叢》，始議改入集部；然無所取義，徒事紛更，則不如仍舊貫矣。此體一興，而操觚者易於檢尋，注書者利於剽竊，轉輾裨販，實學頗荒；然古籍散亡，十不存一，遺文舊事，往往託以得存；《藝文類聚》、《初學記》、《太平御覽》諸編，殘璣斷璧，至捃拾不窮；要不可謂之無補也。❶

其云非經非史非子非集，乃謂類書有經有史有子有集，可謂包羅萬有。而類書具有分類編輯、內容廣泛和資料彙編三種特質。所以在目錄歸類上《中經》將《皇覽》自為一門，與「史記」、「舊事」、「雜事」並隸丙部（即後世目錄之史部）。就是認為類書具有「資料彙編」之性質。❷胡應麟別錄「二藏」、及「贗古書」、「類書」為

---

❶ 紀昀，《四庫全書總目提要》（臺北：臺灣商務印書館，1983），第三冊，頁845。

❷ 《四庫提要・小序》謂《中經新簿》隸何門，今無所考。是未能細讀《隋書經籍志・序》。

一部，附四大部之後❸。即著眼於類書內容之廣泛複雜。而後世如章學誠也討論將分散類書於「故事」「總集」「雜家」三門❹。至於「易於尋檢」，則是分類編纂使然。而「實學頗荒」、「遺文舊事，託以得存」則可見類書的副作用與附帶校勘、輯佚之價值。

現代學者葛兆光先生略去類書所收佚書秘笈的價值，但就類書之分類及其次序的背後，對知識與思想的整合與規範中，來探究其所提供的知識和思想的資源，即以唐高祖武德七年（624）編成的《藝文類聚》為例，討論一個龐大的知識庫，對於第七世紀的世界的理解與敘述。葛先生也是著眼於類書豐富的文獻內容，以其分類的結構來討論其所代表的社會環境。❺

著名史學家沈剛伯先生認為當社會有新的歷史重心，就會用新的詮釋，用新的史料，以及用新的方法；用新的方法編著的書，一定有新的體裁。提出史學與世變的關聯。❻職是之故，類書既是一個有豐富意涵的資料庫，而其編纂體裁又因時而異，本文擬就類書的發展及取材與社會環境之關聯作一探討。

二、提示文獻

類書之編書方式，究竟源於何時何事？又最早的類書應為何者？說法並不一致。宋代王應麟認為最早的類書始於三國時的《皇覽》❼；亦有學者認為雜家的《呂氏春

---

❸ 《四庫提要·小序》謂胡氏改議類書入集部，未確。見胡應麟，《少室山房筆叢》（臺北：臺灣商務印書館，1983，《四庫全書》本），卷二九。另卷二八謂類書「纖維曲盡，毫末咸該」，只能附於四部之後。

❹ 參見葉瑛注《文史通義校注》合刊之《校讎通義·宗劉第二之五》（臺北：里仁書局，1984），頁957。

❺ 葛兆光，《七世紀前中國的知識思想與信仰世界》（上海：復旦大學出版社，1998），頁599-605。

❻ 沈剛伯，《沈剛伯先生文集》（臺北：中央日報社，1982），頁64。

❼ 王應麟，《玉海》（臺北：大化書局，1977），第二冊，頁1074。

秋》才是類書之源，因其「備天地萬物古今之事」。現代學者又有不同看法，張舜徽以為類書之起，當溯於《爾雅》，因是書凡十九篇，「分類登載，有條不紊」❽。若以其特質而論，雜取諸家學說，能融諸家思想於一爐，而非專門摘錄各家資料的《呂氏春秋》，應非類書；而《爾雅》雖有分類形式，內容則偏重文字訓詁，亦非類書之屬；真正的類書還是應該起自三國時的《皇覽》❾。

《皇覽》這些類書之編成，其實有時代環境之配合：

㈠ 知識的增長

中國到第七世紀，知識與思想已有相當多的變化，以史部而論，已蔚成大國，離經而獨立。《漢書·藝文志》著錄書籍 13269 卷，而《隋志》圖書已增至 36708 卷，成為一個龐大的知識資料庫。類書的形成正反映知識的增長、思想的變化，若由類書中的分類結構，了解知識與思想傾向的整合與規範，亦可從輯錄的文獻，了解知識和思想的資源有多少？如此，知識在七世紀的暴漲，必需要處理一個龐大的知識庫，類書的形式亦就應運而生。而六世紀後期北周武帝編成《無上秘要》百卷，唐高宗麟德三年（666）《法苑珠林》百卷，釋道的類書已於當時敕令編成。❿

㈡ 時文的資取

劉師培《論文雜記》云：

> 由漢至魏，文章遷變，計有四端：西漢之時……大抵皆單行之語，不雜駢儷之詞。……東京以降，論辯諸作，往往以單行運排偶之詞，而奇偶相生，致文體迥殊於西漢。建安之世，七子繼興，偶有撰著，悉以排偶易單行，即非有韵之

❽ 張舜徽，《中國文獻學》（臺北：木鐸出版社，1983），頁 47。

❾ 胡道靜，《中國古代的類書》（北京：中華書局，1986），頁 1、6-8。

❿ 參見註❶，頁 579。

文，亦用偶文之體；而華靡之作，遂開四六之先，而文體復殊於東漢，其遷變者一也。西漢之書，言詞簡道，故句法貴短，或以二字成一言而形容事物，不爽錙銖。東漢之文，句法較長，即研煉之詞，亦以四字成一語。魏代之詞，則合二語成一意，由簡趨繁，昭然不爽，其遷變者二也。西漢之時，雖屬韵文，而對偶之法未嚴，東漢之文，漸尚對偶，若魏代之文，則又以聲色相矜，以藻繪相飾，靡曼纖冶，致失其真，其遷變者三也。⓫

證諸《隋志》，注《漢書》者二十一家，共六二一卷。而注《史記》者，僅只三家，共九五卷。由漢至魏，文體之轉變及其特色，由此可見。文士面對改變，則必然有所反應。黃季剛《文心雕龍札記》云：

……漢、魏以下，文士撰述，必本舊言；始則資於訓詁，繼而引錄成言（原注：漢代之文，幾無一篇不采錄成語者，觀二《漢書》可見），終則綜輯故事。爰自齊、梁之後，聲律對偶之文大興，用事采言，尤關能事。其甚者，捃拾細事，爭疏僻典；以一事不知為恥，以字有來歷為高；文勝而質漸以漓，學富而才為之累……然淺見者臨文而躊躇，博學者裕之於平素。天資不充，益以彊記；彊記不足，助以鈔撮。自「呂覽」「淮南」之書，「虞初」「百家」之說，要皆採取往書，以資博識；後世「類苑」「書鈔」。則輸資於文士，效用於謏聞；以我搜輯之勤，祛人繙檢之劇；此「類書」所以日眾也。⓬

「用事采言」、「捃拾細事，爭疏僻典」，這種需求使得淺見而天資不充者，非強記鈔撮，不足以為功。如此環境之下，記問之學如類書者，必然見重於當世。

⓫ 羅聯添編，《中國文學史論文精選》（臺北：學海出版社，1984），上冊，頁 5-6。
⓬ 臺北：文史哲出版社，1973，頁 185。

(三) 科舉的需要

王應麟《辭學指南序》云：

> 西山先生曰：……(題目)又有不可測者，如宣和間順州〈進枸杞表〉，固非場屋中出；萬一試日或遇此題，平的不知枸杞為何物，焉能作靈根夜吠之語哉？須燈窗之暇，將可出之題，件件編類，如《初學記》、《六帖》、《藝文類聚》、《太平御覽》、《冊府元龜》等書，廣收博覽，多為之備。⓭

唐宋科舉取士，重詩賦一科，故士人苦於文辭之浩翰，不可猝窮，故必取類書以備考索。

從「藝文類聚」而「初學記」、而「太平御覽」、而「唐類函」，而「淵鑑類函」……這一系列的「類書」，他們大體上都是「類事」而又「類文」的綜合體；有的還加上「事對」和「摘句」。在提示文獻資料的技巧，這個層面上精益求精。

此類類書從內容而言，分事輯故事，捃拾字句，事文兼采等。以《初學記》為例，體例先「敘事」次「事對」末列「詩文」，如《初學記》卷二十六「服食部．酒第十一」條作說明：「敘事」收錄了「說文」、「釋名」、「漢書」、「儀禮鄭玄注」、「周禮」、「韓詩」、「禮記」、「周禮」、「孔叢子」等片段的文字，以記與酒有關的事物。「事對」則收錄了「玄碧／縹清」、「宜春／贊夏」等事對共十三條，並在下提示這些事對的典故出處。最後則收錄了張載《酃酒賦》、鄒陽《酒賦》等八篇詩賦。但其採摘文字，大都不收全文，僅只片段。所以當時類書的發展，在能給予讀者提示文獻資料，於科舉作文取資有一定的幫助。

⓭ 同註七，第七冊，頁 3783。

三、解釋文獻

在宋代類書中，體例最為特殊者，即屬宋真宗敕撰的《冊府元龜》及王應麟的《玉海》。

《冊府元龜》一千卷，成書於宋真宗大中祥符六年（1013）。前此田錫在咸平三年（1000）「採經史切要之言，為《御屏風》十卷。置扆座之側，則治亂興亡之鑒，常寓目矣」⑭。至景德二年（1005）真宗再命王欽若等修撰《歷代君臣事蹟》，書成賜名《冊府元龜》。其書共分三十一部，一千一百零的門。彙入歷代之嘉言懿行，以供「治亂興亡之鑒」。而對獵取詞藻的文人，用處不大。《冊府元龜》每部之前都撰寫「總序」，言其經制，門類前都有「小序」，述其旨歸。特別選擇如錢惟演、陳彭年、夏竦等大儒撰作，敘述部門事蹟歷史沿革，小序之後按年代順序羅列與該門類相關之歷代人物事蹟，而此人物事蹟與小序所論之道理相互呼應，亦可說是替小序論述找例證，解釋論述的道理。

如《冊府元龜》卷四五〈帝王部·權略〉其序云：

> 易曰：見幾而作，不俟終日。又曰：動靜屈伸，唯變所適。蓋執物之理，則不適事之機，守事之常則不達物之變。故聖人德以經其逸，權以濟其危。神化無方，奇謀間出。蒙險難而無咎，安反側而不疑，故能駕馭英豪，撥平禍亂。使強敵不能以計測，姦臣不得以智鬥，闞然則取之以權，守之以正帝王之道，皇皇而有中矣。

小序說明了「權略」為何？及其重要性。小序後即收錄二十則史事，如：1.漢高祖初見英布先踞床洗，後又「飲食從官」。2.漢高祖奪張耳，韓信印信，而又「拜信為相國」。3.項羽伏弩射中高祖，高祖仍「起行勞軍，以安士卒」。4.漢高祖封韓信

⑭ 托克托，《宋史·田錫傳》（臺北：鼎文書局，1980）卷二九三，頁9787。

為齊王事。5.漢高祖為擊楚王信，乃偽遊雲夢事。6.漢高祖伐陳豨，以千戶賞邯戰子弟，以收買人心。7.哀帝詔優王莽以知其驕盛之心。……19.後唐太祖為平汴寇，乃持帛馬書檄以陳利害。20.王都叛，契丹遣九人援之，後擒之於京師，後唐明帝欲釋之，以愧其情，以紓邊患。以二十則史事詮釋「權略」，而「權略」是帝王學中重要的一項學養。

王應麟《玉海》二百卷，蓋取自「粹焉如玉，浩乎似海」之意，書前其自題四言韻語云：

> 余幼好奇，耕獵詞圃。麗澤西山，詒我橅萬。北堂之鈔，西齋之目，搜華啟秀，歷歷載腹，竊吹六題，叨榮兩制。汗顏前脩，皓首曲藝。斲輪不傳，屠龍無用，緘之青箱，以詔洛誦。⓯

所以可知當時是為詞章場科之用。但因王應麟博學洽聞，後世給予高的評價，如《四庫提要》云：

> 所引自經史子集，百家傳記，無不賅具，而宋一代之掌故，率本諸實錄、國史、日曆，尤多後來史志所未詳。其貫串奧博，唐、宋諸大類書，未能有過之者。⓰

其中尤以〈藝文部〉二十九卷（35-63），最為該洽。

〈藝文部〉每類之前，除賜書、圖、經三類外，餘皆有序，序文有錄自目錄書者，如：易類及書類，全錄自《隋志》。中有節錄者，如詩類即節錄《漢志》及《隋志》。有因襲前人之語者，如春秋類，摘自杜預、范甯、何休、胡安國諸家之序文。有未說明來源者，如著書、別集及記志等類。小序多能辨彰學術，考鏡源流者，如續春秋類云：

⓯ 同註❼，第一冊，頁6。

⓰ 同註❶，頁1151。

> 古者謂史記為《春秋》，後世有所著述，多託《春秋》之名，其屬辭比事，不與《春秋》相似，非史策之正也。⓱

按：此說明後世續春秋之類的書，不與孔子《春秋》相似。在小序之後，則為編題，每一編題之後，則彙列參考資料於各主題之下，至於主題下所引資料之排列，則不必按時代排列，如正史類漢史記條，引「司馬遷傳」、「漢書藝文志」、「隋志」、「唐志」、「裴駰集解序」、「司馬貞索隱序」、「張守節正義序」、「晁公武」、「呂氏」、「史通」之文，或明篇章，或述義例，或敘著作之由，或補闕遺，則史記之大旨，可窺見矣⓲。其裒次故實，既不失其為類書之特性，而又能解釋清楚主題之意涵。相對以往之類書在處理文獻上有不同的意識。

面對類書的改變，我們亦可綜理其社會環境上的因素：

㈠帝王學的發展：如前所述，可資帝王乙夜觀覽者之文獻資料，已非餖飣為文而已，他必需是提出事件之前因後果，亦即能對文獻資料作深化之提供、作完整之詮釋。所以前有小序，提出一個說法，由後面帶出的文獻資料來作詮釋。

㈡解題目錄的發展：東漢劉向《別錄》中對每一書之敘錄，亦即對每一書之作者生平、書之大旨得失作一介紹，此種解釋性的文獻類型，如此至善的體例，宋以前的目錄書罕有傳承，而《崇文總目》、《晁志》、《陳錄》都可遠紹《別錄》。馬端臨《文獻通考·經籍考》徵引各書序跋、諸家論說以為說，發展成輯錄體解題，即與類書有密切的關係。⓳此種對文獻主題的解釋，亦即是對文獻資料提示性的深化。《玉海》在編纂時對編題主題引用一連串資料來作詮釋，應當受此意識的影響。

㈢義疏之學的發展：義疏之體起源於南北朝，開唐疏之先河。當時義疏之作由南

⓱ 同註❼，第二冊，頁 805。

⓲ 同註❼，第二冊，頁 902-904。

⓳ 參見陳仕華，〈類書與輯錄體解題〉，北京大學中國古文獻研究中心等編，《海峽兩岸古典文獻學學術研討會論文集》（上海：上海古籍書版社，2002），頁 25-38。

及北，多有撰著，並也明顯影響到史注，如宋裴駰《史記集解》、裴松之《三國志注》，皆是名作。迨至宋代，類似的著作也蓬勃發展，《新唐書》、《新五代史》、《戰國策》、《資治通鑑》的注音釋義，都甚為突出。如此的風氣，也會對類書由提示性的文獻資料轉向解釋性的文獻資料，造成影響。尤其是集注集解，集眾家之說而為之注，與類書裒集各書，將資料羅列排比，在整理文獻的意識上，最為接近。

四、綜述文獻

鄧嗣禹《中國類書目錄初稿》⑳分類書為十門，其中博物門、蒙求門、常識門，其編纂有別於上述轉引文獻的類書，如《全芳備祖·序》云「於晨窗夜燈，不倦披閱，記事而提其要，纂言而鉤其玄」㉑故著重在「纂言」上。此種「纂言」形式，在蒙求門中更為明顯。如李翰《蒙求集註》，「取古人言行美惡，類四句韻語，凡五百九十六句，皆以對偶成文，又自注出處於下，簡而不遺，以便童蒙」，㉒從此種類書可看出，內容上已相異於為君王資治，或雅士行文為目的的類書。在編纂上，不見得轉引前代文獻，而是綜述文獻，以自行撰文的篇幅較多。

除此之外，宋以後的社會，文人階層受到重視，優閒的生活態度，以及辨別雅俗的藝術能力，讓文人寄情於物。摒棄道學家「玩物喪志」的觀念，由對物的嗜好，進而成為「樂之者」。所以「譜錄」、「格物」的書籍漸多，對日後「雜品」書籍奠定基礎㉓，此三者的體例頗多相似：多為世俗，非關廟堂，飣餖成篇，篇幅短小。此種社會環境有助於日常萬用類書的產生。

⑳ 臺北：古亭書屋，1970，目次。

㉑ 同註⑳，頁62。

㉒ 同註⑳，頁115。

㉓ 參看：毛文芳，《物·性別·觀看——明末清初文化書寫新探》（臺北：臺灣學生書局，2001），頁17。

如不著撰人的《錦繡萬花谷》一書，據著者序中云其出身乃「居窮鄉」，「童時適當胡馬蹂踐之間」，故留心「科舉之外」的各式事物而編輯成書㉔。而方鳳的《野服考》是記野服之制㉕，任廣的《書敘指南》則皆採錄經傳成語，備尺牘之用，故以書敘為名㉖。後世學者以為這些類書乃以後「日用大全」之類的書籍的濫觴。發展至南宋末年陳元靚的《事林廣記》，及元代的《居家必用事類全集》，日用類書方臻完備。《居家必用事類全集》共分十集，其類目內容包括：甲集的為學、讀書、作文、寫字、切韻、書簡、活套、饋送請召式、家書通式、乙集的家法、家禮，丙集的仕宦，丁集的宅舍，戊集的農桑類、種藝類、種藥類、種菜類、果木類、花草類、竹木類、文房適用、磨補銅鐵石類、刻漏捷法、寶貨辨疑，己類的諸品茶、諸品湯、渴水番名攝里白、熟水類、漿水類、法製香藥、果食類、酒麴類、造諸醋法、諸醬類、諸豉類、醞造醃藏日、飲食類、醃藏魚品、造酢品，庚集的飲食類、染作類、洗練、香譜、薰香、閨閣事宜，辛集的吏學指南、為政九要，壬集的衛生，癸集的謹身㉗。由各集目錄內容亦可知其性質屬於生活日用的類書。

明萬曆年間，隨著經濟發展與影響而產生出的社會變遷，包括社會觀念轉換、社會風氣更新、社會階層流動等現象，使得人們在變化快速的社會中急需各種生活指引；而印刷技術的提升及教育的普及㉘，更使得書籍的印行與人們的閱讀方便。在主客觀條件的有利配合下，適於四民通用、士民便用的民間日用類書乃更加發展；如《萬書萃寶》、《五車拔錦》、《三臺萬用正宗》、《萬寶全書》、《萬錦全書》、《積玉全書》等書即屬此類。

㉔ 不著撰人，《錦繡萬花谷·序》（臺北：新興書局，1969，據明刻本），頁1、3-4。

㉕ 方鳳，《野服考·序》，見《叢書集成新編》（臺北：新文豐出版公司，1985），48冊，頁1-2。

㉖ 任廣，《書敘指南·序》（臺北：臺灣商務印書館，1937，《四庫全書》本），頁456。

㉗ 不明編者，《居家必用事類》全集十卷（北京：書目文獻出版社，1984，據朝鮮本影印，〈癸集〉三二卷以下用明刊本補足），目錄。

㉘ 參見：巫仁恕，〈明清城市民變研究——傳統中國城市群眾集體行動之分析〉（臺北：國立臺灣大學歷史研究所博士論文，1996.6），頁25-44。

此種民間日用類書與以往的日用類書最大的不同在於：一是其內容將主要屬於上層社會使用的為官治學、衣食游樂等部分大量刪除或縮減，並大幅增加了謀生技藝、玄理術數等內容，以符合士農工商四民大眾的需求。二是其書籍在書的名稱以及編書旨意中，均特別標示或注明為四民通用或士民便用之意。三是其編輯方式為上下雙層排印，而非以往傳統類書和日用類書的單層排印；此一方面可節省縮小篇幅，方便攜帶使用；同時，亦可降低成本，方便流布。四是其排印多採俗體字，並增加圖示，方便民間應用，且顯現民間通俗背景。五是其出版量之大，僅次於曆書，幾乎年年均有刊印，以提供四民大眾使用。㉙

這些類書在文獻資料上與前述類書有很大的不同：一般類書是採摘諸書，分類編輯，亦即不論是否有注明出處，基本上必然是從他書轉引而來。日用類書則不然，例如：《新編居家必用事類全集·已集》酒麴類菊花酒條：

> 以九月菊花盛開時，揀黃菊嗅之香，嚐之甘者摘下曬乾。每清酒一斗，用菊花二兩，生絹袋盛懸於酒面上，約離一指高密封瓶口。經宿去花袋，其味有菊花香，又甘美如木香，蠟梅花，一切有香之花依此法為之，蓋酒性與茶性同，能逐諸香而自變。

其文獻未說明出處，而整集皆是如此，就如西洋百科全書一般，是綜述其他文獻內容。在以民間為對象角度上看，不必注意出自何書，有其方便及應用價值。

五、彙整文獻

明清類書以《永樂大典》、《古今圖書集成》最稱浩博。

㉙ 參見吳蕙芳，〈民間日用類書的淵源與發展〉《國立政治大學歷史學報》第 18 期（2001.5）頁 1-28。

《永樂大典》之編纂緣起於解縉上封事萬言，云：

臣見陛下好觀《說苑》、《韻府》雜書，與所謂《道德心經》者，臣竊謂甚非所宜也。《說苑》出於劉向，向之學不純，溺於妄誕，所取不經，且多見戰國縱橫之論，壞人心術，莫此為甚。《韻府》出元之陰氏，鄙猥細儒，學孤識陋，蠅集一時，兔園寒士，鈔緝穢蕪，略無可采。陛下若喜其便於檢閱，則願集一二志士儒英，臣請得執筆而隨其後，上溯唐虞夏商周孔之華奧，下及關閩濂洛之佳葩，根實精明，隨事類別，以備勸戒，刪其無益，焚其謬妄，勒成一經，上接經史，豈非太平制作之一端也歟？㉚

可見其收勒文獻之廣博，而欲使其便於檢閱。後因事未能成，迨成祖即位，以解縉、胡廣、楊士奇等七人入翰林，並諭令編書云：「凡書契以來經史子集百家之書，至於天文、地志、陰陽、醫卜、僧道、技藝之言，備輯為一書，毋厭浩繁。」至永樂二年進所纂錄韻書，賜名《文獻大成》，就是《永樂大典》的前身。《文獻大成》之修纂參與學者既少，為時復短，自然不能詳備。於是在永樂三年再命開局纂修，六年告成，凡二二八七七卷，目錄六十卷，裝潢成一一〇九五冊。姚廣孝〈進永樂大典〉云：「簡編浩山海之繁，經制異質文之尚，欲觀會通而行典禮，必合古今而集大成。敕遣使臣，博採四方之籍，禮招彥儒，廣納中秘之儲。事蹟務在於周詳，義例必令於明白……。」成祖賜名《永樂大典》。可惜這個鉅著，因兵燹等因素，現殘存約原書的百分之四。

《大典》除了卷帙浩繁外，最大特色除在於「用韻以統字，用字以繫事」外，就是引錄文獻資料屬於先秦下迄元代的秘冊原書，大都整部整篇整段抄錄，且一字不改。此與之前的類書取材上頗不相同。

《古今圖書集成》一萬卷目錄四十卷，全書一億字，其數量之大比當時第十一版

㉚ 見〈明太宗實錄〉，《明實錄》（臺北：中研院史語所，1962），卷二十一。

《大英百科全書》多至四倍，是人類文化史上的鉅著，其編纂體例，分編、典、部三個層次，全書則分為六編、三十六典、六千一百一十九部。主編為陳夢雷，本為輔導三王子胤祉時，利用王府藏書，編成三千六百多卷，名為《匯編》，後陳被貶，由蔣廷錫修訂補充，編纂後由雍正改名欽定。所錄內容也將原書整部、整篇、整段抄入，不加刪改，故能較完整保存了許多古代文獻資料。其徵引資料，一并注明出處，更便於查核原書。集成內容極為廣博，陳夢雷〈上誠親王匯編啟〉云：「凡六合之內，巨細必舉，其在十三經、二十一史、只字不遺；其在稗史、子、集，十亦只刪一、二。」又因分類細密，其層層展開的三級類目，其結構編排頗具系統，用事物的分類來組織與某事物有關的文獻資料，一個部就是一類事物或主題之文獻資料的匯集，具有近似於現代主題標目的性質。而《集成》編有六一一九部，可見其綿密情形。又不憚繁瑣，常將同一內容按不同主題分列歸入不同之部類，實質上等於編製了各種類型的主題分類匯編。如「李廣射虎」這個典故，就有五種檢得的途徑。1.因為李廣是西漢名將，所以可從《官常典·將帥部》查找。2.因姓李，可由《氏族典·李姓部》查找。3.《禽虫典·虎部》。4.《戎政典·射部》。5.《學行典·勇力部》。都可查到此則典故之來龍去脈。

《永樂大典》、《古今圖書集成》的大量抄錄而又不加刪削文獻資料，以及《古今圖書集成》編纂的進步。可見類書發展已由提示、解釋、綜述文獻資料，進而步入保存、彙整文獻資料的境界。其中亦必有其社會環境的影響。

㈠ 抄書治學的發展

隋唐以來，雖有印刷術，但印本不廣，文人抄書亦然盛行。㉛至宋代文人，治學好勤用筆，如魏了翁《九經要義》便是撮抄羣經注疏而成。《四庫提要》謂其「因取

㉛ 〈柳仲郢傳〉云：九經三史一抄；魏晉以來，南北史再抄。小楷精謹，無一字肆筆。參見《舊唐書》（臺北：鼎文書局，1980）卷一六五。

諸經之文，據事別類而錄之；謂之《九經要義》」。㉜洪邁亦多節錄四部羣書；《四庫提要》稱其「於諸書多有節本，其所纂輯自經子至前漢，皆曰『法語』；自後漢至唐書，皆曰『精語』。」㉝而袁樞《資治通鑑紀事本末》「因司馬光《資治通鑑》，區別門目，以類排纂，每事各詳起訖，自為標題。每篇各編年月，自為首尾」。所以文人抄書，亦是每立主題，再行抄樶諸書，以為闡釋說解。也是彙整文獻的作法。

㈡ 文獻的散亡

圖籍的聚散，牛弘有五厄之說，胡應麟再加五厄，其實元末兵燹及甲申之亂，對圖籍之散亡，影響亦大，《大典》與《集成》之編製浩博，固然有帝王好大誇功的心態，但士子未始沒有對文獻資料散亡的焦慮。黃虞稷《徵刻唐宋秘本啟》云：「故知天地精英，有聚必散，況諸本半係宋鍥元鈔，即在斯時，亦無多藏本，倘不及流傳，恐古人壽命，由此而絕，此吾黨急於成全其志也。」此啟影響清代刊刻叢書之風甚大。而朱彝尊編纂《經義考》緣由之一，即因「先儒遺編，失傳者十九，因倣馬氏《經籍考》，而推廣之」㉞。尤以「宋元諸儒經解，今無人表章，當日就煙沒」㉟的焦慮感，體例中更標明「存、佚、闕、未見」四例，所以翁方綱認為「此書因昔人經籍存亡考而作，專留意於存佚」㊱，由此更可看出採訪文獻的心態。若就《大典》與《集成》本名《文獻大成》、《匯編》，對文獻材料的蒐集，其涵意亦至為明晰。

㉜ 同註❶，第一冊，頁90。

㉝ 同註❶，第二冊，頁414。

㉞ 參見朱彝尊，〈寄禮部韓尚書書〉，《曝書亭集》（臺北：臺灣商務印書館，1965，《四部叢刊》本），卷三三，頁283。

㉟ 參見陸隴其，《三魚堂日記》（臺北：臺灣商務印書館，1965，《叢書集成簡編》本），卷下，頁94。

㊱ 翁方綱，《蘇齋筆記》（北京：北京出版社，1998，《四庫未收書輯刊》本），卷一。

㈢ 回歸原典運動

明末以前，儒家經典詮釋過程有幾項缺失現象：闕脫亡佚、誤認作者、偽造仿冒、依託附會、刪改增補、羼雜佛老、離經言道等，使經書失去原來面目，所以萬歷以後學者開始反省，以糾正前述缺失，故當時學者有了「回歸原典」運動。而其運動中，大抵朝下列方向進行：依託附會者指出其來源，偽造仿冒者辨明如何偽造，作者誤認者加以定位，抽離原書者回復其原位。㊲但更應指出者，要求資料之確實，方是討論這些問題之核心。朱彝尊編《經義考》，就因資料出處的不明確，為翁方綱所糾指。㊳但朱氏另一著作《日下舊聞》，其序云：「他人著書惟恐不出於己，予此編唯恐不出於人」㊴就得到章學誠的稱揚，認為「纂輯之善者」。㊵更稱賞周永年，李文藻所合編的《歷城縣志》「無一字無來歷」㊶。可知文獻的原樣保存鈔錄，為當時學界殷切的期望。

㈣ 儒藏說

《明史》卷 288〈曹學佺傳〉云：「家居二十年，著書所居石倉園中，為《石倉十二代詩選》，盛行於世，嘗謂『二氏有藏，吾儒何獨無』，欲修儒與鼎立。采擷四庫書，因類分輯，十有余年，功未及竣，兩京繼覆。」這是第一次提出「儒藏」修纂建議。清周永年則有「儒藏書」之說，其云：

> 書籍者，所以載道記事，益人神智者也。自漢以來，購書藏書，其說綦詳。官

㊲ 參見林慶彰，〈明末清初經學研究的回歸原典運動〉，《明代經學研究論集》（臺北：文史哲出版社，1994），頁 333-360。

㊳ 同註㊱。

㊴ 同註㉞。

㊵ 章學誠，〈報廣濟黃大尹論修志書〉見葉瑛注《文史通義校注》（臺北：里仁書局，1984），頁 873。

㊶ 同上註。

> 私之藏，著錄不為不多，然未有久而不散者。則以藏之一地，不能藏於天下；藏之一時，不能藏於萬世也。明侯官曹學佺欲仿二氏為儒藏，庶免二者之患矣！蓋天下之物，未有私之而可常據，公之而不能久存者。然曹氏雖創此說，采擷未就。今不揣譾陋，願與海內同人共肩斯任，務俾古人著述之可傳者，自今日永無散失，以與天下萬世共讀之。[42]

此種以儒家典籍存亡為己任之氣概，令人動容。古類書編纂時，依據其當時所有的書籍和文獻，加以引用、編輯。降至後世，大部分原資料失傳；一部分雖還存在，但夾帶著不斷地經過傳寫、刻印和其它有意識竄亂所造成的無數的脫誤和混亂。於是，古類書以其特殊的價值而為校勘、輯佚學者所選用，就在校理古籍的存真、存佚的要求中發揮了作用。

職是之故，古類書在清代考訂學者心目中有「存一書即存眾書」的價值。阮元序《仿宋刻〈太平御覽〉》說：「存《御覽》一書，即存秦、漢以來佚書千餘種矣。」[43]

若以彙整保存文獻來看，《永樂大典》在後代確實發揮了他的作用。

《大典》輯本在四庫著錄者共三九〇種，其中經部七〇種、史部四二種、子部一〇三種、集部一七五種，後輯續出者，又逾五十種，可知纂輯《大典》輯本之成績實為可觀，即以卷帙論，其最浩博者如李燾《續資治通鑑長編》有五二〇卷，《宋會要》五〇〇卷，李心傳《建炎以來繫年要錄》二〇〇卷，薛居正《舊五代史》一五〇卷，《宋中興禮書》、《續中興禮書》一五〇卷，他如郝經《續後漢書》九〇卷，王珪《華陽集》七〇卷，……其餘超過五〇卷者、四部皆有。[44]

而《集成》其中某一部份，亦往往可獨立為某一方面之專科匯編，例如《藝術典》

---

[42] 袁咏秋等編，《中國歷代國家藏書機構及名家藏讀敘傳選》（北京：北京出版社，1997），頁366。

[43] 阮元，《揅經室三集》（道光間文選樓刊本），卷五。

[44] 顧力仁，《永樂大典及其輯佚書研究》（臺北：文史哲出版社，1985），頁377。

之醫部，有五〇〇卷，收錄豐富詳盡，故中國大陸人民衛生出版社以《古今圖書集成醫部全錄》，刷印兩版。再如《氏族典》彙整姓氏近三千種，每種姓氏下考其來源，並列該姓著名人物之傳記資料，參考價值亦大。

六、結語

社會的需要、文字的發明、物質技術條件之發達。三者俱備，文獻便應運而生。文獻是社會的產物，文獻產生之初，雖然談不上普通性，但總是朝著具有廣泛的社會性的方向發展，這即是文獻的社會化。㊺故而社會環境對文獻體裁、生產，皆有顯著的影響。類書在編纂時，由對文獻材料的提示性，轉為解釋性，又轉為綜述、彙整性。與社會學術環境，牽涉甚多。其中甚至對文獻材料加以綜述，類似於西方的百科全書，以便於庶民之日用。此種流變處處皆顯示出與世變的關聯性。

㊺ 賀修銘，《文獻生產的社會化及其影響》（湖南：湖南教育出版社，1997），頁16。

昌彼得教授八秩晉五壽慶論文集
2005年2月　　頁199～210

文獻學概念下的版本論述

周彥文

一、前言

版本學的研究領域，主要是以對版刻的認知及歷代印刷史為範疇。❶同時又兼及相關的文獻編寫的型式知識，例如避諱字、圖書型制等。由於這門知識是直接研究到文獻的載體，同時又因文獻出版時的各種人為或非人為的外力因素，遂使得版本學在文獻研究中不可或缺。

然而版本學的認知與研究，如何與文獻學的研究相互接軌，卻是一個在運用方法上的議題。本文希望能透過對版本學的重新思考，提出一個概念上的版本學分界，一方面突顯版本學在文獻研究中的重要性，另一方面也為文獻學和版本學相互整合，做一個抽象層面的思考。

二、傳統版本學研究的封閉性

版本學的重要固然不可置疑，然而在文獻研究中，如何把版本學融入其中，使版本學可以在文獻的詮釋上產生學術作用，卻是一個值得再思考的問題。文獻學的研究，

❶ 目前版本學的討論都把手寫本列入其中，但是手寫本只是某種文獻其中的一個型式，若稱之為「版本」，則取的是版本的泛義，並不符合「版本學」的學術定義。所以版本學的研究範疇應再加商榷，以求取更精密的討論空間。

基本上就是一種學術整合的工作。文獻只是一堆文字，這堆文字一定要附加在某種研究方法或學術理念上，其意義才能彰顯，才能形成「文獻學」。基於此，版本學必定也有其文獻意義，只是由於版本學特殊的性質和特定的研究對象，使這種文獻意義產生了封閉性。

詳言之，版本學的研究對象畢竟是一個文獻的載體，而非文獻的具體敘述內容；理論上而言，載體的型式其實並不能影響文獻內容的研究，例如說，一部書的型式是用手寫的或是用印刷的，其載體是紙張或是竹帛，和這部書中所要呈現的知識並無關聯，即版本學應是一個全然獨立的學科，它只研究載體，成為文化科技史的一部份，而和學術思想的研究無法產生聯繫。就此而論，遂產生了版本學的第一重封閉性，即範疇的封閉性。

其次，版本學的研究，其實是指對版本資料的認知，而沒有理論可以開展；即使對版本鑒定的研究，也是現象的條件歸納，以及由經驗累積而成的判別能力，並無法構成一種學術思想式的理論體系。也就是說，理論應是可以無限展開的，也是可以演繹的，但是版本學即令在其學科的內部，也沒有理論可以建構，只有現象可以認知，這又造成了版本學上的第二重封閉性，即理論的封閉性。

再其次，就版本學的研究對象來說，除非有新出土的文物被發現，否則版學的研究對象只限於民初以前的雕版印刷品及與印刷術相關的資料，❷這種侷限，又造成了版本學的第三重封閉性，即資料的封閉性。

三、版本學與校勘學的互動關係

在此，我們當然應要先釐清版本學與校勘學之間的關係。所謂校勘，通常是取用

❷ 把現代化的印刷術也置入討論中的專著，通常都不會把書名叫做「版本學」，例如史梅岑著《中國印刷發展史》，臺北市：臺灣商務印書館，民國 55 年 4 月；又如吉少甫主編《中國出版簡史》，上海市：學林出版社，1981 年 11 月等。

兩個以上不同的版本，以進行校勘；但是要校勘，卻不一定要有兩個以上的版本。例如陳垣在《校勘學釋例》中曾提出「校法四例」，❸其中第二本校法，是「以本書前後互證，而抉摘其異同，則知其中之繆誤」；第三他校法，是「以他書校本書」；第四理校法，是在「無古本可據」的情況下，以文獻內容的合理性與否以下判斷的校勘法，都是不需要同一書兩個以上的版本的。只有第一個對校法，是「以同書之祖本或別本對讀」，才用到同一書兩種以上不同的版本。

據此而論，則校勘和版本似乎並沒有絕對的相互關係，但是其實不然，我們在談到為何要重視版本學及如何選擇好版本時，往往是用校勘上的例子來舉證。例如屈萬里先生早年曾寫過一篇文章談版本學的重要性：〈讀古書為什麼要講究版本〉，❹這篇文章在版本學界流傳甚廣，十分受重視。屈先生在「引言」中先引述了陸游《老學庵筆記》卷七中的一個故事，說教官出考題為：「乾為金，坤又為金何也？」結果考生取監本為證，云「坤為金」當作「坤為釜」，教官用的是麻沙本，所以出了錯。屈先生引用這個故事，並撰寫這篇文章的目的，就是在「說明讀古書為什麼不能不講究板本」。接著屈先生又舉《古文尚書》和《竹書紀年》兩書為例，說這兩部書是偽書，所以「欲辨圖書真偽不能不講究板本」；又舉清武英殿本《十七史》中的闕葉等為例，說明「欲知圖書有無殘闕不能不講究板本」；又舉明清以來《水經注》的刊本有「七千字以上的錯誤」為例，說明「欲免受錯字的欺騙不能不講究板本」。最後，屈先生在作結論時，建議採用《書目答問》一書，作為選用版本的依據。

屈先生的文章，的確使我們開悟了讀古書要選擇版本的觀念，但是我們若進一步從方法上去分析，則可看出屈先生所論實際上已經並不是單純的只在講「版本學」中的「版本」，而是把概念擴大到整體的文獻運用上。我們試看屈先生所舉的例證，《古文尚書》和《竹書紀年》的真偽問題是由「辨偽學」來斷定的，這個問題其實和版本

---

❸ 中華書局 1959 年重印本。

❹ 該文原載〈大陸雜誌〉二卷七期，民國 40 年 4 月；後來收入《屈萬里全集·屈萬里先生文存第三冊》，臺北市：聯經出版社，民國 74 年。

學的關聯不大。除此之外，其他所有版本的選擇，其實都取決於校勘。無論是《老學庵筆記》、《十七史》或是《水經注》，要決定那一種版本較佳，都是校勘的結果。甚至最後建議要採用的《書目答問》，張之洞和繆荃孫在編輯是書時之所以能夠列舉出一些較佳的版本，必定也是依據了校勘的結果。因此就程序上而言，在選擇較佳版本之前，必定先要有校勘的工作，校勘之後，版本的優劣才能有判別的依據。

四、版本的本質意義

其次我們應該要認知的是，版本的本質其實是中性的。意思是說，如果某一種文獻只有一種版本傳世，完全沒有其他的版本可以比較其內容是全是闕，或字句是否有所訛誤，那麼這個版本就沒有所謂的優劣問題。所以版本本身是中性的存在，它的優劣，是在比較後才產生，也就是取決於所載文獻與同書的其他版本相互校勘之後的結果，而不是取決於雕版的時間、地點或出版者。❺

一般說來，宋版書當然是比較好的版本。屈先生在〈讀古書為什麼要講究版本〉一文中就說：

> 「書（板本）以彌古為彌善」，這句話雖然不能說是不刊之論，但也確不是欺人之談。因為古書傳到現在，不知道已經過若干次的傳抄和若干次的刻板，每一次的傳抄和每一次刻板，都難免有錯誤的地方。所以越古的本子，錯誤應該越少，這是很容易明瞭的道理。

理論上當然是對的，但是在現實中，宋版的優劣卻只是相對的而不是絕對的。例如在

---

❺ 此不討論印刷品質的問題。通常，如果一部書印刷的品質很差，例如墨色不明晰、字跡漫漶等，我們也會說這個「版本」不佳。但是事實上這是「印刷不良」，不是「版本不佳」。我們若把印刷不良的書籍說成版本不佳，那只是一種通俗式的說法，其實也算是一種誤說。印刷品質的好壞當然會影響到我們的閱讀，但這各本文所討論的版本的本質無關。

宋版中，麻沙本一向被認為是錯誤頗多、比較差的版本，可是在上文所引屈先生的文章中，就有一個例子，說宋人江少虞所著的《皇朝類苑》一書，四庫全書本與近代代刻本都是六十三卷二十四門，後來國家圖書館買到一部日本元和七年（當天啟元年）據宋代麻沙本排印的活字本，內容是七十八卷二十八門的全足之本。所以在字句訛誤與內容完足的相對性上而言，宋代的麻沙本是比後期的刊本有價值的。

但是宋版書也不一定都是字句精確的。葉德輝在《書林清話》卷六中就有一條〈宋刻書字句不盡同古本〉說：

> 藏書貴宋本，人人知之矣。然宋本亦有不盡可據者，經如四書朱注本，不合於單注單疏也；其他易程傳、書蔡傳、詩集傳、春秋胡傳，其經文沿誤，大都異於唐、蜀石經及北宋蜀刻。宋以來儒者但求義理，於字句多不校勘，其書即屬宋版精雕，衹可為賞玩之資，不足供校讎之用……。❻

該書同卷又有一條〈宋刻書多訛舛〉，再舉了一些例子說明宋版書也是有許多的錯字之後，又引了一段陸心源的掌故：

> 陸志（按指陸心源《皕宋樓藏書志》）有管子二十四卷，為陸敕先貽典校宋本。其後跋云：「古今書籍，宋板不必盡是，時板不必盡非，然較是非以為常。宋刻之非者居二三，時刻之是者無六七，則寧從其舊也。余校此書，一遵宋本，再勘一過，復多改正，後之覽者，其毋以刻舟目之……」。然則前輩校書，並不偏於宋刻，是又吾人所當取法矣。

這些例子都說明了版本的優劣其實是相對性的。宋版如此，元明清的版本也是如此。不但同一個時代中的版本是相對優劣，即使是宋版與後代的版本相較，也同樣是相對優劣。上文所引陸心源跋語中「較是非以為常」一句說得最為真切，古舊的版本當然

❻ 臺北市：世界書局，民國六十三年十一月三版。以下同。

有其不可泯滅的價值，但是版本的優劣，仍是以「是非」為準。而這個「是非」，當然就是校勘的結果，至於「版本」本身，則是中性的存在。

五、版本學在文獻學概念下的抽象分界

在這樣的論述基礎上來看，版本學的研究似乎只有歷史性的價值，而沒有文獻性的價值。可是事實又非如此，沒有版本概念，是無法做文獻研究的。這裡就產生了一個範疇上的問題：如果版本的本質是中性的，其優劣是由校勘產生，那麼版本學的研究範疇究竟是什麼？如果我們把版本學和校勘學分別獨立為兩個不同的學科，那麼版本學的研究又有什麼學術上的存在意義？於是，問題又回到了上文所說的版本學的三重封閉性上。

在上文所述的三重封閉性中，第二重理論的封閉性，若以目前版本學的定義和範疇來看，可能需要假以時日的再思索，才能有所突破。但是我們若從第一重範疇的封閉性，與第三重資料的封閉性上來重新思考，則或有解套及開展的可能性。

一個學科的範疇是否為封閉性，並無好壞可言。相對應的觀念是：範疇的界定，是可以因研究方法和研究觀念的改變而重新定義。前文曾經述及，目前版本學的範疇，界定在載體的研究，也就是把版本當成歷史性的研究對象，而非文獻性的研究對象。在這樣的範疇下，版本的研究只限於中國歷代雕版印刷的進程，以及其所呈現出版刻現象。前者例如敘述各朝代、各地域的雕版印刷術，及各出版單位，如內府、官刻、地方官、藩府、坊刻、私家等；後者例如雕板、套印、活字、石印、以至於行款、版式，並兼及字體、紙張等。這個傳統下的範疇，使得版本學無法簡易的與文獻研究結合，因而使版本學研究的開展性產生了自我封閉的困境。尤其在目前的教學環境下，無法由實物取得知識經驗，更使得版本的研究者封閉在一個小眾之中。這個範疇下的版本學，只能稱之為歷史性的版本學，而非文獻性的版本學。

六、歷史性的版本學

文獻學的操作重在科際整合，文獻性的版本學也在於整合。在此我們應要先把版本學的範疇略作一點領域上的分別。如果說如上文所述的傳統領域的版本學姑且可以稱為歷史性的版本學，那麼以一種整合的方式，使版本的觀念可以運用到文獻研究上，即可稱為文獻性的版本學。簡言之，歷史性的版本學是版本知識的認知，而文獻性的版本學則是版本觀念的運用。

歷史性的版本學除了前文所述的傳統範疇外，還應包括一些只有版本意義而無文獻意義的不同版本。例如昌彼得先生、屈萬里先生合著的《圖書版本學要略》，❼在卷四〈餘篇〉中列舉的明嘉靖甲申郝梁覆刊宋兩浙東路茶鹽司本、明嘉靖己酉吳郡袁褧覆刊宋廣都裴氏本等，都是覆刻本和祖本「行款悉如原式者」。這些覆刻的本子，既然和祖本的內容是完全一樣的，那麼不管有多少種不同的覆刻本，都只是在呈現歷史性的版本，而沒有詮釋性的文獻意義。

《圖書版本學要略》，在卷三〈鑒別篇〉中又舉出了許多以各種方法作偽的例子，如：

> 中央圖書館所藏元至正甲午翠巖精舍刊尚書輯錄纂註，卷末原有牌記一行云：「至正甲午翠巖精舍新刊」。而估人剜去「至正」二字，補印「慶元」二字，欲以充宋刻；殊不知作者為元人，其書固不能刻於宋代；況慶元並無甲午乎？又如嘉靖間姚安府刊本檀弓叢訓，前有楊慎無年月序，卷末有弘治十五年張志淳跋，書賈見其黑口，字近雪體，乃將張跋「弘」字剜去，另於書中割一「至」字，以補其空缺，於是「弘治」變為「至治」，欲以充元版……

這些作偽的刊本，因為沒有影響到書籍的內容，所以儘管在版本學中有其考辨上的意

❼ 臺北市：中國文化大學出版部出版，民國七十五年十月潘美月教授增訂本。以下同。

義，但是只限於歷史性的版本學，而仍不具有文獻意義。此外還有一些編寫上有特殊情況的典籍，如王欣夫在《文獻學講義》第三章中記載道：

> 明嘉靖時，許宗魯曾創始把《說文》字體寫作正楷，刻成《國語韋昭注》和《呂氏春秋》兩種，同時陸鈛也效之刻《呂氏家塾讀書記》。此等書在表面上看來，好像非常古雅，其實由於明人不通六書之學，其中錯誤很多，是不可據信的。嘉慶十八年，龐佑清刻陳敔源《毛詩稽古篇》，也是用楷寫篆體，雕印都很精緻。邵瑛《說文群經正字》、嚴可均《唐石經校文》、黃以周《禮書通故》，都是這樣。他們深通許學，非明人之比。又其書本是研究經學文字的專著，和普通書不同，所以在版本上有相當的價值。可是有好奇之人用這種字體來刻一般普通書，如范鍇的《漢口叢談》、《潯谿紀事詩》、《花笑廎雜筆》，令讀者但覺杈枒滿紙，瞠目結舌。❽

這些書籍可能有文字學上的考辨意義，但是他們的作法只是改變字體，目的不在改變文獻內容，所以仍然只能算是歷史性版本，只有歷史性版本學上的意義。

依此類推，舉凡在文獻內容上沒有變更的版本，無論其如何變化，都只算是歷史性的版本。我們不能否定在做歷史性版本學研究時，這些版本都極為重要，也都具有典型的探討作用，但是如果我們把歷史性的版本學和文獻性的版本學在概念的陳述上分成兩個領域，那麼在內容上沒有變異的版本，是不能納入文獻性版本學的範疇的。

七、文獻性的版本學

相對來看，文獻性的版本就十分容易明瞭了，那就是指在內容上有「對照性」的不同版本。所以文獻性的版本一定是同一種文獻兩個以上的不同版本，而不能以單一

❽ 上海古籍出版社，1986 年 2 月。

版本的單獨型式存在。[9]

同時，所謂文獻性的版本，就不應受限於傳統學中以清代以前的雕版印刷術所製造的古籍。舉凡民國以降，不論是影印本、排印本，抑或是以其他各種形式出版的出版品，只要是能產生對照性的，都可以算是文獻性的版本。也就是說，如果我們在傳統版本學中，能夠突破資料的封閉性，使各種形式、各個時代以及各種載體的出版品都納入為研究對象，那麼文獻的對照性就更容易呈現，而文獻性的版本所涵蓋的幅度也可大量提昇。

對照性所產生的現象，是文獻內容的差異。我們在文獻學領域中論述版本學的目的，就是要掌握版本之間的差異，以求取文獻的真確性。由前文所述，這個差異當然是從校勘而來，並由校勘的結果得知文獻內容的優劣得失。

但是問題是我們在使用文獻時，是有層次之分的，未必每一次在使用文獻時都需要做到字句的細部校勘。才能算是正確的使用文獻。有時只是一種方法的運用，有時只是一項認知，就可以構成文獻性版本學的概念。

茲舉兩個不同典型的例子來略作說明。第一個例子是《唐宋八大家文抄》：現在我們可以從中學課本、《古文觀止》，以至於各種文選書籍中讀到唐宋八大家的文章，我們從中學習古文之美以及一些古人的價值觀。當然，我們也知道有一部《唐宋八大家文抄》是這些古文的出處，同時也是古人學寫文章的典範，可是我們都知其然而不知其所以然。如果我們以明刊本《唐宋八大家文抄》來相互對照，就可以看出一個大不相同的地方。現在傳世的明刊本《唐宋八大家文抄》，在行間和天頭處，遍佈著小註批語，告訴讀著這些文章那些是關鍵字句、如何起承轉合等等的寫作技巧。這意味著這部書的編輯，原本是為了教導學子如何學寫古文的一部「作文範本」。也許這樣

---

[9] 這個說法所可能引出的誤解是：單獨存在的版本，亦即某一種文獻只存有單一版本的時候，似乎是沒有文獻價值的。這樣的看法當然不對，本文所要討論的是一種概念上的分野，旨在釐清傳統版本學範疇的有限性，以及如何將版本學利用在文獻研究上。所以本文中所討論的版本價值和文獻價值，並不是相互抵消的。

的說法有待商榷，但是這個版本現象給予我們一個重新思考《唐宋八大家文抄》這部書的編輯緣起，以及「唐宋八大家」在中國文學史上的定位等問題的契機。於是，明代刊行，有著小註批語的《唐宋八大家文抄》，相對於現在我們在市面上或學校中所看到只有文章的八大家文，就成了一個有「對照性」的文獻性版本。

第二個例子是大家常見的《史記》：我現在看到的各種史記版本十分眾多，也有人以此著成專書。[10]這些不同的版本間，有著大大小小不同的相異點，亦皆有其文獻上的意義。例如王樹民先生在《史部要籍解題》[11]中整理了其中的一個版本問題：

> 列傳第一篇原為〈伯夷列傳〉，唐代的帝王由於崇奉道教，玄宗特命將〈老子、莊周列傳〉（原在第三篇，與申不害、韓非同卷）提到伯夷之前，合為一卷。因此產生了版本形式方面的一些問題，大致有下列三種形式：《索隱》本老子、莊子仍在第三篇，為原式；宋監本以老子列於伯夷之前，同在第一卷；《正義》本將老子、莊子均提在伯夷之前，並注明：「老子、莊子，開元二十三年奉敕升為列傳首，處夷、齊上。」刻書者多從宋監本或《正義》本，形式很不一致，明監本始改正如原式，清殿本從之。

這個版本現象，雖然只是改變《史記》這部文獻的編排順序，而沒有影響到文獻的實質文字內容，但是它卻在官方思想對文獻的涉入現象上，提供了一個十分清晰的例證。於是這一系列的版本，在相互比對中，就產生了文獻意義，構成一組文獻性版本。

以類似的例子來類推，就可以構成一個文獻性版本學的概念。這種文獻性的版本，幫助我們詮釋文獻，使文獻的學術詮釋可以找到其中的一個切入點，進而逐步的架構成「文獻學」。

---

[10] 例如張玉春著，《史記版本研究》，北京市：商務印書館，2001年7月。有關該書本考訂的單篇文章及學術論文極多，但是本文的目的只在於呈現一種學術現象及研究觀念，故不予詳細引述，也不一一舉證、討論。

[11] 臺北市：木鐸出版社，民國72年9月。

八、版本互勘的整合運用

我們從上述的例子中也可以看出，文獻性版本學的運用，並不一定要用到校勘學上的細部工作。也就是說，它不必做字句的校勘，僅僅只是用到了「版本互勘」的基本工夫而已。

同樣的道理，文獻性的版本學當然還是要以歷史性的版本學為基礎，才能進行詮釋性的工作。只是文獻性的版本學在「版本學」的使用概念上，也是有層次之分。文獻性的版本學只需要用到很基本的版本知識，就可以和基礎層次的校勘學相互結合，以達到文獻認知和文獻研究的目的。

綜合而言，在做文獻研究時，有一件不可忽略的事，就是要建立起「所有的文獻研究都基源於版本問題」的觀念。這個「版本」，是廣義的，是包括所有形制、任何時代和各種載體的可應用資料。它的研究範疇也是廣義的，包括傳統式的歷史版本學研究，以及和基礎式的校勘學，甚至其他學科相互結合的整合式的研究。專門學科中的版本學和校勘學都自有其深奧和不易入手的困境，也都各有其封閉性，但是結合基礎版本學和基礎校勘學所構成的「版本互勘」，卻是簡易可行，而且是掌握文獻的重要研究步驟。因此，文獻研究者必需要建立版本學與校勘學互為體用的觀念，才能建構正確而完整的文獻學。

附帶值得一提的是，中國傳統學術領域中，版本學和目錄學時常是相提並論的。傳統目錄學的研究範疇主要限於歷代的公私書目，這樣的範疇很不容易和版本學的研究相結合。這個問題原本可以透過書目中的「解題」體例來解決，可是傳統書目中有解題體例的不多，而且書寫解題並非易事，能寫出每一部書的版本差異，甚至進而記錄校勘結果，更難達成。因此所謂的「目錄版本」之學，雖然看似合而一，但是在實際學習和運用上，除非深諳此道，否則仍是不易知其所以然。值得注意的是，清代中葉以降，許多書目都加註了版本，並有一些簡易的「版本互勘」的記錄。這其實就意味著目錄學、版本學以及文獻學在研究方法和研究觀念上的轉變，它們已經呈現出一種相互結合的趨勢，開出一條新的研究道路。這種轉變，是頗堪玩味深思的。

九、結論

版本的認知是研究文獻的基礎，但是傳統版本學的研究範疇和研究方法，卻不易和文獻學的研究結合運用。所以本文提出一個歷史性版本學和文獻性版本學的相對理念。

做這樣的分別很容易引起誤解。其實這樣的分別，只是一種概念上的陳述，而不是在做學科上的分類。歷史性版本學的範疇在於研究版本載體及其發展史，但是文獻性版本學則是一種和基礎校勘學相互結合，以「版本互勘」為方法的運用觀念。

目錄、版本、校勘、輯佚、辨偽、編輯等學科，都是文獻學的研究基礎學科。這些學科都是各有其較為專門的研究範疇，也都各有其封閉性。於是如何突破各學科由其範疇而導出的封閉性，使各學科可以整合運用，便是文獻研究的一項重要議題。本文即試圖在觀念上，提出一種抽象的領域分界，以建構一種簡易可行的運用方法，做為文獻學研究的一個途徑。

昌彼得教授八秩晉五壽慶論文集
2005年2月　　頁211～220

說「本衙藏板」

沈　津

「本衙藏板」是古書扉葉上刻在左下方的文字，它和其他書上的「ｘｘ閣藏板」、「ｘｘ堂藏板」、「ｘｘ齋藏板」都是同樣的意思，即是說明雕刻本書的書版在完成刷印後所藏之處。但是「本衙」的意思過去很少有人去作釋解，一般人也就從「衙」字上去理解，把「本衙藏板」作為板藏官府之衙門或本衙門。

去年，我的二位朋友分別打電話和寫信給我，詢問我對「本衙藏板」的具體看法。二位朋友一位是艾思仁先生，他是美籍瑞典人，全美中文古籍善本資料庫計畫的主持人，也是歐美地區對中文古籍善本很有研究和鑒定力的專家，他所主持的資料庫已存有二萬個款目，包括宋、元、明、清刻本、重要抄校稿本、活字本、套印本、版畫等每種善本書的詳細著錄以及書影。一位是駱偉先生，他是中山大學信息管理系的教授、博士生導師，專任版本目錄學、文獻學的教學，之前曾任山東省圖書館特藏部主任，參加過《中國古籍善本書目》的編纂工作。他們都對「本衙藏板」感興趣，是因為在他們的工作和研究中都涉及到了這個問題。駱教授還說，他想寫一篇文章來談「本衙藏板」。我後來告訴他們的是，這個問題比較複雜，我一時難以回答，至於近十多年來出版的幾本講版本的專書，是不會涉及這種小問題的，而它又確實存在，我必須找些證據，讓證據來說話。

查「衙」者，乃舊時官署之稱。唐封演《封氏聞見記。公牙》云：「近俗尚武，是以通呼公府為公牙，府門為牙門。字稱訛變，轉而為衙也。」《舊唐書。輿服志》又云：「京文官五品以上，六品以下，七品清官，每日入朝，常服袴褶。諸州縣長官在公衙亦准此。」可知官府稱之為「衙」。另有一說，即「衙」字也可作「宅」解。宋蘇軾《異鵲》詩云：「仁心格異族，兩鵲棲其衙。」此「衙」當泛指大宅院。又近人包天笑《釧影樓回憶錄》中有「自桃花塢至文衙弄」，云：「我起初以為凡是官署，方可以當得一個衙字，因此那種官廳，都稱之為衙門。誰知從前却不然，凡是一個大宅子，都可以稱之為衙。」

最近有幸見到周紹良教授寫的「談『本衙藏板』」的文章，文不長，但讀後頗有啓發。周教授在舉出《紅樓夢》、《唐詩快》、《河防一覽》、《陳迦陵詞全集》後說：「由此更可見『本衙藏板』與官署無關，尤其可以說明問題的是這部《陳迦陵詞全集》題款，它的本衙是『彊善堂』，顯然是一私人。因之可以考定，『本衙藏板』的書，都是私人刻的書。」周教授還舉出小說《姑妄言》中「賈衙」、「童衙」之証，並進一步闡述云：「習俗上都不願用『家』字，故用『衙』字代之，實際仍然是『家』的意思，因之現在可以明白，『本衙藏板』實是私刻本書，是『本家藏板』的意思。」

我是十分敬重周教授的，周教授關於版本學的一些大作我亦從中獲益匪淺，雖然未能有機會趨門拜見，但是津一直是神而往之的。我以為周教授關於「本衙藏板」的說法基本上是對的，然而津又不惴冒昧，亦想附驥尾於周教授之大文，并作一點小小的補充，一方面是求教于周教授，另一方面也算是回答朋友之垂詢。

講到「藏板」，首先讓我想到的就是《中國古籍善本書目》，這是中國目錄學史上的一項大工程。記得 1978 年開始時，在《書目》編輯工作會議上，曾就著錄條例中扉葉上「藏板」的問題進行過討論，由于這涉及到善本書的版本項及出版者的問題，非同小可，不能等閒視之。在激烈的討論後，最後大家統一了看法，即考慮到版片可以轉移等原因，藏版者並非都是刻書者自己所藏，因此，除非書口下方刻有出版者之齋樓堂閣名，或序跋等處明確寫出出版者，不然的話，「藏版」者都不能作出版者。這是當時編委會要求所有從事具體工作的成員必須遵守的一條規定。

一

眾所周知，凡木刻本之刋刻，無論宋、元、明、清，乃至近代，皆官刻、私刻、坊刻所為。即以清代來說，二百七十餘年間，流傳下來的經、史、子、集四部圖書，並非每部書都存有扉葉，而有扉葉者，也並非種種都有「某某藏板」之字樣，而有「本衙藏板」者，更是十不達一。筆者所在的美國哈佛大學「哈佛燕京圖書館」藏的清代刻本不多，大約二萬部左右，津曾就其中小小部分有所翻閱，並對書中扉葉上有「本衙藏板」字樣者多有注意，數月所得，約有數十種。這數十種「本衙藏板」者，大部分應視為私人所刻，即家刻本。今略舉十例。

陸九淵撰《象山先生全集》三十六卷，扉葉刻「陸象山先生全集。雍正六年重鐫。本衙藏板」。

沈初撰《蘭韻堂詩集》十二卷，清乾隆五十九年（1794）沈氏刻本。扉葉刻「蘭韻堂詩集。乾隆甲寅春編。本衙藏板」。

熊一瀟撰《浦雲堂詩集》九卷，清乾隆十一年（1746）熊氏刻本。扉葉刻「浦雲堂詩集。乾隆丙寅冬鐫。本衙藏板」。

韓菼撰《有懷堂詩稿》六卷《文稿》二十二卷，清康熙四十二年（1703）韓氏刻本。扉葉刻「有懷堂詩文集。康熙四十二年鐫。本衙藏板。」

李紱撰《穆堂初稿》五十卷，清乾隆五年（1740）無怨軒刻本。扉葉刻「穆堂初稿。臨川李巨來先生著。本衙藏板。」

魏裔介撰《兼濟堂集》二十卷首一卷，清康熙六十年（1721）龍江書院刻本。扉葉刻「兼濟堂集。栢鄉相國魏文毅公著。本衙藏板」。

毛際可撰《安序堂文鈔》三十卷，清康熙刻本。扉葉刻「安序堂文鈔。遂安毛會侯著。本衙藏板」。

李鄴嗣撰《杲堂文鈔》六卷，清康熙十七年（1678）黃氏刻本。扉葉刻「杲堂文鈔。姚江黃梨洲先生選定。本衙藏板」。

謝道承撰《小蘭陔詩集》八卷，清乾隆三十八年（1773）謝氏刻本。扉葉刻「小蘭陔詩集。乾隆癸巳年秋鐫。本衙藏板」。

畢振姫撰《西北文集》四卷，清康熙間牛氏刻本。扉葉刻「西北文集。市王牛月三評鐫。本衙藏板」。

以上所舉之例，全都是清人集子，純粹是有「本衙藏板」字樣者，如果這還並不能進一步說明此為私家所刻。那麼我們再舉十例：

曹之升撰《四書摭餘說》七卷，扉葉刻「四書摭餘說。蕭山曹氏家塾本。嘉慶戊午春雕。本衙藏板」。此是曹氏家塾為教兒孫讀書所刻。署「本衙」者，當曹氏也。

鄭廉撰《豫變紀略》八卷，清乾隆八年（1743）彭氏刻本。扉葉刻「豫變紀略。中州鄭石廊先生著。彭衙藏板」。此書記河南農民起義事，傳本甚罕，為清代禁書。彭家屏題辭云：「玆為輯而梓之，以垂永久。」

葉燮撰《巳畦詩集》十卷，清乾隆二十八年（1763）葉氏二棄草堂刻本。扉葉刻「受業沈歸愚參定。乾隆癸未孟冬重鐫。葉衙藏板」。

清溪道人撰《禪真後史》十卷六十四回，清刻本。扉葉刻「禪真後史。清溪道人批評演義。用公同志，識者鑒之。錢塘金衙梓」。

張自烈撰《四書大全辯》六十二卷首一卷，扉葉刻「四書大全辯。張爾公先生增刪。本衙藏板」。（鈐有「徐衙藏板，翻刻必究」、「天未喪斯」二印）

章衮撰《臨川章介菴先生文集》十一卷，清乾隆十八年（1753）章氏刻本。扉葉刻「臨川章介菴先生文集。諸城范怡雲、烏程沈泊村兩先生鑒定。乾隆十八年梓。二集嗣出。本家藏板」。

李來泰撰《蓮龕集》十六卷，清雍正十三年（1735）李氏刻本。扉葉刻「蓮龕集。臨川李來泰石臺著、雲間李燮菴先生定。雍正十三年新鐫。本家藏板」。

吳澄撰《草廬吳文正公全集》四十九卷，清乾隆二十一年（1750）崇仁縣訓導萬璜刻本。扉葉刻「草廬吳文正公全集。崇仁縣訓導萬璜校刊。乾隆丙子年重鐫。本家藏板」。

朱長文撰《吳郡樂圃朱先生餘藁》十卷，清康熙五十一年（1712）朱氏刻本。扉葉刻「吳郡樂圃朱先生餘藁。家藏正本。本衙雕版」。（鈐有「風雅」、「墨池編印出」、「吳郡朱氏」三印）

沈鯉撰《亦玉堂稿》十卷，扉葉刻「亦玉堂稿。太師府藏板」。

按，「彭衙」、「葉衙」、「金衙」、「徐衙」，實際上就是彭氏、葉氏、金氏、徐氏所刻。而「本家」的意思就更清楚不過了，這也是周紹良教授所認為是『家』的意思。至於「家藏正本。本衙雕版」，「太師府藏板」，就更是有所指了。此十例正可說明周教授大文中「本家藏板」的推論是正確的。

除了使用「本衙」、「本家」，或冠以姓氏的「某衙」外，也有用「本府」、「本堂」、「本祠」、「本齋」者，如：

朱松撰《先儒獻靖公韋齋集》十二卷，清康熙四十九年（1710）朱昌辰刻本。扉葉刻「先儒獻靖公韋齋集。附玉瀾集蜀中草。本府藏板」。（鈐有「理學正宗」、「北宋大儒」、「嘉興王店鎮板橋東朱府發兌」印）本府者，當為朱府。

胡煦撰《葆璞堂文集》四卷，清乾隆三十七年（1772）胡氏刻本。扉葉刻「葆璞堂文集。乾隆壬辰年輯。本堂藏板」。本堂者，當為葆璞堂。

王懋竑撰《王白田全集》二十四卷，清乾隆十七年（1752）王氏刻本。扉葉刻「王白田全集。雜著九卷序誌六卷書啟五卷詩集四卷。本祠藏板」。本祠者，當為王氏之祠。

高鳳臺撰《書畫舫詩課》十一卷，扉葉刻「書畫舫詩課。古今體選。道光丁酉桂月鐫。本齋藏版」。齋者，讀書處，也可作書肆解。本齋者，當為高氏之齋。

二

作為「本衙藏板」來說，一般可指為私人所刻，但也有官府衙門所刻者，這是屬於政府行為了。因此，「本衙」者，也即指「本衙門」。清代帝王御覽之書，或政府有關部門一經頒下刊刻（或重刻）之典籍，下面官府絕不敢稍有疏怠，否則「上面」追究下來，是要負罪責的。所以即時遴選寫工字匠，優而為之，以盡責任。津所見有如下數種：

徐文靖撰《天下山河兩戒考》十四卷，清雍正元年（1723）徐氏刻本。扉葉刻「天下山河兩戒考。當塗徐位山注。雍正元年鐫。本衙藏板。」（扉葉上又鈐上「御覽欽定」、「翻刻千里必究」兩印）「御覽欽定」這四個字，是不能隨便使用的，私家、坊間更是絕不允許打着這個旗號來從事刻書活動的，就像欽天監頒示的曆書不許翻刻一般，否則便要問罪。

周燦撰「使交紀事」一卷，扉葉刻「使交紀事。御覧。內閣鑒定。附使交吟、安南世系略。本衙門藏板」。（鈐有「海不揚波」印）

毛奇齡撰「古今通韻」十二卷，清康熙二十三年（1684）史館刻本。扉葉刻「古今通韻。康熙甲子史館新刊。本衙藏板，翻刻必究」。（鈐有「奉旨留覽敕知口部」、「昭代口口」印）

連斗山撰《周官精義》十二卷，其清乾隆四十一年（1776）連氏刻本。扉葉刻「周官精義。潁川連叔度編次。丙申仲夏鐫。本衙藏板」。（扉葉上又鈐上「提督學院頒行」、「三餘堂發兌」兩印）

以上這四個「本衙（門）」應視為官家，而非私人。

津也見有《黃石齋先生文集》十三卷補遺一卷，清康熙五十三年（1714）刻本。扉葉刻「黃石齋先生文集。康熙甲午季冬鐫。本署藏板」。按，「署」字，公署、官署也，此「本署」者，當指官府，私人或坊間似應不作「本署」。因此，「本署藏板」，也應視作同官方「本衙藏板」一個意思。

還有一種情況，即地方志（鄉土小志除外）的組織纂修和刊刻，不是一個家族或是私人、坊間能够承担的。各州府縣均有纂修地方志之責，即以縣來說，各地的「縣太爺」們均會當作大事來做，因為這也屬于「政績」，而纂修後的刊刻，即使是籌資印行，也皆是官府行為，不能視為私人之作。津曾見有「本衙藏板」的地方志兩種，一為河南《登封縣志》，扉葉刻「登封縣志。乾隆丁未仲秋。本衙藏板」。一為廣東《海豐縣志》，扉葉刻「海豐縣志。金壇于卜熊重修。乾隆拾伍年鐫。本衙藏板」。看來，此二種書之書板是藏之衙署了。據統計，今存地方志，全部相加約八千餘種，美國「哈佛燕京」館藏原刻本地方志 2,700 餘種（不算影印本、膠卷及四五十年代傳抄本），其中乾隆及乾隆前纂修者約 700 種，津尚無暇抽閱，如有有心人去翻查，當可尋得更多「本衙藏板」之例。

三

坊間刻本，在歷朝所刻圖書中是最多的，保存到今天的數量，也是官刻本、家刻本所不能望其項背的。中國五千年傳統文化的承傳，書坊刻書流通的作用是不能低估的。筆者在收集到的「本衙藏板」書影中，也有數種應該屬於坊刻的。今臚舉二例：

林挺秀、林挺俊合撰《春秋單合析義》三十卷，清康熙三十四年（1695）杭州刻本。扉葉刻「春秋單合析義。晉安林西仲先生鑒定。山斗傳神。此林氏家藏秘本也，參前賢之臆解，運兩世之心裁，詮義闡經，凡傳必析，標題抉旨，無法不詳，公之同好，以廣其傳。凡通是經者，皆不可一日離也。挹奎樓主人識。」並有鈐印，云：「本衙藏板，發兑四方。尊客請認杭城板兒巷葉宗之書館內宅便是。若無此印，即是翻本，查出千里必究。」和它書不同的是，這個「本衙藏板」及其內容，是刻在一方印上的。從廣告詞上可以知道，此書刻於杭州，書之特色、出版者、出版地、銷售地點及標識、版權一應俱全。此「本衙」之「發兑」所為，皆屬商業行為，津將之列入坊刻。當然，我們也不排斥私家刻印書籍，除了贈送親朋好友外，也會有售賣之舉。

王夢白撰《詩經廣大全》二十卷，清康熙二十一年（1682）書林何杜臣刻本。扉葉刻「詩經廣大全。王金孺、陳衣聖兩先生編定。太史韓慕廬先生鑒定。本衙藏板。書林何杜臣行。」並有鈐印，云：「授政堂藏板」、「本衙訂定新鐫，翻刻千里必究」、「四書口口嗣出」。按，此扉葉及鈐印上的文字，看來似乎有些坊刻的意味，尤其是

「四書ㄇㄇ嗣出」，更是書林中之「打招呼」廣告。

清代刊刻的小說，無論是品種，還是數量，都是明代所不能比擬的。而且，中國古典小說的傳播，大約都是以書坊所刻為多，私家所為者極少，而官府衙門則絕對不會涉及。根據我所見到的清刻本中有「本衙藏板」字樣的小說，有以下幾種：

清刻本《四大奇書第一種》（三國志演義）一百二十回，扉葉刻「綠蔭巽金批第一才子書。毛聲山先生評點。聖嘆外書。本堂藏版」。

清刻本《皐鶴堂批評第一奇書金瓶梅》一百回，扉葉刻「第一奇書。彭城張竹坡批評金瓶梅。本衙藏板。翻刻必究」。

清刻本《新刻鍾伯敬先生批評封神演義》十卷一百回，扉葉刻「封神演義。鍾伯敬先生原本。四雪草堂訂證。本衙藏板」。

清刻本《新鐫古本批評繡像三世報隔簾花影》四十八回，扉葉刻「隔簾花影。古本三世報。本衙藏板」。

清刻本《新鐫秘本續英烈傳》二十四回，扉葉刻「續英烈傳。批評繡像秘本。本衙藏板」。

未曾經眼者尚有：清刻本《濟公全傳》，扉葉刻「麴頭陀新本。本衙藏板」。題明萬曆刻本的《平妖傳》，扉葉刻「平妖傳。馮猶龍先生增定。本衙藏板」。

《水滸》是中國長篇小說的開山之作，六七百年來，已經形成了以《水滸》為中心的包括水滸續書、戲曲、繪畫在內的「水滸文化」。但是，在清代，刻印《水滸》却是法律所不允許的。《欽定吏部處分則例》卷三禮文詞中云：「凡坊肆市賣一應小說淫詞《水滸傳》，俱嚴查禁絕，將板與書，一并盡行銷毀。如有違禁造作刻印者，系官革職；買看者，系官罰俸一年。若該管官員，不行查出，每次罰俸六個月。仍不得借端出首訛詐。如該管官任其收存租賃，明知故縱者，將該管官降二級調用。」由此可見，清代政府對於《水滸》的刻印傳播者的處置是十分嚴厲的。當然對於如《紅樓夢》、《金瓶梅》、《隔簾花影》等，也都列入「違碍」之目。

對于通俗小說來說，在清代屬不登大雅之堂之書，官家若有刻版刷印，那頂上的烏紗帽可能是即刻要摘去的，所以說，拿着頂戴去「頂風作案」者尚未見有先例。津所見到的《新鐫李氏藏本忠義水滸全書》一百二十回本，乃清據明郁郁堂本翻刻，它的扉葉上刻着「水滸四傳全書。繡像藏本。卓吾評閱。本衙藏板」。《水滸》是清代「違禁」的描寫「流寇造反」、「倡亂」之書，朝廷及各級政府豈能置之不理！顯然，此「本衙」定非官府刊刻並藏板。是否私家所為，證據不足，但是一部三十二冊的「大書」，又有插圖一百二十幅，這不是三五日就可以刻就的，也不是僅印個十來部就歇手停工，更不是投入小額資金即可短期得到回報的。而且要印此書，就要罔顧法令，私下偷偷刻版印刷。所以我以為，此書應該是書坊所為，由于利之所趨，才會冒險去做，這和周教授大文中所舉《紅樓夢》有「本衙藏板」之例，性質應該是一致的，即這個「本衙」，既非官非私，那麼書坊刻之則是較為在理的。之所以書坊也打着「本衙藏板」的旗號，不敢亮出自己的招牌，或是意欲不想惹出什麼官司是非來，隨便找個「本衙」來應付一番。因此，「本衙藏板」，似不排斥也有書坊刻書藏版牟利的成份。

有關中國出版史一類的著作，我翻過多本，然多涉及到一些「大事」去敘述，但都不會在「本衙藏板」上去做文章，大約是因為這個涉及到「版權」的問題實在太小了，不會去施加筆墨。「本衙藏板」的存在，雖沒有幾個人去撰文探討，但它卻實實在在涉及到出版史和版本學上的問題，研究者想迴避也難。版本學是一門科學，這內里的學問太多，而且有些問題極為複雜，不深入研究，是難以搞得清楚的。「本衙藏板」的現象，最早似見於明末，再早則不曾見有。僅是一個「本衙藏板」，就不是輕易能下結論的，具體情況要作具體分析，不能一概而論。所以說，對待版本鑒定要慎重，而見到「本衙藏板」，也不能來個「一刀切」，實際上，家刻、官刻、坊刻都涉及到了。

明年為昌公波得先生八五壽誕，有道是：受福無疆錫純嘏，杖朝有典祝遐齡。先生在臺，於中華傳統文化貢獻良多，且桃李滿園。吳哲夫、盧國屏先生及陳仕華兄有心編印壽慶論文集以示恭賀，並索稿于余。津不敏，又迫于時間緊促，即以小文奉上，以求雅正也。

昌彼得教授八秩晉五壽慶論文集
2005 年 2 月　　　頁 221～228

韓國朝鮮朝的雕板印刷概述*

曹炯鎮

緒　言

韓國雕板印刷術之濫觴是自中國印刷術發明後不久，可能由新羅朝（BC57-AD935）當時頻繁來往之留唐學生或法僧輸入而開始的。對其具體時期，現還不十分明白，但據現存印本，可推測比中國相差沒多少。

新羅朝與高麗朝（918-1392）之雕板印刷概況則早有書出版，❶在此略再敷衍之。

新羅朝因佛教興隆政策，佛教文化極盛，故以雕小型佛經為始，多半雕印佛書。此點由現存早期雕板印刷所產實物佛經可得證。直到新羅末期，因應社會要求，普及到民間板刻詩文集等一般日用知識及學術書籍。

高麗朝則中央政府著重《大藏經》雕造，對其他書籍之搜訪，底本之校勘仍由中央政府負責，而板刻則命地方政府雕之以進，再由中央政府保存書板以印書。寺刹刻書是由崇佛優僧之國策與豐富之寺刹經濟，一直到高麗末期均呈現盛況。雕印過書籍之寺刹有 35 所，雕印之書籍，已知其刊年、雕印處的有 50 餘種，另無法知其刊年或雕印處的有 90 餘種。私家刻書便直到高麗末才出現，大部分為著者的子孫為了追慕祖

---

* 此稿為二十年前作國立臺灣大學圖書館學研究所碩士學位論文時，因非研究範圍而保留下來的。雖為舊稿，但因過去歷史概況，內容差異不大，並吾師瑞卿親自過目又修改的，為了祝壽論文集，意義更大。今稍補新資料，樂為之登。

❶ 曹炯鎮，《中韓兩國古活字印刷技術之比較研究》（臺北：學海出版社，1986），頁 13-17。

先或揚名家門而雕印的文集與族譜類，不過現存的不多，除刊年明白的 13 種外，可推測為私家刻書者有 51 種。

到了朝鮮朝（1392-1910），高麗朝雖已發明了鑄字印書，但雕板印書仍與其相補而盛行。

一、政府刻書

朝鮮朝早期政府刻書，沿襲了高麗朝書籍院制度。❷中央政府刻書，是為提倡宋儒理學，大部分為需要量較多的經史類與醫學類，或新雕，或覆刻既刊本，或先以校書館（內閣）活字印刷校正後，再將其覆刻而隨時印出。❸世宗二十五（1443，明正統 8）年韓文創製❹之後，翻譯了不少儒書與佛經，以韓文刊布行世。刊經都監自世祖七（1461，明天順 5）年六月設置後，至成宗二（1471，明成化 7）年十二月，主要雕印韓譯佛書，其數已達 30 餘種。❺成宗二年刊經都監關閉後，依大妃們在王室內廷出施內帑金，雕印過 30 餘種佛書。此外，奉謨堂 13 種、觀象監 16 種、司譯院 30 種、惠民署 2 種、訓鍊都監 2 種、軍器寺 3 種、壯勇營 3 種、宗簿寺 2 種、內府 1 種、掌樂院 1 種等各官府亦雕印了自己所需之不少書籍。❻

但是朝鮮朝最基本的政府印書政策是自太宗三（1403，明永樂元）年鑄字所設置以後，由中央政府鑄字印書後，內賜文臣外亦送地方政府，令地方政府以此為底本覆刊

---

❷ 《朝鮮王朝實錄》〈太祖實錄〉，卷 1，元年壬申 7 月丁未，定文武百官之制條。

❸ (1)前間恭作，《朝鮮の板本》（福岡：松浦書店，1937），頁 13-26。
(2)千惠鳳，《韓國古印刷史》（漢城：韓國圖書館學研究會，1976），頁 74。

❹ 《朝鮮王朝實錄》〈世宗實錄〉，卷 102，25 年癸亥 12 月庚戌條。

❺ (1)姜信沆，《李朝初佛經諺解經緯에對하여》（單印本），頁 41。
(2)金斗鍾，《韓國古印刷技術史》（漢城：探求堂，1974），頁 161-170。

❻ 同註❺之(2)，頁 173-175、372-375。

的。❼如此以鑄字印本為底本，令地方政府覆刻之主要理由是為了板面之美感。此類多半為表示權威之御製教書及《國朝寶鑑》等官撰書；❽或者為了長久之保存；❾或是為了當時鑄字印刷技術尚不能印很多，故需要量多的書籍，還是要覆刻而廣布之。❿另中央政府求得明本亦轉送地方政府，令其雕刻以進。如世宗八（1426，明宣德元）年進獻使金時遇從明回來時，求得《四書五經》、《性理大全》、《宋史》等明帝特賜之書籍而攜還，檢討官偰循於同年十二月要請刊行《性理大全》而廣布，⓫故命慶尚道⓬監司、全羅道監司、江原道監司覆刻《四書五經》、《性理大全》，於是自同王九年七月至十一年三月各道監司刻完以進。⓭於是朝鮮前期，地方政府奉命雕印過之書籍，據《攷事撮要》〈八道冊板目錄〉，已達980餘種，但此數量尚不及全國雕板數量之一半。⓮

---

❼ 《朝鮮王朝實錄》〈世祖實錄〉，卷11，4年正月戊寅條；〈中宗實錄〉，卷23，11年丙子正月甲辰條；〈宣祖實錄〉，卷210，40年丁未4月乙未條；正祖21（1797，清嘉慶2）年丁酉字印本，《春秋左傳》〈鑄字跋〉；《音註全文春秋左傳句讀直解》（韓國國立中央圖書館所藏），（明）景泰甲戌（5，1454，朝鮮端宗2年），〈李塏跋〉等記載都述及此種實例。

❽ 同註❺之(2)，頁204-205。

❾ 李秉岐，〈韓國書誌의研究（上）〉，《東方學志》3（1957），頁34。

❿ (1)同註❹，卷51，13年辛亥2月癸亥條。
(2)《音註全文春秋左傳句讀直解》（韓國國立中央圖書館所藏），（明）景泰甲戌（5，1454，朝鮮端宗2年），〈李塏跋〉：「太宗大王朝所印鑄字本，字大便於觀覽而印少歲久……癸未夏，上遂命全羅道觀察使……鋟梓于錦山郡，以廣其傳。」
(3)《朝鮮王朝實錄》〈世祖實錄〉，卷11，4年正月戊寅條。

⓫ 同註❹，卷34，8年丙午11月癸酉條；12月丁卯條。

⓬ 道為行政單位，相當於中國之省。

⓭ (1)同註❹，卷37，9年丁未7月甲辰條；9年丁未9月戊子條；9年丁未10月壬午條。
(2)《四書五經》及《性理大全》〈卞季良跋〉：「《四書五經》若《性理大全》，皇明太宗文皇帝命儒臣編輯之書也。帝……特賜是書，書總二百二十九卷，我殿下思廣其傳，命慶尚道監司臣崔府、全羅道監司臣沈道源、江原道監司臣趙從生，鋟梓于其道……宣德丁未冬十有二日甲寅，崇政大夫集賢殿大提學知經筵春秋館事兼成均館大司成臣卞季良拜手稽首敬跋。」

⓮ (1)李仁榮，〈攷事撮要の冊板目錄について〉，附冊板目錄，《東洋學報》30:2（1943.2）。
(2)千惠鳳，《古書目錄集成》（漢城：東國大學校圖書館，1962），頁1-61，攷事撮要冊板目錄：八道別。
(3)同註❺之(2)，頁211-227。

此外地方政府單獨雕印的，大部分為以經史為主之教育課本、文集類及有關業務之政書類。⑮到壬辰倭亂後之朝鮮後期，中央政府之校書館、鑄字所、其他官府及各地方官府亦雕印自己需要的書籍。後期政府刻本書籍的數量，據《鏤板考》，中央政府刻書有 91 種，地方政府刻書有 393 種。《鏤板考》編纂以後的政府刻書亦有 30 餘種。⑯

總之，由〈成宗實錄〉卷 176：「諸子百家無不鋟梓，廣布於世」⑰與《增補文獻備考》卷 242，〈藝文考〉1：「本朝（朝鮮）右文為治，京中寘校書館，天下之書，次第印行，而外方州郡刊刻諸書，無處不有，所以書籍流行，布在世間」⑱之記載可想見朝鮮朝雕板印書風氣之盛了。

二、寺刹刻書

關於寺刹刊本，因朝鮮朝崇儒斥佛政策，除早期幾種王室刊行之佛經⑲外，絕大部分佛經均由寺刹雕印。寺刹多半位於深山幽谷，容易取得板木及造紙、造墨等的材料，又保有熟練的刻工，另有信徒捐施之財源確保，及具備了雕印書籍需要之所有條件，所以雕印了不少的書籍。由此帶動了地方政府刻書、書院刻書、私家刻書及書坊刻書等事業，⑳因此寺刹之刻書在韓國古印刷發展史上，乃佔了非常重要的地位。

---

⑮ 同註❸之(2)，頁 75。

⑯ 同註❺之(2)，頁 372-391。

⑰ 《朝鮮王朝實錄》〈成宗實錄〉，卷 176，16 年乙巳 3 月丁未條。

⑱ 洪鳳漢編撰，李萬運補編，朴容大等補修，《增補文獻備考》（漢城：明文堂，1981），卷 242，〈藝文考〉1，歷代書籍，孝廟朝條，頁 9 下。

⑲ (1)權近，《陽村集》，卷 22，〈別願法華經跋語〉、〈大般若經跋〉、〈金書妙法蓮華經跋〉。
(2)《朝鮮王朝實錄》〈太宗實錄〉，卷 19，10 年庚寅 5 月乙酉條；〈世宗實錄〉，卷 111，28 年 3 月 26 日癸巳條及 3 月 28 日乙未條。
(3)千惠鳳，〈李朝前期佛書板本에對하여〉，《國會圖書館報》2:1（1965.1），頁 60-66。

⑳ 同註❸之(2)，頁 76。

朝鮮前期雕印佛經之寺剎有120餘所，共280餘種，有覆刻以前之佛典或政府刻本，又有應寺剎本身需要而雕刻的。大部分在卷末有明白刊記之祁願文，可得知其施主、練板、刻工及役僧等，此點與政府刻書或私家刻書不同。許多寺剎刊雕印過同一種佛典，可知各寺剎彼此無連絡而單獨依施主祁願雕印的。㉑至於朝鮮後期，全國170餘所寺剎雕印過510餘種佛經。大部分亦依施主捐助刊經資金或寺剎需要而雕印的。㉒

除了佛經典外，經史子集類亦雕印了不少。據《鏤板考》所載，京畿道、忠淸道、全羅道、慶尚道、平安道等5個道之各寺剎雕印過140餘種，大部分是依官命或自己需要而雕印，另亦有以買賣為目的而雕，其中子集部分，由私家委託寺剎雕印的亦不少。㉓由此龐大的數量，可知各寺剎自己具備為雕板印書需要之刻工、紙匠等所有的條件。

三、私家刻書

朝鮮前期私家刻書情形亦與高麗同，均為以追慕祖先或揚名之文集、族譜類占大部分。故隨著家族之榮枯盛衰，遂出現各式各樣型態的刊本。書本的卷數以4至5冊以內的占大部分，著者多半為當過高官的人士。至於族譜則因壬辰倭亂時幾乎都散佚，現流傳的很少，其他文集類亦缺刊記，難以鑑別，其中雕印數量約90餘種。私家刻本因經濟能力不夠好，故紙張、刻板技術、裝訂等都比政府刻本差很多，此點即是韓國私家刻書不發達的主要原因。㉔朝鮮後期雕印的書籍，據《鏤板考》所載，全羅道、慶尚道、平安道等3個道有19種。此外《鏤板考》漏收的或後印之私家刻書約有84種。其數量不多的原因是子孫在官職時雕印或委託寺剎雕印，而將書板保存在官府或

㉑ 同註❺之(2)，頁244-272。

㉒ 同註❺之(2)，頁399-437。

㉓ 同註❺之(2)，頁392-399。

㉔ 同註❺之(2)，頁274-281。

寺剎，或朝鮮後期借用官府活字或地方木活字之所致。㉕

四、書院刻書

對書院刻書，按書院開創是自中宗三十八（1543，明嘉靖 22）年設白雲洞書院為始的。㉖至壬辰倭亂約 50 年間，創設的 40 所書院雕印之書籍只有 5 種，但可知開創後不久，即注意到書籍雕板事業了。壬辰倭亂後，書院活動逐漸興盛，到朝鮮末共創設了 800 餘所書院。㉗據《鏤板考》所載，除江原道外，全國 73 個書院雕印 167 種書籍。所雕印的書籍，因書院本身是私立教育機構，故大部分是先賢或有關書院人士之文集或著作。㉘

五、祠宮刻書

至於祠宮刻書，直到朝鮮後期才開創。主要雕印書籍是先賢或先烈之文集、遺事、遺蹟占大部分。據《鏤板考》所載，全羅道、慶尚道、黃海道、咸京道等 4 個道之祠宮雕印過 25 種書籍。㉙

六、書坊刻書

對書坊刻本，其有關書肆的文獻記載在中宗十四（1519，明正德 14）年時已出

㉕ 同註❺之(2)，頁 449-453。

㉖ 同註⓲，卷 209，〈學校考〉8，書院，頁 21 上。

㉗ 同註❺之(2)，頁 8、272-273。

㉘ 同註❺之(2)，頁 438-447。

㉙ 同註❺之(2)，頁 447-448。

現。㉚以後為販賣雕印過的書籍，且亦有標明書冊價格的記載。㉛但 16 世紀以前之書坊刻本並非為了營利，而是以廣為流傳為目的。㉜至於眞正書坊刻本，則在壬辰倭亂後因大部分書冊都被燒燬散佚而急需大量書本的 17 世紀中葉仁祖朝（1623-1649）才出現。㉝以後具有書肆之刊記、紙張、板式、字體、裝訂等書坊刻本特徵的書籍到 19 世紀才出現。㉞此時正當朝鮮國勢衰退之際，書籍之刻板技術、形態等都很粗拙。書坊刻本數量約 110 餘種，其內容以韓文小說占大部分，此種小說乃是從前特殊階級專用之書籍，後透過書肆普及民間而廣為百姓所愛讀。此外尚有供少年教育用課本、為作詩律之韻書、有關儀式的書籍、醫方書及農書等。㉟其特徵多半是小型袖珍本以便為科學應試之士儒所攜帶，且因形小故字體多用簡體字。㊱

結　言

據上所述，可瞭解韓國雕板印刷之概況了，將其摘要如下。

1. 韓國雕板印刷術之濫觴是自中國輸入而開始的。其時期，可推測比中國相差沒多少。

2. 新羅朝因佛教文化極盛，多半雕印佛書。直到新羅末期，普及到民間板刻書籍。

3. 高麗朝中央政府則著重《大藏經》雕造，且負責其他書籍之搜訪、校勘、印書等工作，地方政府則負責雕之以進。寺刹刻書是直到高麗末期均呈現盛況，雕印過書

㉚ (1)《朝鮮王朝實錄》〈中宗實錄〉，卷 36，14 年己卯 7 月己亥條。
(2)同註⑱，卷 242，〈藝文考〉1，歷代書籍，中宗 14 年條。

㉛ 李致雨，〈書誌學的인側面에서본攷事撮要의研究（II）〉，《圖書館》28:1（1973.1），頁 47-52。

㉜ 鄭亨愚，〈書肆에對한몇가지問題〉，《書誌學》2（1969.6），頁 47-61。

㉝ (1)同註❺之(2)，頁 460。
(2)金東旭，〈坊刻本에對하여〉，《東方學志》11（1970.12），頁 97-139。

㉞ 同前註之(2)。

㉟ 同註❺之(2)，頁 455-461。

㊱ 任昌淳，〈韓國의印本과書體〉，《民族文化論叢》4（1983.12），頁 107。

籍之寺剎有 35 所，書籍有 140 餘種。私家刻書則到高麗末才出現，大部分為文集與族譜類，共 64 種。

4.朝鮮朝雕刻過書籍者有政府、寺剎、私家、書院、祠宮、書坊等。

5.政府刻書之基本政策為由中央政府鑄字印書後，令地方政府覆刊之。中央政府所刻者共有 220 餘種，其內容大部分為經史、醫學類及韓譯儒書與佛經。地方政府所刻者共有 1,400 餘種，其內容大部分為經史、教育課本、文集及政書類。

6.寺剎因容易取得板木、造紙、造墨等的材料，又具備了刻工、財源等所需條件，所以雕印了不少的書籍。由此帶動了政府刻書、書院刻書、私家刻書及書坊刻書等事業。雕印過佛經之寺剎有 290 餘所，共 790 餘種，經史子集類則有 140 餘種。大部分佛經在卷末有明白刊記之祁願文，可得知其施主、練板、刻工及役僧等。

7.私家刻本，大部分為追慕祖先或揚名之文集、族譜類。雕印數量約 190 餘種。因各家經濟能力不同，遂在紙張、裝訂等形態上出現各式各樣的刊本，卷數亦大部分為 4 至 5 冊以內的。

8.書院刻書則雖開創後不久，即注意到書籍雕板事業了，但到朝鮮後期才逐漸興盛。雕印過書籍者共有 73 所，共 172 種。其內容大部分是教育課本或文集類。

9.祠宮刻書，直到朝鮮後期才出現。主要雕印書籍是文集、遺事、遺蹟等類，共 25 種。

10.書坊刻書雖於 16 世紀初期出現，但非為了營利而是普及目的的。眞正書坊刻本，則在 17 世紀中葉才出現。具有書肆之刊記、紙張、板式、字體、裝訂等特徵的則到 19 世紀才出現。數量約 110 餘種，其內容包括韓文小說、教育用課本、韻書、禮書、醫方書、農書等類。

昌彼得教授八秩晉五壽慶論文集
2005 年 2 月　　　頁 229～240

《清人別集總目》箚記

杜澤遜

近年著錄清人別集之作次第刊行。袁行雲先生《清人詩集敘錄》（1994 年文化藝術出版社出版）著錄清代詩人 2511 家之詩集，各撰研究性提要一篇，以精到見長。李靈年、楊忠先生主編《清人別集總目》（2000 年安徽教育出版社出版）、柯愈春先生《清人詩文集總目提要》（2002 年北京古籍出版社出版），所收作者均近二萬，別集四萬餘種，網羅之富，遠邁前人，洵不朽之功德也。其中《清人別集總目》，雖未撰提要，但列舉各家別集、版本、藏所，附作者小傳及傳記資料出處，線索極富，尤便檢覈，為學者案頭常備。余輯《四庫存目標注》，至別集類，仰賴是書，受惠者豈可殫述。唯偶有可商，隨識簡端，以《標注》別集蕆事，乃迻錄如次，愚者一得，或於學術不無小補云。

1. 第 2 頁　丁煒

按：此條列丁煒集九種，版本十餘個，以余所見，實為三個版本：⑴清康熙希鄴堂刻本，作《問山文集》八卷《詩集》十卷《紫雲詞》一卷。半葉十行，行二十一字，白口，左右雙邊。泉州圖藏全本。南圖有詩、詞。北圖有詩卷一至三。清華、社科院文學所有文集。⑵清康熙刻本，作《問山文集》六卷《詩集》十卷，《文集》黃與堅、葉映榴選，《詩集》王士禛、施閏章選。半葉十行，行二十字，白口，四周雙邊。江西圖藏。⑶清咸豐四年族孫拱辰雁江景義堂刻本，作《問山文集》八卷《詩集》十卷《紫雲詞》一卷。北圖、上圖等藏。又有光緒八年、二十四年、民國十年修版印本。流傳稍廣。依本書體例，第⑴、⑶兩個版本可合併為一部書兩個版本，則丁煒別集可由九種合併為二種，版本由十餘個合併為三個。之所以歧為九種十餘個版本，是由於同書異名單列、全本與殘本單列、初印本與後印本單列。除同書同版分列外，又有異書異本誤合者，如「《問山詩集》十卷《紫雲詞》一卷，王士禛、施閏章選，康熙希鄴堂刻本（南圖、贛圖）」。就版本而言，本書屬於希鄴堂刻本之殘帙，而王、施所選實為第(2)版本之《詩集》十卷，蓋以書名、卷數同而誤合。

2. 第 10 頁　丁詠淇

按：此條依《四庫存目》著錄「《二須堂集》二卷」。檢《四庫採進書目·總裁王（際華）交出書目》：「《二須堂詩集》三本、《二須堂文集》二本。」為《四庫存目》所據。吳慰祖云：「《四庫存目》論其《文集》甚詳，而於《詩集》隻字未及，顯係脫漏。」然則，丁詠淇有詩、文兩集，曾經王際華進呈四庫館，《存目》僅載其一集。此當據《四庫採進書目》同時著錄兩集，且書名、冊數均當以《採進書目》為原始。

3. 第 29 頁　上官鉉

按：上官鉉當作上官鉝。又「號松右」，當作「號松石」。皆形誤。

4. 第 66 頁　王晦

按：此條著錄《王石和文》八卷本、九卷本，各有多家收藏。檢諸家書目，山西大學有六卷本，人民大學有七卷本，知係陸續增刻。此將人民大學七卷本併入八卷本，又以南開大學九卷本分隸於八卷本、九卷本兩處，皆不妥。似當以六卷本、七卷本、八卷本、九卷本分立四目，而於版本項加「增刻」字樣，以示源流。

5. 第 78 頁　王戩

按：此條列「《突星閣詩鈔》十五卷，康熙四十九年刻本」。余見吉林大學藏是刻，其卷十五收藏康熙五十年辛卯以下詩，顯非四十九年所刻。卷十五後有康熙五十七年戊戌男鐢、瓚跋，稱「往有《突星閣詩鈔》十四卷行世」，知卷十五為康熙五十七年男鐢等增刻。又據自序，前十四卷亦康熙二十八年至四十九年陸續付梓。則是書版本當定為：康熙二十八年至五十七年刻本。

6. 第 87 頁　王士祿

按：此條著錄「《濤音集》，清抄本（山大），乾隆刻本（青島）」。考王士祿《十笏草堂詩選》某氏序云：「子底近彙選吾掖人詩為《濤音集》。」知係掖縣地方詩選，係總集，非別集也。《濤音集》八卷，王士祿、王士禛輯，乾隆五十七年掖縣儒學刻本，見《中國古籍善本書目》總集類。

7. 第 130 頁　王孝詠

按：此條僅據《四庫存目》著錄「《後海書堂遺文》二卷」，無版本。《四庫採進書目·江蘇採輯遺書目錄》著錄是書「抄本」，即《四庫存目》所本，當據以補入。

8. 第 198 頁　尤世求

按：此條著錄「《南園詩抄》十卷，雍正乾隆刻本（復旦）」。余見此帙，「弘」字缺筆，當係乾隆刻本。

9. 第 207 頁　毛先舒

按：此條著錄「《毛古菴先生全集》，毛應啟、毛應慶訂，民國三十八年排印本（中科院）」。此係明毛憲作，非毛先舒作也。

10. 第 208 頁　毛際可

按：此條於《安序堂文鈔》二十卷下列有「康熙刻增修本（浙圖），按：有鄭杰跋」、「清初刻本（浙圖），按：有韓居士、鄭志題識」。浙圖此兩本實係一本。鄭杰，號注韓居士，此脫一「注」字，遂誤為韓姓居士。又「鄭志」亦當為「鄭杰」之誤。意者原署注韓居士鄭杰，此以脫訛，遂誤一人為三人，歧一本為二本。

11. 第 279 頁　石龐

按：此條著錄「《天外談初集》三卷又三卷，康熙刻本（北大）」。余見此帙，僅存《天外談初集》三卷六本。北大善本書目亦云存《初集》三卷。

12. 第 279 頁　石球

按：此條小傳云「嘉應人」。余見南開大學藏清乾隆二十六年刻《有蘭書屋存稿》四卷，極罕秘，題「嘉定石球鳴虞」，與《四庫提要》合。此作嘉應，恐誤。

13.第 296 頁　帥家相

按：此條於《卓山詩集》十六卷下列有「乾隆十九年刻本（贛圖）」。此集之刻在嘉慶二年，末有嘉慶二年丁巳仲秋男煥刻書跋。江西省圖此帙「嘉慶二年」被挖改為「乾隆五年」，不知乾隆五年非丁巳年也，且跋內有云「前御纂《四庫全書》」，又安能在乾隆五年預言之？書估伎倆，甚可笑也。余見此帙，故為辨之。此云「乾隆十九年刻本」，則以該本另有乾隆十九年汪士通序而云然。

又：此條於《卓山詩集》十二卷下列有二本「乾隆刻本（北圖）」；「帥氏清芬集本，光緒十一年刻本（叢書綜錄、日本人文）」。此十二卷本乃光緒十一年刻《帥氏清芬集》本卷數。北圖乾隆刻本當亦嘉慶二年刻本佚去男煥跋而誤定者，當歸入十六卷本下。

14.第 314 頁　葉映榴

按：此條著錄「《葉忠節公遺稿》十六卷，康熙二十四年刻本」。映榴卒於康熙二十七年，此集用謚號，當為卒後刻。二十四年恐未確。

15.第 325 頁　田肇麗

按：此條著錄《有懷堂文集》一卷《詩集》一卷，下注版本：「康熙乾隆刻《德州田氏叢書》本」、「乾隆七年羅克昌刻本」。此二本實出一版，即乾隆七年肇麗子同之刻本。

16.第 351 頁　馮溥

按：此條於《佳山堂詩集》十卷《二集》九卷下注版本：「康熙十九年古吳朱士儒刻本。」實則《二集》刻於康熙二十七年，非同時刻。

17.第 396 頁　朱綱

按：此條於《蒼雪山房稿》一卷下列二版本：「乾隆朱氏家刻本」、「道光刻《濟南朱氏詩文彙編》本」。兩本實出一版，王士禛評定，「禛」字不避諱，當刻於康熙間。《彙編》本皆用舊版刷印，故朱湘、朱崇勛、朱崇道諸集以原刻與《彙編》歧為二刻者，均未確。

18.第 460 頁　廷樾

按：此條著錄「《報好音齋文稿》，同治家刻本（北圖）」。柯愈春《清人詩文集總目提要》1609 頁亦收之。考劉聲木《萇楚齋續筆》卷二《冷姓》：「廷樾，字雅南，官建陽縣知縣。撰《報好音齋文稿》三卷，同治八年仲冬刋本。雖名《文稿》，實為《易學管窺》。復有《陰符經臆說》一卷，則未見。」《續修四庫提要》（齊魯書社影印稿本）第 5 冊第 319、327、329 頁分別著錄廷樾《易學管窺》無卷數、《報好音齋雜說》無卷數、《陰符經臆說》無卷數，均同治刻本。其中《報好音齋雜說》提要云：「殺青未竟，遽歸道山，其兄廷桂不忍聽彼湮沒，乃併《周易管窺》、《陰符經臆說》二書彙刻成書。」又《陰符經臆說》提要云：「此《陰符經臆說》彙刻於《報好音齋雜稿》中。」由此可知，《報好音齋文稿》凡三卷三種，第一種為《易學管窺》，劉聲木僅看第一種，即認為三卷皆《易學管窺》，實則第二種為《報好音齋雜說》，論中外學術，第三種為《陰符經臆說》。總之，《文稿》係雜著，非文集。

19.第 530 頁　劉體仁

按：此條著錄有「《七頌堂詩集》四卷，康熙十七年潁川劉氏刻本（北師大）」。檢《北京師大善本書目》：「《七頌堂文集》四卷《詩集》九卷，清劉體仁撰，清康熙間潁川劉氏刻本。」知康熙潁川劉氏刻本《七頌堂詩集》實為九卷，非四卷，四卷者為《文集》。

20.第 584 頁　安致遠

按：此條著錄有「《紀城文稿》四卷《詩稿》四卷《玉磑集》四卷《吳江旅嘯》一卷，同治二年自鋤園刻《安靜子集》本」。余持同治二年自鋤園刻《安靜子集》與康熙刻本各集相校，知係同版，同治二年彙印時加刻一封面而已，非新刻也。

21.第 603 頁　許尚質

按：此條著錄有「《釀川集》五卷《填詞》五卷，清刻本（北圖）」。余見北圖是刻，賦、雜文共二卷，詩五卷，填詞五卷，共十二卷，傳增湘藏書。此處卷數未確。又著錄南圖藏清康熙刻《釀川集》十三卷。實亦同版，唯以賦作一卷計，雜文作二卷計耳。各卷卷端均題「釀川集」，而各自計卷，故有書名、卷數之歧異也。

22.第 631 頁　孫蕙

按：此條著錄「《笠山詩選》五卷，王士禛選，康熙二十一年序刻本（北圖、上圖）」。余見上圖藏本，卷一、三、五題「新城王士禛貽上選」，卷二、四題「揚州汪懋麟季角選」。故選者當為二人。

23.第 1079 頁　張遠

按：此條共立兩目：⑴「《梅莊集》七卷，康熙刻本（中科院）」。⑵「《梅莊文集》一卷《梅莊集》不分卷，康熙刻本（北圖、遼圖、中科院、中科院文研所、清華、上海黃裳）」。余見中科院第⑵本，《梅莊集》依體分卷，每卷首題「梅莊集」，不標卷次，故又以不分卷視之，實有七卷。故七卷本與不分卷本實為一本，不必單立一目。至於收藏情況，遼圖、中科院詩文俱全，北圖、黃裳有《文集》，文研所、清華有詩集。此處所注亦未確。

24.第 1084 頁　張庚

按：此條著錄有「《強恕齋文鈔》五卷《詩鈔》四卷，乾隆二十二年刻本」。余見浙圖藏本，《詩鈔》為乾隆十七年魯克恭刻本，《文鈔》為乾隆二十二年李肯菴刻本。非同時刻。

25.第 1161 頁　張實居

按：此條著錄有「《蕭亭詩選》六卷，王士禛選批，康熙桓臺知縣孫元衡刻本；清刻《王漁洋遺書》本」。此二刻實出一版，皆孫元衡刻，桓臺當時為新城縣，稱桓臺者為舊名。

26.第 1354 頁　范泰恒

按：此條著錄有「《燕川集》六卷，乾隆二十一年刻本；乾隆刻本」。余見首都圖書館藏乾隆刻本，有乾隆二十一年丙子楊紱序，乾隆二十二年丁丑除日自序。卷端題「男楣駟可、姪楹立可仝校字」。封面刻「本衙藏板」。是家刻本。定為二十一年刻蓋依楊序，實未確也。二本當合為一，稱乾隆家刻本。

又著錄有「《燕川集》十四卷，嘉慶十四年范照藜、顧起廬安徽刻本」。此條版本表述與《四川省圖書館古籍目錄》同，當錄自該目，唯該目「顧」字作「願」，願起廬為范照藜堂號。此因一字之誤而歧為二人。

27.第 1366 頁　林堯華

按：此條著錄「《浣亭詩略》二卷《歸來吟》一卷，清五草園刻本（魯圖）」。余見此帙，僅有《浣亭詩略》一卷一冊。

28.第 1452 頁　周長發

按：此條著錄有「《賜書堂詩鈔》八卷，清乾隆八年刻本。」考袁行雲《清人詩集敘錄》，長發卒於乾隆二十六年。此書北大藏本有商盤序云：「先生捐館後，兩嗣君以先生自訂全稿若干篇請余編定，並述。先生及門少司寇西齋蔡公、殿撰秋帆畢公合資開雕。」則刊刻年代當為乾隆二十六年或稍後。定為乾隆八年刻本，乃以商序未署年月，而另有乾隆八年齊召南序，因據而誤定也。

29.第 1496 頁　鄭日奎

按：此條於《鄭靜菴先生詩集》五卷《文集》五卷《別集》一卷下注有：⑴「康熙十九年序刻本（上圖、日本內閣）」；⑵「清鄭之梅刻本（南圖）」。余見上圖本，題「豫章鄭日奎次公甫著，曾姪孫之梅調元重梓」。有康熙十七年戊午湯來賀序，康熙十八年己未葉方靄序，康熙十九年庚申曹鼎望序等序文。可知南圖鄭之梅刻本亦即此刻，非二本也。

30.第 1653 頁　施瑮

按：此條著錄有《隨村先生遺集》六卷，共列五個版本：⑴康熙四十七年刻本（臺灣中圖）；⑵康熙四十七年曹寅刻、乾隆四年續刻《施愚山先生學餘文集》本附（皖圖、青圖、安徽師大）；⑶康熙至乾隆增刻《愚山先生全集》本附（《叢書綜錄》）；⑷乾隆元年刻本（中科院）；⑸乾隆四年刻本（南圖、皖圖、復旦、日本大阪、人文）。以上五個版本實為一刻，封面刻「乾隆己未年鐫」、「施隨邨先生遺集」、「本衙藏板」，即乾隆四年家刻本，有乾隆元年吳芮序。所以歧為五本，或以該集附《愚山先生全集》

而行，或以佚去封面而據吳序年分。

31.第 1697 頁　姚夔

按：此條著錄「《飲和堂詩》十三卷《文》八卷，康熙刻本（南圖）」。余見此帙，詩、文卷端均題《飲和堂集》，版心記卷次，計詩十六卷、文八卷，共二十四卷。此處卷數有誤。

32.第 1709 頁　姚培謙

按：此條著錄「《松桂讀書堂集》八卷，乾隆五年刻本（上圖、粵圖等）」。余見吉林大學是刻，作《松桂讀書堂文集》七卷《詩集》八卷。此處著錄非足本。

33.第 1874 頁　徐用錫

按：此條著錄《圭美堂集》二十六卷，版本有二：⑴「乾隆十三年周毓崙等刻本」。⑵「乾隆宿遷徐氏刻本」。此二本實為一刻。余見清華藏本，目錄後有乾隆十三年戊辰周毓崙序云：「會楓亭由滇入覲，議鋟版於京邸，歸捐俸錢，屬崙以校勘之役，閱數月工甫竣。」書後有受業姪鐸跋。封面刻「版藏本宅」。是乾隆十三年家刻本，而周毓崙受託董理校刊。非有二刻也。

34.第 1951 頁　席鏊

按：此條著錄「《竹香詩集選》四卷，乾隆五年席紹雯光大堂刻本（常熟）」。余見北圖分館藏乾隆刻本，題「海虞席鏊景溪著，錢塘杭世駿大宗、葉亭葉鳳毛超宗兩先生鑒定，姪紹雯、紹淦、子光河編輯，外甥吳德生、德安、姪孫世榮同校」。有杭世駿序，乾隆十五年庚午張湄序，葉鳳毛序，乾隆十四年十二月席景溪自序。後有乾隆二十八年葉鳳毛哀辭，席紹雯跋。據杭序，知為席鏊歿後十年由其姪兩浙轉運使紹雯刊於浙江，時約在乾隆二十八年。此作乾隆五年，恐誤。

35.第 2061 頁　曹寅

按：此條著錄有「《楝亭詩別集》四卷，康熙四十四年刻本（粵圖、中科院）」。此集實為曹寅卒後弟子付刊，當在康熙五十二年。此定為四十四年，蓋以顧昌序「乙酉秋仲」云云而致，實非刻書之年。

36.第 2117 頁　章金牧

按：此條著錄有「《萊山詩集》八卷，康熙五十五年刻本（販書偶記續編）」。檢《販書偶記續編》，作「康熙丙午刋」，丙午為康熙五年，則此「五十五年」乃「五年」之誤。又，此集北大有康熙刻本，前有康熙五年丙午序，殘存末葉，疑為自序。卷末有徐倬撰《行狀》，佚去末葉。據《行狀》知章金牧康熙十一年壬子五月五日卒於栢鄉官舍。則是書之刻或在卒後，亦未必刻於康熙五年丙午也。此處章金牧生卒年闕如，可據《行狀》補其卒年。

37.第 2121 頁　商盤

按：此條著錄《質園詩集》三十二卷，版本有：⑴「康熙刻本（首都、中科院）」；⑵「乾隆十九年斟雉山房刻本（北圖、上圖等）」。此係編年詩集，起雍正元年，至乾隆二十六年，康熙刻本顯然不存在。余見清華藏乾隆刻本，有何世璂、沈德潛、李宗仁序及自序，又有蔣士銓撰《傳》。據《傳》知盤生於康熙四十年，卒於乾隆三十二年。是集之刻當在晚年或卒後。定為十九年刻亦未妥。

38.第 2266 頁　童能靈

按：此條著錄《冠豸山堂文集》二卷，版本有：⑴「乾隆二十一年連城童祖劍刻本（北圖、閩圖、中科院）」；⑵「乾隆四十四年刻本（閩圖）」。此二本實係一刻。余見北圖分館藏本，卷一題「連城童能靈寒泉著，弟能良晚亭編，男祖創思承、孫崙宗躋峰、嶠宗繹峰、姪孫際可宸獻、孫堉羅國泰履安同較」。有乾隆二十二年丁丑雷鋐序，傳、墓誌、像。封面刻「乾隆乙亥年鐫」、「閒味齋藏板」。末有男祖創跋云：「分為上下兩卷，以授梓人。」乙亥為乾隆二十年。則是本當作：乾隆二十年童祖創閒味齋刻本。此處年分、刻書人名均未確。其乾隆四十四年刻本當出《中國古籍善本書目徵求意見稿》，亦誤，《中國古籍善本書目》定本已改為乾隆二十年刻本。

39.第 2294 頁　謝文洊

按：此條著錄有《謝程山集》十八卷首一卷附錄三卷，版本有：⑴「乾隆劉煜徵刻本（川圖、華東師大）」；⑵「道光三十年刻本（上圖、北大等）」。此兩本實為一刻，即道光二十九年至三十年劉煜等刻《謝程山先生全書》本。《全書》前有道光二十九年孟冬知南豐縣事黃之晉《重刊程山全書序》云：「邑紳劉太守養雲、吳廣文仁叔諸君為之號召，同志裒資以速其成，統為五十四卷。」又道光三十年夏七世孫昌賢跋，述刻書始末。又捐資姓氏十七人。其中《謝程山集》前有牌記：「程山裔孫昌賢彙稿，同邑後學劉煜徵刻。」知所謂「乾隆劉煜徵刻本」非是。

40.第 2380 頁　熊賜履

按：此條著錄有《經義齋集》十八卷，版本有：⑴康熙二十九年刻本；⑵光緒永康胡氏退補齋刻本（上圖、旅大）等。余見武漢大學藏本，題「孝昌熊賜履著」，半葉九行，行二十字，白口，左右雙邊。有康熙二十九年錢肅潤序，康熙二十九年劉然序。封面刻「退補齋藏板」。劉序云：「屬然以校讎之役而授之梓。」知初刻於康熙二十九年。卷內弘字缺筆，曆字挖改為歷，寧字挖改為寍，痕跡明顯。書版有爛去下框者。知係康熙刻後修版重印者。然則此「退補齋」與同治光緒間刻《金華叢書》之永康胡鳳丹退補齋並非一家。

由以上四十例觀之，致誤原因在不見原書。衡諸事理，近二萬作者，別集逾四萬，驗看原書，勢所不可。精究者難廣，騖廣者難密，此古今一貫之理，固未可苛責編者。然則，目錄之學殊非易易，可知也。

前輩昌瑞卿先生，精究版本目錄之學，為海內外同行所仰慕。一九九六年二月余侍王紹曾師來臺北交流學術，謁先生於故宮博物院，留臺十數日，屢蒙招飲，暢談古今。先生賜余《故宮七十星霜》。是年八月余在北大與輯《四庫全書存目叢書》，先生以出席國際圖書聯合大會蒞京，同行者吳哲夫、周彥文、陳仕華諸先生，余與羅琳學長謁先生於亞運村旅次，時過夜半，先生出威士忌及烤魚片，共飲數杯，無倦意。臨別，先生賜余《說郛考》。一九九八年五月臺北故宮與淡江大學合辦兩岸四庫學研討會，余應招前趨，聆聽教誨，先生賜余《故宮博物院善本舊籍總目》及《增訂蟫菴群書題識》。時余方輯《四庫存目標注》，乃一卷呈覽。九月初即蒙先生賜序，獎掖有加。一九九九年二月，先生又寄贈《故宮博物院宋本圖錄》、《宋版書特展目錄》、《沈氏研易樓善本圖錄》、《中央圖書館善本特藏》四種。先生厚愛，余感荷之至。明年，先生八十五歲華誕，同仁籌編慶壽論文集，以祝遐齡。適余《存目標注》別集蕆事，因迻錄籤識，為先生壽。

後學杜澤遜拜賀

二千又四年十二月十八日

昌彼得教授八秩晉五壽慶論文集
2005 年 2 月　　　頁 241～248

國家圖書館所藏漢學數位資源的建置與分享*

顧力仁

一、館藏善本古籍與漢學研究

國家圖書館富藏善本古籍，不但是臺灣地區的重要漢學書藏，也是國際漢學研究的重要資源。古今典籍聚散無常，然而求書有道，舉例來說：漢孝成帝時，中秘藏書頗有散亡，遂遣陳農求訪天下遺書，並且命劉向校理「經傳諸子詩賦」、任宏校「兵書」、尹咸校「數術」、李柱國校「方技」，每一書校成後，再由劉向撰寫敘錄。向子劉歆承襲家業，寫成《七略》分成「文集、六藝、諸子、詩賦、兵書、術數以及方技」等七個部分❶。這段過程雖然是上古官方藏書以及整理經緯的描述，但也可據以瞭解政府聚書的政策。近世以來，公私藏家雖不免有嗜古佞宋的如陸心源「皕宋樓」、丁丙「善本書室」，但也有求書推重實際切用的❷，由此可知一個有影響力的重要書

---

* 本文中的部分初稿宣提於〈數位時代漢學研究資源國際研討會〉（臺北市：漢學研究中心、國家圖書館，2004.12.7-9）。

❶ 《隋書》卷三十二〈經籍志〉，述上古至隋代歷朝官方藏書甚詳，見李希泌、張椒華編，《中國古代藏書與近代圖書館史料（春秋至五四前後）》（北京：中華書局，1982），頁 4。

❷ 清李端棻〈請推廣學校摺〉內倡設藏書樓，求書來源包括：一、調殿板及官書局刻書，暨同文館、製造局所譯西書，二、坊刻或官局沒有的切用之書，陸續購補，……。摺見《變法自強奏議彙編》卷三，頁 1-3。同上註，頁 97。

藏之建立，必當質量並重，兼顧到文化的保存與實用的價值。

本館善本古籍之購藏即甚符「保存文化」與「切近實用」此雙重價值，而此一國家重要書藏的建立，實有賴蔣前館長慰堂先生及諸文化先賢之用力，卒能於 1940 至 1941 年中日戰間，在煙硝烽火的上海淪陷區及香港兩地，以生命安危換得文化遺珍，數載之間，江南及粵省典籍精華盡歸我館，其中尤以江西劉承幹的「嘉業堂」以及吳興張鈞衡的「適園」此兩大書藏中的上品皆收國有，最稱美富精善❸。當時搶救古籍諸君子，議組「文獻保存同志會」，並訂有具體的購書目標，包括：1.普通應用書籍，2.明末以來史料，3.明清二代未刊稿本……，❹今檢館藏善本，確實符合當初同志會所說的：「國家圖書館之收藏，與普通圖書館不同，不僅須在量上包羅萬有，以多為勝，且須在質上足成為國際觀瞻之目標。……」❺

本館擁有宋金元善本近五百部，但並不以此誇世，而是以六千多部的明版以及明清稿本和批校本古籍為國際漢學界所推重❻。其中，已經傳世公開的包括《玄覽堂叢書》初、續二集以及《明清未刊稿彙編》，久為學界重視，此不贅述❼。以下再選兩個例子，來說明本館所儲漢學資料的精善，第一個例子是館藏清趙烈文「能靜居日記」，趙烈文是清中興重臣曾國藩在事業高峰的主要幕賓，曾趙二人過從甚密，趙氏日記全稿五十四冊，自咸豐八年至光緒十五年。吳相湘先生認為「能靜居日記」是研究中國近代歷史的珍貴史料，其價值包括：記載曾國藩公私生活言行、保存曾、趙二人對宮廷人物及其舉措的言論、提供湘軍克復南京情形最重要的史料、保存極多有關太平軍

---

❸ 本館抗戰時期購書經過堪稱古今典籍聚散的大事，具詳於蘇精，〈抗戰時祕密搜購淪陷區古籍始末〉，在《近代藏書三十家》（臺北：傳記文學出版社，民 72），頁 223-236。

❹ 見盧錦堂，〈第三章：館藏建構，第四節：古籍與特藏〉，收於《國家圖書館七十年記事》（臺北：國家圖書館，民 92 年），頁 32。

❺ 同上註，轉引自〈上海文獻保存同志會第四號工作報告書〉。

❻ 有關本館明版、明清稿本以及批校本古籍的簡介評析參見封思毅，〈國立中央圖書館館藏資源·善本圖書典藏特色〉，載於漢學研究中心編，《臺灣地區漢學資源選介》（臺北：編者，民 77 年），頁 175-179。

❼ 《玄覽堂叢書》初、續兩輯收錄明季史料 41 種，《明清未刊稿彙編》有初、續兩輯。

行動的資料❽。第二個例子是館藏明刻《國朝獻徵錄》，獻徵錄為明焦竑所編，保存許多明代人物的一手資料，萬斯同曾經參考過獻徵錄來修明史，所以這部古籍向為研治明史的學者所重視，而且這部書在明朝祇刻板一次，清乾隆時列為禁書，存世極罕，抗戰前北平圖書館曾以重價購得一部，美國國會圖書館所藏有缺頁。中央研究院院士黃彰健曾經為臺灣所存的珍貴重要明代史籍擬過一個選印書目，他說：「清以前的書，每朝只預備選印一部，那就影印獻徵錄好了。」❾

二、臺灣地區善本古籍數位存護工程

館藏善本得之既不易，除了妥加典藏以外，尚須善用傳播載體，廣為傳佈，裨用者溫國故而創新知。資訊學者謝清俊先生認為值此資訊時代，古籍尤應藉由電子媒體的優勢，提供給全民共享，並且掌握電子資源易於鉤稽參照的特性，產生加值訊息，所以透過電子化的古籍，可說是取之不盡、用之不竭的文化資源，並且電子化的古籍也是使古籍活出最佳現代風貌，也是唯一的選擇。❿

文獻資源的數位化以及網路技術的進步，不但改寫了圖書館的服務型態，影響所及，也使得古籍的整理、組織及利用起了革命性的變化。加諸現代公民重視歷史記憶及文化資源，使得圖書館所珍藏的歷史文獻重新躍登網路而為重要的利用素材。有鑒於網路中文資源亟待充實，臺灣地區於 2000 年起針對重要文化資產單位所保存的珍貴文物規劃「國家重要典藏文物數位計劃」，至今已有五年，政府對此殊為重視，斥資臺幣上億，希望結合典藏機構、研究單位以及產業界多方資源，豐富網際網路的本土

---

❽ 吳相湘，〈趙烈文能靜居日記的史料價值〉，載於趙烈文，《能靜居日記》（臺北：臺灣學生書局，民 53），冊一卷前，頁 1-22。

❾ 以上所述獻徵錄見黃彰健，〈國朝獻徵錄影印本序〉，載於焦竑，《國朝獻徵錄》（臺北：臺灣學生書局，民 54），冊一卷前，頁 1-7。

❿ 謝清俊、林晰，〈中央研究院古籍全文資料庫的發展概要〉，《International Journal of Computational Linguistics & Chinese Language Processing》2：1（86 年 2 月），頁 106。

內容，對內以保存文物影像、促使文物資訊加值，進而提昇全民精神生活為目標，對外則希望充實網路文化內涵，平衡並傳播中華文化。⓫

國際間在上一世紀末即注意到保存人類文化遺產的重要性，陸續推動若干大型的國際及國家型計畫，例如：聯合國「世界文化遺產數位化計劃（UNESCO Memory of the World）」、美國國會圖書館「國家數位化圖書館計畫（The National Digital Library Program）」；此外，各國尚有多項針對珍本古籍和手稿等珍罕文獻進行的數位化保存計畫，例如：大英圖書館「十一世紀史詩手稿數位計畫（The Electronic Beowulf）」、IBM 公司「梵蒂岡圖書館計畫（The Vatican Library Project）」，……。⓬在國家科學發展委員會的推動下，臺灣地區的國家圖書館和其他兩所同質機構，分別是中央研究院及故宮博物院，啟動了本地區珍善古籍的典藏數位化工作，並且協同建立合作機制，共謀本地區重要善本古籍的數位存護工程。⓭

中央研究院歷史語言研究所傅斯年圖書館、故宮博物院圖書文獻處以及國家圖書館特藏組早於五年前即協商妥訂以「明人詩文集」以及「古籍附圖」作為三個典藏機構珍善古籍數位化的重點，希冀經由群體合作，建立臺灣地區重要漢學數位資源的特色，並提供海內外研究所需⓮。經過多年的努力，傅斯年圖書館開發出若干實用的珍善古籍數位系統，並且成功的建立了一套自實體管理到數位典藏，乃至於虛擬檢索的作業流程；而故宮博物院也建置完成以「古籍附圖」為主要內容的善本古籍影像資料庫；國家圖書館則在完整的善本書目紀錄以及多年投入文獻影像處理所獲致的經驗為

⓫ 見《數位典藏國家型科技計畫》計畫緣起，http://www.ndap.org.tw/1_intro/history.php。

⓬ 談及臺灣地區和大陸地區的古籍資源數位化可以參閱以下二文：
(1)鄭賢蘭、薛文輝，〈古籍、特藏書目數據庫及數字化調查統計表〉，《文津流觴》第八期。
(2)鄭恆雄、吳敏萱，〈臺灣地區古籍文史電子參考資源資訊系統建置之分析〉，載《2004 年古籍學術研討會》（臺北市：輔仁大學，民 93 年），會議論文。

⓭ 上述三個單位組成善本古籍主題小組，為數位典藏國家型科技計畫內的內容發展分項計畫主題的十二個小組之一。

⓮ 見《數位典藏國家型科技計畫》內容發展分項計畫的〈善本古籍主題典藏〉，http://www.ndap.org.tw/2_catalog/visit_folder.php?id=386。

基礎上，建置出兼含詮釋資料（Metadata）、古籍影像以及全文資料庫在內的數位資源檢索系統。⑮

本館推動「善本古籍典藏數位化計劃」已有五年，摘介如下：⑯

㈠ 數位產出（截至 2004 年 10 月止）

1.詮釋資料（Metadata）26,619 筆，包含叢書子目的書目 13,000 筆在內，該詮釋資料是以 Dublin Core 十五個基本欄位為架構，但為了將善本古籍豐富的屬性精確地描述出來，在相關的欄位下，同時搭配欄位修飾語（element qualifier）。

2.數位影像 274 萬影幅，包含彩色（72-150dpi 及 300dpi）4 萬影幅以及黑白（300dpi）270 萬影幅，館藏善本 8,338 部已完成數位影像，佔全部善本的 69%。

3.全文資料庫 10,936,583 字，包含篇目全文 2,097,545 字以及題跋全文 564,991 字。館藏善本多有篇目，每部的篇目多寡不一；另館藏善本富含明清藏家及學者的題跋，題跋全文有標點，可助辨識，而利研究。

㈡ 系統功能

1.影像及全文檢索：系統提供三種查詢方式，分別是簡易查詢、詳細查詢（有 8 個檢索值）及更多查詢（有 21 個檢索值），查詢結果先條列書目結果，再顯示該書目的相關欄位，並且包括各卷的卷名，點選某卷則顯示該卷的篇目，再點選篇目則會顯示其影像（如圖 1）。該書若有題跋，則一併顯示，並且可將題跋全文和對應影像同時顯示，以利對照閱讀。

---

⑮ 上述三個系統詳見：
⑴宋慧芹，〈國家圖書館古籍影像檢索系統概要〉，頁 17-28。
⑵林妙樺，〈中研院史語所傅斯年圖書館數位典藏系統之發展現況〉，頁 29-36。
⑶吳璧雍，〈故宮善本古籍影像與後設資料庫系統建置現況〉，頁 43-48。
載於國家圖書館編，《古籍聯合目錄資料庫合作建置專集》（臺北市：編者，民 92）。

⑯ 參考宋慧芹，〈國家圖書館古籍影像檢索系統概要〉，見註⑮的⑴。

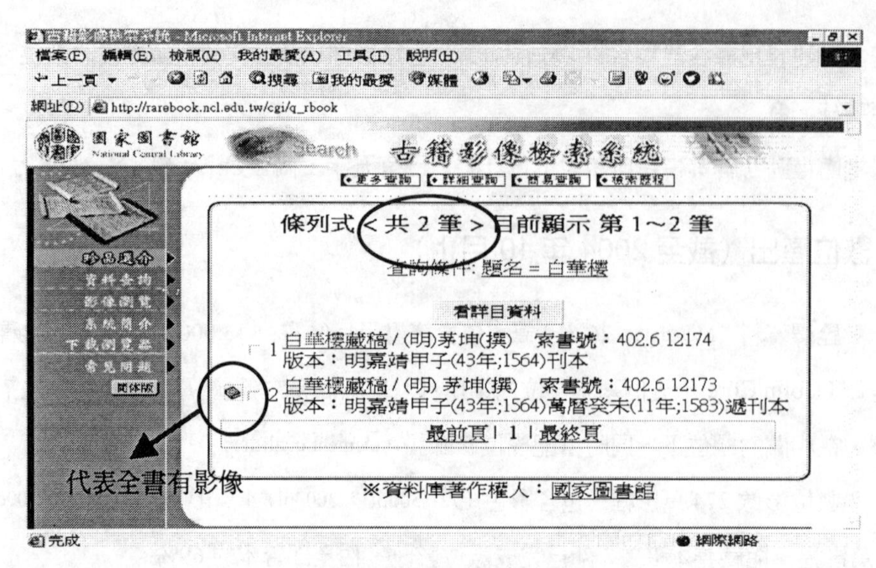

圖1　查詢結果以「條列式」呈現

2.文字處理：包括缺字處理及繁簡字體對譯，系統內的 Metadata 係由機讀書目轉來，其內碼為 CCCII，轉到 Big5 碼，產生不少缺字，缺字仍以｛CCCII 內碼｝方式儲存，由系統提供缺字管理，在顯示時以相似的 Big5 字代替，或用中央研究院開發的「漢字構字式」⓱顯示。

3.人名權威：系統提供人名權威控制，以便查詢著者異名，例如元趙孟頫另有子昂、文敏、松雪道人、魏國公、趙松雪……等 10 餘個異名，系統會先作比對，再將趙孟頫的本名及所有其他異名一起查詢。

㈢ 系統特色

1.過渡階段的缺字處理：日後系統內碼轉為 unicode 時，可就缺字管理機制中找出那些在 unicode 的缺字，並以批次轉碼，若 unicode 仍無該字，則可視屆時「漢字構字式」對 unicode 的支援程度，來決定該缺字的顯示方式。

⓱　參考宋慧芹，〈國家圖書館古籍影像檢索系統概要〉，見註⓯的(1)。

2.提供 XML 匯出及匯入功能：目前已妥訂 Metadata 的 DTD，可提供符合古籍 DTD 之 XML 檔案的匯出及匯入功能。

3.將古籍與時下暢行的電子書結合為「古籍電子書」：點選古籍當卷的各篇「篇目」，系統會自動連接到相對應的頁數，並顯示其影像，方便展開。

由上述數位產出、功能及特色可以瞭解本系統不但結合了詮釋資料、古籍影像以及全文資料庫，並且提供書目資料交換，頗具擴充性；此外，本系統包含善本詮釋資料 2 萬餘筆、影像 274 萬影幅，全文 10,936,583 字，若就數量而言，信為國際間同質資料庫最豐富者。

三、結論

鄭樵曾經倡言「求書要有道」⓲，這個「道」就是現在所說的圖書資訊「採訪」或「徵集」。「文獻保存同志會」諸先進深諳求書之道、採訪之法，在戰亂中保存斯文不墜，並成就本館善本古籍不但成為國家漢學資源重鎮，並且是海外漢學家慕訪的要地，今天本館能以此重要漢學資源為基礎，來開展數位知識工程，撫今追昔，實在要對他們的宏圖卓識，以及先導啟蒙之功，致上無限的仰佩。

書和人是圖書館的兩大礎石，書是藏品，人是讀者，圖書館既須重視書藏的建設，也須瞭解符合時代的讀者需求，才能與時俱進，所以圖書館與讀者之間的關係是一份書緣。60 餘年前精槧善本未隨戰亂灰飛，而歸我館，其後本館籍諸書目、索引、複製、縮微……等等輔助性工具及載體的傳佈，將珍罕典籍所儲存的知識傳佈宇內，卒成國際漢學研究不可或缺的重要資產，現今又隨著數位建設工作的勃興，而躍登為網路的重要文化資源之一。時代的腳步在不斷遞移、載體的外形會不斷改變，但古今典籍所

⓲ 求書八道包括：即類以求，旁類以求，因地以求，因家以求，求之公，求之私，因人以求，因代以求。見鄭樵，《通志·校讎略》，收於袁詠秋、曾季光編，《中國歷代圖書著錄文選》（北京：北京大學出版社，1995），頁 196-197。

蘊含的文化歷久而常新，今日的舊籍是過去的新學，現在的新刊也會成為將來的古書，在現刊與舊籍之間，在原件與數位之間，圖書館員永遠在為書和人搭建一座資訊無障礙、知識得流通、文化能傳承的橋樑。

昌彼得教授八秩晉五壽慶論文集
2005 年 2 月　　頁 249～260

記一九九五年國立故宮博物院與羅浮宮博物館合作展

周功鑫

一、前言

博物館管理為實務管理學的一種，理論可助其發展，然因每所博物館有其特殊屬性、收藏與條件，在管理上，博物館工作人員的經驗也就難能可貴。因此，博物館管理需要理論，同時也需要累積的實務經驗。這些經驗可謂博物館珍貴資產。

筆者服務於國立故宮博物院共達二十七年（1972-1999），因負責展覽組工作達十六年，曾策劃過各種大小展覽，今筆者特將一九九五年由故宮與羅浮宮博物館合作舉辦的「十六世紀至十九世紀西洋風景畫——羅浮宮博物館珍藏展」策展經驗略作整理，以享博物館界同仁。

博物館展覽實務所涉及層面多元而複雜，國際展尤甚。為求本文更能集中論述，筆者僅就一九九五年故宮與羅浮宮合作舉辦的「十六世紀至十九世紀西洋風景畫——羅浮宮博物館珍藏展」展覽中與展品及展場相關業務，如展品選擇與研究，展場規畫、設計與執行以及展品維護等工作之互動方式予以記述。

二、展覽緣起

民國八十四年九月十六日至八十五年一月十五日的「十六世紀至十九世紀西洋風景畫——羅浮宮博物館珍藏展」是故宮繼民國八十二年二月至四月的「法國瑪摩丹美術館珍藏莫內與印象派名家作品展」之後的另一次大型國際展。

此展緣起可回溯至一九九二年十二月初，國立故宮博物院院長秦孝儀先生應法國外交部邀請前往巴黎訪問。當時邀請秦院長主要目的為商議法國一九九八年在巴黎大皇宮舉行的「帝國回憶——國立故宮博物院珍藏展」借展故宮藏品之法律問題。筆者因當時負責展覽業務及諳法語，隨行秦院長前往。此次訪法在與法國外交部會談後，乘在巴黎之便，秦院長伉儷在法國外交部安排下參觀羅浮宮博物與會晤前羅浮宮館長拉克洛德先生（Mr. Michel Laclotte）。當時羅浮宮博物館為全世界矚目焦點，聞名遐邇的貝聿銘玻璃金字塔甫於前一年一九九二年完成並對外開放，羅浮宮博物館有如一顆明珠向世界燦放光芒，全世界遊客都湧向羅浮宮。羅浮宮博物館在當時的盛況下，當秦院長向拉克洛德館長提出借展意向時拉克洛德館長的婉拒是可以理解的。他表示羅浮宮博物館擴建完成後，展出空間擴大，展出藏品亦多，恐不容再外借。秦院長於是馬上轉移話題，邀請拉克洛德館長到臺北國立故宮博物院參觀。拉克洛德館長雖常訪日本但不曾到過臺灣，在秦院長誠摯邀請下，即訂下訪問時間，次年（1994）五月。一九九四年五月中旬拉克洛德館長來臺灣訪問一周。秦院長安排最高規格的接待，讓拉克洛德館長接受到像皇帝一般地款待。這是拉克洛德館長親口對他的臺北之旅的描述。並在返回巴黎前，他允諾在十月退休之前為故宮及臺灣民眾規劃一項羅浮宮博物館藏品展覽。離臺前他並定下展覽方向，以西洋風景繪畫發展為展覽主軸的展覽。其靈感來自拉克洛德館長當時參觀故宮時，發現故宮山水畫收藏不僅豐富而且年代久遠，以及中國人長久以來對大自然水山的鍾愛。此外，西洋早期風景繪畫一直是西方人所忽略的題材，並且也是一個在西方世界不曾舉辦過的展覽。他表示這項展覽將是特別為臺灣民眾安排的，可說是為臺灣民眾量身訂製的一個展覽。

由以上交涉過程，羅浮宮館長由婉拒至允諾合作，是相當大的轉變，而其關鍵在於羅浮宮館長對於故宮的專業水準與館員專業能力的認識與肯定。當拉克洛德館長在參觀故宮時，已看到故宮在展覽庫藏管理及文物維護等工作情形，以及各單位工作人員的素質都是讓他下決心，給予允諾考量的重要因素。否則拉克洛德館長不會在他即將自羅浮宮博物館退休，還貿然接下這項繁重的國際借展工作。故宮與羅浮宮的合作成功，不僅是故宮向國際邁出一大步，也將臺灣博物館推向世界博物館舞臺，往後國際大展在臺灣博物館接踵推出。一九九五年故宮與羅浮宮合作展為一項劃時代的展覽，也拓展了國內民眾國際視野。

拉克洛德館長是位博物館行政經驗豐富的館長。擔任羅浮宮博物館館長七年。在此之前曾任法國省級博物館監察工作及羅浮宮繪畫部門總監。除行政經驗豐富外，羅浮宮博物館玻璃金字塔的擴建及大羅浮宮計畫在他任內完成，其行政效率亦高。拉克洛德館長於一九九四年五月造訪，十月即寄來展覽合作規畫協議內容包括五大項：

㈠展覽規畫：展題確定、選件、臨時工作人員聘用、保險、包裝及運輸公司的選定、借展品押運執行方式、掛畫、開幕參與人員的考量；

㈡展覽圖錄印製內容要求、編輯方式、圖片運用、設計要求乃至供售方式；

㈢宣傳：展覽廣告媒體之要求及圖片提供；

㈣展覽衍生產品：負責單位與繳付之版稅；

㈤預算：借展單位應負擔的費用及羅浮宮博物館對贊助單位之回饋優惠。

此簡要而周全的協議，有如策展工作綱要，有助於往後展覽籌畫的進行。拉克洛德館長雖於十月退休，然並未影響展覽籌畫的進度。新任館長賀桑伯先生（M. Rosenberg）於十月接任後，蕭規曹隨，完全按原協議繼續執行。此項合作案不因館長的更動，在執行上有任何的異動或困難，雖然籌備時間短促，但也都能順利進行，展覽並按時推出。

拉克洛德館長在五月訪臺參觀時，曾就借展內容與故宮及當時與故宮贊助合作單位帝門藝術教育基金會有相當深入討論與溝通。當時故宮與帝門曾提議是否可以借展傑克·路易·大衛（Jacqres Louis Davis）的「拿破崙國王一世與約瑟芬皇后加冕典禮」，十九世紀新古典派繪畫。拉克洛德館長表示羅浮宮博物館與故宮第一次合作，也是羅浮宮博物館藏品在臺灣第一次展出。中國人喜好大自然，對山水的喜愛，他在這次參觀故宮的山水畫中，獲得深深的體會。為什麼不舉辦一個以西方風景為主題的繪畫展覽，這個題材的展覽在西方博物館都不曾舉辦過，當然在羅浮宮博物館也不曾，不過在臺灣最適當不過。從學術的角度，或是博物館專業角度來看，都是個很好的題目。因此「十六世紀至十九世紀西洋風景畫——羅浮宮博物館珍藏展」在雙方深入溝通下誕生。

因筆者參與此交涉與溝通過程，深深體會到展覽可有各種，然而如何讓一個有意義的展覽產生，則有賴於參與構思者在博物館專業的素養與深度。而在交涉中如何雙方達成共識，具說服力的溝通，扮演重要的角色。

三、展覽相關業務合作方式

博物館展覽業務多元而繁雜，借展工作尤甚，為求本論文能獲得較深入探討，僅針對某一問題集中論述。因此，筆者在本論文中分享規畫一九九五年故宮與羅浮宮博物館合作的「十六世紀至十九世紀西洋風景畫——羅浮宮博物館珍藏展」的經驗中，著重於借展業務裡，與展品及展場展示相關業務的合作方式。

㈠ 展品選擇與研究工作

若從此展籌備時間來看，自羅浮宮博物館拉克洛德館長於一九九四年五月中旬來臺決定羅浮宮藏品借與故宮展覽至展覽於一九九五年九月十六日開放，僅一年四個月的籌畫時間，就如此大型展覽來說在時間上是當緊促的。所幸拉克洛德館長本身策展經驗豐富，據館長說，一九九四年之前羅浮宮博物館藏品在日本的展覽皆由他籌畫。拉克洛德館長在任館長前曾負責羅浮宮繪畫部門，籌展行政業務熟稔。這也說明為什麼他在一九九日年五月十七日離臺前，得以立即與故宮商定展覽主題——西洋風景畫。他返回巴黎後，立即著手展品選件工作，不曾稍有蹉跎，並要求臺灣籌辦單位臨時僱佣一位法國繪畫專家。自一九九四年七月即拉克洛德館長返法後一個多月至一九九五年九月展覽開幕後，協助羅浮宮博物館繪畫專業研究員負責在巴黎的籌展工作。就展覽效率估算，當籌展時間短促時，則只有從增加人力彌補，讓展覽進行順利如期推出。因此，在拉克洛德館長在返回巴黎，不久寄達的籌展協議前兩項，一為展題與展品決定，二為聘雇此一臨時研究員。此項安排為求此項展覽研究工作得以順利進行。研究完成後，展品才得以選出，此乃籌展首要工作。

此展於研究後，分九個專題呈現西洋風景畫自十六世紀至十九世紀的發展。（帝門藝術教育基金會，1995）共展出七十一件畫作。拉克洛德館長一再表示在西方世界各種展覽中，以風景繪畫發展為主題的，與故宮合作的這項展覽是第一次。羅浮宮博物館將這第一次獻給故宮是一項非常有意義，且具學術性的。

㈡ 展覽規畫、設計與執行之協調

此項展覽的研究工作於一九九五年初完成，七十一件展品亦選定，並在寄給故宮的展品清冊中，包括每件畫作及畫框尺寸。展場規畫工作即著手進行。本展展出地點是在故宮新擴建的文獻大樓一樓。此新建文獻大樓原來功能是作為圖書館以及檔案保存，計畫於一九九五年十月十日故宮七十周年院慶開放使用。由於前一年一九九四年五月中旬拉克洛德館長同意羅浮宮博物館藏品借與故宮展出，為有別於故宮正館為故宮本身的藏品展覽，當時秦孝儀院長即刻決定文獻大樓一樓改為展覽場。此展覽空間可做為借展或特展空間。除為故宮多設一展場外，外借展覽在此棟樓展出也可與正館院藏展覽有所區隔。正在興建的文獻大樓即刻變更設計，改裝為適合展覽的空間。羅浮宮博物館收藏展為文獻大樓內所舉辦的第一個展覽。

1. 展品安排

在展品安排上，羅浮宮博物館與故宮先在平面圖做紙上溝通。在展品按主題分配，位置安排妥後，主持此項展覽工作的羅浮宮博物館繪畫部資深研究員西凡·拉委西耶先生（M. Sylvain Laveissière）專程來臺瞭解故宮展覽現場。為求展品安排更能掌握它的效果，當時我們將畫作縮小為百分之一，浮貼在立體硬紙模型上，若需更動畫作位置，則直接在模型上更動。讓拉委西耶先生可就其專業考量將每件展品安排在最理想的位置。因為七十一幅畫分成九個主題，而每一個主題又有其時序考量，因此，畫作的移動，也只能就左右相近位置的展品做更動。然而，有時為展品放在最佳位置，讓人傷透腦筋。例如編號 58 號的「克莉絲汀·布瓦依葉一路西安·波拿帕特第一任妻子」，此幅畫是本展七十一件展品中最大的一幅，214×134 公分，為能突顯其氣勢並給予其足夠空間感，最後調放在展場底面牆（圖一），

圖一　羅浮宮博物館珍藏名畫特展一

讓觀眾一進入此深長的展場時，立即便可遠遠望見此一巨幅壯觀畫作。如此安排，效果奇佳，雖然它的位置在策畫時，也是在模型上選定，已感覺出其效果，俟正式展出時，果然收到原來預想的效果。因此，策展人在其長年累積經驗中，已訓練成對空間視覺的效果掌握的能力。這也就是博物館學著重實務經驗重要原因之一。

2.展覽燈光設計

故宮文獻大樓一樓展廳為一嶄新的陳列室。陳列室的設計與設備裝置為迎接羅浮宮藏畫展覽，完全按展示油畫的方式設計。燈光設計為求近自然光，採紫外線過濾的日光燈。為求觀眾觀賞油畫時，其顏色能更真切地呈現（圖二）。

圖二　羅浮宮博物館珍藏名畫特展一

拉委西耶先生告訴筆者油畫最忌採用投射燈。其原因有：一、投射燈於光照射在油畫上時，容易產生反光，干擾觀賞。二、投射燈多為鎢絲燈近黃光，無法獲得完全白光。當黃色光照射在油畫顏色上時，讓油畫上的顏色產生變色的情況，觀眾無法觀賞到油畫上真正的顏色。

此外，展場燈光影響氣氛甚大，當時為求此展廳燈光合於油畫展示，於設計時，曾向贊助合作單位帝門藝術教育基金會借調一幅大畫，試驗設計架設日光燈的框罩角度，與應架設日光燈管的數量，以及測試畫作的受光度，讓畫作承受到的受光度不超過油畫維護標準 200 Lux。本展場在這樣慎重的燈光設計下，讓故宮文獻大樓能有一合乎國際標準的西畫展示環境，羅浮宮方面非常讚賞與滿意。

3.西畫掛鈎訂購

故宮文獻大樓展場是完全為迎接羅浮宮藏品而量身訂製的場地，因此，一切標準及設施規格皆以羅浮宮者為準則。因此，為求展品懸掛的安全，及讓掛畫問題降至最低，我們請羅浮宮推薦其習用掛鈎之廠商。羅浮宮推薦巴依葉公司（La Maison Boyer）並協助訂購此展所需要的各種規格的掛鈎。畫作尺寸不同所需掛鉤大小也不同，因有羅浮宮拉委西耶先生直接按畫作需要代為訂購，此為羅浮宮策展人拉委西耶先生所熟悉的掛鈎，後來於布展時也省掉不少掛畫的問題。

掛鈎五月底向巴黎訂購一個月後即寄達，因時間充裕，為配合展場牆面顏色，將掛鈎也漆成與展場牆面同一顏色，為陳列室整體效果及細緻感覺，增色不少。

4.展場牆面處理與護欄設計

展場氣氛的表現，除了燈光外，牆面顏色影響甚大。我們為求展場氣氛達到最佳效果，另為呈現合乎羅浮宮畫作的格調，請拉委西耶先生提供適當的牆面漆色。他建議霧面棕紅色，為求顏色正確也請他提供色樣。我們按其色樣調出漆色，並同樣漆在木板上即未來牆面材質，回寄給羅浮宮，拉委西耶先生非常滿意，認為調出的顏色十分美，還讚美了我們的漆工。在如此用心合作下，果然，展覽布景完成後，展場整體效果奇佳。甚至於開幕時，繼拉克洛德館長之後的新任館長賀桑柏先生（M. Rosenberg）到展場參觀時，他讚美道：「彷彿置身在羅浮宮博物館裡」。這對故宮策展團隊而言，是種至高無尚的讚美。

牆面主色選定後，拉委西耶先生為求以顏色區分展品內容，而要求我們將入口展場處前三幅呈現羅浮宮歷史的畫作以淺棕紅色表現。他形容這三幅畫有如「前菜」（hors d'oeuvre）非本展覽主題。此外，展覽最後一部分為羅浮宮與羅浮宮博物館整個發展史圖片的展示的牆面也以同樣淺棕紅色處理，與其他八個主題有所區別，此發展史圖片也是非本次展覽主題之圖片，只為說明羅浮宮博物館的歷史背景。這種安排是為讓臺灣觀眾除觀賞到羅浮宮博物館收藏由十六世紀至十九世紀的西洋繪畫外，也認識羅浮宮與羅浮宮博物館自十二世紀以來的發展。

此外，為求展場色調統一，展示說明亦採棕紅同一色系，但比牆面顏色略淺，讓說明文字易讀。至於畫作前的護欄羅浮宮建議六十公分高，放置在距離畫作距離為四十公分，而其顏色則漆成與牆面同樣棕紅色，創造整個展場是一種諧和一致的氛圍。

此次羅浮宮展覽品共七十一件，其中有大有小，最大幅的 214×134 公分，最小幅的 20×34 公分，因畫作隨著子題與年份順序安排，難免遇著一幅小畫夾在大畫中間的情況。其中就有十幅小畫出現如此狀況。羅浮宮方面建議將這十幅小畫的牆做特殊處理，加一凸出原牆面十五公分的底板，漆與原牆面同一顏色，使其比旁邊大畫略突出也增寬此小畫的版面，而使大小畫比例差距從視覺上有所改善，不致過於突兀。這些小畫則直接在此突出牆面上掛釘，而不採用掛鉤。這也是拉委西耶先生在策展方面多年經驗所做的妥善安排。策畫經驗的豐富有助於掌握及處理展覽現場的各種狀況。

5. 布展

七十一件展品分五梯次空運臺北。自一九九五年八月底至九月十二日展品全運抵故宮。每一梯次羅浮宮安排一位押運人員隨護。由於此次羅浮宮展畫作至少上百年歷史，在空運抵臺灣時，為維持這些畫作在運送時箱內穩定狀態，羅浮宮要求畫作免驗快速通關，俟展品運抵故宮後，再請海關至故宮開箱檢驗。

畫作由機場運至故宮過程，每一步驟羅浮宮皆希望能掌控，要求故宮告知畫箱移動上機前打盤的盤底是由誰負責，如何將畫箱裝運到運畫車上並由誰操作以及運畫車內固定畫作系統及空調情況與押運人員在運畫車適當座位，每一階段工作具細靡遺皆有所要求。

每梯次展品運抵展場後，在展場內停留二十四小時便開箱檢驗每件展品。展品皆按狀況報告書上所列項目一一檢視。若畫作有狀況則直接在狀況報告書上述明，並在所附展品照片上標示。過程仔細謹慎，雙方皆小心，若疏漏易產生權責爭議。一般而言，開箱檢驗工作是相當費時的。

檢驗工作完成後，由故宮書畫處專業工作人員協助掛畫。由於在籌畫時的密切溝通及一切設備與展場條件皆合乎羅浮宮要求，掛畫工作進行非常順利。

6.卸展

展覽於一九九六年元月十五日結束。元月十六日即著手卸展工作，在此之前，於前一年一九九五年年底，雙方即已協議妥當卸展程序。卸展工作分六個階段進行：畫作在故宮，由故宮運往機場，展品箱上底盤，上飛機，中途停留，抵達。每個階段皆作明確安排。

畫作在故宮：畫作在元月十五日閉館之後仍掛在展場，直到最後畫作運走之前，展場維持正常安全戒備。

每位押運員親自全程主持運返畫作卸下工作。卸下畫作檢視：畫面、畫背、畫框、畫背與保護裝置及掛鈎。檢視全部情況在展品狀況報告書記錄；掛鈎仍留在畫上。畫作放入箱內畫面朝上。所有畫箱全部聚集展場一處或暫存其他空間，押運人員每個階段皆應在展品旁監視，畫箱與箱內畫作應保持直立。

運往機場：在運畫車運送中畫箱需直立固定。至於展品中的兩幅大畫則需準備能讓畫箱直立的大型運畫車。卸畫不可在地下一層的卸貨空間執行，由於入口彎度無法讓大型運畫車通過，但可由一樓展覽大廳運出展場。像運來時，可將畫箱置於棉被上滑拖，而不是用滑輪。再由大廳玻璃大門運出展場。

在機場畫箱打盤：機場畫箱打盤在押運人員監看下執行。對畫箱的順序、方向（飛機前進方向）及畫箱固定的牢固度得參與意見。畫箱應固牢緊綁在一起不可只靠一層塑膠布戎繩。畫箱運來時外箱有濕。在上方，塑膠保護不夠，下部又沒與接水底盤分開所致。應注意改進。

運入機艙：打盤畫箱應第一個先進艙，在中途不得移動（當然也不能卸下）。如前所述畫箱應與飛機前進方向平行。

中途停留：與來時相同，在中途停留時，押運人員留在艙內。當艙門打開時，押運人員與機長或空服員一起，監督打盤畫箱不致卸下艙或移位。

抵達：押運人員將協助拆卸底盤及隨護每個畫箱搬上運畫車。在每個階段（裝箱、運上車、卸下及上底盤等），押運人員按包裝清冊編號清點畫作（畫箱亦同）。

以上卸畫工作要點，既慎重又仔細，讓每個進行的步驟對畫作的維護都顧及到，這是羅浮宮博物館長年對西畫運展工作所累積下來的寶貴經驗與工作程序。

㈢ 展場展品維護與安全措施

羅浮宮展的展場——故宮文獻大樓是棟完全新的建築，羅浮宮新任館長接任新職務時曾來函表示：羅浮宮藏品能到故宮並在一棟完全新的建築內展出是項榮幸，但也是冒險。賀桑柏館長所謂的冒險，指的是新館空調運轉的穩定性，陳列室內環境溫濕度的控制，及牆面所敷水泥與新漆牆面等所散發出物質等對畫作會產生傷害因素。因此，故宮為去除羅浮宮博物館的疑慮，將空調於第一批展品抵臺前一個月即開始運轉，並每周提供溫濕度測定記錄。溫度設定在羅浮宮標準 21℃＋1 與相對濕度 55%＋5% 而且維持恆常狀態，避免上下波動太大。另外，故宮提供安全防護設施說明，讓羅浮宮瞭解故宮高標準的安全維護措施與設備，以降低其疑慮。事實上，也獲得羅浮宮方面的信任，展覽也能順利運抵、展出、運返。

羅浮宮展在當時可說是一項轟動全國的大展。展出三個月參觀人數超過七十一萬人次，可謂盛況空前，為當時不曾有的記錄，羅浮宮博物館方面以極滿意回應這次合作展。就故宮而言，也是一次相當難得的合作經驗。

四、結論

筆者在故宮服務二十七年，十六年展覽組組長，在這十六年中曾策劃過三次較大的國際性展覽，民國八十二年「法國瑪摩丹美術館珍藏莫內與印象派名家作品展」、羅浮宮展以及八十七年的畢卡索博物館的「畢卡索世界」。在這三項展覽中，尤以羅浮宮展最具挑戰，因為策展與展場新大樓工程同時進行。當然，新大樓有其好處，可以完全按照羅浮宮展品量身設計，然而如何達到對方所要求的標準及合於專業考量則頗令人費思。在故宮方面，我們努力地去執行外，故宮與羅浮宮雙方以最大的耐性與尊重和對方溝通並建立互信，策展工作方能順利進行。

在這次與羅浮宮合作中，經驗到羅浮宮這所世界一流博物館背後經營管理的精神：政策一貫，過程辦法清楚，以及工作人員態度謹慎。若無以上特質，如此一項國際性大展從起意、交涉、意見彙整、展覽規畫、設計到執行在短短一年四個月順利完成，並且成果斐然，實無法達到。

最後，合作兩個館館員的專業素養不論觀念、態度與專業水準皆影響展覽呈現與結果。筆者有幸恭逢其盛，至今仍一直覺得是一項非常難得的合作經驗。

在此本篇論文所述一九九五年國立故宮博物院與法國羅浮宮博物館合作之展覽，適值昌波得先生任國立故宮博物院副院長並主管筆者所負責之展覽組業務，筆者謹獻此拙文以為慶祝昌公壽誕。

昌彼得教授八秩晋五壽慶論文集
2005年2月　　　頁261～276

中國科學院圖書館與日本在華「文化侵略機構」

羅　琳

上世紀初至1945年二次世界大戰日本在中國戰敗投降期間,日本以各種名義在中國成立了多個「文化侵略機構」，其中主要機構中的三個：「南滿洲鐵道株式會社」，「東方文化事業總委員會」和「北京近代科學圖書館」，與1950年成立的中國科學院圖書館❶有著密切的關係。

一、中國科學院圖書館與「南滿洲鐵道株式會社」

中國科學院圖書館與「南滿洲鐵道株式會社」之關係，主要是對「南滿洲鐵道株式會社」撰寫之「滿鐵調查報告」的大量接收。

---

❶ 「1950年4月28日經政務院文化教育委員會批准，『中國科學院暫行組織條例草案』規定：中國科學院辦公廳下設圖書管理處，管理全院圖書工作。1951年2月3日中國科學院第一次院務會議決定：圖書管理處改爲中國科學院圖書館。1985年11月14日院長辦公會議決定：中國科學院圖書館改名為中國科學院文獻情報中心，繼續保留使用中國科學院圖書館名稱。」引自中國科學院文獻情報中心新館前之刻石。

㈠ 「南滿洲鐵道株式會社」之成立

「南滿洲鐵道株式會社」成立於 1906 年，至 1945 年日本戰敗投降時結束，歷時 40 年。1904 年「日俄戰爭」以日本得勝結束，根據「朴茨茅斯協定」日本取代沙俄得到了在我國東北的各種特權，如鐵路的經營權和修築權，礦山的開採權，森林的採伐權等。為了行使這些權力，1906 年日本政府以民間機構的面目在我國東北成立了「南滿洲鐵道株式會社」。「南滿洲鐵道株式會社」實質上是一個日本政府經營的侵略霸佔我國東三省的典型殖民地機構，並且在以後的 40 年中將其發展成為了一個為其侵略整個中國，以及前蘇聯東亞地區和中國其他周邊國家提供最直接情報的龐大的諜報機構。同時，「南滿洲鐵道株式會社」又用兩層外衣將自己偽裝成一個典型的文化機構。1.建立殖民地圖書館：如滿鐵大連圖書館、滿鐵奉天圖書館及滿鐵哈爾濱圖書館及其數十個滿鐵巡迴圖書館。2.以學術研究、開發滿洲為名，以滿洲鐵道為基點，沿鐵道線呈放射狀延伸至內地，撰寫詳細之調查報告，被稱之為「滿鐵調查報告」並成立滿鐵調查部資料室，為撰寫調查報告服務並集中所藏這些報告。

㈡ 滿鐵資料與滿鐵調查報告

「滿鐵資料」與「滿鐵調查報告」在以往之研究闡述中一直是沒有搞清楚的兩個概念。

滿鐵資料是對「南滿洲鐵道株式會社」成立期間（1906-1945 年）形成、收集以及撰寫之文字資料的總稱。滿鐵資料主要由三個部分組成：1.滿鐵收藏之書刊。2.滿鐵檔案。3.滿鐵調查報告。

滿鐵收藏書刊有兩個目的：1.成立殖民地圖書館。2.為撰寫滿鐵調查報告提供背景資料。滿鐵收藏書刊被統稱為「滿鐵藏書」。滿鐵藏書均為公開出版物，其中主要是日本公開出版之書刊，中國公開出版之書刊次之，還有少量歐美公開出版之書刊。滿鐵藏書大部分收藏在大連圖書館。其他地方亦有部分收藏，一是因為滿鐵巡迴圖書館在巡迴展覽時正好日本宣佈投降，故將其遺留在巡迴處所至；二是因爲中國科學院圖書館在 1957 年接收滿鐵調查報告後將其中圖書、期刊之部分副本分送給了部分圖書館和研究部門。特別一提的是，將 3300 冊「滿鐵剪報」分送給了當時還同屬中國科學院的近代史研究所（現今之中國社會科學院近代史研究所）。

滿鐵檔案是「南滿洲鐵道株式會社」成立期間形成之信函、電報、指令、報告、人員名單、會議記錄、賬目、報表、統計表及內部文件等。滿鐵檔案集中收藏在遼寧省檔案館。

成立「南滿洲鐵道株式會社」之終極目的是爲了撰寫「滿鐵調查報告」，爲日本侵略中國提供第一手情報。這些情報均是以調查報告形式（還有一小部分地圖）出現。調查報告多數是由滿鐵調查部之調查（研究）人員撰寫。調查報告由兩部分文獻組成：1.調查人員撰寫之調查報告。 2.一部分有情報價值的公開出版之書刊的副本。滿鐵調查報告主要收藏在中國科學院圖書館，分爲經濟、企業、農業、林業、畜牧業、水產業、礦業、工業、商業、交通、金融、財政、法制、殖民/人口/糧食、社會/勞動、都市、地理、歷史、文化、自然科學、雜類、總類、滿鐵社內刊行物等 24 個門類。

滿鐵調查報告是日本帝國主義侵略中國之鐵證。這些調查報告以滿洲爲中心，輻射至全中國，其中一部分報告涉及政治、人口、經濟、工業、農業，以及外交、邊疆、軍事、戰爭時局分析等；一部分是詳細之田野調查報告，涉及到對一個村莊的人口數量、各種糧食產量、大牲畜數量、降雨量、河流道路、山川峽谷、鄉規民俗、地方武裝等。共收集撰寫了約 8 萬種調查報告。

㈢ 中國科學院圖書館之收藏

滿鐵調查報告之總量約 8 萬種。二次世界大戰結束，蘇聯紅軍從大連滿鐵調查部資料室拿走了 1 萬餘種滿鐵調查報告，主要是關於蘇聯遠東地區之調查報告和與蘇聯外交有關之調查報告。這些調查報告至今沒有整理、沒有目錄、沒有開放、沒有公開出版。餘下之 6 萬餘種，在 1957 年實際上最終被 3 個單位瓜分：當時被認爲有情報價值的滿鐵調查報告歸中共中央編譯局，剩下的歸鐵道部鐵道科學研究院。鐵道部鐵道科學研究院將其中有關鐵路的滿鐵調查報告留下後，其餘全部移交中國科學院圖書館。

滿鐵調查報告之紀錄形式有4種：A、鉛字排印本；B、鉛字打字油印本；C、蠟紙刻板油印本；D、謄寫本。

中國科學院圖書館1957年接收之滿鐵調查報告約4萬5千餘種、約7萬冊，是滿鐵調查報告收藏之絕對大戶。1958年中國科學院圖書館為其編制書本目錄共8冊:《中國科學院圖書館現存旅大圖書資料目錄（原《南滿洲鐵道株式會社調查部藏書》））》，其中日文目錄7冊（其中夾雜少量中文目錄），西文目錄1冊。1960年初，鐵道部鐵道科學研究院再次將其收藏之滿鐵調查報告中與鐵道無關之調查報告移交中國科學院圖書館，「內容主要是東北、華北等地區的經濟調查資料，其他為少數社會科學及自然科學方面的資料。」❷共4475種，約7000冊。中國科學院圖書館再次為其編制目錄1冊：《中國科學院圖書館藏日文資料目錄》。因此，中國科學院圖書館共接收滿鐵調查報告約5萬種、7萬7千冊。

1961年因「戰備」之需要，中國科學院圖書館將滿鐵調查報告運到了寧夏西寧市中國科學院冰川凍土研究所存儲；「文革」期間，因「中央一號令」，滿鐵調查報告又轉運到四川成都雙流縣存儲；1990年，滿鐵調查報告運回北京，收藏在東四的十三條書庫（汪家胡同書庫）；2002年中國科學院圖書館新館落成，又遷至新館。

㈣ 滿鐵調查報告國內外研究狀況

國內外對滿鐵調查報告本身之挖掘和研究，以及大量利用滿鐵調查報告進行學術研究，還較缺乏。吉林省圖書館1964年編纂了《東北地方文獻聯合目錄》（非賣品），其中有零散的滿鐵資料；國內學者蘇崇民撰寫之《滿鐵史》（中華書局1990年出版）對「南滿洲鐵道株式會社」之歷史進行了考證；遼寧省檔案館編纂了所藏之滿鐵檔案，

❷ 《中國科學院圖書館藏日文資料目錄·說明》，1960年5月（非賣品）-。

由廣西師範大學出版社於 1999 年分輯出版，總名爲《滿鐵密檔》；中國學者解學詩與日本學者松村高夫編撰了《滿鐵與中國勞工》，研究滿洲殖民地之中國勞工史，由社會科學出版社於 2003 年出版；吉林省社會科學院編纂了多卷本《滿鐵史資料》，上世紀 80 年代由中華書局陸續出版，「中國近現代史史料學學會滿鐵研究分會」編纂之《中國館藏滿鐵資料聯合書目》是一套有國內 40 多家圖書館參與的書本式聯合目錄，準備於 2005 年底出版。

日本是研究滿鐵調查報告的主要國家，其研究成果卻多是研究「南滿洲鐵道株式會社」之歷史。如草柳大藏撰寫之《滿鐵調查部內幕》（黑龍江人民出版社已於 1982 年翻譯出版）；岡村敬二撰寫了《遺された藏書：滿鐵圖書館・海外日本圖書館の歷史》、《滿州國資料集積機關概觀》，日本滿史會編《滿洲開發四十年》，安藤彥太郎編《滿鐵——日本帝國主義と中國》等。日本缺少對滿鐵調查報告本身內容的挖掘和分析。

另外，美國二次世界大戰後佔領日本時，接收了日本分藏的一小部分滿鐵資料，收藏於美國國會圖書館，上世紀 90 年代製成了縮微膠片，除拷貝一份給日本外，未見公開出版。

滿鐵調查報告數量之大、涉及範圍之廣、調查程度之深、觸及點面之細、涵蓋面之寬，完全可以形成一個專門之學科，即「滿鐵學」。隨著「中國科學院圖書館滿鐵調查報告目錄網路數據庫」之建立，數年之後，「滿鐵學」定將成爲研究中華民國史之「顯學」。

二、中國科學院圖書館與「東方文化事業總委員會」❸

1950 年，中國科學院圖書館成立在「東方文化事業總委員會」舊址上，其「東方

---

❸ 此章參考《續修四庫全書總目提要》編纂史紀要，《圖書情報工作》，1994 年 1 期。

文化事業圖書籌備處」之大部分圖書成爲了中國科學院圖書館之早期藏書的重要部分，其書庫成爲了中國科學院圖書館當時之主要建築。

㈠ 「東方文化事業總委員會」之成立

「東方文化事業總委員會」於 1925 年 10 月 9 日在北京北海靜心齋舉行成立大會，委員會地址選在當時王府大街大甜水井胡同 9 號。上世紀 20 年代初，「日本政府迫於國際和國內的壓力，決定參照美、英等國的先例，將『庚子賠款』的一部分退還給中國，並趨向於由日本政府將這筆鉅款用於在中國從事文化事業等」，「東方文化事業總委員會」就是這所謂之「文化事業」之一部分。

「東方文化事業總委員會」以大量的傭金雇用了一大批中國人文科學和自然科學之學者從事「文化事業」，同時粉飾太平、點綴「日中親善」。

「東方文化事業總委員會」下設「北京人文科學研究所」、「上海自然科學研究所」和北京「東方文化事業圖書籌備處」。

「北京人文科學研究所」成立於 1927 年 12 月 20 日。地址與「東方文化事業總委員會」同在大甜水井胡同 9 號。最終實施之「事業」唯《續修四庫全書總目提要》之編纂。

「上海自然科學研究所」成立於 1931 年 4 月 1 日。主要研究對像是自然科學基礎理論和醫學科學。

「東方文化事業圖書籌備處」成立於 1926 年 7 月。主要是爲編纂《續修四庫全書總目提要》購買、保存、提供圖書文獻資料。所購買之書，均爲中國古籍。

(二) 「東方文化事業圖書籌備處」之藏書

「東方文化事業圖書籌備處」1926 年至 1932 年購書情況如下❹：

年　度	部	冊	銀　元
1926	173	1370	1485.06
1927	443	13787	11889.07
1928	425	18378	25101.05
1929	2015	26560	59999.00
1930	2179	17015	68133.98
1931	3291	32944	19821.58
1932	1315	8182	40552.80
1933	883	7264	24192.53
1934	1077	8523	16875.00
1935	1246	11087	12019.31
1936	64	135	
1937	2307	20754	19605.63
總　計	15420	165999	399675.01

這些古籍多是集部之別集，而尤以清別集居多。在 1945 年 8 月日本投降後，均由國民黨接收，並對這些古籍進行了清理，主持接收工作的是北京大學教授沈兼士。

「國立中央研究院歷史語言研究所」於 1946 年冬由四川南溪縣返回南京，原本打算將這些古籍全部運往南京，由於數量太大，只好選擇了 1352 種運往了南京。運往南京之古籍，均在《北京人文科學研究所藏書目錄》上標注，並鈐有「提京」二字之條形朱印。1947 年冬在傅斯年先生主持下，這批 1352 種古籍又由南京遷往臺灣。現今這批古籍藏於臺北「國立中央研究院歷史語言研究所」之「傅斯年圖書館」中。好在這批古籍按原分類集中收藏，未被分散，名曰「善東」，大概取意「東方文化事業總委員會藏書系統之善本」。這批古籍主要是明本、鈔本、稿本和清稿本。鄙人 1998

❹ 1936 年的 64 部書均爲贈送。

年、2000年兩次前往臺北開會，均特前往參觀，摩挲翻檢，倍感親切。

除這批1352種古籍外，餘下之古籍被中國科學院圖書館在1950年成立時悉數接收。❺

㈢ 「東方文化事業總委員會」之舊址

「東方文化事業總委員會」於1927年底由王府大街大甜水井胡同9號遷至王府大街東廠胡同1號。面積爲47.984畝，範圍是今天之王府井大街北口路西，翠花胡同以南，東廠胡同以北，東廠北巷以東。從1950年至今，爲中國科學院圖書館（1997年中國科學院圖書館遷離）和中國社會科學院考古研究所、中國社會科學院近代史研究所共有。

東廠胡同 1 號之歷史一直可追溯到明朝魏忠賢時，以後歷經幾次轉手，於 1913年由榮祿之子良揆售予袁世凱作爲海陸軍聯歡社之用，1914 年袁世凱將其贈與黎元洪，1927年黎元洪以30萬銀元售予「東方文化事業總委員會」。

「東方文化事業總委員會」在此於1934年3月1日至1935年8月30日修建了建築面積1876.44平方米，上下3層的書庫，耗資25萬銀元。1950年中國科學院圖書館將此建築接收，並作爲圖書館之主要建築之一，一直延續到1997年。

三、中國科學院圖書館與「北京近代科學圖書館」

中國科學院圖書館與「北京近代科學圖書館」之關係，主要是對「北京近代科學圖書館」館藏之全部接收，使其成爲了中國科學院圖書館早期藏書之重要部分。關於

❺ 中國科學院圖書館現收藏古籍約47萬冊，已建立「中國科學院圖書館古籍目錄網路資料庫」，請登錄 http://www.las.ac.cn 點擊「特色資源/古籍特藏」。

「北京近代科學圖書館」之歷史及活動，長久以來無人觸及。

㈠「北京近代科學圖書館」之成立

「北京近代科學圖書館」成立於1936年（昭和11年、民國25年）12月5日。但是，建議創設，「遠在數年前，至於有具體的計劃，而負其責任籌備進行，開始則在昭和11年（民國25年）7月中旬，始選出本館創立委員辻野朔次郎、大槻敬藏、山室三良。其中以山室三良爲代表，於八月間方著手商假東廠胡同東方文化事業總委員會內一部分樓屋爲館址，從事閱覽室之設備，及其它之建築或修理等事務」。❻

所謂「商假東廠胡同東方文化事業總委員會內一部分樓屋爲館址」，實際上假借之地爲書庫南面的舊式平房，即現在之中國社會科學院考古研究所圖書館。到1938年，「北京近代科學圖書館」藏書陸增，故又增借「東方文化事業圖書籌備處」書庫之第一層，約700平方米用作書庫。

開館不久，爲了進出方便，不與「東方文化事業總委員會」進出同一個門（東廠胡同1號），於是洞穿東牆，另辟一門爲王府大街9號（今天王府井大街27號）對外掛牌。

「北京近代科學圖書館」1936年12月5日成立掛牌之時，名爲「北平近代科學圖書館」，1937年末更名爲「北京近代科學圖書館」，更名原由，不知何故。

1938年4月，「北京近代科學圖書館」館長山室三良「向外務省東方文化事業部報告該館近況兼爲請示擴充增加經費諸事宜，曾回國述職……決定在西城之西單及西四之間設立分館一處。」❼同年6月7日「北京近代科學圖書館·西城分館」於小將坊胡同18號開館，同時在此設立「西城日語學校」。

---

❻ 〈本館記事〉，《北平近代科學圖書館館刊》，創刊號，昭和12年（1937年）9月。

❼ 《新民晚刊》，民國27年（1938年）4月7日。

㈡「北京近代科學圖書館」成立之目的

山室三良在「北京近代科學圖書館」成立開幕致詞中云：「本圖書館的目的，由『近代科學圖書館』這個名字，也可以明白似的，是在搜集近代各方面的科學研究的精華，以供給中日兩國好學之士一個自由研究的中心。根據這個目的，第一回所選擇的書籍，是以近代有長足發展的日本的自然科學，以及產業和其他技術方面的書籍爲主。目前在中國，各方面都切望著自然科學的發展，以促進其發達爲目的的真摯誠懇的學問上的運動，正在各方面出現；本圖書館也希望能對於這種傾向，有若干真誠的貢獻。第二回所選的，是字典，年鑒，一覽等類的基本書籍，還附加了多少人文科學方面的書籍。」

實際上，當時成立「北京近代科學圖書館」之目的，是爲了在日本侵略整個中國後，將其作爲殖民地的圖書總館。「北京近代科學圖書館」的確是以「日本的自然科學，以及產業和其他技術方面的書籍爲主」，從圖書之分類、圖書之品種、圖書之遞增等方面考察，「北京近代科學圖書館」之藏書建設受益於日本之政府行爲和日本官方之書籍呈繳制度。其館長山室三良也是直接受日本外務省官方委派。

「北京近代科學圖書館」與「滿鐵北平事務所」關係極爲密切；筆者曾在「北京近代科學圖書館」遺留下的檔案中發現其收集了大量反俄反共的標語、傳單；1937 年「七七盧溝橋事變」，「北京近代科學圖書館」於 8 月 9 號帶頭開館，大受日本輿論的讚賞；「七七盧溝橋事變」後又積極開辦日語班，培養「日中親善」人士。從這些現象不難看出，「北京近代科學圖書館」有著不一般之特殊背景。

特別是山室三良在七七盧溝橋事變日本侵佔北平初期時之表現尤爲突出，爲此「福岡日日新聞」以「事變餘話『沒有武器的凱歌——死守圖書館的一個學生』」爲題報導山室三良：「在北京東廠胡同的北京近代科學圖書館去年建立，是對華文化事業的一個部門，館長是年僅 33 歲的出身於九州大學的年輕學生山室三良。這個圖書館形成今日的規模，全靠山室的獻身努力。事變爆發後，山室抱著『死也死在這裏的信念』，在書庫內儲備麵包和西瓜。日本軍隊進城後，山室『爲了安定民心，要儘早開館』，『命令工作人員整理報紙』，『爲購入圖書，調查需要更深入』。北京近代科學圖書館已自八月九日起照常開館。」❽山室三良爲粉飾太平，在刺刀下的開館行爲的確沒有辜負日本外務省之重托。

山室三良其人：❾祖籍長野縣北佐久郡志賀村。明治 38 年（1905 年）1 月出生。大正 12 年（1923 年）3 月，畢業與長野縣野澤中學。昭和 8 年（1933 年）10 月，九州大學畢業。昭和 8 年（1934 年）6 月，被外務省派往中國做研究。同年 9 月，考取國立清華大學研究院特別研究生。同月，受外務省委託，設立近代科學圖書館，任日本近代科學圖書館代理館長。昭和 12 年（1937 年）4 月，任日本近代科學圖書館館長。昭和 20 年（1945 年）10 月，因戰敗離職，近代科學圖書館被接收。昭和 21 年（1946 年）6 月，回到日本。同年 7 月，任私立淺間國民高等學校顧問兼講師。昭和 23 年（1948 年）2 月，受託在九州大學法文學部做講義。同年 4 月，任講師。同年 6 月，升任助教授。昭和 30 年（1955）8 月，任福岡縣文化財專門委員。昭和 35 年（1960 年）5 月，獲文學博士。昭和 36 年（1961 年）7 月，任教授。昭和 40 年（1965 年）6 月至 42 年（1967 年）5 月，任附屬圖書館商議員。昭和 43 年（1968 年）3 月，離職。

山室三良主要著作有：《命運的問題——以周易爲中心》，昭和 11 年（1936 年）出版；《老子圖書目錄（共編）》昭和 36 年（1961 年）出版；《儒教和老莊》，昭和 41 年（1966 年）出版。主要論文有：《孔子論》、《孔子和墨子》、《孔子和老莊》等。

㈢ 「北京近代科學圖書館」之藏書

北京近代科學圖書館留下可資考據藏書（包括期刊）的是一套原始的卡片目錄，由

❽ 《福岡日日新聞》，昭和 12 年（1937 年）10 月 23 日。

❾ 〈山室三良教授略曆〉，《哲學年報》，昭和 44 年（1969 年），第 28 輯。

於其分類稱之爲「門」，排架順序號稱之爲「函」，故北京近代科學圖書館之藏書分類系統一直被稱之爲「門函系統」。但是這一套原始的卡片早已殘缺不全。

1945年，日本戰敗投降，北京近代科學圖書館之藏書與「東方文化事業總委員會」下屬「東方文化事業圖書籌備處」之藏書均由國民黨「國立中央研究院歷史語言研究所」接受。北京近代科學圖書館之藏書由「國立中央研究院歷史語言研究所北平圖書史料整理處」清點後，整理出13本書本式目錄，約6萬冊書刊。1950年中國科學院圖書館成立，將其全部接收。這一部分書刊與「東方文化事業總委員會」下屬「東方文化事業圖書籌備處」之藏書組成了中國科學院圖書館早期之主要藏書。

北京近代科學圖書館將其藏書分爲十類：

總　記(000)：包括圖書館學、百科全書、叢書等。

精神科學(100)：包括哲學、日本哲學、中國哲學、倫理學、心理學、宗教等。

歷史科學(200)：包括史學、傳記、地學等。

法制經濟(300)：包括政治學、法律、經濟學、統計學、教育學、社會學、民俗學、軍事學等。

語文學(400)：包括語學、文學等。

自然科學(500)：包括數學、物理學、化學、天文學、地理地質學、礦物學、生物學、植物學、動物學等。

醫　學(600)：包括皇漢醫學、基礎醫學、臨床醫學、藥學等。

工　業(700)：包括土木學、建築學、機械學、電氣學、冶金學、船舶學、化工學、手工學、家政學等。

產　業(800)：包括農學、園藝、林業、畜產、養蠶、水產、商業、交通、通信等。

藝　術(900)：包括雕塑、繪畫、書道、印刷、工藝美術、音樂、演劇、遊藝、體育等。

㈣ 「北京近代科學圖書館」與「日本語講習會」

「日本語講習會」開始於1937年10月8日，它實際上逐漸成爲了「北京近代科學圖書館」之主要活動，在當時影響極大。❿其目的乃爲培養「日中親善」人士。

1937年9月上旬，北京廣播電臺每周1、3、5下午5點播放30分鐘日語講座，「北京近代科學圖書館」利用閱覽室針對講座進行「音讀復習指導及補習」。10月17日爲此編寫之《日語基礎講座》出版。到11月11日，「音讀復習指導及補習」逐漸發展成用閱覽室作講堂，設立「日語基礎講座」開課，「禮聘師大教授柯政和先生爲講師」，⓫以3個月爲一期，此爲初級班第1期第1班。「最近北京興起日本研究熱。近代圖書館去年12月開館，到今年7月讀者達14000人。因事變爆發讀者一度減少，8月不滿千人。但是最近由於治安恢復，十月讀者再度達到1100人。針對澎湃的『日本及日語熱』，圖書館在9月7日利用北京廣播站的日語播音，播放舉辦日語講習會的消息。名額60人，非常成功。到11日結束，應需求迅速召開第二次講習會」⓬。此舉正符合了「北京近代科學圖書館」「成立以來，爲對中國人方面欲開辦一日本語講習會之擬議」，其目的是：「用搏日華親善之好轉」。⓭

「第二次講習會」即「日語基礎講座」初級班第1期第2班，於11月13日開課，「講師爲前清華大學教授錢稻孫先生」。⓮爲此，在11月12日山室三良在「北京近代科學圖書館」召開「關於日華文化協力之將來」的懇談會，「並邀北京大學教授周作人、徐祖正兩氏參加」。⓯

1938年3月6日，「北京近代科學圖書館」租借北京北城黃化門4號爲「北城日

---

❿ 〈最近本館概況〉，《北京近代科學圖書館館刊》，第二號，昭和12年（1937年）12月。

⓫ 《世界日報》，民國26年（1937年）11月7日。

⓬ 《滿洲日日新聞》，昭和12年（1937年）11月15日。

⓭ 〈最近本館概況〉，《北京近代科學圖書館館刊》，第二號，昭和12年（1937年）12月。

⓮ 《華北日報》，民國26年（1937年）11月11日。

⓯ 《世界》，民國26年（1937年）11月13日。

語學校」，招收了「日語基礎講座」初級班第 2 期共 3 個班，180 人；中級班第 1 期 1 個班，60 人。

1938 年 6 月 20 日，「北京近代科學圖書館」、「西城日語學校」、「北城日語學校」共招收日語基礎講座高級班、中級班及專修科新生 269 人。⑯

1938 年 9 月 10 日，在「北京近代科學圖書館」舉行了新設立之日語師範科學生入學式，共 21 人。此爲培養「日語中等教員爲目的」。⑰

至 1939 年 4 月 8 日已招收了共 6 期日語基礎講座班。⑱

前 6 期在日語基礎講座班上課之中國教員主要有 6 人。

1.柯政和（1889-1979），字安士，原籍福建省安溪縣，出生於臺灣嘉義廳鹽水港。於 1907 年（光緒 33 年）考取當時臺灣人所能就讀的最高學府——臺灣總督府國語學校師範部乙科，1911 年（宣統 3 年）畢業。同年以音樂藝能傑出的師範生資格，保送至日本留學，進入東京上野音樂學校（今國立東京藝術大學）師範科修習鋼琴與理論，1915 年 3 月畢業。1919 年復至日本，入東京上野音樂學校研究科，後又進入日本上智大學文學科學習。於 1923 年秋，未完成學業便離日赴北京，受聘於北京師範學院音樂系，全心投入音樂教育的基礎工作，對中國近代音樂教育貢獻良多。1937 年日本大舉侵華後，當全國音樂家大部分皆投入救亡抗日的音樂活動時，柯氏出任華北淪陷區北京師範大學音樂系第一任系主任的職位，並任北京師範學校秘書兼訓導長、東亞文化協定會評議員。1949 年後曾在北京樂器廠工作，1979 年病逝於寧夏。柯政和在日語基礎講座班主要承擔早期的講讀教學。曾爲《北平近代科學圖書館館刊》創刊號撰文《日本國歌的由來》。

2.錢稻孫（1887-1966），浙江吳興人，錢玄同侄。九歲隨父旅日，曾任中華民國教育部督學，北京大學醫學院解剖學科助教、講師，教授，國立北京圖書館館長，北京

⑯ 《晨報》，民國 27 年（1937 年）6 月 19 日。

⑰ 《新支那日刊》，昭和 13 年（1938 年）8 月 19 日。

⑱ 6 期日語基礎講座班以後之情況，因文獻無征，暫缺考。

清華大學文學院教授，北京大學校長。日本投降，因漢奸罪入獄。1949 年後，出任山東齊魯大學醫學系教授，1952 年院系調整，轉任衛生出版社編審，1956 年退休，1958 年起兼任人民文學出版社特約編譯，同時也擔當其他出版社的翻譯工作。翻譯衆多日本文學作品。錢稻孫在日語基礎講座班主要承擔中文日譯教學。並爲《北平近代科學圖書館館刊》第 5、6 期題寫刊名。《北平近代科學圖書館館刊》創刊號首篇文章即是錢稻孫撰寫之《日本古歌詮譯二則》，並常爲其撰文。

3.尤炳圻（1912-1984），江蘇無錫人。國立清華大學外國語文系、日本東京帝國大學國文系畢業。北京大學文學院教授。魯迅 1936 年 3 月 4 日曾致信尤炳圻：「我們生於大陸……歷史上滿是血痕，卻竟支撐以至今日，其實是偉大的，但我們還要揭發自己的缺點，這是意在復興，在改善……」。⓳ 50 年代任西北師範大學中文系教授。尤炳圻在日語基礎講座班主要承擔文法教學。

4.洪炎秋（1899-1980），名櫆，筆名芸蘇，以字行。祖籍福建同安，生於臺灣省彰化縣鹿港鎮。北京大學、日本東京高等師範學校畢業。1948 年任臺灣大學中文系教授。洪炎秋在日語基礎講座班主要承擔講讀教學。

5.張我軍（1902-1955），原名張清榮，祖籍福建南靖，生於臺北縣板橋鎮。東京高等師範學校、早稻田大學畢業。北京大學教授。張我軍在日語基礎講座班主要承擔翻譯法教學。

6.錢端仁，錢稻孫長子，日本東北帝國大學畢業。1938 年任教育部外國語學校教授。錢端仁在日語基礎講座班主要承擔中文日譯教學。

謹以此文獻給尊敬的昌老師，敬祝您身體健康！
您的教誨裹著濃烈的酒香一直在鞭策著我。

⓳ 《魯迅書信集》（下），北京，人民文學出版社，1976 年，頁 1064。

吕彼得教授八秩晉五壽慶論文集
2005 年 2 月　　　頁 277～288

過雲樓藏書考*

劉　薔

具有近三千年文明史的蘇州，自宋元以來私人藏書為風尚，雖寒儉之家，亦往往有數拾百冊，至於富裕之家，更是連櫝充棟琳琅滿目。藏書之家指不勝屈，擁有數千百卷之圖籍者多不勝舉，總數高居全國之甲。從宋朝的杜東原、葉夢得，到清乾嘉期間名震藏書史的「藏書四友」黃丕烈、顧之逵、周錫瓚和袁廷檮，以及現代史學大家顧頡剛、目錄學宿耆顧廷龍等，藏書傳統綿延不斷。眾多的藏書家默默守持著自己的癖好，博藏群書，精心呵護，使中國浩如煙海的文化典籍在他們的嬗遞中得以保存。蘇州歷史上還有許多家藏富贍，然未以藏書著稱的世家聞人，他們的藏書事跡被湮沒於其他聲名下而不為世人所知，但他們同樣為保存文化遺產做出了傑出貢獻。本文將擷取其中一位，近代史上著名的書畫世家蘇州過雲樓顧家，采摭其藏書故事，介紹其藏書內容，旨在搜揚潛逸，使後人能夠記取顧氏的藏書業績。

過雲樓主

顧家是南北朝顧野王（519-581）之後裔，顧野王是中國歷史上著名的文學家、史學家，工詩文，善丹青。過雲樓的建造者名顧文彬（1811-1889 年），字蔚如，號紫珊（一

* 筆者曾於《中國典籍與文化》1998 年第 1 期上發表〈蘇州顧鶴逸藏書考〉一文，此後一直繼續留意於有關顧氏過雲樓藏書資料的搜尋，本文即在此基礎上大幅增訂而成。

說子山），晚號艮庵，清道光二十一年進士，官至寧紹台道。工書善詩，尤長倚聲。書法歐褚，精鑒賞，善收藏，所著碑版卷軸，烏欄小字，題識殆遍，著有《眉淥樓詞》、《過雲樓書畫記》、《過雲樓帖》等。光緒初年，顧文彬隱退原籍蘇州，因官囊充斥，耗 20 萬兩銀，購得古春申君廟址和明尚書吳寬複園故址等明清建築，以 7 年時間改建為包括住宅、花園、義莊、祠堂的深宅大院，夾峙於護龍街尚書裏南北兩側。

住宅正路東側依次為花廳「艮庵」和「過雲樓」。過雲樓名取蘇東坡言「書畫於人，不過煙雲過眼而已」之意，為顧文彬祖孫四代專貯書畫及古籍、金石之所，這裏以收藏既精且多，曾得「江南第一家」美譽。樓面闊三間 12 米，進深 9.5 米，高 9.2 米，兩層，硬山重簷式。紅木屏風隔斷雕刻精細，門窗裝飾古雅。樓前左右軒廊壁開扁式六角磚細框，內嵌亂冰片紋木花窗，工藝精良。樓後原有乾隆八年款磚雕門樓及堂樓兩進，整幢建築高敞古樸，自成一區❶。

花園名怡園，園名取《論語》「兄弟怡怡」之意。由文彬三子顧承參考畫家任阜長意見主持營建。顧承尤精鑒別，極受顧文彬器重，讚譽他「性愛古董，別有神悟，物之真偽，一見即決，百不失一」❷，只可惜壽不永年。怡園在蘇州諸園林中，年代最晚，卻以小巧見長。其結構之精巧，非胸中有丘壑者，莫能出此，被時人評為「最足勾留」的一處。怡園的詩情畫意頤養了一代代顧氏子孫，成就最著者即是文彬之孫——顧鶴逸。

顧鶴逸（1865-1930 年），本名麟士，字鶴逸，號西津。別號諤一、筠鄰、西津漁夫、西津散人、一峰亭長。室名鶴廬、海野堂、甄印閣等❸。在文彬孫輩行六，為顧承之子。「體幹秀偉，妙於語言，秉不世出之天資，上綿家學，鴻博為同輩推服」，「天性於畫學為近，髫齡隨長者自鄉祭掃歸，即屏坐空齋，揣寫所見。」❹過雲樓藏古今

❶ 過雲樓於 1982 年被列為蘇州市文物保護單位，1994 年曾進行全面修繕，現為辦公用房。
❷ 顧文彬撰：《過雲樓書畫記》，清光緒八年（1882）刻本，江蘇古籍出版社，1990 年。
❸ 楊廷福、楊同甫編：《清人室名別稱字型大小索引》，上海古籍出版社，1988 年。
❹ 曹允元纂：《吳縣誌·卷十九·流寓》，民國二十二年（1933）排印本。

書畫真跡至富，甲於吳下，加上家學濡染，待他「稍長，益取經明賢，上規宋元，又兼綜於國初六家，寢饋以之，自成高格。」❺作畫涵濡功深，筆多逸氣，以山水見長，尤長臨古。關於他的風姿，時人冒鶴亭曾記云：「餘來吳門遊顧氏之園屢矣，因得識吾鶴逸，而余友吳子昌碩又時時為餘稱道鶴逸不去口。鶴逸少時，即有灑然之致。其所作畫，出入煙客、元照，世之真鑒賞者，未聞有閑言也。既性喜鶴，因以鶴名其廬。陳眉公雲『若是學道，故是黃鶴背上者，舍鶴逸將誰屬也。』」❻

顧鶴逸家計富足，少年應童子試時，見一老童生跪請易換被汙試卷遭人呵斥，因此鄙視科舉黑暗，一生未仕。父親顧承早亡，事母至孝，以父母在不遠遊為則，終生不離家鄉，在鐵瓶巷舊宅畫室中，終年浸淫於書畫詩詞之間，樂在其中，自娛自遣。淡泊名利，往來皆書畫文友。光緒中葉，怡園名流雲集，每月開畫社，吳昌碩、金心蘭、吳清卿、顧若波、王勝之、費屺懷等鹹隸社籍。鶴逸所作，常被同儕推為執牛耳者。怡園還曾有書畫家客居其中，加上他精於賞鑒，幣請賞畫以及求其鑒別、題識者踵門如市，怡園水木清華，「遂為有清一代藝苑傳人之殿」❼，他在繪畫方面的成就，生前就譽滿海內外，人稱「四小王」，時人贊其有雲林清秘遺風。他矯時俗重畫輕書之習，凡先賢翰墨，均加甄采；還喜收金石、碑拓、古印等，極大豐富了過雲樓藏品，使過雲樓收藏進入全盛時期。顧鶴逸自敘「予家自曾王父以來，大父及仲父、先子鹹惟書畫是好，累葉收藏，耽樂不怠。溯道光戊子（1825）迄今丁卯（1927），百年於茲。唐宋元明真跡入吾過雲樓者，如千里馬之集于燕市」❽，成為當時與上海虛齋主人龐萊臣並稱的兩大收藏家。顧鶴逸多才多藝，於方劑、營造、種樹、雕刻諸藝尤具神解，著有《因因庵石墨記》（未完）、《續過雲樓書畫記》、《鶴廬畫識》、《鶴廬畫趣》、《鶴廬集帖》數種。晚年目疾封筆，1930 年 5 月 19 日，中風疾卒。遺命以僧服道人

---

❺ 同注❹。

❻ 冒廣生撰：《小三吾亭文甲集·鶴廬記略》，清末冒氏叢書本。

❼ 章鈺撰：《四當齋集》卷八，元和顧隱君墓誌銘，民國二十六年（1937）排印本。

❽ 顧鶴逸撰：《過雲樓續書畫記》，江蘇古籍出版社，1990 年。

鞋殮，葬蘇州西津橋。

顧鶴逸有四子：公可、公雄、公柔、公碩。其書畫精品以前三子所得居多，日寇打進蘇州時，顧家老宅院子裏落下一顆炸彈，房間一面牆上的窗子全被炸飛，而窗下的兩隻畫箱卻意外無恙。受此驚嚇，過雲樓第四代主人顧公雄急忙攜帶裝有整包字畫精品的車子進入上海租界，竟無暇顧及兩個幼子的安危。日本人和漢奸到處打聽他的住所，目的是要得到這批字畫，顧氏家人和親屬個個嚴守秘密，無論生活如何拮据，都從未出讓一幅書畫，直到抗戰勝利。1949 年以後顧氏子孫多次將珍藏捐獻國家，現以故宮博物院、上海博物館收藏為多。捐獻最多的一次是在 1951 年，由顧公雄之妻沈同樾率子女將四代相傳的包括巨然、倪雲林、趙孟頫、沈石田、文徵明等人作品在內的 300 餘件書畫以及明正德、萬曆、崇禎時期的善本書和罕見稿本十餘部捐獻給上海市文管會，顧家的捐獻是當時文管會所藏書畫的半壁江山。近年上海市博物館還曾舉辦過雲樓書畫特展。

藏書故實

考察顧氏家藏，要追溯到顧文彬一代。顧文彬雅好書畫收藏，於鄉邦文獻亦有藏，在他的《過雲樓書畫記》中就記錄有明祝枝山的《正德興寧縣誌》稿本以及東林五君子的詩劄手札等。他念及這些「斷種秘本」、「銘心絕品」❾，在《欽定四庫全書提要》中俱未收入，於是仿阮元的《研經室外集·四庫未收書》目錄體例悉為考核，依樣著錄行款、源流，極為詳備。他希望這些家藏舊鈔能「益吾世世子孫之學」並「後世志經籍者采擇焉。」❿

顧承祖上幾代人收藏不輟，流風綿延，至顧鶴逸而發揚光大。鶴逸「好版本之學」，

❾ 同注❷。

❿ 同注❷。

憑藉殷實，「宋元舊槧，及老輩遺著，悉懸金求之」⓫。清末民初因社會動蕩，戰亂紛紜，許多江南故家藏書流散出來，使顧鶴逸得以大量購書。顧氏藏書中有許多是貴州獨山莫友芝舊藏的書籍，莫友芝曾充任曾國藩幕僚，為其在江南搜集經兵亂流失的文宗、文彙二閣藏書。晚年寄人籬下，寓居蘇州，後疾逝於去揚州訪書途中。他的影山草堂藏書傳與其子，因生活窘迫很快被鬻與他人。顧鶴逸得近水樓臺之便，大量購進莫氏遺藏，且均為罕見珍秘的宋元以來佳槧名抄，過雲樓藏書得以縹緗盈架，傲視一方。過雲樓藏書多鈐有「顧麟士」、「顧鶴逸」、「顧六」、「麟士」、「麟士之印」、「麟士之章」、「鶴」、「鶴逸」、「鶴廬」、「鶴廬主人」、「西津老鶴」、「西津漁父」、「古稀老人」、「元和顧麟士之章」等印。

有關顧鶴逸的藏書活動，記載甚寥，常見於時人筆下的多是與當時藝壇聞人的繪畫交流，記藏書往來則很稀見。如 1908 年 3 月，繆荃孫友人徐翰清拜訪藝風老人，帶來了顧鶴逸交送的文集一部、《對雨堂叢刻》一部⓬；1909 年 5 月繆荃孫又托人帶給顧鶴逸「小叢書一部」⓭；1919 年 12 月，張元濟為影印《四部叢刊》，曾向他借抄宋刻遞修本《龍川略志》六卷和《別志》四卷⓮；顧鶴逸還曾屢書囑章鈺為之代抄衢本《讀書志》和《倚杖吟》，因其上有黃蕘圃的跋文⓯，等等。蘇州為文人聚居之地，顧鶴逸又是當地名流，而藏書之名並未流傳，僅局限于胡玉縉、章鈺、傅增湘、繆荃孫等小範圍友朋中間，足見其用心良苦，善自韜晦，對家藏古籍善本珍秘有加。

顧鶴逸不僅藏書，還時有丹黃手校，現藏天津圖書館的清顧千里稿本《邗水雜詩》上有其手跋，「澗蘋先生詩冊，去秋吾友曹君君直得諸滬上書賈，歸檢《思適齋集》校之，如『次韻答夏孝廉詞仲』『驅逐』作『馳逐』、『代釋譏』作『為釋譏』、『凱

⓫ 同注❹。

⓬ 繆荃孫撰：《藝風老人日記》，北京大學出版社，1986 年。

⓭ 同注⓬。

⓮ 張樹年編：《張元濟年譜》，商務印書館，1991 年。

⓯ 顧廷龍編：《藝風堂友朋書箚》，上海古籍出版社，1980 年。

佩』作『覬佩』，『次韻答郭頻伽』『五餐』作……，皆較集本為長，以集本出楊芝士寫錄，容有未精，此冊則先生手稿也。又冊中『和程湘舟見寄次韻五古』及『金近園餞秋分得落字七古』，皆集本所無。據先生自題邗水襍詩道光辛巳歲作則，此冊不過遊邗江時詩，集本已遺其二，知先生集外詩多矣，安得如我君直者盡獲手稿為思適齋集補也。光緒二十八年（1902）王寅二月元和顧麟士」，並鈐「西津」印。

對顧鶴逸藏書接觸最多的是著名版本目錄學家傅增湘先生。民國王子（1912）年2月，傅曾湘旅居蘇州，曾至過雲樓觀書，並將所見編成《顧鶴逸藏書目》一卷，其精良之本多有跋語，已收入《藏園群書經眼錄》⑯。在他的《藏園群書題記續集·卷二》中還記載了一段感人至深的藏書掌故：傅氏客居蘇州時，書賈楊馥堂曾攜一巨簏來訪，內中有洪武刻本《蘇州府志》。此書為常熟汲古閣毛氏及吳門石韞玉舊藏，且為婁水宋賓王校補，是吳中最早的志書，流傳甚罕。傅藏園以四十金易得。數日後訪過雲樓主人，顧鶴逸詢及新獲之書，對此書一見傾心，說：「此吾郡故物，訪求頻年不可得，且為石琢堂殿撰修府志時所用，在理宜以歸我」，請以相讓，而藏園以為是吳中所購歸途壓箱之物，未肯易許，俟有他本，定當為之代購，顧鶴逸知此書難得，笑藏園是對他「畫餅以充饑」！遂相視一笑而罷。藏園返京後，偶於琉璃廠翰文齋複見此書，欣喜過望，馳書告鶴逸，竟以百金為之代購。這年秋天，藏園重至蘇州，將此書鄭重相付顧鶴逸。顧鶴逸酷嗜鄉邦先輩手澤，又愛書成癖，就請藏園把宋賓王的校補過錄於新得之書上。藏園返京後，因牽於事務，荏苒未果，可顧鶴逸不久就故去了。藏園把卷遐想，以為愧負良友，就托友人汪孟舒順返姑蘇之便，將原書奉還顧鶴逸嗣子顧公碩諸人，以示吳季劄延陵挂劍之意，聊表司馬相如返璧深情⑰。

促成陸氏皕宋樓藏書東流日本靜嘉堂文庫的日本人島田翰，也曾與顧鶴逸有一段往來。張元濟在給繆荃孫的信中曾述及此事：「島田翰來，至顧鶴逸家購去士禮居藏

---

⑯ 傅增湘撰：《藏園群書經眼錄》，中華書局，1983年。

⑰ 傅增湘撰：《藏園群書題記》，上海古籍出版社，1989年。

元刊《古今雜劇》，明本雜劇《十段錦》，殘宋本《聖宋文選》，聞出資者皆不少，令人為之悚懼耳。」⑱在傅增湘所編的《顧鶴逸藏書目》上，其中士禮居藏《古今雜劇》和曾經朱彝尊和錢曾收藏的雜劇《十段錦》下標明「已去」，可知此事是發生在壬子（1912）歲前。因這段記載言之草草，當時具體情形及後來是否尚有其他珍本流出現在已不得而知了。皕宋樓藏書東流曾使當時學界極為痛惜，顧鶴逸藏書雖僅數種為日本人購去，亦是顧氏不妥之處，不免令人遺憾。

過雲樓收藏的 1360 種善本在顧鶴逸歿後全部傳給了他最鍾愛的幼子公碩（1904-1966）。顧公碩篤守家藏的珍秘遺書，抗戰期間及早應變，使古籍的精華部分倖免於難。顧公碩是蘇州知識界第一個堅信「希望在延安」的人，1949 年以前即傾心革命，冒著生命危險以顧家世代名門的身份掩護地下工作者。解放後歷任蘇州文物保管委員會委員、市文聯國畫組組長等，1960 年蘇州博物館成立，任副館長，1962 年任蘇州市工藝美術研究所所長，為研究蘇繡、緙絲、虎丘泥人、桃花塢年畫、紅木雕刻等傳統工藝做出了很大貢獻。1953 年 12 月他倡議捐贈了顧氏的私家花園「怡園」及其西側的顧氏祠堂。1959 年又將家藏金石書畫捐獻國家。十年浩劫期間，顧家先後 6 次被抄，公碩不堪受辱，投河自盡。顧文彬所著的《眉淥樓詞》、《百衲琴譜》、《過雲樓書畫記》諸手稿，被送至造紙廠，是蘇州圖書館華開榮、葉瑞寶於零帙斷簡中逐冊搶救出來，久之始成完書，現保存於蘇州市圖書館中。值得慶幸的是過雲樓所藏絕大多數古籍為蘇州市文物管理委員會代為妥善保管，並編為目錄。謝國楨先生去江浙訪書時，曾到蘇州博物館觀看顧氏舊藏，並為其中珍本秘本撰寫題跋，收入《江浙訪書記》一書，蘇州顧鶴逸的藏書借此才得以名揚天下。文革後顧家落實政策，昭雪平反，家藏古籍大部分被歸還，分為四份，由顧家第五代子孫繼承保藏。

⑱ 同注⑮。

藏書内容

傅增湘的《顧鶴逸藏書目》最早刊登於《國立北平圖書館館刊》(民國 20 年 11-12 月)上，筆者於清華大學圖書館還見到過一冊手鈔本《顧鶴逸藏書目》，板心下有「感峰樓鈔藏本」字樣，經核對，內容與傅沅叔所編一致，當是抄自傅氏藏本。這部《藏書目》雖為草目，但仍可從中看出當年過雲樓藏書的梗概。書目分「宋元舊槧」、「精寫舊抄本」、「明版書籍」、「國朝精印本」四部，書名下不著撰者及卷數，僅著錄函冊情況，甚至如「一楠木匣」、「全套」、「全本」，堪稱簡陋。宋元本及部分名人批校本下著明曾經何人收藏，及批校題跋情況，文字精省。共計著錄：宋元本 50 種；精抄本 165 種；明刻本 149 種；清刻本 175 種；總 539 種，5000 餘冊。傅氏對版本目錄學獨具隻眼，識見特高，記錄在這個《藏書目》中的多是藏園以為的珍稀、精善之本，普通線裝書並未收錄在內，即便是已列入其中的，藏園也自言「目錄下漏注尚多」。由此推知，顧氏藏書總量當在萬卷以上。

顧鶴逸對其家藏善本秘而不宣，藏書宏富不為外界所知，其版本精良更難為人稱道。所藏眾多的宋元舊槧，琳琅滿目，令人歎為觀止；尤其是大量的精抄、舊抄本，為一般藏家絕難比擬，其中大部分是出自名家，如士禮居黃氏、汲古閣毛氏、池北書庫王氏、小山堂趙氏等。這些抄本或影宋、或精抄，都是抄取的罕見秘笈，有些如今已淪為世間僅存之孤本。將《顧鶴逸藏書目》與現有其他目錄，尤其是與《中國古籍善本書目》核查可知，有些為目前中國大陸圖書館無藏，如宋刻本《字苑類編》、宋刻本《胡曾詠史詩》、宋刻本《續名臣碑傳琬琰錄》、抄本《本草元命包》、抄本《象象金針》、抄本《太白陰經》、吳翥抄並跋的《詩經澤書》等；更有大量的是僅一、二家圖書館見藏的稀見之本，如抄本《今韻正義》、《韓詩遺說》等；還有許多是見諸於各目錄的版本是晚於或劣於過雲樓藏書者，如宋刻本《列子口義》、宋刻本《針灸資生經》等，其版本價值之高由此可略見一斑。這些藏書大多精美異常，如明錢穀精楷手鈔《唐朝名畫錄》一卷，錢穀，字叔寶，亦是吳中人士，以精抄圖書名於世。

過雲樓所藏者為錢叔寶二十八歲時抄寫的，字體娟秀超逸，中具晉人風致。此書等同於法帖，極為珍貴。謝國禎先生評此書「一展卷，而紙白如玉，墨光如漆，鐵畫銀鉤，筆筆俱到，珠光寶氣，光彩奪目，不覺老眼之欲明，為之心曠神怡，洵吳門之風範，珍貴之文物也。」⓳

這些藏書具有很高的史料價值和學術價值。明初抄本《東家子佚稿》、明刊本《草木子》、《鬱離子》等書記述了明初的學術思想；清初鈔本《國變傳疑》記南明朝野史事尤詳；明鈔本《國初事蹟》言明初史事，都可為研治明季稗乘者，作為參考。顧鶴逸于吳郡文獻最為留意，所藏《光庵集》、《吳中舊事》、《桃穀遺稿》等足備吳郡掌故之征；其他地方文獻也多有收藏，如記滬上掌故的《碧園吟稿》、記嶺南風土人情的《北戶錄》等。還有部分稿本，如何焯的《披華啟秀》、盧文弨的《掌錄》、吳騫的《巾箱集》等。很多藏書因顧家的深藏秘扃，民國時期的幾次大規模古籍整理出版，都絕少涉及，至使現在學術界才漸漸注意到它的價值。

在述及顧鶴逸藏書活動的隻言片語中，有一個易被疏忽的重要細節，即顧氏可能曾收藏有後來煊赫一時的脈望館抄校《古今雜劇》。酷嗜中國古典戲曲小說收藏的鄭振鐸先生在他的《西諦書話》中有一篇長跋，詳細記載了這批書的流傳和發現經過：明常熟鄉賢趙琦美的藏書樓名「脈望館」，其所抄校的《古今雜劇》，除去重覆所選，共保存雜劇 340 種，遠比著名的臧懋循《元曲選》為多，且其中一多半是後人聞所未聞的孤傳。這批書曾經董其昌批閱。脈望館藏書在天啟、崇禎間散出，全部批校本售歸錢謙益。錢氏「絳雲樓」大火時，這批書倖免於難，又被贈與了族孫錢曾，此後陸續遞藏于季振宜、何煌、黃丕烈、汪士鍾、趙宗建、丁祖蔭手中。民國二十七年（1938），丁氏湘素樓藏書連同這部脈望館抄校《古今雜劇》一同流入蘇州坊間，經鄭振鐸與書賈反覆商價，最後以九千金為國立北平圖書館代購，現藏北京圖書館。鄭振鐸高度評價這次發現的重要，「在近五十年來，恐怕是僅次於敦煌石室與西陲的漢簡出世

⓳ 謝國楨撰：《江浙訪書記》，三聯書店，1985 年。

的」⑳。脈望館抄校《古今雜劇》經過三百年的輾轉授受，卷帙也漸次遞減。《也是園書目》中的 340 種，到《季滄葦書目》中則為 300 種，100 冊，但此數蓋舉成數而言，並非實數。據黃丕烈手鈔「待訪古今雜劇存目」凡 71 種，實際應為 74 種，即書到黃蕘圃手上時已缺失了 74 種，故黃氏藏有 266 種，66 冊；再傳至汪士鍾時，又缺了 26 種，這是將汪氏手抄目錄與黃蕘圃目錄相較後統計出的，此後這批書便再無損失地傳至今天，共計 242 種，64 冊㉑。張元濟和傅增湘都提到顧鶴逸收藏有「士禮居藏元刊《古今雜劇》」，這部書是否也是脈望館舊物呢？如若確實，據以上可知當為黃丕烈至汪士鍾之間所缺的那 26 種共 2 冊的全部或部分。鄭振鐸曾為這座「最弘偉的戲曲寶庫」所缺佚的近三分之一內容而抱憾無窮，若果然如推測的那樣，顧氏至使其部分東流異國，又格外令人慨歎了。

瀏覽過雲樓藏書，多滿紙丹黃，歷代藏家、版本目錄學家濃圈密點，精批細校，毛晉、何焯、朱彝尊、王士禎、吳焯、鮑廷博、翁方綱、吳翌鳳、黃丕烈、孫星衍、陳鱣、顧廣圻、周星詒、莫友芝……難以勝數。這些批校、題跋，既是藏書家們枕經宿史，精心校讎的心血結晶，又體現了古代文化遺產輾轉流傳之不易，愈發令人感慨顧氏保藏古籍的可貴。

清洪亮吉在《北江詩話》中將私人藏書家別為五等，即考訂、校讎、收藏、鑒賞、掠販諸家。依洪氏之分，顧鶴逸以一代名畫家而兼蓄圖籍，似屬「收藏家」、「鑒賞家」之流。近年對古代藏書史的研究，多以私藏家對藏書秘而不宣、鮮有利用而大肆批評，但設想當年顧鶴逸若將所藏佳鈔名槧炫耀世人，上海商務印書館近在咫尺，張元濟主持涵芬樓收書時，必不止只是移錄過雲樓藏書的極少副本，那麼 1931 年「一·二八」事變時，涵芬樓 46 萬餘冊古籍被日人縱火焚燒，盡數化為灰燼，過雲樓藏書怕也在劫難逃了；顧氏子孫謹守家藏，多年來辛勤護書，使我們今天仍能看到這批珍貴

⑳ 鄭振鐸撰：《西諦書話》，三聯書店，1983 年。

㉑ 孫楷第撰：《滄州後集》，中華書局，1985 年。

的文化典籍，從這一點上說，我們不能不肯定藏書家的保藏之功，感念他們為保存傳統文化典籍所做的貢獻。

後　記

筆者於 1997 年秋至蘇州，輾轉得見顧鶴逸之孫、已七十開外的昆曲藝術家顧篤璜先生。據老人後來函告，《古今雜劇》等書並非售出，而是被島田翰騙走的。島田翰常來蘇州訪書，顧鶴逸對他精通版本之學頗為讚賞，以為他是學者而信任於他。當島田翰商借《古今雜劇》等書時便慨然相借，不想他竟一去不返，此後顧鶴逸托其他日本朋友多次催討，被告之島田翰在日本犯案入獄，後因羞愧而在獄中上吊自盡，此事便不了了之。

過雲樓藏書除北京的一份因協商未妥沒有出讓外，其餘三位顧氏子孫通過蘇州古舊書店的聯繫，在潘天楨先生極力促成下，於 1992 年以 40 萬人民幣售歸南京圖書館，共 500 餘種，3000 餘冊。由潘廷楨先生整理編目，但潘先生只整理出其中 100 餘種就於 2003 年 1 月 6 日遽歸道山。現在過雲樓藏書集中單放，並成立「過雲樓藏書專室」，以便全部整理完畢後向社會開放。在蘇州過雲樓故居門額上，刻著「霞暉淵映」四個隸書大字。今天，「過雲樓」藏書及字畫大都化私為公，永無散失之虞，並得以發揚光大，過眼煙雲終於化作了霞暉淵映。㉒

㉒ 中國嘉德 2004 春季拍賣會古籍善本專場中推出了「滬上江南六家藏書名宿遺珍」，其中便有清劉彥清抄本《金風亭長書目五種》、清抄本《雲煙過眼別錄》等 5 種顧氏過雲樓藏書。最令人矚目的是明毛抄本《群玉集》一冊。是書為明崇禎十一年毛氏汲古閣鈔南宋臨安書棚刻本，後有毛晉跋。歷來藏家視毛鈔同宋版，是書為毛晉手鈔，斷句皆鈐「晉」字朱印，用毛氏汲古閣抄紙。上海涵芬樓輯印《四部叢刊》時，未見此書，僅見于毛氏刻《文山集》，加之流傳有序，真稀罕之物。這批書最終被上海一藏家拍走。據悉上海一顧氏後人還藏有 40 冊全套宋本《錦繡萬花谷》，一度驚現書林，因索價過昂目前仍在顧家手中。

昌彼得教授八秩晉五壽慶論文集
2005 年 2 月　　　頁 289～306

趙宗建及其舊山樓藏書

趙飛鵬

一、前言

我國私人藏書的發展，到了清代，可以說是達到了高峰。根據學者統計，清代兩百多年間，確有文獻記載藏書事實的，有 2082 人，超過之前歷代藏書家的總和。清代藏書超過萬卷以上的知名藏書家也有 543 人❶，其中江、浙地區就佔了一半以上❷。吳晗曾說：

> 大抵一地人文之消長盛衰，盈虛機緒，必以其地經濟情形之隆詘為升沉樞紐。以蘇省之藏書家而論，則常熟、金陵、維揚、吳縣四地，始終為歷代重心，其間或互為隆替，大抵常熟富庶，金陵、吳縣繁饒，且為政治重心，維揚則為鹽賈所集，為乾隆之際東南經濟重心也。❸

指出了江、浙成為藏書家集中地區的經濟因素。

袁同禮說：

> 清代私家藏書之盛，超逸前代，其故果何在乎？簡言之，則對於晚明理學一反

❶ 范鳳書《中國私家藏書史》（鄭州：大象出版社，2001 年），頁 269、321。
❷ 據前引書頁 271-320 之附表統計。
❸ 吳晗《江蘇藏書家史略、序言》（臺北：文史哲出版社，1982 年），頁 117。

> 動也。明代學術界虛偽之習，靡然全國。所刻之書，或沿襲舊訛，或竄改原文，昔人謂明人刻書而書亡，蓋有由矣。嘉靖以前，風尚近古，時有佳本，萬曆以後，風氣漸變，流弊極與晚季。流弊既多，故有反動，反動之動機，一言蔽之，曰恢復古書之舊而已。有清學者，以實事求是為學鵠，力矯頹風。或廣蒐善本，親手校勘；或繙刻孤本，以廣流傳。故校讎簿錄之學，絕勝前代，而叢書之盛，卓越千古，儼然與類書相抗焉。反動之初期，雖斤斤於求真，而循是以往，流澤益衍，直接影響於藏書者甚鉅。❹

則指出了影響清代私人藏書的學術因素。

洪有豐歸納各種因素，對於清代私人藏書的大勢，做了綜合論斷：

> 抑清代藏書尤有特著數點，更為重要，亦編者所以先之故也。試申述之：
>
> 甲、藏書之風，清為極盛。清代藏書家較前代益盛者，有下列數因：
>
> 一、明末藏書家之影響：明季藏書已漸成風尚，如匪載、懸磬、七檜、脈望、世學、天一、澹生、仁雨、小宛、千頃、汲古、絳雲等諸家，有至清猶存者。而清代江、浙兩省藏書之風，尤冠他處，亦一時之風會所趨也。
>
> 二、滿人傾慕漢人文化，及顯官之提倡：清以滿族入關，慕漢族文化，極力提倡。好學之士，聞風而起。當時顯宦如昆山徐氏兄弟、大興朱氏兄弟、紀曉嵐、畢秋帆、阮文達諸人（皆藏書家），相與領袖群倫，獎提後進。學術昌明，藏書自盛矣！
>
> 三、政治昇平：康雍乾嘉諸朝，海內晏然，政治入軌道，人民安居樂業，得有餘力，傾向讀書。
>
> 四、學術之影響：清代崇尚樸學，儉腹空疎，見鄙儒林。西學輸入，學術思

❹ 袁同禮〈清代私家藏書概略〉（收入《中國古代藏書與近代圖書館史料》，北京：中華書局，1982年），頁420。

想益形激動。讀書與藏書，供求相應也。

乙、藏書與學術之關係。清代學術最有功於中國文化者，則訓詁考訂之樸學是也。而學者治學，尤需博覽載籍，學富五車，而後可以揚榷是非，參稽異同。有樸學之提倡，而藏書之需要亟；有藏書供其需要，而樸學乃益發揚光大。

丙、刻書之風盛行。清代藏書家尤喜刻書，舉其犖犖大者：有通志堂、玉函山房、藝海珠塵、雅雨堂、抱經堂、知不足齋、平津館、經訓堂、守山閣、士禮居、宜稼堂、微波榭、文選樓、聚學軒、積學齋、適園、雲自在龕、誦芬室、嘉業堂、觀古堂等諸叢書。學者欲多讀古書，不可不取資焉。搜殘存佚，為功尤巨也。

丁、目錄校勘家輩出。目錄校勘之學，惟清為超越前代，私人藏書家，如盧抱經、何義門、鮑以文、黃蕘圃、紀曉嵐、翁覃溪、顧千里、王念孫、章實齋、錢雪枝、張嘯山、莫郘亭、繆藝風諸人，皆能勤於校讎，丹黃不倦，辨析義類，考訂版本，卓然名家，成專門之學。❺

清初私家藏書的情勢，主要受到高壓統治與戰爭的破壞，流風稍歇。康、乾以來，藏書家輩出，盛極一時。到了中葉咸、同之後，則由於太平天國之亂，牽動十八省，私人藏書情勢又有大幅轉變：一方面新興的大藏書家如海納百川，迅速形成，數量、質量都超越以往，其中又以瞿（鐵琴銅劍樓）、楊（海源閣）、丁（八千卷樓）、陸（皕宋樓）四家並稱巨擘。但是藏書家集中於江、浙的情況，大致並沒有改變（楊氏海源閣在山東，是少數例外）。另一方面，四大家之外，江、浙一帶還有許多藏書家原本就行事隱密，不為世人所熟知，甚至被後人誤認為是「小藏家」❻，然而其重要性並不下於

❺ 洪有豐〈清代藏書家考〉（收入《南京大學百年學術精品——圖書館學卷》，南京大學出版社，2002年），頁85-87。

❻ 葉昌熾《藏書紀事詩》卷七（臺北：世界書局，1980年），頁380。

四大家，對於藏書史研究而言，這些小型藏書家的生平與業績，仍然值得深入探討，彌補藏書史的空缺。本文所要介紹的常熟趙氏「舊山樓」，即可說是其中的佼佼者。

二、家世與生平

「舊山樓」主人趙宗建（1828-1900），字次侯，虞山人。其生平事蹟，略見於光緒甲辰《常昭合志稿》：

> 宗建字次侯，例授太常博士。少負豪俊氣，兼崇風雅，四方名士來游者，樂與款洽。粵軍擾邑，屢督勇擊卻之。邑城復，籌善後事，多盡心力。敘功加四品銜，戴花翎。晚年頗躭禪悅，時以名人書畫自娛。喜為詩，有《非昔軒稿》。卒年七十餘。

《志稿》蓋檃括翁同龢〈清故太常博士趙君墓誌銘〉而成，翁文云：

> 君諱宗建，字次侯，亦曰次公。先世宋室玉牒，由江陰遷常熟北郭，是為寶慈里趙氏。曾祖同匯，祖元愷，按察使司經歷。父奎昌，詹事府主簿，三世皆以俠義聞。君少孤，力學不倦，文采斐然。以太常博士就試京兆，獨居野寺，不與人通。未幾而粵賊之難作……吾邑東南西三面受敵。君別將一營，扼東路支塘，八月二日城陷，……遂走上海，乞師於巡撫李公，得總兵劉銘傳與偕。同治元年十月，大破賊於江陰陽舍，於是沿江上下百餘里無賊蹤。侍郎宋公以君功入告，有旨嘉獎，賜孔雀翎，發兩江總督曾公差委，君謝不赴。……喜賓客，善飲酒，蓄金石圖史甚富。所為詩文清邁有氣格，晚好談禪。論及當世事，猶張目嗟呼，聲動四壁也。

再者翁同龢文集《瓶廬叢稿》中，多處與趙氏有關者，可據以考知趙宗建晚年又自號「花田農」，歿後翁詩私諡其為「有道先生」。宗建精於鑒別書畫，另著有《灌園漫筆》等❼。

王欣夫《藏書紀事詩補正》引費念慈〈跋明鈔本太平御覽〉：

舊山樓，趙次公宗建山居也。在虞山破山寺前，藏圖書金石甚富。茗椀鑪香，脩然自適。屋後種梅五百株，花時香雪成海。得宋本《竇氏聯珠集》，築小閣，牓曰「聯珠」。長鬚野服，終歲不入城市，自號「非昔居士」。所藏尚有南宋館閣寫本《太宗實錄》，亦士禮居物也。❽

張退齋（瑛）《舊山樓記》：

趙君次侯，舊居北山之麓，因其舊而新之，名其樓曰「舊山樓」。趙氏自前明文毅公直諫，以氣節世其家。次侯食舊德，誦清芬，詩酒自放，徜徉山水，翛然一樓，與名賢遺跡並傳。❾

所謂「前明文毅公」是指明末忠臣趙用賢（1535-1596）。《明史》卷二二九：

趙用賢，字汝師，常熟人。父承謙，廣東參議。用賢舉隆慶五年（1571）進士，選庶吉士。萬曆初，授檢討。張居正父喪奪情，用賢抗疏，……疏入，與（吳）中行同杖除名。居正死之明年（1583），用賢復故官，進右贊善，尋充經筵講官。再遷右庶子，改南京祭酒。居三年，擢南京禮部右侍郎。……用賢長身聳肩，議論風發，有經濟大略。蘇、松、嘉、湖諸府，財賦敵天下半，然民生坐困。用賢官庶子時，與進士袁黃商推數十晝夜，條十四事上之。……家居四年卒。天啟初，贈太子少保、禮部尚書，謚文毅。

錢謙益〈趙文毅公神道碑〉：

---

❼ 並見《近代中國史料叢刊》第九集所收《瓶廬叢稿》（臺北：文海出版社，1966年）。

❽ 《藏書紀事詩補正》（上海古籍出版社，1999年），頁700。

❾ 同註❻，頁381引。

> 公諱用賢，號定宇，其先世為宋宗室簡國公諱仲譚。簡國生朝請大夫諱士鵬，守江陰軍，因家焉。十傳而為松雲公，諱實，出贅於常熟錢氏，遂又家常熟。松雲生永違公玭，永違生益齋公諱承謙，舉嘉靖戊戌進士。累官至廣東布政司參謀，取蕭恭人，無出，公乃張恭人出也。❿

孫楷第根據各種資料，考察出趙宗建與趙用賢之宗族關係，略如下表⓫：

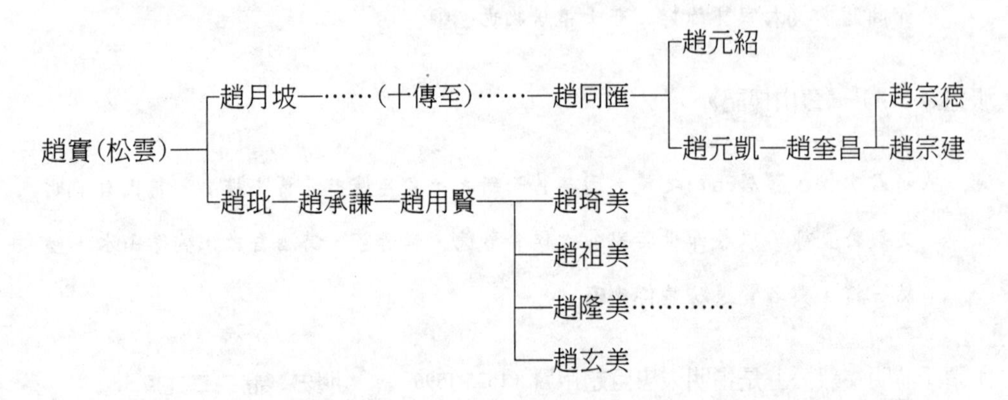

趙用賢之藏書，有藏書目錄流傳以為證。嚴靈峰教授主編《書目類編》第 29 冊，收入《趙定宇書目》一種，係 1957 年上海古典文學社影印明清之際舊寫本，記載了趙用賢藏書之概況，其中不乏罕見之珍籍。如《稗統》一書，僅於見於孫慶增《藏書紀要》引用其名，知其為叢書，卻未見其他著錄，此《趙定宇書目》即載有其詳目，凡二百四十四冊。用賢又喜刻書，所刻《五經》白文，可亂宋本；萬曆十年（1582）合刻《管子》、《韓子》，均據舊本名槧，號為善本。

用賢長子趙琦美（1563-1624）自號清常道人，亦有乃父之風，頗好藏書。據《趙氏家乘》：「琦美原名開美，字仲朗，號玄度。嘉靖癸亥生，授奉政大夫，天啟甲子

---

❿ 錢謙益《初學集》卷六二（臺灣商務印書館 1967 年影印《四部叢刊》本），頁 693。

⓫ 孫楷第《也是園古今雜劇考》（上雜出版社，1947 年），頁 45。

卒。」⑫錢謙益〈故刑部郎中趙君墓表〉：

> 君天性穎發，博聞強記，欲網羅古今載籍，甲乙銓次，以待後之學者。損衣削食，假借繕寫三館之祕本，兔園之殘冊。刓編齧翰，斷碑殘甓，梯航訪求。朱黃讎校，移日分夜，窮老盡氣。好之之篤摯，與讀之之專勤，近古所未有也。⑬

《常昭合志稿》：

> 琦美字元度⑭，以父蔭歷官刑部郎中。官太僕寺丞時，嘗解馬出關，周覽博訪，上書條奏方略。著有《洪武聖政記》三十二卷、《偽吳雜記》三卷、《容臺小草》、《脈望館書目》。

趙琦美之藏書狀況，今存《脈望館書目》一種，有《玉簡齋叢書》本，收入《叢書集成續編》⑮。由上述可知，趙宗建不僅為趙用賢同族之疏親後裔，而其喜好藏書之風尚亦前後輝映。

關於趙宗建的生卒年，以往的記錄不很清楚。孫楷第《也是園古今雜劇考》云：

> 宗建卒不知何年。葉昌熾《藏書紀事詩》六卷本編定目錄，在光緒二十三年丁酉（1897），其書例不收生人，今六卷本《藏書詩》無宗建之名，知宗建其時猶存。昌熾重編《藏書詩》釐為七卷，其事在宣統元年己酉（1909），其補撰李申蘭、趙次侯詩，則在次年庚戌，此時去丁酉編定《藏書詩》已十三年。宗建卒雖不知何時，然光緒甲辰《常昭合志稿》已為宗建立傳，則宗建卒當在光緒二

⑫ 《叢書集成續編》第 4 冊（臺北：新文豐出版公司，1991 年），頁 3。
⑬ 同註❻，頁 151 引。
⑭ 清人避諱，往往改「玄」為「元」，當據《家乘》作「玄度」。
⑮ 另有《涵芬樓秘笈》本，為平江貝墉手寫本，二本內容大致相同。同註⓫，頁 8。

十三年丁酉以後，三十年甲辰之前。⓰

只以相關事蹟推論，缺乏直接證據。其後有李玄伯者對於孫楷第之說，有所補充。李氏據趙宗建同鄉及好友翁同龢之日記，考查出其卒年為「光緒二十六年五月廿六日」，以其年七十三歲逆推，生年為道光八年（1828），生日也據翁記知為七月初五日。⓱

近五十年來，有關中國近代史研究資料，出版者甚多，於是對趙氏之生卒年，可以發現直接的證據。沈雲龍教授主編《近代中國史料叢刊》第九集，收入翁同龢著《瓶廬叢稿》，其卷六即有〈清故太常寺博士趙君墓誌銘〉一文，已見前引，其文末明確指出「君卒於光緒二十六年丙寅，年七十三。」⓲又據卷三〈題趙曼華畫扇卷〉，可知宗建之父奎昌字曼華，兄宗德字价人，二人俱善畫，亦可補充趙氏家世之資料。

三、藏書之淵源

趙氏「舊山樓」藏書，在清末尚不十分出名，葉昌熾曾於光緒初年特地登樓參觀，《緣督廬日記鈔》卷一〈光緒元年乙亥十一月初六日〉云：

泊舟大東門，登岸，出鎮江門，繞虞山而行。至趙氏山莊，其主人次侯適進城，未晤。竹木林屋，結構精絕。藏書遠遜瞿氏，而間有精者。⓳

後來在《藏書紀事詩》卷七，葉氏作詩云：

經過趙李小藏家，十頃花田負郭斜，劫火洞然留影子，舊山樓上數恒沙。

⓰ 同註⓫，頁 41。

⓱ 參見曹蔭穉先生遺著《蔭穉文存》〈關於孤本元明雜劇〉（1983 年家印本），頁 3-13。

⓲ 翁氏此文亦附見於古典文學社 1957 年出版之《舊山樓書目·附錄》（《書目類編》第 34 冊）。

⓳ 《緣督廬日記鈔》卷一（臺北：臺灣學生書局，1964 年），頁 20。

並如此評價：

> 昌熾二十五六時，遊虞山，出北郭，登趙氏舊山樓，觀所藏書。稍舊之冊，不以示人。樓中插架無佳本，惘然而返。⑳

後來光緒九年癸未（1883），葉氏又第二次拜訪舊山樓，日記中只記載了「種梅二畝許，暗香疏影，頗為幽靜。」沒有觀書的記錄。其實葉氏並未看到舊山樓藏書的全貌，主要應該由於趙氏家族的秘不示人，這也是藏書家的人情之常。

趙氏舊山樓藏書始自清初，宗建之曾祖父同匯，即有藏書之好。孫原湘《天真閣集》卷四九〈趙涵泉傳〉：

> 翁名同匯，字涵泉，其先自宋朝請君居江陰，十四傳至松雲，松雲由江陰徙常熟。松雲子二：城居者其次，再傳而生文毅公，子孫科第不絕。長曰月坡，早世，其妻挈孤移城外報慈里，是為報慈趙氏。……報慈里在虞山之北麓，繞翁居多古木蓊翳，庭中老桂殆百年物。翁又雜植花木，闢梅圃廣可數畝，顏其居曰：總宜山房。益市圖籍充牣其中。㉑

據此趙宗建即報慈趙氏之後㉒，邵淵耀〈舊山樓記〉：

> 前少宰贈大宗伯文毅公，史稱名臣，厥後簪纓弗替。而別枝聚居鎮江門外寶慈里者，亦累百年。地以古庵得名，在村郭之間。負山面水，稻塍菜畦，景物閒外，羣粹託處於斯者，有以自適。大率孝弟力田，不求聞達。舅氏涵泉贈公，豪爽而有隱操，所居舫齋曰總宜山房。花木秀野，雅稱觴詠。子孟淵、退庵兩兄，俱從幼識面。……去年（1856），曼華仲子常博次侯，既潰治三峯龍藏，刊

⑳ 引文並同註❻，頁380。

㉑ 《天真閣集》卷四九（收入《續修四庫全書》第1488冊，上海古籍出版社，頁387）。

㉒ 「報慈里」或作「寶慈里」，孫楷第以為當作「報慈里」為是。

> 行先世著作，又於山房東北繕葺，位置亭榭，益臻整絜，命曰寶慈新居。有雙梓堂、古春書屋、拜詩龕、過酒臺諸勝。而茲樓居其北，地最高朗，嵐彩溢目，遹延遠攬，足領全園之要。㉓

對於舊山樓的建造有詳細描述。再據翁同龢日記與文集，趙氏之居宅尚有「梅顛閣」、「半畝園」等建築。

曹菊生〈舊山樓書目跋〉：

> 趙氏藏書，始於宗建曾祖同匯及祖元愷，我曾見過元愷的批校本書。及至宗建，於太平天國起義失敗後，文物頗多流散之際，更陸續收購，兼及書畫、古器物。同時在蘇州亦得汪閬源家舊藏，故其插架益為繁富。……舊山樓遺址，在今常熟市北門外報慈橋，離城僅一里許。其宅面山西向，宅南小園一區，廣不過二畝。樓亦西向，在園東，東牆外空地數畝，為昔年之梅圃。樓五楹，抗戰數年後毀其三。㉔

對於了解舊山樓之現況有幫助。

舊山樓趙氏與常熟另一大藏書家「鐵琴銅劍樓」（恬裕齋）瞿氏，雖屬同邑，似乎沒有相當情誼。僅知趙氏所藏宋本《竇氏聯珠集》原為瞿氏所藏，據此兩家或有競逐之關係。

民國二十七年（1938），抗戰軍興，淞、滬一帶故家藏書紛紛散出。最初著錄於錢曾《也是園書目》的《古今雜劇》二百三十餘種，自丁祖蔭家流出，震驚學術界，而此書即曾由趙氏收藏，「舊山樓」之名才逐漸為世人所知。

此一《古今雜劇》二百三十餘種，有刊本，也有抄本，最早得見此書的鄭振鐸曾說明此書的狀況：

㉓ 《書目類編》第 34 冊，頁 85。

㉔ 同上註，頁 73。

> 每冊有汪閬源藏印，首冊有黃蕘圃手鈔目錄，多至三十九頁。幾乎每冊都有清常道人的校筆及跋語，何小山也曾細細的校過。錢遵王卻只留下了數行鈔補的手蹟，董玄宰也有跋四則。除刻本外，鈔本多半註明來源，或由內本錄校，或由于小穀本傳鈔。刻本只有兩種：一為《古名家雜劇選本》，一為《息機子雜劇選本》。㉕

《古今雜劇》雖源出於明末趙琦美「脈望館」，然現存之兩種《脈望館書目》卻均未見著錄。孫楷第推論其原因說：

> 按琦美宦遊，常以書自隨。其宦遊京師十餘年，以琦美嗜書之殷，十餘年中於所攜舊書之外，更益以新得書，則其書在京師者當屬不少。今假定玉簡齋本脈望館目呂字號續增諸書為其琦美自京師帶回者，不過一百零四種，未免過少。疑琦美萬曆四十六年因差歸里，其書多有寄京師者，未曾帶回。目所錄僅至四十六年十一月止，其目本不全，故琦美校錄諸書多不在目中，雜劇亦其中之一。㉖

琦美之後，此書似曾經董其昌（1555-1636）之手，以其書中有董氏題記五處㉗，最早一則在崇禎元年（1628），距清常之歿不過四年。然而此書究竟是否曾被董氏收藏過，諸家皆疑不能定，至少董氏曾閱讀過此書，則是可以肯定的。

此書後歸錢謙益（1582-1664）「絳雲樓」。錢曾跋《洛陽伽藍記》云：「清常歿，其書盡歸牧翁。」曹溶〈絳雲樓書目題詞〉則云：「謙益盡得劉子威（鳳）、錢功父（允治）、楊五川（儀）、趙汝師（用賢）四家書。」可知牧齋所得於趙氏之書甚多，不只此書。

㉕ 鄭振鐸〈跋脈望館鈔校古今雜劇〉（《劫中得書記·附錄》，臺北：木鐸出版社，1982 年），頁 136。

㉖ 同註⑪，頁 11。

㉗ 此處據孫楷第之說，因其所謂五處皆明示所載劇名，鄭振鐸只云四則，未標明出處，當是誤計。同註⑪，頁 19。

順治七年（1650）絳雲樓燬於火，所謂「江左書史圖籍一小劫也」，牧齋乃將燼餘之書悉贈其族孫錢曾（字遵王，1629-1701），此書亦在其內。前引跋《洛陽伽藍記》云：「絳雲一燼之後，凡清常手校秘本鈔書，皆未為六丁取去，牧翁悉作蔡邕之贈，何其幸哉！」又〈寒食行詩〉自注：「絳雲一燼之後，所存書籍大半皆趙玄度脈望館校舊藏本，公悉舉以相贈。」㉘錢曾於其《述古堂藏書目》中，詳細記載了全書之劇目，可據以考知其原來面目。

錢遵王之後，此書曾由何煌（字心友，號小山，何焯之弟）收藏過，留有許多校勘的手蹟。其後又流入顧氏「試飲堂」，黃丕烈〈跋古今雜劇〉：

> 余不喜詞曲，而所蓄詞極富，曲本略有一二種，未可云富。今年（嘉慶九年，1804）始從「試飲堂」購得元刊明刊舊鈔名校等種。毛氏云：李中麓家詞山曲海，無所不備。擬裒所藏詞曲等種，彙而儲諸一室，以為「學山海之居」，庶幾可為講詞曲者卷勺之助。

案：蘇州顧氏為清代著名之藏書家族，居於蘇州東城華陽橋者，又稱「華陽橋顧氏」或「東城顧氏」。黃蕘圃在藏書題識中又曾提到「任蔣橋顧氏」，主人號竹君；「騎龍巷顧氏」，主人名顧至，都是蘇州顧氏的分支。「試飲堂」主人名顧珊，號聽玉，其所藏宋本《吳郡志》亦為蕘圃所得。

此書由顧氏轉入黃丕烈「士禮居」，今存《蕘圃藏書題識》未見著錄。而現存書前有蕘圃手抄之目錄，計二六八種，較之錢遵王所藏，已佚七十四種。

黃蕘圃之書多歸同邑汪士鐘「藝芸精舍」，此書亦在其中。案：汪士鐘，字閬源，家富於財，又喜藏書，不惜重金以購，吳中藏書家如黃丕烈、周錫瓚、袁廷檮、顧之逵等所藏秘本，多為所得。編有《藝芸精舍宋元本書目》，又摹刻宋本《孝經義疏》、《郡齋讀書志》等。

㉘ 同註⑪，頁 22。

咸豐、同治年間，太平軍攻略蘇、常，汪氏藏書因而星散，半歸常熟瞿氏，半歸山東楊氏。而此一歷經諸家珍藏之古今雜劇，則為舊山樓趙氏所得。舊山樓藏書可溯源於明末清初，已如前述，而此一戲曲寶庫何時入藏，亦難以考知。大約就在咸豐十年（1860）太平軍陷常熟、蘇州的前後幾年。孫楷第引民初資料，認為此書光緒初年始為趙氏所得，亦疑而未定㉙，筆者以為不確，蓋太平天國滅於同治三年（1864），距光緒初已有十餘年，蘇、常一帶未再被兵，似無戰亂時書得以保存，承平時書反散出之理。

至於舊山樓藏書之散出，早年已有宋刊《纂圖互注禮記》、汲古閣鈔本《稼軒詞》（歸「涵芬樓」）；南宋館閣寫本《太宗皇帝實錄》殘本（歸張氏涉園）等㉚。

《古今雜劇》最後一任的私人收藏者是丁祖蔭（1871-1930），字芝孫，號初我，常熟人。縣學生員，曾就讀南菁書院。民國後歷任常熟縣民政長、吳縣縣長。長於經營理財，又精於校讎目錄之學，因此頗聚善本，建「湘素樓」以藏書。平時留心鄉邦文獻，著有《常昭合志稿·藝文志》與《金石志》，又刊印《虞山叢刻》、《虞陽說苑》等。丁氏曾在《國立北平圖書館館刊》第三卷第四期（1929年）發表〈黃蕘圃藏書題跋續記〉一文，輯錄黃丕烈之藏書題識11則，其中〈古今雜劇跋〉之按語云：

> 初我曾見我虞趙氏舊山樓藏有此書，假歸極三晝夜之力，展閱一遍，錄存跋語兩則。卷首尚有所謂元刊明刊雜劇曲目、又也是園藏書古今雜劇目、古名家雜劇目錄、刻元人雜劇選目錄、待訪古今雜劇存目、及汪氏錄清現存目錄十四紙。時促不及詳錄，匆匆歸趙，曾題四絕句以誌眼福。雲煙一過，今不知流落何所矣！擲筆為之嘆息不置。㉛

其實丁氏已於民國四年購得此書，所謂「匆匆歸趙，不知流落何所」云云，只是故佈

㉙ 同註⑪，頁47。

㉚ 張元濟《涉園序跋集錄》（臺灣商務印書館，1979年），頁275。

㉛ 《國立北平圖書館館刊》（臺北：臺灣學生書局，1967年影印本）。

疑陣而已。民國十九年，丁氏逝世後，其分藏常熟、吳縣兩地的藏書也逐漸散出，此一《古今雜劇》再度流入書肆，成為公私藏家競逐的對象。

潘景鄭〈跋丁芝孫古今雜劇校語〉：

> 此冊蓋芝孫先生手錄《古今雜劇》校語，原書為也是園故物，輾轉流入士禮居、藝芸精舍、舊山樓。芝孫得之趙氏後人，禁祕垂三十年，絕不示人。歿未數載，驟罹兵禍，遺篋星散。大華書店唐君，先得雜劇之下半部，索值二百元，未有問津者。適先兄博山以事返里，詫為秘籍，如值攜歸滬上，相與賞析者累旬。未幾，集寶齋主孫君伯淵，與來青閣主楊君壽祺，亦訪得是書之上半部，先兄屢謀劍合，二君居奇不肯讓，如是者年餘。吾友鄭西諦先生為商歸公之計，往返集議，久而克諧。先兄度不能劍合，亦以歸公為最宜，其後得價九千元，此書遂成完璧，皆西諦之力也。㉜

據此則是書在丁祖蔭之後曾短暫為潘承厚（號博山，1904-1943）所有，且其敘述此書歸公之經過較鄭氏所述為詳。或許因擁有時間不長，鄭、孫二人之書皆未提及。

此一珍貴戲曲史資料，傳世三百餘年之間，始終未出蘇州及常熟兩地。終於在民國二十七年五月，由教育部出資，鄭振鐸居中奔走，購歸國有。原本今存北京圖書館，該館《善本書目》頁 2985 著錄，凡 242 種，64 冊。1940 年上海商務印書館（涵芬樓）曾選擇其中未見重覆者及罕見者 144 種，更名為《孤本元明雜劇》，重新排印行世，並委由王季烈撰寫各劇之提要㉝。案：王季烈，字君九，蘇州人。其父王頌蔚（字芾卿，1848-1895），亦為清末藏書家，與葉昌熾為摯友，故季烈嘗為葉氏刊印《緣督廬日記鈔》。善崑曲，所藏曲譜甚多，與劉鳳叔編定《集成曲譜》，自撰《螾廬曲譚》㉞。

㉜ 《著硯樓書跋》（上海古典文學社 1957 年，收入《書目類編》第 77 冊），頁 339。

㉝ 《脈望館校抄古今雜劇》後由鄭振鐸影印全文，收入《古本戲曲叢刊》第四集（上海：商務印書館 1958 年）。又《孤本元明雜劇》1974 年臺灣坊間「粹文堂」曾加以翻印。

㉞ 王謇《續補藏書紀事詩》（遼寧人民出版社，1988 年），頁 147。

現將《孤本元明雜劇》之收授源流列如下表：

趙用賢—趙琦美—錢謙益—錢曾—何煌—試飲堂顧氏—黃丕烈—汪士鐘—趙宗建—丁祖蔭
　　　　　　　：　　　　　：
　　　　　　董其昌？　　季振宜？

四、《舊山樓藏書目》析論

趙氏舊山樓藏書，在當時無籍籍之名，但由於前述《孤本元明雜劇》的發現，舊山樓的重要性便凸顯出來。其藏書內容，則因為有《舊山樓藏書目》與《舊山樓藏書記》的傳世，可以略知一二。

1957 年，上海古典文學社借得「江蘇省立博物館籌備處」及曹菊生所收藏之《舊山樓書目》，合併印行。書後並附有《舊山樓藏書記》以及三篇有關舊山樓的資料，可說是相當完備。民國六十七年，嚴靈峰教授主編之《書目類編》，將此本收入於第 34 冊。以下所論，即根據此一版本。

《舊山樓書目》不分卷，以「甲、乙、丙……」為次，至「庚」為止，所載多普通本。其後則有「楠木小廚」之目，凡四廚，以「文、行、忠、信」為次，所載為宋元本及舊鈔本。四廚之後，尚有「光緒廿六年十月中補錄」者，因趙宗建歿於是年五月，這一部分應是其子嗣所錄（「補錄」中有《舊山樓書目》，注云：大兒抄，亦可證）。

就版本而言，自以「楠木小廚」所藏為珍貴，故附注云：「四廚藏梅顛閣內外間」，梅顛閣當為宗建日常居處之地。然而前述之《古今雜劇》載於「己集」（「補錄」重出），可知趙宗建並未特別重視此書，雜之明清刊本之間。這除了時代因素之外（如「信廚」中也記有部分明鈔本可證），主要還是因為傳統觀念，不以戲曲小說為重。

各集記載藏書，並未依四部分類之次序，也不是按照時代先後排列，可知此目只是趙氏藏書的簡單記錄。所以宗建另撰《舊山樓藏書記》，目的應是將「舊山樓」珍藏之善本作詳細記錄，可惜只記了十六種，沒有完成。

《舊山樓書目》所記藏書內容，首先值得注意的是一些罕見本，如《宋司馬溫公寫資治通鑑草稿》；《宋朱文公寫大學章句草稿》；《宋刊宣和遺事》（以上三種在「文廚」內）；《徐霞客遊記底稿詩底稿》；《牧齋甲申年日記、乙酉年日記》；《柳如是家信稿》（以上三種在「補錄」中）。還有一些真偽待查，如《五代本詩經殘本》；《五代本禮記殘本》（在「補錄」中），可能仍是宋刊本。

將《舊山樓藏書記》與《舊山樓書目》比對，互有出入。二目俱載者只有七種，其餘九種不見於《舊山樓書目》。又二目俱見者，其卷、冊數亦有不同。如《元刊本文選三十二冊》，《藏書目》作十六本；《元刊本古樂府六冊》，《藏書目》作八本；《宋刊本杜詩殘卷三卷三冊》，《藏書目》未著明卷數等。或許是因為趙宗建長子在謄寫《藏書目》時，已有部分珍本流出，以致《舊山樓書目》並不完整。

還有值得一提的是，《舊山樓書目》「庚集」載有《杜工部草堂詩箋》一書，注云：「東洋翻宋本」，這應該就是現代所謂的「和刻本」。關於「和刻本」漢籍，清代早期藏書家注意者不多，自光緒六年（1880）楊守敬東渡日本訪書之後，才開始受到藏書家普遍的重視。趙氏此本何時得到不可知，至多應在光緒中葉以後。

《舊山樓藏書記》以宋刊本《竇氏聯珠集》為藏書之壓卷，此書出於黃丕烈「士禮居」，其〈百宋一廛賦〉著錄，為淳熙五年（1178）刊本。另外《讀書敏求記》卷四、《鐵琴銅劍樓藏書目錄》卷二十三亦均著錄，此書今藏北京圖書館。

五、結語

清代學者洪亮吉（1746-1809）曾對所謂「藏書家」，做了分類，並加以評論：

> 藏書家有數等：得一書必推求本原，是正缺失，是謂考訂家，如錢少詹大昕、戴吉士震諸人是也；次則辨其板片，注其錯訛，是謂校讎家，如盧學士文弨、翁閣學方綱諸人是也；次則搜采異本，上則補石室金匱之遺亡，下可備通人博

士之瀏覽，是謂收藏家，如鄞縣范氏之天一閣、錢塘吳氏之瓶花齋、崑山徐氏之傳是樓諸家是也；次則第求精本，獨嗜宋刻，作者之旨意縱未盡窺，而刻書之年月最所深悉，是謂賞鑒家，如吳門黃主事丕烈、鄔鎮鮑處士廷博諸人是也；又次則於舊家中落者，賤售其所藏，富室嗜書者，要求其善價，眼別真贋，心知古今，閩本蜀本，一不得欺，宋槧元槧，見而即識，是謂販掠家，如吳門之錢景開、陶五柳；湖州之施漢英諸書估是也。㉟

雖然洪氏的說法，犯了定義不清、分類失當與舉例有誤的毛病㊱，但是如果藉此說法闡明藏書家有種種不同之藏書動機，則確有一定的道理。錢遵王曾說：「牧翁絳雲樓，讀書者之藏書也；清常脈望館，藏書者之藏書也。」㊲以彼例此，可以說趙氏舊山樓也是屬於「藏書者之藏書」。趙宗建既非學者，也沒有留下專門的學術著作或千古文章，但是經由其珍重呵護、妥善收藏的《孤本元明雜劇》得以流傳到今天，提供廣大學術研究者運用，就如同歷代以來所有知名的、不知名的藏書家一樣，為保存古代文獻貢獻了自己一生的歲月，然後一棒一棒傳遞下去。生為後人，我們實在應該對這群默默付出的人，致以崇高謝意！而趙氏「舊山樓」，正是這個接力隊伍中值得注意的一個。

㉟ 〈北江詩話〉卷三（臺北：廣文書局，1971 年《古今詩話叢編》影印《粵雅堂叢書》本），頁 83。

㊱ 參見拙作〈洪亮吉藏書家有五等說考辨〉（收入《張以仁先生七秩壽慶論文集》，臺北：臺灣學生書局，1999 年），頁 753-763。

㊲ 同註⑪，頁 15 引。

昌彼得教授八秩晉五壽慶論文集
2005年2月　　　頁307～324

馬一浮論《春秋》要旨

胡楚生

一、引言

馬浮字一浮，號湛翁，浙江紹興人，生於清光緒九年，卒於民國五十六年，當西元一八八三年至一九六七年，享年八十五歲。

馬一浮先生早年留學美國、日本，多讀西方哲學著述，二十四歲返國之後，隱居於西子湖畔，遍讀文瀾閣所藏《四庫全書》，不求聞達。

抗日軍興，倭寇侵陵，馬一浮先生隨同浙江大學西遷，先後講學於江西省之泰和縣及廣西省之宜山縣，先成《泰和會語》及《宜山會語》二書，其後再遷於四川省之樂山縣，創立復性書院，期以昌明學術，端正人心，以報國家，乃又完成《復性書院講錄》與《爾雅臺答問》二書。

馬一浮先生的為學，雖然是博極群書，兼綜儒佛，但是，其思想的重心，卻仍然是落在儒家的六藝「六經」之中，在《泰和會語》中，他指出「六藝該攝一切學術」，而「六藝統攝於一心」❶，這是馬先生論學，對於「六經」的總體看法，而在《復性書院講錄》之中，馬先生卻藉著宣講《論語》大義，而對於「六經」的要旨，分別作出講論，馬先生以為，「六藝皆孔氏之遺書，七十子後學所傳，欲明其微言大義，當

❶ 馬一浮：《泰和宜山會語合刻》，臺北，廣文書局，民國六十九年十二月臺初版。

先求之《論語》，以其皆孔門問答之詞也，據《論語》以說六藝，庶幾能得其旨」❷。

以下，則先行對於馬先生所講解的《春秋》要旨，試作闡釋。

二、要旨

《復性書院講錄》卷二之內，收有馬一浮先生所宣講的《論語大義》，《論語大義》共有十篇，其中八、九、十等三篇，專門講述《春秋》之要旨，在此三篇之中，馬先生首先提到，「《論語》無一章顯說《春秋》，而聖人作《春秋》之旨，全在其中。至顯說者，莫如《孟子》，《孟子》之後，則董生、司馬遷，能言其大，三傳自以《公羊》為主，《穀梁》次之，《左氏》述事，同於《國語》而已」❸，此為馬先生自《論語》之中，闡釋《春秋》要旨之原因，其次，馬先生又曾提到，「孟子言天下之生久矣，一治一亂，從禹抑洪水，周公兼夷狄，驅猛獸，說到孔子作《春秋》，以《春秋》為天子之事，又從人之所以異於禽獸者幾希，庶民去之，君子存之，因言舜明於庶物，察於人倫，歷敘禹湯文武周公之德，說到詩亡而後《春秋》作，所謂其義則丘竊取之者，意以孔子作《春秋》，乃所以繼諸聖，《春秋》之義，即諸聖之道也」，因此，馬先生也以為，「學者須先明孟子之言，然後可以求《春秋》之義於《論語》、於《易》，皆可觸類而引申之」，再次，馬先生也提到，研治《春秋》的方法，他說，「公羊家謂《春秋》借事明義，此語得之」。

在《論語大義》中，馬先生指出，《春秋》的要旨，共有四項，一是「夷夏進退」、二是「文質損益」、三是「刑德貴賤」、四是「經權予奪」。

以下，即就此四項要旨，依據馬先生的提示，加以闡釋。

---

❷ 馬一浮：〈通治群經必讀諸書舉要〉，載《復性書院講錄》，臺北，廣文書局影印原刻本，民國五十三年一月初版。

❸ 馬一浮：《論語大義》，載《復性書院講錄》，臺北，廣文書局影印原刻本，民國五十三年一月初版，下引並同。

㈠ 論夷夏進退義

馬一浮先生《論語大義》云：

> 《論語》曰：「夷狄之有君，不如諸夏之無也。」此在正名，大義有二科，一正夷夏之名，一正君之名，《春秋》不予夷狄為禮，是以無禮為夷狄也。《春秋》「尊禮而重信，信重於地，禮尊於身」（《繁露・楚莊王篇》），故晉伐鮮虞則狄之（昭十二年），惡其伐同姓也。鄭伐許則狄之（成三年），惡其伐喪叛盟也（成二年，衛侯速卒，鄭師侵之，鄭與諸侯盟於蜀，以盟而歸，諸侯於是伐許），伐喪無義，叛盟無信，無義無信，是夷狄也。

今案《春秋》昭公十二年記曰：「晉伐鮮虞。」《穀梁傳》云：「其曰晉，狄之也，其狄之，何也？不正其與夷狄交伐中國，故狄稱之也。」范寧《注》云：「鮮虞、姬姓，白狄也，地居中山，故曰中國，夷狄，謂楚也。」❹鮮虞為姬姓之國，與晉同姓，地居中山，而晉以大國，與夷狄之楚，攻伐同姓之國鮮虞（范寧據《春秋》「晉伐鮮虞」前有「楚子伐徐」之文，而以為晉伐鮮虞，乃與楚國同往），其行為之無禮，等同夷狄，故《春秋》以「狄」稱之，意在貶晉以為夷狄也。又案《春秋》成公二年記曰：「庚寅，衛侯速卒。」又記曰：「冬，楚師、鄭師侵衛。」是鄭人藉衛侯之喪，與夷狄之楚，而往伐之。《春秋》成公二年又記曰：「丙申，公及楚人、秦人、宋人、陳人、衛人、鄭人、齊人、曹人、邾人、薛人、鄫人，盟于蜀。」《春秋》成公三年記曰：「（冬，十有一月）鄭伐許。」何休《公羊解詁》云：「謂之鄭者，惡鄭襄公與楚同心，數侵伐諸夏，自此之後，中國盟會無已，兵革數起，夷狄比周為黨，故夷狄之。」❺范寧《穀梁傳注》云：「鄭從楚而伐衛之喪，又叛諸侯之盟，故狄之。」要之，晉鄭雖皆為中夏之國，而晉伐同姓之國，鄭則伐喪叛盟，故《春秋》皆以之為夷狄，故馬一浮先生

---

❹ 《春秋穀梁傳注疏》，臺北，藝文印書館影印阮刻《十三經注疏》本，下引並同。

❺ 《春秋公羊傳注疏》，臺北，藝文印書館影印阮刻《十三經注疏》本，下引並同。

以為，《春秋》乃「以無禮為夷狄也」。馬一浮先生《論語大義》又云：

> 邲之戰，不與晉而與楚子為禮（宣十二年），《繁露》曰：「晉變而為夷狄，楚變而為君子，故移其辭，以從其事。」（〈竹林篇〉）伯莒之戰（定四年），《公羊》曰：「吳何以稱子？夷狄也，而憂中國（善其救蔡），及吳入楚，何以不稱子？反夷狄也（其反夷狄，謂君舍於君室，大夫舍於大夫室，妻楚王之母，惡其無義）。」其進退之速如此，且楚為文王師鬻熊之後，吳為仲雍之後，固神盟之胄也，何以夷之？此見諸夏與夷狄之辨，以有禮義與無禮義為斷，而非以種族國土為別，明矣。

今案《春秋》宣公十二年記曰：「楚子圍鄭，夏，六月，乙卯，晉荀林父帥師，及楚子戰於邲，晉師敗績。」邲之戰，楚勝晉敗，《左傳》記楚莊勝而能謙，不築武軍，不為京觀，以誌武功，又云，「夫文，止戈為武」，「夫武，禁暴、戰兵、保大、定功、安民、和眾、豐財者也」，「武有七德，我無一焉，何以示子孫」❻，故《公羊傳》以為，楚君有禮，因加稱許，而云：「大夫不敵君，此其稱名氏以敵楚子何？不與晉而與楚子為禮也。」而董仲舒《春秋繁露．竹林篇》也云：「《春秋》無通辭，從變而移，今晉變而為夷狄，楚變而為君子，故移其辭，以從其事。」❼故移變其文辭，對楚君加以稱許。又案《春秋》定公四年記曰：「冬，十有一月，庚午，蔡侯以吳子及楚子戰于伯莒，楚師敗績。」考楚大臣伍子胥之父，為楚昭王所誅，子胥奔吳，時蔡昭公朝於楚，昭公有美裘服，楚大臣囊瓦求之，昭公不與，乃拘昭公，囚之數年，方始歸之，及楚伐蔡，蔡求救於吳，於是吳人從蔡人與楚人戰於伯莒，大敗楚軍，《公羊傳》云：「吳何以稱子？夷狄也，而憂中國。」以為吳雖為邊鄙之國，而能為中原諸侯分其所憂，討伐夷狄之楚，故不稱吳為「人」，而稱為「子」，用以褒之。及吳

❻ 《春秋左氏傳注疏》，臺北，藝文印書館影印阮刻《十三經注疏》本，下引並同。

❼ 蘇輿：《春秋繁露義證》，臺北，河洛出版社影印清宣統庚戌刊本，民國六十三年三月臺一版，下引並同。

軍戰勝，《春秋》定公四年又記曰：「楚囊瓦出奔鄭，庚辰，吳入楚。」《公羊傳》云：「吳何以不稱子？反夷狄也，反夷狄奈何？君舍于君室，大夫舍于大夫室，蓋妻楚王之母也。」吳軍乘勝入楚國首都郢城，吳君居楚君之宮，吳大夫居楚大夫之室，吳君以楚君之母為其妻，行為野鄙，故《春秋》逕稱之為「吳」，不復再稱之為「吳子」，以為吳國復返於夷狄之行，故貶之也。《春秋》於吳國，一年之內，或褒之稱「吳子」，或貶之稱「吳」，故馬先生以為，「其進退之速如此」也。

馬一浮先生討論《春秋》要旨，於「夷夏進退」之義，先行舉出「中國進入夷狄」之兩例，又復舉出「夷狄進於中國」之兩例，而總括之以謂，「此見諸夏與夷狄之辨，以有禮義與無禮義為斷，而非以種族國土為別，明矣。」

㈡ 論文質損益義

馬一浮先生《論語大義》云：

> 「棘子成曰，君子質而已矣，何以文為？子貢非之曰，文猶質也，質猶文也，虎豹之鞹，猶犬羊之鞹」，「子曰，質勝文則野，文勝質則史，文質彬彬，然後君子」，此可證也。「周監於二代，郁郁乎文哉，吾從周」復曰，「先進於禮樂，野人也，後進於禮樂，君子也，如用之，則吾從先進」，從周，則疑於棄質，從先進，又疑於棄文，聖人損益之宜，亦是難見，如曰，「麻冕，禮也，今也純，儉，吾從眾。拜下，禮也，今拜乎上，泰也，雖違眾，吾從下」，從儉是質，從下是文，以此求之，略可知也。

「棘子成」一節，見於《論語・顏淵篇》，棘子成乃衛之大夫，彼以為君子之人，專尚本質即可，不必兼尚文采，故子貢惜之，以為棘子成之論君子，意義錯失，而一言既出，已如駟馬難追，子貢以為，文采與本質，重要相同，皆不可少，如君子之行，僅有本質，而無文采，則如虎豹去其皮毛，乃與犬羊去其皮毛，兩不相異，則君子之行，也與小人之行，無所分別了，故馬先生又引《論語・雍也篇》夫子之言，「質勝文則野文，文勝質則史」，以為「文質彬彬」[8]，兩者兼具，然後方為君子。馬先生又引《論語·八佾篇》孔子論「周監於二代」之言，以為周在夏商之後，能詳審二代之得失，因而禮樂典制，郁然美盛，故主張「從周」之文，但是，《論語·先進篇》引孔子之言，以為先進之輩，對於禮樂，文質得宜，似較樸野，後進之輩，對於禮樂，文過其質，似近君子，而孔子用之，則寧願依從先進者之行為，然而，比較前引兩章孔子之言，則馬先生以為，若「從周」則不免棄質從文，「若從先進」，又不免棄文從質，則聖人於「損益之宜，亦是難見」，因而，馬先生再引《論語·子罕篇》孔子之言，以為古代行禮，多戴麻布之冕，而現今改戴黑色絲冕，則較為節儉，故孔子也從眾人習慣，戴絲冕以求儉。至於古代君臣相見之禮，臣拜君於堂下，而現今臣拜君於堂上，則臣子之行為，不免有驕泰之色，故孔子寧願違背眾人習慣，仍守拜君於堂下之禮。要之，馬先生以為，「從儉是質，從下是文」，孔子或從質，或從文，隨宜而定，要在注重禮之精義而已，後人以此求之，則於文質損益之用，大略可知。馬一浮先生《論語大義》又云：

> 《春秋》之所譏絕，大者如魯之郊禘，吳楚之僭王，（哀四年，「晉人執戎曼子赤歸於楚」，《公羊傳》曰：「辟伯晉而京師楚也。」十三年，「公會晉侯及吳子於黃池」，《傳》曰：「吳稱子，主會也，先言晉侯，不與夷狄之主中國也。」《何注》云：「不書諸侯，微辭惡諸侯君事夷狄。」）諸侯背叛，大夫專命，不可殫舉，晉文召王，諱之曰，「天王狩於河陽」，惠廟舞八佾，諱之曰，「初獻六羽」，皆由拜上之漸以啟之也，「三家者以雍徹」，「季氏旅於泰山」，《論語》皆致惡絕之辭，非《春秋》之旨乎！「人而不仁，如禮何，人而不仁，如禮何，人而不仁，如樂何」，亦為三家之僭言之也。

馬先生又舉出《春秋》中所譏絕之事，如僖公三十一年，《春秋》記曰：「夏，四月，

[8] 《論語注疏》，臺北，藝文印書館影印阮刻《十三經注疏》本，下引並同。

四卜郊，不從，乃免牲，猶三望。」《公羊傳》云：「卜郊，非禮也，卜郊何以非禮？魯郊，非禮也。魯郊何以非禮？天子祭天，諸侯祭土。」郊乃祭天之名，魯君以諸侯而卜天子祭天之日，乃僭越之行，故為非禮。馬先生又舉出哀公四年，晉人以計誘擒戎君曼子赤，以畀於楚，故《公羊傳》釋《春秋》之言「歸于楚」，乃是希望避免世人誤以晉為宗伯之國，又誤以楚為天子也。至於哀公十三年，《春秋》先言晉侯，再及吳子，《公羊傳》則直言乃不贊同夷狄之吳進而為中原諸侯之盟主。僖公二十八年，晉文公實召周天子，隱公五年，於惠公廟，舞六佾，（天子八佾，公六佾，諸侯四佾，魯為諸侯，用六佾，僭用公禮），馬先生以為，此皆由於人臣拜君於堂上，逐漸僭越禮制，因而導致諸侯日益驕泰，有以致之。至於《論語・八佾篇》記魯國大夫孟孫、叔孫、季孫三家於家祭完畢，奏天子之「雍」詩以撤祭饌，以及記魯國大夫季孫僭越禮制，行天子祭祀泰山之「旅」祭，《論語》記孔子皆以嚴辭加之。要之，諸侯僭越禮制，孔子予以口誅筆伐，皆屬於《春秋》一書之要旨。馬一浮先生《論語大義》又云：

> 林放問禮之本，子曰：「禮，與其奢也，寧儉，喪，與其易也，寧戚。」按《春秋》作南門（僖二十年），刻桷丹楹（莊二十二年、二十四年）、作雉門及兩觀（定二年）、築三臺（莊三十一年）、新延廄（莊二十九年），皆譏，為其驕溢不恤下，惡奢也。譏文公喪取，按經文，距僖公薨已踰四十一月，何以謂之喪取？以納幣之月在喪分，董生曰：「《春秋》之論事，莫重於志，三年之喪，畢，猶宜未平於心，今全無悼遠之志，是《春秋》所甚疾也，惡其不戚也。」是知答林放之問，亦《春秋》之旨也，儉與廉，是質，奢與易，是文，此損文以就質，猶棄麻冕而用純也，拜下近文，拜上近質，惡其泰而漸至於僭也，則又損質以就文，於此可見損益之微旨。

《論語・八佾篇》記「林放問禮之本」，孔子回答，以為禮之用，寧取儉戚，不取奢易，至於《春秋》所記僖公「新作南門」，不合古制，莊公「丹桓宮楹」、「刻桓宮桷」，漆桓公廟寢為丹色、刻桓廟寢之椽柱，定公「新作雉門及兩觀」，復修火災後之雉門及兩觀飾品，以及莊公連續「築臺于郎」、「築臺于薛」、「築臺于秦」，繕修延廄，「新延廄」，《公羊傳》並皆稱「譏」，皆因其驕奢在上，而不恤憫下民之故。又《春秋》僖公三十三年記曰：「十有二月，（僖）公至自齊，乙巳，公薨于小寢。」又文公二年記曰：「（冬）公子遂如齊納幣。」《公羊傳》云：「納幣不書，此何以書？譏，何譏爾？譏喪娶也，娶在三年之外，則何譏乎喪娶？三年之內不圖婚。」故董仲舒《春秋繁露．玉杯篇》亦譏文公喪娶，「惡其不戚也」，故馬先生以為，文之與質，應兩相兼具，適時而用，方才是聖人對於文質損益而用的意旨。馬一浮先生《論語大義》又云：

> 董生曰：「禮之所重者，在其志，志敬而節具，則君子予之知禮，志和而音雅，則君子予之知樂，志哀而居約，則君子予之知喪，志為質，物為文，文著於質，質文兩備，然後其禮成，文質偏行，不得有我爾之名，不能俱備，而偏行之，寧有質而無文，雖弗能予，禮尚少善之，介葛盧來是也，（僖二十九年春，來，未見公，冬，又來，《公羊何注》云：「不能升降揖讓，進稱名者，夷狄能慕中國，明當扶勉以禮義。」）有文無質，非直不予，乃少惡之，謂州公寔來是也，（桓五年，冬，「州公如曹」，六年，春，書「寔來」，《公羊傳》曰：「謂州公也，謂之寔來，慢之也，曷為慢之？化我也。」《何注》：「行過無禮謂之化，齊人語，謂諸侯相過，至境必朝，今州公過魯而不朝，是慢我也。」）然則《春秋》之為道也，先質而後文，右志而左物，故曰，禮云禮云，玉帛云乎哉！推而前之，亦宜曰，朝云朝云，辭令云乎哉！樂云樂云，鐘鼓云乎哉！引而後之，亦宜曰，喪云喪云，衣服云乎哉！」董生此言，最得其旨，〈樂記〉曰：「窮本知變，樂之情也，著誠去偽，禮之經也。」《春秋》，禮義之大宗，故今謂文質，乃是並用，而非遞嬗，學者以是推之，於聖人損益之道，亦可略窺其微意矣。

馬先生所引董子之言，見於《春秋繁露．玉杯篇》，董子之意，雖曰，「不能俱備」，「寧有質而無文」，但其目標，仍以「質文兩備」，然後許之以「禮成」，是以馬先生也一再強調，「今謂文質，乃是並用，而非遞嬗」，其意要可知也。

㈢ 論刑德貴賤義

馬一浮先生《論語大義》云：

> 「陽為德，陰為刑」，《大戴禮》引孔子言，董生對策本此，略曰：「刑主殺，而德主生，陽常居大夏，而以生育長養為事，陰常居大冬，而積於空虛不用之處，以此見天子任德不任刑，刑之不可任以成世，猶陰之不可任以成歲也，為政而任刑，謂之逆天，非王道也（亦見《繁露·陽尊陰卑篇》）。此其義，出於「為政以德」及「道之以政」二章，《論語》申此義者，隨處可見，如曰，「善人為邦百年，亦可以勝殘去殺矣」，對季康子曰，「子為政，焉用殺」，宰我對哀公問社，「周人以栗，曰，使民戰栗」，孔子惡之，蓋聖人行王政，必極於刑措不用，因惡刑而亦欲去兵，衛靈公問陳，對曰，「軍旅之事，未之學也」，答子貢，明言「去兵」，因惡刑而亦欲去獄訟，〈大學〉引孔子曰，「聽訟，吾猶人也，必也使無訟乎」。

馬先生引孔子「陽為德，陰為刑」之言，引董仲舒「刑主殺，德主生」之言，以為為政之道，必當任德而不任刑，以致於兵爭戰伐獄訟之事，皆非所當貴所當重之事，方屬於仁政王道之行徑。馬一浮先生《論語大義》又云：

> 《春秋》始作丘甲（成九年，「甲，鎧也」，謂使民作鎧），作三軍（襄十一年），始用田賦（哀十二年），皆譏，惡攻戰，因惡盟而善平，其書戰伐甚謹，粗者曰侵，精者曰伐，戰不言伐，圍不言戰，人不言圍，滅不言入，書其重者，伐者為客，見伐者為主，（此猶今日國際戰爭，以先開釁者負責任）雖數百起，必一二書，傷其害所重也，《論語》：「天下有道，禮樂征伐自天子出，天下無道，禮樂征伐自諸侯出，自諸侯出，十世希不失矣，自大夫出，五世希不失矣，陪臣執國命，

三世希不失矣。」此實《春秋》之所以作也。

《春秋》成公元年記曰：「三月，作丘甲。」《公羊傳》云：「何以書？譏，何譏爾？譏始丘使也。」《何休注》云：「四井為邑，四邑為丘，甲、鎧也，譏使始丘民作鎧也。」魯成公使丘民作車甲武器，以供戰爭之需，故《春秋》譏之。又《春秋》襄公十一年記曰：「春，王正月，作三軍。」《公羊傳》云：「三軍者何？三卿也，作三軍何以書？譏，何譏爾？古者上卿下卿，上士下士。」古代諸侯二軍，使上卿下卿領軍，則稱上士下士，今魯襄公始作三軍，故《春秋》譏之。又哀公十二年記曰：「春，用田賦。」《公羊傳》云：「何以書？譏，何譏爾？譏始用田賦也。」魯哀公始按田畝徵稅徵兵，《春秋》譏之。要之，皆由於厭惡戰爭之事也。又《春秋》莊公十年記曰：「二月，公侵宋。」《公羊傳》云：「粗者曰侵，精者曰伐，戰不言伐，圍不言戰，入不言圍，滅不言入，書其重者也。」其意乃指粗略用兵謂之侵，深入敵國謂之伐，故戰爭之事，言戰則不言伐，言圍則不言戰，言入則不言圍，言滅則不言入，皆擇其重大傷害於敵國之事而言之。又莊公二十八年《公羊傳》云：「春秋伐者為客，伐者為主。」《何休注》云：「伐人者為客。」又云：「見伐者為主。」又《春秋繁露·竹林篇》云：「是故戰攻侵伐，雖數百起，必一二書，傷其害所重也。」也謂《春秋》於戰爭之事，必一一依次書而記之，主要以其所造成之災害甚重也。至於《論語·季氏篇》孔子言「天下無道」，禮樂征伐出自「諸侯」、「大夫」、「陪臣」等之手，則逆理違道，愈益加速，天下亂臣賊子，愈益加多，故馬先生以為，孔子《春秋》，亦不得不作也。馬一浮先生《論語大義》又云：

> 《孟子》曰：「春秋無義戰，彼善於此，則有之。」《繁露·竹林篇》曰：「《春秋》之法，凶年不修舊（新延廄），意在無苦民爾，苦民尚惡之，況傷民手，傷民尚痛之，況殺民乎！《春秋》之所惡者，不任德而任力。」又曰：「難者曰，《春秋》之書戰伐，有惡有善，惡詐擊而善偏戰，（僖元年，「冬，公子友帥師敗莒師于犁，獲莒挐」，《公羊傳》曰：「大季子之獲也，季子治內難以正，禦外難以正，其禦外難以

正奈何？公子慶父弒閔公，走莒，莒人逐之，聞慶父抗輈經死汶水上，因求賄於魯曰，吾已得子之賊矣，魯人不與，於是興師伐魯，季子待之以偏戰。」《何注》：「善季子忿不加暴，得君子之道。」偏戰者，猶今言應戰，非好與人為敵也，人以兵加之，而後戰耳，詐戰，則是背盟而伐人。）恥伐喪而榮復讎，（莊四年，「紀侯大去其國」，《傳》：「何為不言齊滅之？為襄公諱也，《春秋》為賢者諱，何賢乎襄公？復讎也。）奈何以《春秋》為無義戰，而盡惡之？曰，《春秋》之於偏戰也，善其偏，不善其戰，猶其於諸夏也，引之魯則謂之外，引之夷狄，則謂之內，比之詐戰，則謂之義，比之不戰，則謂之不義，故盟不如不盟，然而有所謂善盟，戰不如不戰，然而有所謂善戰，不義之中有義，義之中有不義，辭不能及，皆在於指，非精心達思者，孰能知之。」按董生此言，推闡無義戰之旨最精。

《孟子》以為，「春秋無義戰」，《春秋繁露》則先引詰難者之辭，以為《春秋》惡詐擊而善偏戰，恥伐喪而榮復讎，既有所善所榮之戰爭，則《春秋》並非全然一無義戰可知，故《繁露》以為，《春秋》對於被迫起而防衛的戰爭，主要是善其能夠反抗暴力，保家衛鄉的行為，卻不是任意稱許戰爭的行徑，因此，戰爭雖然是不善不義的行為，其中卻有善戰義戰的存在，只有細心體會，才能明瞭《春秋》的意旨。因此，馬一浮先生也舉出僖公元年，公子慶父弒君閔公，出亡莒國，莒國興師向魯國求取賄賂，魯國公子友帥師抵抗，大敗莒師的事件，以及莊公四年，齊襄公能夠打敗紀侯，為九世祖先齊哀公復讎的事件，以說明《春秋》「善偏戰」而「榮復讎」的意義，並稱許董仲舒對於《春秋》「無義戰」的解釋，最為精要。馬一浮先生《論語大義》又云：

《孟子》曰：「王者之師，有征而無戰，湯東面而征，西夷怨，南面而征，北狄怨。」征者正也，以義正之，戰則為敵對之辭，《公羊傳》曰：「王者無敵，故言征不言戰也。」禮樂是德，征伐是刑，禮樂之失，而為僭差，征伐之失，而為攻戰，《春秋》為是而作，故孟子曰：「五伯，三王之罪人也。」董生曰：

> 「《春秋》之辭，有賤者，有賤乎賤者，（哀四年，「盜殺蔡侯申」，《公羊傳》曰：「弒君，賤者窮諸人，此其稱盜何？賤乎賤者也。」）夫有賤乎賤者，則亦有貴乎貴者矣。（言有尤賤尤貴者，如盜賤於人，仁貴於讓。）」推任德不任刑之旨，而後聖人之所貴賤可知也。

《春秋》哀公四年記曰：「春，王二月，庚戌，盜殺蔡侯申。」據《左傳》所記，殺蔡昭侯者，乃蔡大夫公孫翩，而《公羊傳》云：「弒君，賤者窮諸人，此其稱盜以弒何？賤乎賤者也，賤乎賤者孰謂？謂罪人也。》以為弒君之罪大，故貶之稱「人」，至於不稱人而稱「盜」，則是其賤尤有賤於稱「人」者，因此，馬一浮先生以為，聖人主張任德而不任刑，只有從德與刑的差別之處，才可以見出孔子心目中所貴及所賤之事項。

四 論經權予奪義

馬一浮先生《論語大義》云：

> 子曰，「可與立，未可與權」，謂虞仲夷逸，「廢中權」，謂管仲，「豈若匹夫匹婦之為諒」，是言權也。「志士仁人，有殺身以成仁，無求生以害仁」，「自古皆有死，民無信不立」，是言經也。「微管仲，吾其披髮左衽矣」，以功則予之，「管仲之器小哉」，「管氏而知禮，孰不知禮」，以禮則奪之，《春秋》之予奪，以此推之，可知也。

《論語・子罕》云：「子曰，可與共學，未可與適道，可與適道，未可與立，可與立，未可與權。」《朱注》云：「權，稱錘也，所以稱物而輕重者也，可與權，謂能權經重，使合義也。」《論語・微子》引孔子論虞仲、夷逸二人：「隱居放言，身中清，廢中權。」《朱注》謂虞仲、夷逸二人：「隱居獨善，合乎道之清，放言自廢，合乎道之權。」《論語・憲問》云：「子曰，管仲相桓公，霸諸侯，一匡天下，民到于今受其賜，微管仲，吾其被髮左衽矣，豈若匹夫匹婦之為諒也，自經於溝瀆而莫之知也。」豈若匹夫匹婦兩句，指管仲權衡輕重，而不似小民之自刭以求免罪。以上所引，馬先生指為乃孔子論「行權」之處。《論語·衛靈公》云。「子曰，志士仁人，無求生以害仁，有殺身以成仁。」《朱注》云：「理當死而求生，則於其心有不安矣，是害其心之德也，當死而死，則心安而德全矣。」《論語·顏淵》引孔子曰：「自古皆有死，民無信不立。」《朱注》云：「寧死而不失信於民。」以上所引，馬先生指為乃孔子論「守經」之處。至於孔子謂「微管仲，吾其被髮左衽矣」，則是因管仲有大功於中夏民族，故特予稱許，而《論語·八佾》記孔子謂「管仲之器小哉」，「管氏而知禮，孰不知禮」，則是以禮制相衡量，而指斥管仲，而不予以稱許之也。馬先生以為，即就孔子所論「經」、「權」、「予」、「奪」之義，而《春秋》之「經、權、予、奪」要旨，也從而可知。馬一浮先生《論語大義》又云：

> 董生曰：「《春秋》有經禮，有變禮，明乎經變之事，然後知輕重之分，可與適權矣。」（《繁露·玉英篇》）經禮，禮也，變禮，亦禮也，是知達於禮者，乃可與適權，其有達於常而不達於變，達於變而不達於常者，必於禮有未達也，淳于髡以援嫂溺比援天下，自以為達權，《孟子》曰：「天下溺，援之以道，子欲手援天下乎？」言不可以枉道為權也，孔子謂顏子，「用之則行，舍之則藏，唯我與爾有是夫！」是以可與權許之，孟子所謂「禹、稷、顏子、曾子、子思，易地則皆然」是也。

馬先生以為，禮制雖有經禮變禮之異，而必須深通於禮制之義，方能明了於經權之事，《孟子·離婁上》引淳于髡所問「嫂溺，則援之以手乎」，進而問「今天下溺矣，夫子之不援，何也」，故以為「今天下大亂，民遭陷溺，亦當從權以援之，不可守先王之正道也」（《朱注》），而孟子回答則曰，「天下溺，援之以道，嫂溺，援之以手」，孟子以為，「天下溺，唯道可以救之，非若嫂溺可手援也，今子欲援天下，乃欲使我枉道求合，則先失其所以援之之具矣」（《朱注》），是以孟子以為，從權之事，也當以守經為本，而不可枉道以行之，故《論語，述而》中，孔子方以可以行權，稱許顏回，《孟子·婁下》，孟子才說，「禹、稷、顏回同道」，「易地則皆然」，是以必須先能知常，而後才可以達變，故經權不能相離。馬一浮先生《論語大義》又云：

> 子莫執中無權，賢於楊墨，孟子惡其害道，同於執一，惡鄉原，為其閹然媚於世，自以為知權，則曰，君子反經而已矣（反言復也，《公羊》家說反經為權，成釋為反背之反，非），是知不達於變，其失為子莫，不達於常，其流為鄉原，故君子惡之（惡鄉原甚於惡楊墨），是即《春秋》之所惡也。其予者奈何？曰，一於禮，一於仁而已矣，禮重於身者經也（如予宋伯姬），仁貴於讓者權也（如予司馬子反），賢祭仲而惡逢丑父，其枉正以存君，同也，而榮辱不同理，故予奪異，中權之難如是，非精義入神，不足以知之。（桓十一年）「宋人執鄭祭仲」，《公羊傳》曰：「祭仲者何？鄭相也，何以不名？賢也，何賢乎祭仲？以為知權也，莊公死，已葬，祭仲往省於留，塗出於宋，宋人執之，謂之曰，為我出忽，而立突，祭仲不從其言，則君必死，國必亡，從其言，則君可以生易死，國可以存易亡，少遼緩之，則突可故出，而忽可故反，是不可得則病，然後有鄭國，古人有權者，祭仲之權是也，權者何？反經，然後有善者也，權之所設，舍死亡無所設，行權有道，自貶損以行權，不害人以行權，殺人以自生，亡人以自存，君子不為也。」成二年，「齊侯使國佐如師」，《公羊傳》曰：「佚獲也，其佚獲奈何？師環齊侯，晉郤克投戟逡巡再拜稽首馬前，逢丑父者，頃公之車右也，面目衣服，與頃公相似，代頃公當左，使頃公取飲，頃公操飲而至，曰，革取清者，頃公用是佚而不反，逢丑父曰，吾賴社稷之神靈，吾君已免矣，郤克曰，欺三軍者，其法奈何？曰，法斮，於是斮逢丑父。」

《孟子·盡心上》云：「孟子曰，楊子取為我，拔一毛而利天下，不為也。墨子兼愛，摩頂放踵利天下，為之。子莫執中，執中為近之，執中無權，猶執一也。所惡執一者，為其賊道也，舉一而廢百也。」《朱注》云：「執中而無權，則膠於一定之中而不知變，是亦執一而已矣。」又云：「為我害仁，兼愛害義，執中者，害於時中，皆舉一而廢百者也。」子莫執中，似近於道，而執中無權，不知變宜，故孟子惡其有害於中正之道，與執一無別。《孟子·盡心下》記孟子曰：「閹然媚於世者，是鄉原也。」又曰：「非之無舉也，刺之無刺也，同乎流俗，合乎污世，居之似忠信，行之似廉潔，眾皆悅之，自以為是，而不可與入堯舜之道，故曰德之賊也。」又曰：「君子反經而已矣，經正，則庶民興，庶民興，斯無邪慝矣。」《朱注》云：「反，復也，經，常也，萬世不易之常道也。」鄉原之人，自以居於狂者狷者之中，自以為合於權變，自以為人莫能非之，而不自知其行為之似是而非、亂德害道，故孟子強調，君子之行，當返回於常經常道。馬一浮先生引述《孟子》之言，而以為人之行徑，不達於權變，不達於常經者，亦皆為《春秋》所惡斥者。馬一浮先生又舉《春秋》桓公十一年，鄭相祭仲在宋人威脅之下，暫廢鄭君昭公忽，而立新君厲公突之事，又舉《春秋》成公二年，晉齊鞍之戰，逢丑父與齊頃公於車上易位，而解救國君之事。兩相比較，而以為《春秋》「賢祭仲而惡逢丑父」，認為二人保存國君之事雖同，而使國君所得，「榮辱不同理」，故對於祭仲及逢丑父之行為，或加稱許，或加貶謫，也自不相同。馬一浮先生《論語大義》又云：

> 董生曰：「丑父之所為，難於祭仲，祭仲見賢，而丑父見非，何也？祭仲措其君於人所甚貴以生之，丑父措其君於人所甚賤以生之，前枉而後義者，謂之中權，雖不能成，《春秋》善之，魯隱公鄭祭仲是也，前正而後有枉者，謂之邪道，雖能成之，《春秋》不愛，齊頃公逢丑父是也。夫冒大辱以生，賢者不為也，而眾人疑焉，《春秋》以人之不知義而疑也，故示之以義曰，國滅，君死之，正也，正也者，正於天之為人性命也，（按此與《孟子》盡其道而死者正命也，同）天之為人性命，使行仁義，而羞可恥，非若鳥獸然，苟為生，苟為利而已，是故《春秋》推天施而順人理，以至尊為不可以加於至辱大羞，故獲者絕之，以至辱為亦不可加於至尊大位，故失位弗君也，況其溷然方獲而虜邪？其於義也，

> 非君定矣，若非君，則丑父何權矣，故欺三軍，為有大罪於晉，其免頃公，為辱宗廟於齊，是以雖難，而《春秋》弗愛，是以丑父欺而不中權，忠而不中義（謂陷其君於不義）。」董生之論甚精，故引之以助思繹。

鄭國祭仲，齊國逢丑父，皆不以正道，而保全其國君之性命，但《春秋》對之，予奪相異，榮辱不同，董仲舒以為，祭仲「前枉而後義」，「措其君於人所甚貴以生之」，謂之中權，故《春秋》善之，而逢丑父，「措其君於人所甚賤以生之」，使其君「冒大辱以生」，「為辱宗廟於齊」，因以丑父欺而不中權，雖忠於君國，而卻陷其君於不義，故《春秋》弗愛，而《春秋繁露·竹林篇》中所言，馬先生也以為，「董生之論甚精」也。馬一浮先生《論語大義》又云：

> 程子曰：「何物為權？義也，古今多錯用權字，才說權，便墮變詐或權術，不知權，只是經所不及者，權量輕重，使之合義，才合義，便是經也。」程子此言，尤約而盡（胡文定曰：「變而不失其正之謂權，常而不過於中之謂正。」義亦精審）學者當知經權不二，然後可以明《春秋》予奪之旨，所以決嫌疑，明是非，非精於禮者，未易窺其微意也，《論語》：「君子無適也，無莫也，義之與比。」此經權之本也，「吾無間然」，予之至也，「斗筲之人，何足算哉」，惡之至也，由此以推之，亦可以略知其辨矣。

馬先生以程子所釋「權量輕重，使之合義」，而與《論語·里仁》所引孔子「義之與比」合論，以為此即「經權之本」，故主張「經權不二」，只有權不離經，雖權宜而終必歸之於經，方才是權，如此，然後方可明了《春秋》中或予或奪之意旨，至於《論語·泰伯》所記：「子曰，禹，吾無間然矣，菲飲食，而致孝乎鬼神，惡衣服，而致美乎黼冕，卑宮室，而盡力乎溝洫，禹，吾無間然矣。」《朱注》云：「或豐或儉，各適其宜，所以無罅隙之可議也。」馬先生以為，此乃褒揚之至之言，如稱許大禹之例，至於《論語·子路》所記：「子貢問曰，何如斯可謂之士矣，子曰，行己有恥，使於四方，不辱君命，可謂士矣。曰，敢問其次，曰，宗族稱孝焉，鄉黨稱弟焉。曰，敢問其次，曰，言必信，行必果，硜硜然小人哉，抑亦可以為次矣。曰，今之從政者何如？子曰，噫！斗筲之人，何足算也。」《朱注》云：「今之從政者，蓋如魯三家之屬。」又：「斗筲之人，言鄙細也。」馬先生以為，此乃厭惡之至之言，如貶謫魯季氏之例。由上述《論語》所記，仔細體會孔子予奪之異，馬先生以為，當可以推知孔子於《春秋》中所以或褒或貶之分別。

三、結語

馬一浮先生《論語大義》云：「上來依《論語》，略說《春秋》義，雖僅舉四門，以一反三，可至無盡。」又云：「文不能離質，權不能離經，此謂非匹不行，用之通變者，應理而得其中，從體起用，謂之自內出。夷必變於夏，刑必終於德，此謂非主不止，用之差忒者，雖動而貞夫一，會相歸性，謂之自外至。一致而百慮，非匹不行也，殊塗而同歸，非主不止也。」馬先生於《論語大義》中，論《春秋》要旨，誦讀之餘，尚有數點，可資記錄。

1.馬先生自《論語》中探尋《春秋》要旨，其意則以《春秋》為孔子所作，而《論語》也記述孔子之言，故兩者可相互印合，得其旨要，而無間然。

2.馬先生說《春秋》要旨，除與《論語》相印合之外，尤多取《孟子》所論，以為闡釋《春秋》之基礎，則以為孔子作《春秋》之目的，孟子最能闡明之也。

3.馬先生說《春秋》要旨，除以《孟子》所論為其基礎之外，也多取《公羊傳》、《春秋繁露》之言，以闡釋《春秋》之義蘊，至於《穀梁傳》與《左傳》，則偶加採取，以為輔佐之用而已。

4.馬先生所論《春秋》要旨，雖僅約舉四項，加以「略說」，但《春秋》大義，由此四項，為其綱領，則推明其他，也當比類可知。

5.馬先生於《論語大義》之中，為行文之便利，引文或有刪節，出處或未明著，然也推挹可知，不礙大義之彰明。

6.馬先生於《論語大義》之中，闡釋五經要旨，而於《春秋》一經，講說尤詳，故此文之作，先為表出，以供參稽之用。❾

❾ 朱熹：《四書集注》，臺北，學海出版社影印本，民國七十三年九月初版。

昌彼得教授八秩晉五壽慶論文集
2005年2月　　頁325～344

內藤湖南與宮崎市定

——日本京都中國學者的史觀

連清吉

問題提起

1906年京都大學創立文科大學，狩野直喜擔任中國文學教授，翌年，內藤湖南聘任為東洋史講師，開啟了京都中國學研究的端緒。一般以為京都的中國學是以清朝考據學為基底的科學實證之學。❶狩野直喜繼承太田錦城、海保漁村、島田篁村一派的考證學，潛心於清代乾嘉的學術與清朝的制度。❷內藤湖南則是遠紹章學誠、錢大昕的學問宗尚，❸以史學的角度綜觀中國的學術發展。其實京都學派的學問性格，特別是內藤湖南的學問，不純然只是考證而已；乃是在目錄學的基礎上進行旁徵博引、精

---

❶ 狩野直喜說：「我（的學問）是考證學。」（小島祐馬〈通儒としての狩野先生〉，《東光》第五號，1948年4月）興膳宏也說：所謂京都學派的學問，一言以蔽之是清朝考證學。（〈吉川幸次郎先生の人と學問〉，《異域の眼》，東京：筑摩書房，1995年7月。）

❷ 有關乾嘉考據的探討是狩野直喜《中國哲學史》（岩波書店出版）一書最精彩的所在。又乾嘉學者所著力研究的《左傳》《公羊傳》，狩野直喜也有《春秋研究》（みすず書房出版）的專著。至於清朝制度的論著則有《清朝制度與文學》（みすず書房出版）。

❸ 內藤湖南的學問是取法章學誠、錢大昕的記載，見於神田喜一郎的〈內藤湖南先生と支那上古史補遺三題〉，《敦煌學五十年》，東京：筑摩書房，1970年7月。

詳考證，而建立通貫宏觀的歷史識見。❹又由於京都自古即是日本文化之所在，而且有與江戶中期以來考證學風的傳承，在此學術環境下，「學問與趣味兼容並蓄而渾然融合的研究，才能真正地理解中國文化」，❺則是京都學者的為學理念。❻故京都中國學的學問可以說是以科學實證為學問方法的經史文化之學。

狩野直喜、內藤湖南是京都中國學的雙璧，其門下弟子有鑽研史學的貝塚茂樹、宮崎市定，精通文學的小川環樹、吉川幸次郎、青木正兒，深究思想的武內義雄、小島祐馬，旁通文史的神田喜一郎、桑原武夫等人展露頭角，形成京都中國學派而鼎盛一時。❼

東洋的學問未以邏輯論理的思考與論述見長，然內藤湖南和宮崎市定則是少數的例外。二人以博覽的識見為根底，進行精密的文獻考證，樹立富有邏輯論理性學說。如內藤湖南以文化性「突破」（breakthrough）的觀點，說明宋代的社會文化諸象迥異於唐代而提出「宋代是中國近世」的主張，繼承富永仲基的「加上說」而論斷中國古代思想形成的先後次第，強調「應仁之亂」是日本創造獨自文化之畫時代的歷史事件，說明文化形成經緯之「文化中心移動說」，究明文化發展徑路的「螺旋循環說」等都是內藤湖南於東洋文化史研究上卓越的論證。至於宮崎市定的學問則強調以精細的實證研究和闊達雄渾的通史性敘述為史學家的究極。因此，其於中國歷史的研究，是以實證的方法考察政治、經濟、社會等分野的變遷，進而提出「景氣變動史觀」以考察社會、經濟、政治等文化現象的變遷而體系性地架構中國史學的發展脈絡，又蒐集西

---

❹ 以內藤湖南的學問為精審考證而又有宏觀識見的評論，見於神田喜一郎的〈內藤湖南先生と支那上古史補遺三題〉（《敦煌學五十年》所收）及內藤湖南著《日本文化史》（下）（講談社學術文庫 7-7，1976 年 11 月）所附的桑原武夫的解說。

❺ 神田喜一郎〈大谷瑩誠先生と東洋學〉，《敦煌學五十年》，東京：筑摩書房，1970 年 7 月。

❻ 狩野直喜兼治經傳文學，又能詩善文，書法也自成一家。內藤湖南於史學的著述外，也能為詩文和歌，更著有《支那繪畫史》，論述中國繪畫的歷史。

❼ 關於京都中國學學者的參見《東洋學の系譜》第 1、2 集（江上波夫編著，東京：大修館書店，1992 年 11 月、1994 年 9 月），《東方學回想》（全 9 卷，東京：刀水書房，2000 年 2-10 月），張寶三《唐代經學及日本近代京都學派中國學研究論集》（臺北：里仁書局，1998 年 4 月）。

亞的文獻，學習阿拉伯文，以探究東西文化交流關係的歷史，提出「素樸主義與文明主義的循環」，「古代史發展圖式的建構」和「宋代是東洋的近世說」，究明中國歷史於世界史上的地位。因此內藤湖南可以說是日本近代中國學的第一人，而宮崎市定則是日本東洋史學的巨峰。本文擬以從內藤湖南的「螺旋循環史觀」、「通變史觀」、「宋代是中國的近世說」和宮崎市定的「素樸主義與文明主義的循環」、「古代史發展圖式的建構」、「宋代是東洋的近世說」為代表，論述日本京都中國學派的史學方法，進而說明由內藤湖南的「文化史學」到宮崎市定的「東洋史學」，就史學研究方法而言，是繼承性的突破。內藤湖南是日本京都中國史學的巨擘，則宮崎市定是由中國史學的領域而發展至東洋史學研究之集大成者。

一、內藤湖南（1866-1934）的史學方法

秋田師範畢業是內藤湖南的最高學歷，雖沒有接受大學的教育，卻也沒有所謂學派家學的束縛，乃能成就獨特的學問。上京以後的二十年雜誌編輯與記者的生涯，養成其博聞強記的根底。至於其生存的明治時代是文明開化的時代，西化革新是時代的風尚，學問方法的突破更新自然應運而生。任教大學至逝世的京都二十餘年歲月，成就了內藤的文化史學，既於傳統與現代之間，守成而創新，又在對抗於東京的學問意識下，融合西歐的合理主義、清朝的考證學與江戶時代的文獻主義而樹立以考證為基礎的近代中國學學風，使京都的中國學得與北京、巴黎分庭抗禮，並列為世界漢學的中心。換句話說其所以能考鏡時代地域的異同，辨明學術文化的原始本末，而成就一家之言，固然與其以中國史家的才學識兼備為學問的究極有深厚的關聯，但是其個人的際遇，生存的時代，生活的地域，學問的意識亦不無決定的影響。至於其中國史學的理論則有「螺旋循環史觀」、「通變史觀」、「宋代是中國的近世說」，茲論述於下。

㈠ 螺旋循環史觀：文化橫向發展的法則

在思考東亞文化全體發展的問題時，所謂中國的、日本的、韓國的國家主義或民族意識，就各國而言，固然是相當重要的問題；但是就文化發展而言，則不是以民族為主體的自我展開的過程而已，是超越民族的獨自性和差別性而產生三度空間之文化繼承與融合的過程。換句話說東亞文化的發展是超越民族的境界，以東亞全體為一的文化形態而構築形成的。關於東亞文化的傳播是中心向周邊影響的正向運動和周邊向中心影響的相反方向運動交織而成的「螺旋循環」。❽內藤湖南說：東亞文化的中心在中國，中原文化首先流傳到周邊的地區，周邊民族受到中國文化的刺激，也形成文化的自覺。中世以後隨著周邊民族的勢力增強，文化擴張的運動也改變其方向，逐漸由周邊向中心復歸。此正向運動與相反運動，作用與反作用交替循環即是東亞文化形成的歷史。❾因此，就東亞文化發展而言，其主體雖然是中國的文化，中世以後則形成包含中國以內的東亞文化的時代。至於東亞文化形成的軌跡，則是最初發生於黃河流域的中國文化逐漸發展而影響周邊民族的「中心向周邊」的發展徑路。周邊民族吸收中國文化而產生「文化自覺」，周邊民族自覺的結果，終於形成影響中國的勢力，周邊的文化也流入中國，即「周邊向中心」發展的文化波動。

內藤湖南以螺旋史觀的文化發展論作為區分中國歷史的主要根據。內藤湖南以為三代到西晉是中國文化向外擴張的時代；五胡十六國到唐代中葉，則是周邊各民族逐漸強大，其勢力漸次地威脅到中原。到了唐末五代，外族的勢力達到頂點。宋元明清

---

❽ 內藤湖南〈學變臆說〉說：文化傳播的路徑不是直線的，而是螺旋狀而提昇。（《淚珠唾珠》所收，《內藤湖南全集》第1卷，東京：筑摩書房，1996年1月）。

❾ 有關內藤湖南「螺旋史觀」的學說，參宮崎市定〈獨創的なシナ學者內藤湖南博士〉（《宮崎市定全集》24，東京：岩波書店，1994年2月），小川環樹〈內藤湖南の學問とその生涯〉（《內藤湖南》，東京：中央公論社，1984年9月）。

以迄現代則是中心向周邊與周邊向中心的反覆循環。⑩就中國歷史的發展而言，中國歷史上曾發生了二次政治、社會、文化等人文現象的轉換期，而形成上古、中世、近世的三時代。其在《支那上古史》的〈緒言〉⑪中說：

第一期　上古　開闢（太古）至東漢中葉

中國文化形成、充實而向外部擴張的時代。

第一過渡期　東漢中葉至西晉

中國文化停止向擴張的時代。

第二期　中世　五胡十六國至唐中葉

異族勢力入侵，佛教等外來文化傳入。

貴族主導中國社會、文化的時代。

第二過渡期　唐末至五代

外來勢力極於鼎盛的時代。

第三期　近世前期　宋至元

第四期　近世後期　明至清

固有文化復興而文化歸於庶民。

異族支配而君主獨裁（專制政治）的時代。

中國於古代時代，在黃河流域形成了所謂「中華文化」，然後向四方擴張發展，促使中國周邊的各民族產生文化自覺，此即所謂「內部向外部」的波動。到了中世、即南北朝至五代，外族挾持武力入侵中原，周邊民族的文化也隨之傳入中國，即「外部向內部」的波動。此文化波動的方向改變是區分中國上古與中世的依據所在。再者中世時，周邊民族的勢力強大，逐漸威脅中土，進而侵入中原，甚至支配中國領土，

---

⑩ 見〈日本文化とは何ぞや（その二）〉，《日本文化史研究》（上），頁25-32，東京：講談社學術文庫76，1987年3月。

⑪ 《內藤湖南全集》第十卷，頁9-13，東京：筑摩書房，1969年6月。

此間維繫中華文化於不墜的是貴族。中國貴族在東漢中葉以後，逐漸擁有其政治社會的勢力，至南北朝而到達鼎盛，唐朝的貴族依然保持著其舉足輕重的優異情勢。雖然如此，即使異民族統治中國，維護中國傳統文化的還是公卿顯貴的族群。換句話說內藤湖南以為東漢以來貴族勢力勃興也是區分中國上古與中世的根據。

(二) 通變史觀：文化縱向發展的法則

內藤湖南的學問淵源於中國的史學傳承，其以司馬遷的「通古今之變，成一家之言」為史學的究極，又以劉向、劉歆父子辨章學術考鏡源流的目錄學為史學的方法，劉知幾所謂才學識的兼備是鑽研歷史的素養，章學誠的「獨斷」是成就論理性史觀的原動力⑫。其於中國史學研究上，頗多以獨特的見解而綜理史料文獻，建立系統性架構的論述，至於建立法則、辨明機微、通達古今可以說是內藤史學的宗旨。如其以劉向、劉歆父子《七略》的旨趣在於辨析學問流派的異同，究明學術的沿革，為中國目錄學的始祖。《隋書·經籍志》雖改以四部分類古今圖書，依然繼承《七略》《漢書·藝文志》的編纂宗旨，可以考知漢代以來學術發展的歷史，劉知幾亦以史學的觀點歸類史書為六家。五代與趙宋的正史目錄頗為粗疏，《舊唐書·經籍志》只記錄當時所見的書目，《新唐書·藝文志》也極為粗略，唯《崇文總目》取法《隋志》的體例，既有書目解題，又留意學問的沿革，足以考見《隋志》以來學問與書籍的變遷。鄭樵的《通志·藝文略校讎略》雖不著錄書目的解題，卻以目錄為專門的學問而致力於方法理論的建立。高似孫的《史略》則引述前人的議論或佚書的著錄而建立史學理論，王應麟的《玉海》雖是類書而《玉海·藝文志》則有說明現存與亡佚書目之關連性的所在。換句話說高王二人皆以學術的沿革為目錄學的主旨，於佚書的研究方法尤有發

---

⑫ 內藤湖南之以《史記》為史學究極的論述見於所著《支那史學史·史記》，《內藤湖南全集》第十一卷，頁106-121，東京：筑摩書房，1969年11月。劉向、劉歆父子的論述見於《支那目錄學》，《內藤湖南全集》第十二卷，頁369-389，東京：筑摩書房，1970年6月。至於劉知幾與章學誠的論述則見於〈章學誠の史學〉，《內藤湖南全集》第十一卷，頁471-483。

明。《宋史·藝文志》甚為雜亂，《明史·藝文志》則是只收集明朝一代書目的斷代式目錄，焦竑《國史經籍志》的分類不免雜亂，亦無解題，然著錄子目的總序，多少有留意學問源流的用心，頗為《四庫全書總目提要》的序論所採錄。《四庫全書總目提要》是清朝文化的代表性產物，唯精於書籍的考證而疏於學問沿革的總論，章學誠的《校讎通義》既辨章學術考鏡源流，又用心於著錄的方法與校讎的條理，即以歷史流變的著眼，從根本架構系統性的學問，是中國目錄學的集大成者。由此可知內藤湖南是以沿革通變的史觀，析理學問的異同源流，進而說明中國目錄學的歷史發展。⑬茲進一步地綜括內藤湖南的中國史學論著，從歷史發展的法則、辨章學術、考鏡源流、系統化架構等觀點，說明內藤湖南研究中國史學的獨特見解所在。⑭

㈢ 宋代是中國的近世說

就政治史、社會史的發展來看，中國的古代是封建時代，以在天子之下，地方有藩政諸侯存在的形態遂行其政治的運作。中世則是郡縣時代，君王是天下的共主，地方由中央政府派遣的官吏來統治，但是政治的權力大抵掌握在豪族貴族之手，諸侯世襲雖然不存在，官位卻是世襲的，從社會史角度來看，門第家世是貴族與庶民區別的判準。中國近世是庶民的時代，由於科舉取士，權位的獲得大抵由於個人的才學而與家世門第無關，因此世襲貴族到了宋代完全沒落，天子的權威也因而強大，形成君主獨裁，支配天下的時代。就經濟的發展而言，上古是農業時代，中世以後是貨幣經濟的時代，唯中世前半的納稅是以貨物為主，唐代中葉兩稅制度以後，才以貨幣代替貨物，宋代紙幣出現以後，貨幣經濟更為發達。再者由於都市商業的發達，庶民逐漸取

⑬ 內藤湖南於中國目錄學發展的論述，見於《支那目錄學》，《內藤湖南全集》第十二卷，頁 369-436，東京：筑摩書房，1970 年 6 月。

⑭ 宮崎市定說：內藤湖南史學的特質是「通」，（〈獨創的なシナ學者內藤湖南〉，《宮崎市定全集》24，頁 249-271，東京：岩波書店，1994 年 2 月。）至於內藤湖南重視通史，以「研幾」而開展其史學論述，是高木智見的見解。（〈內藤湖南の歷史認識とその背景〉，《內藤湖南の世界》，頁 36-72，河合出版，2001 年 3 月。）

得於社會的市民權，此與貴族於宋代沒落的現象相為表裏。再就儒家思想學術的流衍來看，在戰國時代，百家爭鳴，儒家尚未取得主導的地位，到了漢武帝以後，則以五經為中心而展開經傳注釋的學問。北宋以來，為了對抗佛老而開展出系統化的新儒學，至於清朝考證、辨偽、輯佚的興起，朝廷的文化政策固然是主要原因之一，而正確地詮釋古典的內容或恢復文獻的舊觀，未嘗不是考證學者的文化自覺，再就結果而言，亦有以實證學問方法而突破舊有注疏傳承的意義在焉。若以文學是作者在表現生活與感情的觀點，考察中國文學的發展，上古是文學前史的時代，因為此時的文學作品是以傳達思想意識為主的，作者未必有發揮文字語言之藝術功能的意識。中世以後，文人有文學為語言藝術與具有抒發情感之價值的自覺，唯中世是詩的時代，散文有詩化的現象，近世以後則是散文的時代，詩有散文化的傾向。⑮就繪畫而言，六朝到唐代是壁畫為主，又以金碧山水是尚，到了五代宋代，則流行屏障畫一，又以墨畫為多。而且宋代文人畫的興起，則象徵著由嚴守家法之畫工專擅而趨向表現自由意志之水墨畫。由於宋代的文化現象大異於唐朝，故內藤湖南主張宋代為中國近世的開端。⑯

歷史固然是意味著時代的推移，但是所謂「時代」，不只是政權更迭轉移的象徵，而是政治、社會、經濟、思想、學術等人文現象的的綜合體。即以文化的發展來考察歷史的意義時，則歷史文化有前代的繼承發展與對前代的批判反省的兩個類型，至於歷史文化的意義則在於因革、通變與突破。學派的傳承與既成學說的「加上」是前代的繼承發展，絢爛的三彩是唐代文化的代表，而純白青白的創造則是宋代的象徵。超越華美的外觀而重視素樸沈潛之內在精神是宋代知識分子於文化意識上的突破。通達前後的因循繼承而架構系統性的發展，辨析古今的更革異同而提出突破性的方法論，則是歷史研究的極致。內藤湖南以中國史學的傳承為其歷史研究的淵源，又沉潛於清

⑮ 以文化史的觀點區分中國歷史，進而論述中國各個時代的文化特色，參採吉川幸次郎〈中國文學史敘說〉，《吉川幸次郎遺稿集》第二卷，頁3-23，東京：筑摩書房，1996年2月。

⑯ 〈概括的唐宋時代觀〉，《內藤湖南全集》第八卷，頁 111-119，東京：筑摩書房，1969 年 8 月。

朝考證學與西歐理性主義的學問而確立史學方法，建立通古今之變的史觀，成就歷史性突破的「內藤史學」。

內藤湖南有關東洋文化史的一系列研究論述，是脫離傳統漢文的「場」而以世界為目標之學風下的產物。其以為日本文化中固然有中國文化的存在，但是由於前人的愛惜保有與融合受用，中國既已亡佚的文物，卻尚存在於日本，進而形成「日本的」文化，此「受容而變容」的文化即是日本獨特的文化形態。明治以來，更以「受容而變容」的形態融通西洋近代文化與東洋傳統文化而形成的日本近代學術文化。因此於明治三十三年主張日本近代中國學宜以融合東西學術，創造第三新文明為目標。至於學問的方法則是以通古今之變的史觀，運用清朝考證學與歐洲東方學術研究的方法論，分析東西方於中國學研究的優劣長短，進而以嚴密的考證，重新評述既有的研究成果，開拓新的研究為究極。⓱以內藤湖南、狩野直喜為中心而創刊的《支那學》雜誌，則是實現以合理的科學的精神為治學的態度，蒐集了達到世界學問水準之研究論著的具體成果，確立了日本近代中國學的基礎。再者以內藤湖南、狩野直喜為中心之京都中國學派所從事的「敦煌學」與「俗文學」的研究，更開啟以「與中國當代考證學風同一步調」之新學風為目標，而形成合乎世界學術水準的學問，故狩野直喜與內藤湖南可以說是京都中國學的雙璧。而其門下弟子又有鑽研史學的貝塚茂樹、宮崎市定，精通文學的小川環樹、吉川幸次郎、青木正兒，深究思想的武內義雄、小島祐馬，旁通文史的神田喜一郎、桑原武夫等人繼承狩野直喜與內藤湖南二人以清朝考據學為基底之科學實證的學風，對中國學的各分野進行精湛的研究，不但是近代日本中國學的權威，也形成京都中國學派，而於世界漢學界有舉足輕重的地位。

⓱ 〈讀書に關する邦人の弊風付漢學の門徑〉，收載於《內藤湖南全集》第2卷，《燕山楚水》，東京：筑摩書房，1996年12月。

二、宮崎市定（1901–1995）的史學方法

礪波護將宮崎市定七十年的講述生涯區分為「一九二五年四月〈上海から廣東まで〉的遊記到一九四五年夏日本敗戰的二十年」，「戰後至一九六五年京都大學退休的二十年」，「退休以後，優遊自適於著述的三十年」等三個時期。⑱

第一期的學問成就在於中國經濟制度史和東西關係史的研究。當時的京都帝國大學東洋史的研究以內藤湖南之文化史學為主導，而未留意東京大學加藤繁所開拓的經濟史研究領域。宮崎市定乃從制度史的角度來探討中國經濟發展的軌跡。其於賦稅制度的考察，有〈晉武帝の戶調式に就いて〉（1935 年）一文，提出唐代均田制起源於晉的占田課田制，進而上溯三國魏的屯田制度。至於〈五代宋初の通貨問題〉（1943 年）的博士論文則是其經濟制度史研究的大成。

礪波護說宮崎市定於中國古代史的研究方法是內藤湖南「文獻學」與濱田耕作「考古學」的結合。宮崎市定嘗自稱有關中國賦稅制度的〈古代支那賦稅制度〉（1933 年）與城郭起源試論之〈支那城郭の起源異說〉（1933 年）是「紙上考古學」。雖然如此，其於〈支那城郭の起源異說〉所謂「中國亦有如希臘之都市國家存在」的提出則是日本東洋史學界的先聲。其後著作《東洋における素樸主義の民族と文明主義の社會》（1940 年）不但說明古代以來東洋世界之北方遊牧民族與南方農耕定著社會的抗爭未必只是生活方式和經濟發展程度的差異，更是根植於民族深層之人生觀殊異的勢力消長。

宮崎市定強調中國社會的特質，如中國文明的發祥地與山西省解池之鹽產而形成政治經濟中心有密切的關連，說明春秋時代亦有如希臘城郭都市生活的行為。至於北方遊牧民族與南方農耕社會的勢力消長，是素樸主義與文明主義抗衡的主張，都有其獨創性的見解。

---

⑱ 礪波護・間野英二〈東洋史學宮崎市定〉，《京大東洋學の百年》，京都：京都大學學術出會，2002 年 5 月，頁 220-250。有關宮崎市定史學的論述，頗參考此文。

1936年2月至1938年8月的二年半歐洲訪問研究是宮崎市定學術生涯的重要關鍵。[19]宮崎市定於大學畢業時，其師桑原隲藏屬其研究東西關係史的問題，由於未體認到西亞研究的意義和重要性而專致於中國社會文化史的研究。但是兩年的在外研究，與西方學者的交流，東西史料文獻的調查，收藏銅版畫等東洋趣味的藝術品和東西方地圖，又走訪歐洲各地美術館和博物館，目睹文藝復興時期的歐洲文明，於是埋首於東西關係史的研究。著述〈東洋のルネサンスと西洋のルネサンス〉（1938年）〈十八世紀フランス繪畫と東亞の影響〉（1947年）〈毘沙門天信仰の東漸に就て〉（1941年）等有關東西藝術、宗教的問題，至於《菩薩蠻記》（1944年）既記載西亞旅行的見聞，又概述西亞的歷史。其於西亞歷史的研究是日本人論述西亞歷史的先驅。

宮崎市定的第二期學術成就是「景氣變動史觀」的建立。當時的日本中國史學界盛行以唯物史觀作為研究的根據，於中國歷史的時代區分也有所論爭。宮崎市定著述《東洋的近世》（1950年），從東西文化關係的觀點，強調東洋的近世是國民主義（nationalism）勃興的時代，又在內藤湖南所未涉及之社會經濟史的領域，以實證的方法究明五代至明清朝之社會經濟的特徵及其異於中世的所在，以補足內藤湖南宋代為中國近世的主張。宮崎市定於六十歲時，在歐美講學的兩年，目睹景氣變動對社會各方面的影響，於是蘊釀以景氣變動探究中國歷史、經濟、社會、文化的今昔沿革。1963年，宮崎市定以「中國史上の景氣變動」為題，強調以「景氣變動史觀」作為中國時代區分和經濟史的研究方法。於吉川幸次郎《宋詩概說》的書評（1963年）將「景氣變動史觀」公諸於世。〈六朝隋唐の社會〉（1964年）概述「景氣變動史觀」的主旨所在。《大唐帝國——中國の中世》（1968年），《中國史》（1978年），〈景氣と人生〉（1990年），《宮崎市定全集第一卷·自跋》（1993年）詳細地敘述「景氣變動史觀」的主旨，進而以之論述世界史的體系。因此，六十歲以後的三十年，「景氣變動史觀」是宮崎

---

[19] 間野英二〈宮崎市定の西アジアへの親近感〉，收載於礪波護·間野英二〈東洋史學宮崎市定〉，《京大東洋學の百年》，京都：京都大學學術出會，2002年5月，頁240-250。

史學最重要的主張。

宮崎市定自京都大學退休以後，專致於論著的執筆，《論語の新研究》（1974 年）是史家以實證精神解讀古代文獻的代表性成果，《アジア史論考》三卷（1976 年）是東西文化關係史研究的結晶，《宮崎市定全集》（1991-1994 年）樹立其於「日本東洋史學的巨峰」的地位。[20]至於其史學理論則有「素樸主義與文明主義的循環」、「古代史發展圖式的建構」、「宋代是東洋的近世說」，茲論述如下。

㈠ 素樸主義與文明主義的循環:考察中國歷史政治與社會變遷的新觀點

宮崎市定以為東洋史學是明治時期日本人創立的學問，是具有日本明治特色的學問。明治三十一（1899）年，桑原隲藏出版的《中等東洋史》是最早奠定東洋史學地位的著作，其內容也具體地說明東洋史的變遷和意義。桑原隲藏在《中等東洋史》一書中，將東洋史區分為

上古期　漢族膨脹時代（太古以迄秦的統一）

[20] 《宮崎市定全集》24 卷·別卷 1 卷，為揭示各卷的內容旨趣，宮崎市定自訂五字以內的書名，至於全集的構成則如礪波護所說：第 1 卷至 17 卷是代表宮崎市定發揮其學問本領的中國史學論著，第 1 卷《中國史》和第 2 卷《東洋史》是中國通史，第 3 卷至第 16 卷是斷代史，宮崎市定的中國歷史區分大抵繼承內藤湖南所說宋代是中國近世開端的主張而提倡古代、中世、近世、最近世的四區分說。第 3 卷至第 5 卷是古代史，第 6 卷《九品官人法》至第 8 卷《唐》是中世史，第 9 卷《五代宋初》至第 15 卷《科舉》是近世史，第 16 卷《近世》是最近世史，第 17 卷《中國文明》則收錄〈中國に於ける奢侈の變遷〉等探究中國文明本質的論著。第 18 卷《アジア史概說》是以西亞文明先進性的史觀而展開的通史性論著，第 19 卷《東西交涉》是宮崎市定 1936 年 2 月至 1938 年 8 月留學法國間的研究成果，第 20 卷《菩薩蠻記》則是留學中，遊歷西亞各地的記錄。第 21 卷、22 卷是有關日本歷史文化的論著，第 23、24 卷是《隨筆》，別卷《政治論集》是有關中國近世和最近世之政治論文的翻譯。至於《自跋集——東洋史學七十年》則別出刊行，收載全集各卷卷末所附的跋文 25 篇及〈宮崎市定自訂年譜〉。（見《自跋集——東洋史學七十年》解說，前揭書，頁 454-456。）

中古期　漢族優勢時代（秦漢以迄隋唐）㉑

近古期　蒙古族最盛時代

近世期　歐人東漸時代（清初以迄當代的三百年間）

四個時期。進而從東洋史的沿革變遷中，究明東洋史的特質。桑原隲藏強調：所謂東洋史固然是東洋各民族的歷史，但是東洋各民族卻不是零散的存在而彼此毫無關係，中國是東洋史中心的存在，由於中國文化影響其他東洋各民族而全體產生某種共通性的色彩。此共通的特色雖然是漠然的觀念，卻能感受到是一種「東洋的」存在，通過「東洋的」特質即能進行東洋精神、東洋哲學、東洋美術等諸領域的探究。

宮崎市定繼承桑原隲藏的史學，究明東洋歷史發展的究竟，提出「素樸主義民族與文明主義社會的循環」和「東洋的近世」的東洋史學論。

宮崎市定於昭和十四（1939）年出版《東洋に於ける素樸主義民族と文明主義社會》一書，就時代區分而言，第一章〈古代に於ける文明主義社會の成立〉相當於桑原隲藏《中等東洋史》所區分的「上古期——漢族膨脹時代」，第二章〈中世に於ける素樸民族の活動〉相當於桑原隲藏《中等教育東洋史教科書》的「中古期——漢族塞外族競爭時代」，至於第三章〈近世に於ける素樸主義社會の理想〉則是「近古期——蒙古族最盛時代」。至於以中國為中心而形成中國與周邊各民族勢力消長的變遷，即是「素樸主義民族與文明主義社會的循環」的歷史。宮崎市定說：中國文化的發祥地在夏殷兩朝之都城所在的河東鹽池，是中國華北唯一的鹽產地。由於水陸交通便利而形成眾人謀生求利的市場，人口密集的所在也必然是古代文明發生的所在。周朝的京城，無論是鎬京或洛陽也距離鹽池不遠。就活動地域而言，象徵中國古代文明之夏殷周三代的活動範圍只在狹小河套一帶而已，其餘的地方都被沒有受到中國文明所影響的未開化民族所占領。就華夏的文明主義而言，不但春秋五霸是夷狄，以殷人的立場來說，

㉑　此一時代區分於大正時代以後，作為中等學校的教科書而廣為採用的《中等教育東洋史教科書》中，將中古期的「漢族優勢時代」的名稱改為「漢族塞外族競爭時代」。

周人也是後進未開的民族。因此，漢代以後，中國民族與北方民族展開長期間的紛爭，探究其淵源，可追溯至周初以迄春秋時代。

關於中國民族與北方異族的紛爭，歷來都以華夏夷狄的觀點而稱北方異民族為文化未開之野蠻民族挾持強大的武力入侵中原。但是宮崎市定強調未開民族卻保有素樸的本質而稱之為「素樸主義」。保有「素樸主義」的民族挑戰文明開化，燦爛成熟，超越民族的境域而形成具有多元性的社會，又挾持強大軍事武力而取得支配中國的地位。然而「素樸主義」的民族雖奪取中國的政權，終為先進的中國文明所同化，喪失其固有的民族性而融入中國民族之中。不過當中原地區逐漸形成民族融合的同時，北方又有別個素樸的民族出現，繼而與中國民族爭霸。此「素樸主義民族與文明主義社會的循環」不但可以說明中國歷史的變遷，而素樸民族與文明社會的對抗也製造了中國政治和社會問題，且與歷代政治興革相終始。

㈡ 景氣變動史觀：中國政治勢力消長與經濟景氣變動的互動規律

中國史上的古代帝國始於秦始皇，秦滅亡後，漢帝國繼承而繁盛四百年。然強盛的大漢帝國由於各種社會的矛盾而走向衰亡，中國社會也轉變成分裂局勢的中世時代。關於漢帝國衰微的原因有道德頽廢而政治腐敗的道德史觀，階級鬥爭激烈化而支配階級缺乏對策的階級史觀，經濟不振而人民困窮的經濟史觀等說法。宮崎市定以為經濟史觀最能貼切地說明漢朝衰亡的原因。唯宮崎市定強調所謂經濟既包含生產消費，而貨物流通也是經濟，但是與民生最有直接關連的是景氣，因此所謂經濟史觀是指「景氣史觀」，政治的興衰與景氣變動有極大的關係。至於歷史上所出現的景氣與貨幣流通量的關係最深，貨幣流通量越多，容易入手，而且對貨幣的信用度高的時代就是景氣興旺的時代，否則就是景氣衰微的時代。

就以景氣變動探究其對歷史的影響而言，都市國家群至戰國領土國家的出現，再到群雄並起弱肉強食而最後一統天下的古代帝國成立的古代是景氣興隆的時代。即使戰亂連綿導致人民疲弊不堪，而強者依然能克敵致勝統一天下的原因，則在於景氣的興旺。至於景氣興盛的原因則在於周邊各民族的黃金不斷流入中國。景氣興盛的現象則持續到西漢時代。漢代黃金之多，如趙翼《二十二史劄記》卷三〈漢代多黃金〉所載，故漢代以黃金作為貨幣，但是隨著黃金逐漸減少而社會也出現不景氣的現象。關於黃金減少的原因，趙翼以為是產地的黃金生產涸渴，佛教徒又打造金箔，鍍金寫經而大量消耗，以致黃金存量日益遞減。宮崎市定則以為中國黃金價格比周邊各國顯著低廉也是中國黃金缺乏的主要原因之一。漢代的兌換率是黃金一斤換銅錢百萬錢，若以銅錢為共通的貨幣，則其匯率顯然太低，即使不是共通的貨幣，黃金與銀塊的兌換率，在西亞是一比十三，在中國則是一比六。中西的貿易長久持續以後，中國黃金乃大量流出西方，因此東漢以後，中國就開始產生黃金不足的現象。

宮崎市定又指出：景氣昌隆的時代，貨幣和商品的流通都極為活絡，於是市場上就出現屯積商品而等待物價上昇，以謀取暴利的資本家，此為《史記》所描寫的〈貨殖列傳〉的世界。一旦景氣低落蕭條，銀根緊縮，貨物易買而難賣，貨幣的回收和獲利也就極為困難。結果市場上的貨幣和商品的流通就變得遲緩滯礙，大資本家也貯藏其資金而不事買賣，不景氣的現象就更為蕭條。

在不景氣的情況下，為了增加財產，唯有開源節流，儘其可能的減少錢財的開支而厚殖自己的財物，於是產生「莊園制度」。莊園領主一方面自官方取得廣大的土地，一方面招致貧民開墾耕種。莊民從事各種作物的生產而進行以物易物之自給自足的生活，以減少使用貨幣的必要。莊民所需消費的物資之外的剩餘作物則歸莊園領主所有，領主的產物收入或竢機而換金，否則以之為資本而擴大莊園的規模或購入新的土地而營造第二個莊園。至於莊園的主要產物則是穀物和絹帛，這兩種產物既是生活的必需品，在搬運上也未必有極大的困難，因此，成為貨幣的代用品而開拓了貿易的途徑。

景氣蕭條不但對民間產生極大的影響，政府的財政也甚為困乏。在政府的支出中，軍事費用是極為沈重的負擔。在以最小的經費依然能維持軍力的原則下，產生了三國曹魏的屯田政策。屯田大抵如民間的莊園，屯田的百姓一如莊園的莊民，唯耕種分配的土地之外，有事則編入軍隊，列為「軍戶」而防禦疆土。莊民與軍戶皆屬隸民且為世襲，終形成中世的階級社會。

漢初以來，政府以銅錢標示物價，由於黃金作為通行的貨幣，銅錢為民間所信用，但是到了東漢，黃金逐漸自社會消失以後，民間失去對銅錢的信賴度，甚且發生冶溶官制良幣而鑄造惡錢以圖利的不法行為，政府也沒有適當的防患措施。三國魏文帝即位，頒行廢銅錢而代以穀帛為市的詔令，唯政令不能永續施行，南北朝以後，交易全任民間的自行施為。中世政治紛亂，北方異族入侵占領華北，社會混亂加劇，民間交易更為萎縮，經濟景氣陷入谷底。到了唐代，景氣才出現復甦的機兆。

唐代疆域超越中國本來的領域，勢力延伸至於四方，開拓廣大的領土。宮崎市定以為大唐帝國之所以能如此興盛，國際貿易的有利展開是其主要原因之一。漢代以來，中國人以民生必需品為主眼而生產絹帛，其後，隨著回教的傳播，西亞秩序的維持，東西貿易的繁榮，中國盛產的絹帛也經由西亞而輸出西方世界，取代黃金成為對外貿易的大宗。除絹帛以外，茶和陶器等特產品也成為對外貿易的重要物資，中國的對外貿易因而呈現出空前的活絡現象。由於中國對外貿易的對象是西方各國，貿易所得是西方通行的貨幣銀幣，所以中國國內也以銀塊取代黃金，成為流通的貨幣，同時也成為銅錢流通的後盾。唐玄宗為了實施其貨幣政策而鑄造「開元通寶錢」通行全國，銅錢的信賴度也因而恢復了。其後，由於中唐的政治權位傾軋，五代的朝代更迭，鑄造惡幣以圖利的現象再度出現於民間，盛唐之良幣驅逐惡幣的理想，到西方銀幣輸入而形成銅錢流通之良好環境的宋代才得以實現。

中世莊園的生活方式是自給自足而「閉門為市」，即莊民先在莊園內相互交易產物，非莊園所能生產的商品，如食鹽等，才用金錢購買，否則一錢也不能帶出莊園。然則以物易物之原始舊式的生活形態畢竟不能長久維持。莊民各自獨立，自己決定種植的作物，大抵以栽培容易換取金錢的作物是趨，作物收成而販賣，再以所得的金錢購買家用必需的物資來消費。宋代以後，經濟發達而景氣興旺，不但一般庶民的生活條件提昇，知識階層也投身於貨幣經濟中。宮崎市定強調宋代的景氣高昂是中國古代生活形態的復歸，宋代的社會經濟猶如《史記》《漢書》所記載漢代全盛期的再現。

訣別中世而復歸於古代，以進入近世之新時代，是宋代知識階層的自覺，此即文藝復興的精神，故宋代的文化自覺現象自然可以稱之為「中國的文藝復興」。㉒

(三) 古代史發展圖式的建構

宮崎市定主張「中國古代是都市國家」，㉓至於「都市國家」的形態及其形成的經緯，宮崎市定說：中國古代都市繁榮昌盛的北部平原一帶大抵為平地，為了避免水患而建築於地勢稍高的丘陵之上，如周公封於營邱即是。都市的中心是君主的宮殿和宗廟，為了防禦外敵的入侵而於四周修築圍牆，稱之為「城」，「城」有「干城」，即防禦之義。此即古希臘、羅馬（宮崎市定稱之為「古典古代」，下同）所謂的「acropolis」。市民密集居住於城下，四周亦有圍牆，稱之為「郭」，唯最初「郭」只是作為郭外耕地的分界或警戒的目的而設，並無防禦的作用，一旦敵人來襲而呈現敗機，則棄郭而逃入城中，集結應戰。中國如此，西方古典時代亦然。「城」與「郭」連結形成的古代都市在西方古典時代稱之為「polis」，英語則稱之為「city-state」。雖然如此，在頻繁的對外戰爭的時代，遭遇敵襲則捨棄城下居民的住地，終將造成巨大的經濟損失，各都市乃強化「郭」的防禦設施，於是「城」與「郭」之軍事性和居住性功能區分的意義消失，「郭」亦稱為「城」，事實上，一旦「郭」被占領，即意味整個都市都淪陷了。其後，在軍事要塞重新建設都市時，以防禦為重點而修築的設施則名之為「城」，戰國楚國有「方城」，其餘各國沿著國境建造長城，最後連接成萬里長城。

宮崎市定於中國古代史的研究，除了提出「中國古代都市國家論」以外，又撰述〈東洋的古代〉，通觀古代至漢代的社會變遷，提出「都市國家→領土國家→古代帝國」之古代史發展的圖示，著作〈中國古代史概觀〉，從世界史的角度考察中國古代史的發展，進而究明中國古代於世界史的地位。宮崎市定指出：歷史上的都市國家未

㉒ 宮崎市定於景氣變動史觀的論述，參《自跋集——一、中國史》，前揭書，頁8-14。

㉓ 有關宮崎市定「中國古代都市國家論」的論述，參宮崎市定《自跋集——三、古代》前揭書，頁42-58。

必是永久安定的政治團體，大抵強大都市國家都是征服併吞鄰近的都市國家而形成的，其內部出現有著市民與非市民對立，甚至是市民支配奴隸的問題，對外則有由於領土或商業利益的爭奪而引發戰爭。力量最為強盛的國家則成為霸者而號令他國，而此霸者的出現則是都市國家趨向領土國家的第一步。古代希臘雅典、斯巴達並立的時代，中國春秋時代之五霸迭起的情勢即是。古希臘雅典支配同盟國人民的情形類似領土國家，春秋末期的楚國則以領土國家的姿態進入戰國時代而加入七雄的對峙。戰國時代的領土國家於激烈的弱肉強食戰爭下，秦國消滅山東六國而取得天下，中國遂進入古代帝國的時代。至於歐洲的情勢，由於羅馬的稱霸，勢力急劇發展而併吞東方的領土國家，繼而轉向內政，終止共和政治，完成皇帝的統一政治，建立羅馬帝國。綜觀東西世界的歷史，由都市國家而領土國家而古代帝國的形成是古代史發展的模式。

㈣ 宋代是東洋的近世說

「東洋的近世說」是宮崎市定於東洋史學的重要主張，唯其於《東洋に於ける素樸主義民族と文明主義社會》的第三章〈近世に於ける素樸主義社會の理想〉並未論及中國的文明主義，而其後出版的《東洋的近世》才論述宋代文化於世界史上的地位。其「東洋的近世說」是在與西方諸民族的關係下，說明東洋文明社會的文化發展。《東洋的近世》一書首先說明東洋近世史的意義，其次敘述經由陸、海絲路的東西交流及由於大運河之連結陸、海絲路，代表東洋近世的宋代才成四通八達之交通便利的世界要津。再者，政治安定和經濟發達是互為因果的，政治安定是經濟發達的重要因素之一，政治之所以能安定，掌握軍權之獨裁君主是不可或缺的存在。然則獨裁君主制的持續，是專賣制度的實施而國庫收入增加的結果。獨裁君主必須要有忠實的官僚作為其輔佐，官僚選拔自科舉，科舉官僚制則促使知識階層的形成。以安定的政治、飛躍的經濟和知識階層為基底而產生了新的文化，不但形成宋代新儒學，也產生象徵民眾文化的白話文學。宮崎市定強調宋代的景氣高昂是中國古代生活形態的復歸，宋代的社會經濟猶如《史記》《漢書》所記載漢代全盛期的再現。訣別中世而復歸於古代，以進入近世之新時代，是宋代知識階層的自覺，此即文藝復興的精神，故宋代的文化自覺現象自然可以稱之為「中國的文藝復興」。宋代形成的近世文化果真可以說是文藝復興，則東洋的文藝復興要先進於西洋的文藝復興數個世紀。中國的繪畫即經由西亞而輸入歐洲，對西洋文藝復興時期的繪畫產生了影響。[24]

結語：內藤史學到宮崎史學是繼承性的突破

小川環樹說內藤湖南的學問是文化史學[25]，礪波護說宮崎市定的學問是經濟制度史學[26]。然就以上的論述，吾人以為探究宮崎市定的中國古代史研究，其學問的淵源是內藤湖南的中國史學、桑原隲藏的東洋史學和加藤繁的經濟史研究，即繼承內藤湖南的社會文化史學，探討中國古代至漢代的社會變遷，取法桑原隲藏的東洋史學而從世界史的發展，確立中國的定位，遠紹加藤繁的經濟史研究方法，考證中國古代的經濟和制度。換句話說，宮崎市定是綜括京都和東京的史學方法，以世界史的觀點，考察中國古代社會結構和經濟制度，進而提出「中國古代都市國家論」和「都市國家→領土國家→古代帝國」之古代史發展圖示的獨特見解。

再就對宋代的歷史意義而言，內藤湖南從社會、文化的觀點提出「宋代為中國近世」的主張，宮崎市定又從經濟、制度的角度補足藤湖南的學說，使「宋代為中國近世說」成為京都中國史學的重要主張之一。內藤湖南的「宋代為中國近世」是著眼於中國歷史的發展而立論的，宮崎市定則立足於世界史的通觀而強調宋代的新文化是「東洋的近世」。因此，就史學方法而言，內藤湖南的「文化史學」到宮崎市定的「東洋史學」是繼承性的突破。至於二人在日本近代中國史學研究的定位，則可以說內藤湖

[24] 有關宮崎市定於「東洋史學論」的論述，參宮崎市定《自跋集——二、東洋史前揭書，頁 22-36。

[25] 小川環樹《內藤湖南》，東京：中央公論社，日本の名著 41，1984 年 9 月，頁 48。

[26] 礪波護．間野英二〈東洋史學宮崎市定〉，《京大東洋學の百年》，京都：京都大學學術出會，2002 年 5 月，頁 220-250。

南是日本京都中國史學的巨擘，而宮崎市定是由中國史學的領域而發展至東洋史學研究之集大成者。

昌彼得教授八秩晉五壽慶論文集
2005 年 2 月　　　頁 345～356

十五世紀中、韓詩賦外交的奠基者：倪謙

王國良

一、前言

中、韓兩國山川地理相連接，雙方人員交流往來密切頻繁。這種交流有官方的，也有民間的。屬於官方交流的重要途徑之一就是兩方互遣使節。明代先後遣使到韓國（李氏朝鮮）超過一百七十次，使節多達二百餘人，次數、人數都創下了歷史新高。❶

傳統中國使臣與邦交國官員的往來交際，除了例行公事宴飲外，通常以詩詞歌賦的酬答為主要模式。一方面傳播中華文化，展現自我的學識文才，並藉此增進雙方的友誼，達到了改善外交關係之目的。明朝肇建，太祖朱元璋派遣偰斯到高麗頒即位詔。在返國時，由於偰氏婉拒高麗君臣的餽贈，恭愍王王顓特命文臣賦詩餞送，無意中已開啓了雙方詩賦國交的風氣。❷建文帝即位，其人雅好文學，派朝鮮的使臣陸顒、章謹、祝孟獻等，率皆儒雅風流，清不近貨，每與韓方文士詩歌唱和，感情十分融洽。❸這種詩賦外交的傳統，到代宗景泰元年（朝鮮世宗三十二年，1450）倪謙出使朝鮮時建立了更穩固的基礎，並持續近二百年之久。

---

❶ 參考王裕明，〈明代遣使朝鮮述論〉（《齊魯學刊》，1998 年第 2 期），頁 110。
❷ 鄭麟趾，《高麗史》（臺北，文史哲出版社，1972），第一冊，頁 629。
❸ 王崇武，〈讀明史朝鮮傳〉（《中央研究院歷史語言研究所集刊》第十二本，1947），頁 9-10。

二、倪謙之生平履歷

倪謙（1415-1479），字克讓，號靜存。其先乃浙江錢塘人。明朝洪武初年，徙民實京師，因占籍應天府上元縣（今江蘇南京）。生有異質，雙目炯然如電。性極穎敏，書一經目，即記不忘。補應天庠生，文名大著。英宗正統三年（1438）中鄉試，明年會試第一甲第三名及第。拜翰林院編修，入閱中秘書，日有造詣。九年，歲旱，奉命函香禱於北岳，祭畢，雨大降，刻記于祠。十四年，九載考滿，晉侍講。代宗景泰元年（1450）正月，奉使朝鮮，與王國館伴倡和，詩什甚富。三年，入侍經筵；未幾，改左春坊左中允兼侍講，又召入直文華殿，應制稱旨，晉侍講學士兼中允。五年，充廷試讀卷官。七年，修《寰宇通志》成，晉左春坊大學士兼侍講。英宗復位，天順元年（1457），改通政司左參議，仍兼侍講。遣往遼、荊、楚三府祭祀，回，晉學士。次年，皇儲朱見深復東宮位，出閣進學，謙日講讀於左春坊，有《大學諸直解》。三年，為順天府鄉試主考。時勢家子弟寇林不獲倖進，其父寇深使人誣以他事，謫戍開平（今河北赤城縣東北），長達四年，悠然以詩酒自娛，士子及門授經者，多所造就。八年，憲宗即位，宥回，值外艱，守制於家。成化改元（1465），皇帝念倪氏為春坊舊人，復其學士職。尋與其子編修倪岳同日奉命入史館修《英宗實錄》。是年，上疏乞改南頻行，進禮部右侍郎，復乞休致不已。皇上憫其誠，允之。五年，秩滿，階正議大夫資始尹，起為南京禮部右侍郎。十二年，入賀聖節，賜緋衣金帶，進本部尚書。以疾乞致仕。既得請，臥病於家。十五年三月卒於金陵，春秋六十有五。贈太子少保，謚文僖，敕葬城南新亭鄉之原。所著有《玉堂稿》一百卷、《上谷稿》八卷、《歸田稿》四十二卷、《南宮稿》二十卷、《遼海編》四卷、《朝鮮紀事》一卷暨《倪文僖公集》三十二卷。❹

---

❹ 參考劉珝〈資善大夫南京禮部尚書贈太子少保謚文僖倪公墓誌銘〉（《皇明名臣墓誌銘》艮集，卷四三）、陳鎬〈南京禮部尚書謚文僖倪公謙傳〉（《國朝獻徵錄》，卷卅六），過庭訓《本朝分省人物考》卷十一〈倪謙〉。

倪氏既謝世，壽光劉珝（1426-1490）撰〈倪公墓誌銘〉謂其「於書無所不讀，而造詣精深，故形於制作，自然成章。四方有求者，揮筆立就，人莫能攖其鋒。一時文名，先生為重。……自筮仕以至蓋棺，顯庸不一。中罹誣毀，卒無怨言。君子曰：『犯而不校。』先生有之。……惜其久處翰林，未獲柄用。晚升宗伯，所司者不過禮文。天下之人，徒知先生之文，而不知其有經濟之才也❺。」會稽陳鎬撰〈倪公謙傳〉，亦以為氏之「才識超邁，用無不宜。……徒以文章名海內，而經濟之效，或若少歉然。」❻李東陽《倪文僖公集・序》云：「公之雄才絕識，學充其身而形之乎言，曲正明達，卓然館閣之體，非巖棲穴處者所能到也。故雖中歷巇險，晚登通要，不得盡見於用，而其典章道化，關一代之盛。」❼此言可為定評。

三、大明「天使」的任務之一
——折衝樽俎

明正統十四年（1449）八月，英宗被蒙古瓦剌也先所擄。同年九月代宗登基。倪氏奉命與刑科給事中司馬恂出使朝鮮頒即位詔，並賜其國王及妃錦綺綵幣等物，遂於十一月甲辰（二十八日）從北京出發。❽

景泰元年（1450）正月丙戌（十日）倪謙等自遼東起程。由於女直（女真）寇邊侵擾，局勢動盪，乃由左府都督守遼東都司王祥派遣東寧衛指揮一員、百戶四員，率領軍馬護送倪氏一行人，曉行夜宿，渡鴨綠江，至義州而回。

每當中國遣使頒詔，在韓方皆視為國家大事，莫不敬謹接待。根據倪謙所撰《朝鮮紀事》之記載，接待明朝使臣的重要禮儀有：㈠派遣遠接使於義州逆迎，各宣慰使

❺ 同註❹。
❻ 同註❹。
❼ 丁丙輯《武林往哲遺書後編・倪文僖公集》，卷首，葉二。
❽ 《明實錄》（臺北，中央研究院，1966）第三十冊，《明英宗實錄》卷一八五，頁3705。

於安州、平壤府、黃州、開城府四大城市，熱烈迎送款宴。所遣諸使，官階都在從二品以上。㈡「天使」抵京城後，朝鮮世子於勤政殿扶病受詔；諸王子、中樞院、議政府、六曹等，依次設宴；明使回國時，諸王子、百官都監又設餞宴。㈢返程由館伴官陪同，一路接待設宴，至鴨綠江畔而別。

對「天使」的招待安排上，韓方非常細心。如迎接明朝使臣之地，皆為朝鮮郵驛第一條要道之五大城市；所遣迎接官員，亦因城市地位不同而有差別。倪謙任侍講，官秩為正六品，因為是上國使臣，朝鮮的接待官員，自從一品至從二品不等，以示尊重，表現事大之熱誠。

由於明朝正值「土木之變」英宗被俘，新君匆促即位，聲威未固的時節，對日前朝鮮婉拒派兵援助和減少貢馬虛應故事之舉動，朝廷頗懷疑其心萌二志，因而處處提防之。如倪謙在安州安興館、開城府與京城太平館，三度對朝鮮國王派遣禮曹進奉的女樂，皆以不合明廷採用男樂的禮制為由，加以拒絕，並寫有卻樂詩交給禮曹判書李邊回去復命，暗示朝鮮必須遵守大明典儀。再者，依舊儀，明朝皇帝詔書至漢城，例由朝鮮國王親迎接詔。然而，世宗李祹夙染風疾，已由世子李珦代掌國政。此時世子又患背疽，不克親迎，故擬由王子率百官代行。朝鮮更改受詔人的請求，在倪謙抵達黃州齊安館時，由禮曹正郎安自立首度提出。倪謙則堅持遠接使尹烱在義州迎接時不提世子有病，如今將抵國都才作此請求，足見有詐而加以回絕。世宗得知明使拒絕態度後，甚為惶恐，乃商議由世子出殿庭迎詔而不郊迎的變通辦法，並再遣漢城府尹金河（何）至開城懇求倪謙同意。經過再三哀求，倪謙見其辭情懇切，諒是實病，遂允其請。事後，倪氏在《朝鮮紀事》中特別補記云：「後還朝，未幾王薨。世子襲封，未幾亦薨。」印證朝鮮世宗、世子（文宗）之病非虛，當時的請求與做法實在是不得已的權宜之計。

元年閏正月丙午（一日），倪謙等人於遲明至漢城郊外慕華館，宗親百官具香亭、龍亭、黃儀仗、鼓樂雜戲迎詔行禮，引導入城，至景福門東南，再進至勤政殿，宣詔受敕。接著，倪謙就「土木之變」進行解釋，以維護明王朝作為宗主國之尊嚴。❾禮畢，世子扶病殿東幄中相見，茶話，謙曉喻以朝廷恩意而別，退居太平館。此後二十天之間，各種類型的宴會酬酢、餽贈、遊賞等活動，無一日無之。閏正月乙丑（二十日），一行人起程歸國，仍沿著原來路線回頭走。二月丁丑（二日），由義州義順館出發，渡過鴨綠江，經由遼東回京。這一趟韓國頒即位詔之旅總算告個段落，圓滿達成任務。❿

四、大明「天使」的任務之二——詩文唱和

明朝前後派遣至朝鮮的二百餘位使節，主要由文臣、宦官和東北軍事長官三部分人所組成。其中，文臣大約佔一半。⓫他們都是出自士林，飽覽經史載籍，尤其擅長文學，能詩善賦，詞章典麗，這便形成了明代遣使朝鮮的一大特點——詩賦外交。

代宗即位，派遣宣詔正使倪謙是進士出身，歷官翰林院編修、侍講，文學、儒學造詣精深，提筆作文賦詩，勝任愉快。副使司馬恂，國子監生，曾中英宗正統九年（1444）順天鄉試解元，官刑科給事中，經史文學方面的功力也不差。⓬景泰元年（1450）正月丙戌，使節團自遼東起程，至鴨綠江，驛站總稱東八站。倪謙沿途共寫了四十二首詩，第一首〈曉發遼陽聯句〉為正使、副使二人唱酬聯句，其他自〈遼左道中〉到〈湯站曉發〉共四十一首，俱為倪氏之作。接著他們渡過鴨綠江，倪謙又將沿道所紀，包括〈過鴨綠江〉、〈至義州〉……〈碧蹄曉發〉等三十四首，趁著在漢城太平館寓居期

---

❾ 《朝鮮王朝實錄·世宗實錄》（漢城，東國文化社，1966）卷一二七，「庚午三十二年」條，頁 162-163。

❿ 相關活動暨途程記錄，參閱《朝鮮紀事》（臺北，藝文印書館影印《紀錄彙編》，1965）。

⓫ 同註❶，頁 112。

⓬ 司馬恂之生平，略見於《明史》卷一五二、雷禮《國朝列卿記》（臺北，明文書局，《明代傳記叢刊》第四十冊，1991），卷一五九，頁 726-727。

間，予以錄出請館內同事指教。他在宣讀明朝皇帝詔書之後，例行的工作則多數屬於中、韓雙方唱酬詩文了。

元年閏正月戊申（初三），正使倪謙偕副使司馬恂謁成均館文廟，倪氏撰〈謁文廟〉七律一首，贈館伴工曹判書鄭麟趾等人，麟趾次韻；倪氏復倚韻奉酬。從此展開了中方倪謙、司馬恂，與韓方遠接使鄭麟趾、從事官成三問及申叔舟間倡和無虛日的一段外交佳話。

根據《景泰庚午皇華集》，在雙方官員相互酬酢期間，明正使倪謙撰了古體、近體詩大約有卅五首，以及〈雪霽登樓賦〉、〈存養齋銘〉、〈漢江遊記〉三篇。司馬恂亦有賡韻奉和等作十一首。韓國鄭麟趾有次韻諸詩六首，成三問次韻詩六首，申叔舟次韻詩六首暨〈次韻雪霽登樓賦〉一篇。這些作品雖然不是兩國文臣之間酬唱的全部，亦足以見出彼此互動之頻繁，情誼之融洽了。⓭

當倪謙任務完成即將返回北京時，朝鮮世宗令在朝文臣皆吟詩送別，輯為一編，又命申叔舟、成三問分別撰寫序、跋，送贈予倪謙。⓮這就是倪氏回到明朝編成《遼海編》，刊板宣揚此次文化盛會的張本。

五、關於《朝鮮紀事》、《遼海編》與《皇華集》

倪謙既奉命出使朝鮮，自景泰元年（1450）正月十日遼東起程開始，至二月三日回到鴨綠江畔，再度踏入中國領土，前後五十二日之行旅見聞、韓國君臣迎接往來，以及該國之制度、風俗等的點點滴滴，逐日做了詳略不一的紀錄，這就是《朝鮮紀事》。其中，記載關於朝鮮進奉女樂，屢予辭卻；為了迎詔禮儀，與禮曹正郎安自立、漢城

⓭ 鄭麟趾等，《皇華集》（一）（臺北，珪庭出版社，1978），頁 3-98。

⓮ 申叔舟，〈送侍講倪先生使還詩序〉，見載《保閑齋集》（漢城，民族文化促進會，1988），卷十二。成三問，〈奉送侍講倪先生使還詩跋〉，見《成謹甫先生集》（漢城，景仁文化社，1990），卷二。另外，成氏撰〈奉送給事中司馬先生使還詩序〉，亦載同集卷二。

府尹金何之爭執與妥協；行抵漢城宣詔，並與世子、諸王子相見，接受宴款；至成均館宣聖廟（文廟）上香行禮，了解國學子、府州郡縣師生規制大概；申叔舟具書籍，講校音韻疑義；遊漢江樓、楊花渡，即席賦詩；漢城郊外慕華館，諸王子、百官都監拜餞賦詩；平壤謁宣聖、檀君、箕子三廟與箕子墓等，都是比較突出的部份。

《朝鮮紀事》雖然篇幅不長，卻十分簡要地勾勒出倪氏出使的整個歷程，具有很高的史料價值。不過，清乾隆中館臣纂修《四庫全書》，以為此作「語意草略，無足以資考證」⓯，只列入存目而不予著錄。本書的早期明代刻本，未見流傳。目前所知有：明《紀錄彙編》、《國朝典故》、《秘冊叢說》、清《玉簡齋叢書》等本。各叢書本之文字訛誤頗多，一九三九年，匋誃（顧廷龍，1904-1998）據清翁同龢藏藍格鈔本，取以《玉簡齋叢書》本相校，撰成〈朝鮮紀事校記〉，頗多佳勝處。⓰

倪謙出使回國後，將其在往返朝鮮期間所寫詩文、李朝諸文臣唱和贈別詩作「餘稿五十有三篇」，編為《遼海編》四卷，布政司參議盧雍撰序、翰林侍講吳節作跋，於成化五年（1469）由其子倪岳刊行。此書原刊本，今僅北京圖書館見藏一部。⓱另外，韓國漢城在一九九九年五月亦發現私人收藏原書，分裝成上、下二冊。⓲可惜筆者皆未得見。

根據現存相關文獻，《遼海編》出版不久，即由中國傳入朝鮮。申叔舟《保閑齋

⓯ 紀昀等，《四庫全書總目》（臺北，藝文印書館，1969），卷五三，頁1141。

⓰ 原文登載於《燕京大學圖書館報》132期，1940。今收錄於《顧廷龍文集》（上海，科技文獻出版社，2002），頁413-417。

⓱ 北京程毅中先生2004年10月14日致筆者函云：「《遼海編》為成化刻本，前有成化五年盧雍序，首頁已缺。序中謂其子岳『嘗于公舊篋見公遺稿，稟不自惜，恐遂散佚，乃手自輯錄，并使事之記述，縉紳之贈言，國人之投獻者合為四卷，名曰遼海編，欲謀鏤梓，以傳不朽』云云。故國家圖書館著錄為成化五年倪岳刻本。書前目錄，總目作：『詩二百八十三首，辭賦四首，記二首，銘一首，序跋五首，紀事一卷。』卷一、卷二為詩文；卷三為《朝鮮紀事》，即出使日記；卷四為中朝贈言等，有同僚『送翰林侍講倪君使朝鮮詩』并序、『遼陽贈言』、朝鮮諸人『送侍講倪先生使還詩』并序及習嘉言跋。」

⓲ 相關報導載於韓國漢城《東亞日報》，1999年5月19日，14版。

集》卷十二，附題「遼海編」收錄叔舟次韻詩九首、〈和雪霽登樓賦〉及〈送侍講倪先生使還詩序〉各一篇，並附有倪謙原作詩八首、〈雪霽登樓賦〉一篇，鄭麟趾、成三問送別詩各一首。卷末有編者題記云：「近有人購書燕肆，得一書名《遼海編》，乃倪學士謙在本國時與文忠公酬唱之什也。雖間有他作，而公之作十而九。……今觀編中詩文，皆本集所無，而唯〈和雪霽登樓賦〉錄焉。於本集刪去之，以其重複也。」⑲

成三問《成謹甫先生集》卷三附錄引《醉琴集註》云：「皇明景泰元年閏正月日，翰林侍講錢塘倪謙與刑科給事中司馬恂奉詔來宣。一國臣民，無小大罔不瞻望慶忭。浹旬而星軺言旋。內翰公天資粹美，飾以詩書，搢紳之士，咸惜其去，於是高靈申公叔舟為之序，昌寧成公三問作跋。晉陽河公演、河東鄭公麟趾、河陽許公詡、坡平尹公炯、昌寧成公念祖、光山李公先齊、晉陽鄭公陟、圓山高公得宗、驪江李公審、完山李公思哲、韓山李公季甸、東萊鄭公昌孫、月城金公鈎、鷩山辛公碩祖、山童梁崔公恒、咸從魚公孝瞻、延山李公石亨、晉公姜公孟卿、丹溪河公緯地、韓山李公塏、陽城李公芮、魯山李公永瑞、陽城李公承召、達城徐公居正、西原韓公繼禧、平陽朴公彭年，各賦詩以贐。其後，有人購書燕肆，得一書，名《遼海編》，乃倪學士奉使時與諸公酬唱之什也。其流布於中國如此。」⑳

另外，徐居正《筆苑雜記》卷二亦云：「近得見《遼海編》，乃翰林侍講倪謙奉事我邦所作，附以我國諸賢酬酢贈別之作，如僕之不才，姓名亦在其中。」徐氏並在文中對《遼海編》所附盧雍〈序〉、吳節〈跋〉只褒揚倪謙，而貶低朝鮮文人表示不滿。㉑

總之，《遼海編》在當時對倪謙來說，也許只是出使朝鮮的一份珍貴記錄。事隔二十年，由朝廷中的故舊為撰序、跋，自己兒子籌資刊行，並留下中韓詩賦外交的見

---

⑲ 同註⑭，頁101。

⑳ 同註⑮，頁498-499。

㉑ 鄭健行等輯，《韓國詩話中論中國詩資料選粹》（北京，中華書局，2002），頁24。

證。但對閱讀此編的朝鮮士大夫來說，卻是意義非比尋常，甚至是百味雜陳的。

明朝以文臣出使朝鮮，既起自代宗景泰元年（朝鮮世宗卅二年，歲次庚午，1450），止於思宗崇禎六年（朝鮮仁祖十一年，歲次癸酉，1633）一百八十四年間，共計二十四次。明使既歸，朝鮮國王都會命令接待使臣官員將彼此唱和之詩文編纂刻印，取《詩經·小雅·皇皇者華》王者慰勞使臣之意，命名為《皇華集》。慣例是每出使一次，即結輯一集。但其中武宗正德元年（朝鮮中宗元年，歲次丙寅，1506）徐穆之使行，僅留有數篇詩文，遂併入前十四年（壬子年，1492）艾璞出使所結輯之《壬子皇華集》中，因此，目前所見《皇華集》實際上共分成二十三集。

《皇華集》刊行後，除了部份贈予明使，流入中國之外，其餘則流傳在朝鮮，備受重視。目前倪謙出使後所結輯的《庚午皇華集》，雖因時代最早，排名第一，但它是否庚午年（1450）所輯印，則大有問題。

《世祖實錄》卷四十六，十四年六月六日條云：「金輔又請倪謙、司馬恂、張寧、陳嘉猷《皇華集》。命以張寧、陳嘉猷詩集贈之。因諭館伴曰：『若問何無倪謙·司馬恂《皇華集》？答曰：「《皇華集》皆仍其請而印之，倪侍講、司馬給事中無請，不印耳。」』」㉒

由這條資料，吾人可知在世祖十四年（1468）之前，《庚午皇華集》尚未刊行。但宣祖四十一年（1608）整理《皇華集》時，倪謙在韓期間所作詩文和朝鮮文官唱和之作，已被編入《皇華集》第一批資料內。繼而英祖（1725-1776）年間再刊印此套叢書時，也收錄了《庚午皇華集》。㉓

庚午《皇華集》內容上大致可分成四個部份。第一、明朝使節在漢城執行宣詔任務之後，與朝鮮官員間相互酬唱的詩文，從〈雪霽登樓賦〉到〈慕華館席上口號留別國中列相〉。第二、倪謙自遼陽起程經舊東八站，過鴨綠江一直至碧蹄館所作七十餘

㉒ 同註❾，頁 234。

㉓ 參考金垠廷〈對於朝鮮初期事大外交與《皇華集》之刊行〉（漢城，《韓國漢詩學會第九次研究發表大會論文集》，2002），頁 127。

首詩；另有〈竹堂詩〉、〈存養齋銘〉二篇，附之。第三、與朝鮮酬答送別官員暨回程路上所見印象深刻之詩歌。第四、〈漢江遊記〉、〈狎鷗亭記〉兩篇跟漢江相關的作品。

取之與《丁丑皇華集》以下廿二種《皇華集》相較，它缺少朝鮮當代著名文人的序文，此其一。收錄朝鮮官員酬唱的詩文不多，此其二。未按照明朝使臣的旅程與時間順序編排，此其三。至於〈狎鷗亭記〉完成於明英宗天順二年（1458）正月，距離出使回國已接近八年之久，寫作地點在北京。因此，從內容和體例上加以考察，我們有理由相信原來當年韓方並沒有為這次中、韓詩賦外交編製詩文集。可能到宣祖時重新整理刊印歷代《皇華集》，才根據《遼海編》的內容來增刪重編。這就是目前所能見到的《庚午皇華集》。㉔至於「皇華集」一名的使用，事實上是從天順元年（1457）明使陳鑑、高閏來朝鮮頒英宗復位詔才正式開始的。㉕

六、結語

明代初期，朝鮮太祖李成桂採事大交鄰政策之後，中、韓雙方關係曰愈密切。朝鮮在長期吸收中國文化精華之後，亦屢思在其本土文化能有所開創。而世宗朝則是產生重大變化的時刻，在文化科技等事業上成就頗多。㉖明朝倪謙的出使，已在世宗晚年，此時朝鮮臣僚中人才濟濟，能文之士不在少數。因而韓方派出了鄭麟趾、申叔舟、成三問等才學官員，陪同宴飲參觀，詩文唱和。似此以文會友的方式，既能投明朝正

㉔ 同註㉓。

㉕ 《丁丑皇華集》載明朝敕使陳鑑、朝鮮遠接使朴原亨等人酬唱之什。卷前有朝鮮權擥於天順元年六月所撰《皇華集序》，確信刊印於該年。此即《皇華集》之首刻。

㉖ 世宗曾命文臣鄭麟趾等創制「訓民正音」（諺文）；置集賢殿以講求學術；命申叔舟、成三問撰《東國正韻》、《洪武正韻譯訓》；鄭麟趾等撰《龍飛御天歌》、《高麗史》，又改良活字、修曆法、編纂醫方藥典等。參看白新良主編《中朝關係史——明清時期》（北京，世界知識出版社，2002），第六章〈中朝文化交流〉，頁 236-268。

使、副使等人之所好，滿足其發揮創作長才的虛榮心，也讓中方重新認識朝鮮的漢學水準。當然，增進彼此的情誼，穩固雙邊的邦交，更是十分具體而可貴的成果。

倪謙出使朝鮮的主要任務之一是宣示明代宗即位詔書（登極詔）並頒賜禮物；一是向李朝國王解釋「土木之變」，同時考驗其是否忠心不二。除此之外，與朝鮮士大夫廣泛交往，以文化活動促進兩國政治關係之改善，則是附帶的收獲。倪氏返國之後，將出行見聞寫成《朝鮮紀事》，宣揚明朝威德；又將在朝鮮期間所寫的詩文與李朝文士之唱和詩文彙輯一編，日後並以《遼海編》為名正式出版。凡此作為，皆被後來明朝遣往朝鮮之使臣視為典範而遵行。雙方使者唱酬詩文，自此蔚為風氣，既可適時修正了明朝對朝鮮的觀感，也決定了明朝對出使人選抉擇的原則。至於朝鮮屢次編刊《皇華集》，則成為中、韓國交密切之見證，也反映出詩賦外交的重要性。當然，倪謙更是此種國交傳統的奠基人物，影響十分深遠。

二〇〇四年八月初稿

二〇〇五年一月修訂

昌彼得教授八秩晉五壽慶論文集
2005 年 2 月　　頁 357～374

王獻唐先生室名、別號考

丁原基

前　言

十多年前（1993 年）瑞卿師在筆者博士學位論文「王獻唐先生生平及其學術研究」口試時，由於王獻唐先生曾自號「向湖老人」，此一典故由來，近人說解大相逕庭；瑞卿師在口試時，特別提到抗戰時期隨著中央圖書館住在四川重慶歌樂山西麓的向湖，夏天常跳進附近的向家灣游泳，當時老師意氣風發、眉飛色舞的神態，與在座的孔達生、喬衍琯、胡楚生及劉兆祐老師們和樂融融的談話，歷歷在目。荏苒駒光，倏忽間大家籌備同慶吾師八秩晉五誕辰，筆者謹以「王獻唐先生室名、別號考」為題，為吾師華誕壽，復捕捉塵封多年的美麗情景。

一、王獻唐先生生平簡述

王獻唐（1897-1960），初名家駒，後改名琯，字獻唐，號鳳笙。山東日照人。幼承家學，於四部書，無所不讀。又在鄉先輩許瀚的影響下，繼承乾嘉學者的餘緒，肆力於文字、聲韻和金石之學，奠定深厚的樸學基礎。後入青島特別高等專門學校土木工程科，又入禮賢書院文科，卒業後，曾在天津為《正義報》譯德文小說。民國七年（1918）至濟南，任《山東日報》、《商務日報》編輯，兼上海《新》、《申》兩報記者。民國十年（1921），任青島督辦公署秘書，並著《公孫龍子懸解》六卷。十五年（1926），任中央通訊社編輯。國民革命軍克江西，應同邑前輩丁惟汾先生之召赴南昌，任中央黨部秘書。十八年（1929）八月出任山東省立圖書館館長，除致力於建設圖書館成為現代化一流圖書館外，並竭力收羅鄉邦文獻，使圖書館亦成為保存北方文獻的重鎮。自接任館長迄抗戰前，歷八年的經營，除收入聊城海源閣部分珍藏，其他如：河南扶溝柳氏（堂）、益都李氏（文藻）大雲山房、曲阜孔氏（繼涵）微波榭、新城王氏（士禛）池北書庫、德州田氏（雯）古歡堂、歷城馬氏（國翰）玉函山房、濰縣高氏（鴻裁）辨蟫居、濰縣陳氏（介祺）十鐘山房、海豐吳氏（式芬）雙虞壺齋、諸城劉氏（喜海）嘉蔭簃、日照許氏（瀚）攀古小廬等藏書遺存，均薈萃於圖書館。

七七事變發生，華北局勢緊張，獻唐先生為使善本古籍與金石書畫免遭兵燹，毅然與當時任職圖書館的屈師翼鵬（萬里）及工友李義貴三人護送文物離開濟南，部分暫寄曲阜至聖奉祀官府，另有數十大箱在戰火威脅下徙至四川樂山（嘉定）。抗戰勝利後，這些珍貴文物復完好無損地運回濟南。此段運書的經過，翼鵬師曾撰《載書播遷記》詳述當時的種種艱辛。❶

1949年後，擔任山東省文物管理委員會副主任，故宮博物院銅器研究員，並創建山東博物館。1960年因病去世。生平著述逾一千萬言，著作五十餘種，僅出版十餘種。❷

---

❶ 〈載書播遷記〉，載《屈萬里先生文存》第三冊，聯經，民國74年。

❷ 按：1979年王獻唐先生哲嗣王國華與山東博物館、山東圖書館及各方學者，合作整理獻唐先生遺稿，編為《王獻唐遺書》，由齊魯書社出版。已印行《中國古代貨幣通考》（1979）、《古文字中所見之火燭》（1979）、《春秋邾分三國考·三邾疆邑考》（1982）、《山東古國考》（1983）、《雙行精舍書跋輯存》（1983）、《雙行精舍校汪水雲集》（1984）、《顧黃書寮雜錄》（1984）、《炎黃氏族文化考》（1985）、《那羅延室稽古文字》（1985）、《五鐙精舍印話》（1985）、《雙行精舍書跋輯存續編》（1986）等書。2004年5月青島出版社發行《國史金石志稿》，則是獻唐先生精力所萃之鉅著，歷六十年塵封而出版。

二、王獻唐先生室名、別號彙錄

先生初名家駒，後改名琯，字獻唐，號鳳笙，其後以字行。先生以字行，其中頗有緣由，是因民國十六年（1927），獻唐先生於南京任國民黨中央黨部秘書。「在這以前他都是用王琯的名字。有一次，報紙披露了國民黨內部的一些新聞，懷疑是他泄密的，因此他不辭而別，改名王獻唐，發誓再不幹政治方面的事。」說見王國華撰〈王獻唐生平事略〉。❸

早年著述多自署「鳳」、「鳳生」、「鳳笙」、「鳳夫」、「鳳南」。其書室名「雙行精舍」，因而多署「雙行精舍主人」。自擔任山東省立圖書館館長後，復使用多種別號，而其室名亦隨其居處、收藏或心境，屢有新稱，茲參稽各種文獻，將其室名、別號彙錄於下表。

室名別號來由		1919 以前（任館長前）	1919-1937	1937-1945	1949 年後
姓名字號	別號	鳳、鳳生、鳳笙 鳳夫、鳳南 獻、獻唐		琅邪王獻唐	
	室名				
籍貫	別號	齊傖	琅邪後學		
圖書館	別號		泮君、泮樓主人 杜下小史		
	室名		泮樓、泮廔、泮廬 明廬、明廡、茹廬		
居地	別號		稷門客	向湖、向湖老人 向湖八二老人 栗峰、栗峰老人、栗叟	

❸ 王國華撰〈王獻唐生平事略〉，刊載三處，一是《文教資料簡報》，1983 年 1 期；一是《中國當代社會科學家》，第三輯，書目文獻出版社，1983 年；另見《日照今古》，1984 年創刊號。

	室名		平陵廡舍 海上蜷廬		
思想	別號	雙行精舍主人	棲禪亭長		
	室名	三禪室、雙行精舍	那羅延室、 太平十全之室 小自在室		
收藏	別號		五燈精舍主人 五硯主人 顧黃書寮主人 百漢印齋主人		木石龕主
	室名		五燈精舍 百漢印齋 皕漢印齋 五燈皕璽之館 千泉百印四佛閣	平樂印廬	木石龕
詭稱	別號			八二、八二老人	三家村人
	室名			倚老賣老之室	
心境	別號				
	室名		眘古鉤奇之室 知白守黑室 岫雲書窠		空自苦
其他	別號	王大		日照先生	
	室名		虹月軒		

三、室名、別號考索

先生使用之室名與別號，多見諸齊魯書社刊行之《雙行精舍書跋輯存》與《雙行精舍書跋輯存續編》所收之序跋內，然欲一一考索，洵非易事。筆者有幸蒙業師孔達生先生與濟南藏書名家張景栻老前輩賜告，復參照獻唐先生日記手稿與相關著述，力圖勾勒其取名之意，詳略有差，尚乞大雅君子不吝指正。

㈠ 別稱

鳳笙

見跋清沈德潛編，清光緒十七年湖南思賢書局重刻本《古詩源》（十四卷）；及明姜紹書撰，清康熙五十九年李氏觀妙齋重刻本《無聲詩史》（七卷）。

按：《風俗通》：「笙長四寸，十三簧，向鳳之身，正之音也。」

鳳

見跋有正書局影宋拓本《漢延熹岳華山廟碑》。

鳳夫

見跋章炳麟撰，民國六年至八年浙江圖書館校刊章氏叢書本《新方言》（十一卷）。

鳳生

見跋清錢大昕撰《聲類》四卷；及清翁方綱撰《復初齋詩》一卷。

鳳南

見跋宋鄭樵撰，明崇禎汲古閣刻本《爾雅鄭注》（三卷）。

按：《儀禮·大射》：「其南笙鐘。」注：「笙猶生也」。

獻

見跋漢趙岐注，上海涵芬樓據宋刊影本《孟子》（十四卷）。

㈡ 別號（以筆畫順序列）

八二老人

見王國華撰〈王獻唐生平事略〉。王國華云：「紀念一九二九年八月二日就任山東省立圖書館館長。」

按：此論有誤。蓋獻唐先生就任館長為民國十八年（1929）八月七日。語見獻唐先生撰〈一年來本館工作之回顧〉。❹達生師云：獻唐先生自稱「八二老人」，時居四川，取《三字經》：「若梁灝，八十二，對大廷，魁多士。彼既成，眾稱異，爾小生，宜立志。」乃自我期許意。又，張景栻先生云：「獻公嘗對栻言：『在川中繪畫，常倣八大山人意，戲自題作八二老人，意為你是八大，我是八二，有人以為我八十二歲所作，是未曾見我者也。』八二老人僅用於作畫落款，他處不用。」

三家村人

見跋宋司馬光撰，元胡三省音注，元刻本《資治通鑑》（殘本）；及清程瑤田撰，清刻本《通藝錄四十二》一卷（亦名《考工創物小記》）。

按：張景栻先生賜告：「獻公所居濟南經十路小院，此房主人大約赴臺灣，獻公之日照同鄉二家，往投，院中共三家，因號三家村人，戲謂『三家村裡稱聖人』之意。」

木石盦主

見跋清孫承澤撰，清乾隆間鮑氏知不足齋刻本《庚子銷夏記》八卷。及清孔廣鏞、孔廣陶同輯，光緒十五年三十有三萬卷堂精刻本《岳雪樓書畫錄》（五卷）。

按：張景栻先生賜告：「獻公以高鳳翰石刻二陳案上。栻得高鳳翰木瘦印一，文曰『一琴一雀』」又得高鳳翰木刻筆筒一，一併贈獻公以儷之。獻公因署所居為木石盦，並刻小印以誌與拭之交誼。又繪圖以贈。題云：『舊藏南阜老人刻石二，以其巨者置案上，亦軒見謂有石無木，出南阜木刻二事見贈，因署所居曰木石盦。』」

王大

此承張景栻先生賜告，先生常用此印，或謂此是漢印，借用之。

五硯主人

---

❹ 〈一年來本館工作之回顧〉，載《山東省立圖書館季刊》，第一集第一期，民國20年3月。

見跋容媛輯《金石書錄目》（十卷）《附錄》（二卷）《朝代人名通檢》（一卷）。按：五硯不知所指何種五硯？獻唐先生有跋《百漢印齋硯拓》（一卷）：「寒家藏硯，選有文字者十數，囑德予、瑞嵐試拓二份，張貼為冊。」張景栻先生云：「拭嘗見獻公所藏二硯，一為清和珅贈劉墉小硯，此硯身後歸山東博物館。一為漢碑殘石製硯，硯背有『處士』二隸書，名『處士硯』。又獻公嘗談及在四川得一硯，為王漁洋故物，此硯未見。又《南皐詩集》跋：『今午得南皐古樂府、澄泥巨硯。』亦未見。」又，先生收得澄泥硯，有如下記載：「澄泥硯得于歷下鴻寶齋。」「亦高伯平舊藏。有伯平硯銘及慎翁題字，殆亦同客河署時所制。並記于此，以當墨緣。己巳（18年）除夕燈下，獻唐漫書。」先生另撰〈跋澄泥行篋硯拓本〉，文云：「硯為聊城楊氏海源閣故物。銘出高伯平手，秀水人，有《續東軒集》。篋署「倦翁」，涇縣包慎伯也。楊致堂總督漕運時，高、包均在幕中，所刻《海源閣叢書》，多高氏經手，其《惜抱尺牘》，即高書付梓者也。昔年得硯後，友人董堅叔亦為刻數字，今堅叔已歿，展此拓本，不覺泫然。入川七年來，桑梓故交，困厄死者多矣。堅叔名井，鄒縣人，精金石篆刻，有《勉行堂印存》行世，曾編《山東圖書館金石志》，未蕆事。卅二年三月為希白先生題數言，時流寓南溪栗峰。」

五鐙精舍主人

見跋清張穆撰，清咸豐八年刻本《㞐齋文集》（八卷）《詩集》（四卷）。

日照先生

先生摯友蔣逸雪先生以此稱呼。見蔣逸雪撰《南谷類稿·南谷詩存·送日照先生之南溪（1942年）》。❺

---

❺ 《南谷類稿》，蔣逸雪撰，濟南：齊魯書社，1986 年。詩云：㈠蜀道崎嶇獨自吟，天涯何處覓知音；北樂南蔣空相許，下士疏狂感不禁。㈡公孫懸解直通神，早歲瑰辭已等身。開府文章老更健，不凭仕宦作傳人。㈢南華精通久忘機，那管人間是若非。柱杖向湖成一笑，四山無語對斜暉。㈣驪歌唱罷便揚舲，大好江山伴注經；且喜太平方有象，他年北面訪玄亭。

百漢印齋主人

見跋宋晁公武撰，清姚應績輯，光緒十年王先謙刻本《昭德先生郡齋讀書志》（二十卷）《目錄》（一卷）。

向湖老人

見王國華撰〈王獻唐生平事略〉。王國華云：「意思是永遠心向大明湖。」

按：此論有誤。蓋先生于抗戰時期曾居四川重慶歌樂山向家灣（國史館籌備委員會會址所在），故自署「向湖老人」，其時先生年僅四十餘。

向湖八二老人

見跋衛聚賢撰，民國三十一年鉛印本，《古錢年號索引》（一卷）。

泮君

見跋傅增湘撰，民國十九年傅氏藏園刻本，《雙鑒樓藏書續記》（二卷）。

泮樓主人

見跋清繆荃孫輯，民國八年繆氏刊本，《蕘圃藏書題識》（十卷）《補遺》（一卷）《刻書題識》（一卷）《補遺》（一卷）。

柱下小史

見跋武安文信室輯《金石一得》（一卷）；及上海藝苑真賞社影印本山東邢氏來禽館拓本《定武蘭亭》二本。

按：老聃曾為周柱下史，先生擔任山東圖書館館長，故戲稱之。先生撰〈訪碑圖詩〉：「劫來濟上心私喜，柱下守書師老耳。商盤周鼎盡網羅，斷碣殘碑滿眼是。」正寫出此種心情。

栗峰、栗峰老人

見跋丁福保撰《古錢大辭典》上編附《補遺》下編附《補遺》，及題畫署名。

按：先生於民國三十二年（1943）居四川南溪板栗坳，時中央研究院歷史語言研究所於此地，故自署「栗峰」、「栗峰老人」。先生於卅二年九月六日日記云：「偶於筐中得小石，刻『栗峰』二字。」李炳南《雪廬詩文集·清明懷王獻唐》

「栗峰深處幾層雲，欲把愁思寫與君，今日清明不沽酒，向湖花謝雨紛紛。」（雙行夾注：栗峰在南溪縣，王今居處；向湖在歌樂山西麓，王昔居處。）❻

又按：中央研究院係民國廿九年（1940）由昆明經桂林遷四川南溪縣李庄鎮板栗坳。王利器撰〈六同求學前後——回憶導師傅孟真先生〉一文云：「李莊，古六同地也。歷史語言研究所在離李莊十來里地的板栗坳，北京大學文科研究所在那裡設有辦事處，由鄧廣銘先生負責。其時，文科研究所的同學王明、任繼愈、馬學良、劉念和、逯欽立、胡慶鈞、王叔岷、李孝定諸人已在那裡。史語所則有：向達、丁聲樹、岑仲勉、張政烺、王崇武以及董作賓、李方桂、陳槃、勞榦、石璋如、董同龢、高去尋、淩純聲、芮逸夫、全漢昇、楊時逢以及寄寓的王獻唐、屈萬里諸先生在那裡，朝夕相處，左右采獲，獲益良多。」❼何茲全撰〈憶傅孟真師〉：「史語所在敘府、南溪之間的李莊。說是在李莊，和李莊還有幾里路。沿江邊上行，爬一個小山坡，到一個叫板栗坳的山莊，才是史語所的所在地。山莊環山建築，從外向裏，先是田邊上，是圖書館和辦公的地方；次柴門口，是家屬宿舍；再過去，牌坊頭，是主房，後院住的房主人，前院過廳是史語所的子弟小學。右邊是食堂，左邊董作賓（彥堂）先生住；再過去，戲樓院，考古組所在；再過去，走過一段石板路，是茶花院，是陳槃（槃厂）、傅樂煥等兄的研究室和住處，院庭裏兩株茶花，極茂盛。牌坊頭最熱鬧，是茶餘飯後聊天下棋的地方。傅先生住在田邊上的對面桂花院。桂花院，遠不如茶花院安靜幽雅。」❽錄供參考。

栖禪亭長

❻ 《雪廬詩文集》，李炳南撰，臺中：明光出版社，1967年12月。

❼ 王利器撰〈六同求學前後——回憶導師傅孟真先生〉，載《傅斯年》，聊城師範學院歷史系等編，山東人民出版社，1991年。

❽ 何茲全撰〈憶傅孟真師〉，載《傅斯年董作賓先生百歲紀念專刊》，中國上古秦漢學會，八十四年（1995）十二月十日。

見獻唐先生《守書日記》（未刊稿）扉頁，蓋以棲息於禪家之守門人自謂也。先生於日記序云：「今歲六月下旬晉軍入濟，政局突變，砲火宣天，日夜轟擊，門窗震震搖動，各機關人員逃匿一空，救死弗暇。余以忝長省立圖書館負有保守圖書之責，一旦隨而他去，則損失毀壞乃意中事耳，職責所繫將何以對桑梓父老，況半年來勞精敝神之所鳩聚，為吾身命所托者哉！迺自率館中同仁監守圖書，效死弗去，時經費停發已兩逾月，仰展拮据，乞債度日，靜俟新政府派員接替，完吾責任。長日寂坐，愁思萬端，自忖所處正如阿鼻地獄，此在吾生平亦可記述之一愁苦時期也，遂自七月八日起逐日以所舉措隨筆計之，前此困況已為煙雲過眼矣。十九年七月七日王獻唐書於山東省立圖書館。」錄以備參。

琅琊後學

獻唐先生係山東日照人。日照，周為莒地，秦屬琅琊郡，西漢置海曲縣，北魏置梁鄉縣，金大定廿四年（1184）始置日照縣。

齊傖

見跋容媛輯《金石書錄目》等。

按：傖指鄙賤之人。齊傖，齊國傖夫，自謙之辭也。齊傖與魯傍常對稱，俗稱山東人為傍子。

稷門客

濟南亦稱稷門，先生久客濟南，故有此稱。

雙行精舍主人

見跋楊逢霖輯鉤本，《天璽紀功碑》（一卷）。

顧黃書寮主人

見跋清陳三立撰，清宣統二年上海商務印書館排印本《散原精舍詩》（二卷）《集》（三卷）。

(三) 室名（以筆畫順序列）

三禪室

見跋清錢杜撰，清光緒六年八囍齋石印本，《松壺畫贅》（二卷），云：「髫年曾撰〈三禪室譚畫〉」。

按：《悲華經》：「身心快樂，無有疲極，譬如比丘，入第三禪。」蓋取佛家語意。

小自在室

見先生題跋署印。《法華經》：「盡諸有結，心得自在。」

千泉百印四佛閣

此承孔師達生先生賜告。並見獻唐先生所藏黃（蕘圃）校明刻《穆天子傳》鈐印。張景栻先生云：「獻公精錢幣之學，但不名一錢，不知『千泉』何在？『百印』後則逾千。『四佛』，拭所見有梁普通塗金銅造像一軀，六朝塗金造像一軀，明洪武塗金造像一軀，又石造像一，不知即此四佛否？」

太平十全之室

見跋清蒲松齡撰，清抄本，《聊齋詩詞集》（三卷）。張景栻先生云：「似道家語，獻公藏宋拓《黃庭經》一冊，《經》有「心太平」等語，或有關連。」

木石盦（庵）

見「木石盦主」。

五鐙精舍

見跋清汪遠孫撰，清道光二十年振綺堂汪氏刻本《借閑生詩》三卷《詞》一卷；及清孫承澤撰，清乾隆間鮑氏知不足齋刻本，《庚子銷夏記》（八卷）。

按：佛家有「傳燈」之說，有《五燈會元》等書，先生精內典，或取佛說為室名號。

五燈皕璽之館

見跋漢鄭玄撰，宋歐陽修補入清丁晏重編，清楊氏南河節署刻本，《鄭氏詩譜考正》（一卷）。

按：「五燈」與「皕璽」並舉，似真有「五燈」實物。張景栻先生云：「就拭目驗，實未見一燈。」

平陵廡舍

見跋清陳介祺撰《簠齋藏古目》不分卷《補遺》一卷。

按：指民國十九年五月各地戰事既起，六月廿六日省政府移青，七月底晉軍之省政府，派趙正印接收。八月一日獻唐先生交卸山東圖書館館務，當日搬出圖書館，移居濟南市紫陽書屋之居所。

平樂印廬

記抗戰時得「平樂亭侯」塗金古銅印。「平樂印廬」額，係達生師手書。❾獻唐先生得此印後，特撰〈曹魏平樂亭侯印考〉，載《那羅延室稽古文字》，齊魯書社，1985年。

百漢印齋

見跋清孔廣栻輯《藤梧館金石題詠集錄》一卷；及清鄒炳泰撰，清嘉慶五年刻本，《午風堂叢談》（八卷）。指所藏漢印百方。

那羅延室

見跋民國二十三年無錫錫成印刷公司排印本《書法秘訣》一卷附《書法輯要》一卷；及方樹梅撰，民國二十五年晉寧方氏南荔草堂刻本，《錢南園年譜》（二卷）。

按：梵語譯音，《玄應音義》：「那羅，此云『人』；延，此云『生本』；謂『人生本』。」《慧苑音義》：「那羅延，此云『堅固』也。」今嶗山有那羅延廟，室名或即本此。

---

❾ 按：李炳南《雪廬詩文集·餞別王獻唐辭國史館撰脩赴樂山四首》，書眉達生師注：「獻唐本擬赴樂山，復以故改往南溪。余所書『平樂印廬』額亦以往樂山為贈語。成註。」

泮慶

見跋民國陳邦福墨迻輯補陳准繩夫校刊。

泮盧

見跋晉陶潛撰，清光緒十一年丁艮善刻本《陶靖節先生詩》四卷。

泮樓

見跋清江永撰《四聲切韻表》一卷。

按：于北山撰〈王獻唐先生《疏簾淡月》詞附跋一兼記山東省立圖書館〉，文云：「山東省立圖書館，位於貢院墻根街池北，明湖西畔。大門東間，石路砥平，緊壓湖波，數武之外，即可濯纓。大門上紅漆楹聯曰『湖山如畫，齊魯好文』。門聯一聯，『博學于文，行己有恥』，取顧亭林語意，先生以華山廟碑隸體書之。入館內，左右竹籬，門懸一聯：『和風飛清響，時鳥多好音』，于右任所書，六朝人詩句也。復前行，卵石鋪路，叢篁掩映，深處一門，館之辦公處，亦即獻唐先生退藏治學之所。（中略）繼此前進，左有半畝方塘，岸上堆假山如翠屏，古木垂陰，鳥鳴格磔。上陟可緣路而登，下伏可穿洞而過。予常憩于其巔，游目騁懷。千佛山煙雲變幻，寺觀樓臺，隱現於晚風夕照間；大明湖似可挹取，北極閣、鐵公祠、張公祠、歷下亭，均近在眉睫。湖光山色，襲袂染衣。池北正對圖書閱覽室，寬敞明淨，為館內中心建築。門懸六言大字巨聯，集泰山經石峪字：『名園別有天地，著作多壽歲時』，室內懸龍門格長聯，為黃季剛先生篆書。出室南行，溝水繞廊，鐫石曰『芙蓉泮』。」[10]《集韻》，「泮」、「泮」相通。泮水旁的房舍稱「泮樓」。又，《詩・魯頌・泮水》讚賞僖公修「泮宮」，據《鄭箋》，泮宮即學宮，或是獻唐先生以圖書館為讀書之地，因以「泮樓」名之。

明廡

[10] 于北山撰〈王獻唐先生《疏簾淡月》詞附跋——兼記山東省立圖書館〉，載《齊魯學刊》1984年1期，頁107-108。

見跋唐孟浩然撰，明毛氏汲古閣刻本《孟襄陽集》三卷。

明盧

見跋宋孔傳撰，清嘉慶愛日精廬影宋刻本《東家雜記》二卷。

按：「明廡」、「明盧」，係先生稱大明湖畔居寓，約為二十一年夏新遷。

知白守黑室

見跋明謝榛撰，清康熙七年至十八年汲古閣刻本，《鈍吟老人遺稿》（九種二十三卷）。

按：老子《道德經》有「知其白，守其黑」，當本此。

虹月軒

見跋清翁樹培撰，《古泉匯考》八卷。

按：虹月軒是山東圖書館之館舍。

茹盧

見跋清乾隆嘉慶間拓本，《周石鼓文》一卷附《石鼓文音訓》一卷。

按：粗食謂之茹；蓋取茹苦含辛之意。

岫雲書窠

見跋元張養浩撰，清道光十一年尹濟源碧鮮齋仿元刻本，《為政忠告》（四卷）。

按：陶淵明〈歸去來辭〉：「雲無心以出岫。」意當本此。

海上蜷盧

見跋清陳奐撰《詩毛氏傳疏》三十卷附《釋毛詩音》四卷《毛詩說》一卷《毛詩傳義》一卷《鄭氏箋考征》一卷。

按：民國十六年八月國民政府有「寧漢分裂」事件，獻唐先生隨丁惟汾先生避居上海，稱其寄寓之室。

倚老賣老之室

達生師云：獻唐先生居四川時，嘗自稱「八二老人」、「向湖老人」、「栗峰老人」，乃名其書室為「倚老賣老之室」。先生滑稽者流，此戲謔之稱耳。

皕漢印齋

見跋董井自輯，民國廿四年鈐印本，《勉行堂印存》（不分卷）。指所藏漢印二百方。

皕璽

按：「百漢印齋」、「皕漢印齋」、「皕璽」，均獻唐先生早期所用，後先生藏印逾千，不復言及矣。先生藏印有集《兩漢印帚》，並撰《五鐙精舍印話》傳世。《印話》云：「大凡一人之身心，不可無寄託處，功業文章，金石書畫，及煙賭狹邪游，皆寄託也，其功用一也，不過所得之果，各有不同耳。而凡日常生活，不可呆板，須時時易之，呆板則無生趣。故日坐簿書中，心氣疲弊，歸家取其所好者治之，心曠神怡，反足以解困。金石書畫之屬，可以考古游藝，可以怡情，與煙賭之屬，同其效用。每見好蓄金石書畫者，類以考古游藝之面目向人，其實多傾向於怡情方面，更不必飾諱也。余家素貧，惟多嗜癖，書籍版本，金石書畫，無所不好。好之愈久，見之愈多，而眼界欲高，愈高而價值愈昂，力不能致，故於銅器一類，鐘鼎重器，無力收之，以古印瑣小值微，力或能及，乃思專收古印。行之數年，而每月所入，十之五六，悉耗于是，乃廢然自嘆。然於工作勞頓之時，出而展玩，則百慮皆忘，所得固亦多矣。不猶煙賭者乎，為之猶賢乎己，固嘗持以解嘲矣。」

凡此，可略窺先生收藏古印之初衷。

沓古鉤奇之室

見跋清顏光敏撰，清抄底稿本，《顏氏三家集》（不分卷）。按：《說文》：「沓，盛貌。」意以眾多之古文獻，鉤取其奇異論點。

雙行精舍

見跋羅振玉考釋，商承祚增訂，民國十二年商氏決定不移軒刻本，《殷虛文字類編》（十四卷）《考釋》（一卷）《待問編》（十二卷）。

按：達生師賜告，取佛語「福慧雙修」意。獻唐先生〈訪碑圖詩〉：「隴頭親舍望白雲，風木關山孤兒哭。芒鞋雪夜賦北征，麻一扶櫬滄海行。咫尺人天成代謝，沉沉萬劫見生死。初從朱陸求解脫，過去未來無言說。繼向老莊叩心燈，火蕭焰盡燈亦滅。諸天無量宗風多，理不稱心奈若何。最後始識西來意，大海嘗得一滴波。」自注：「一九一九年，先君見背，歸櫬吉林。忽中葉苦次悟死生無常，治宋明理學及老莊諸子，求人生真諦。又泛覽西方哲學、社會哲學，俱不稱意。成〈人生之疑問〉一文，為余生平思想轉變絕大關鍵。」〈訪碑圖詩〉：「此中人云唯識好，跏趺削發苦不早。更由法相治因明，細縷金梭泄天巧。」自注：「一九二四年，復改修天臺宗，知從前所苦，皆妄執也。」

顧黃書寮

見跋清阮元撰，清道光二年文選樓刻本《揅經室一集》十四卷。及跋宋趙德編，清抄本，《詩經疑問》（七卷）。

按：前述民國十九年八月一日獻唐先生交卸圖書館長，不數日，晉軍潰敗，省府宜返濟南。八月二十日先生回館接收。九月十一日先生得海源閣舊藏顧千里校《說文繫傳》，黃蕘圃校《穆天子傳》二書，欣喜之餘用作書室名。《顧黃書寮日記》（未刊稿）：「再作馮婦來長山東圖書館，前此守書之役可告結束矣。今日得顧千里手校《說文繫傳》、黃蕘圃校《穆天子傳》，喜以顧黃書寮名吾藏書之寶。自今以往，將埋頭書寮中矣。行止坐臥隨筆日日記之，及顏其所記名曰『顧黃書寮日記』，十九年九月十一日王獻唐。」又，張景栻先生賜告：「獻公晚年為生計，所藏金石書畫書籍，多以易米。《穆天子傳》歸周叔弢，《說文繫傳》歸栻。」

結　語

獻唐先生的書室名甚多，以今日言，多為「虛擬」，所有的亭臺樓閣皆存乎其心，居此退藏治學之所，白晝則「垂簾半卷楊花起，手寫人間未見書」；入夜則「九流四部閑徵遍，消受春燈一穗紅」；凌晨則「排闥風聲燈欲死，有人兀坐五更時」；總之

「十丈紅塵萬人海，此心安處是吾鄉」。⓫先生別號亦莊亦諧，充分展現其熱愛生命又超然物外之灑脫風範。

王獻唐先生於民國二十八年九月繪向湖圖

⓫ 此段多引獻唐先生《藏書十詠》之詩句，載《山東省立圖書館季刊》，臺灣學生書局影印，1970年。

昌彼得教授八秩晉五壽慶論文集
2005年2月　　頁375-396

先秦哲學的結構及其變遷

高柏園

一、問題的提出

在討論中國哲學史及其發展之時，我們首先可以看出大陸學者的某些態度，而此中尤其以唯心、唯物的二元對立為主要論軸之一。❶當然，我們並不願意接受這樣武斷而又片面的立場或態度。理由很簡單，首先，中國哲學的基本關懷並非知識性的關懷，甚至也不是唯心唯物的形上學關懷，而是以生命為主要的關懷，更具體地說，乃是以生命的實踐為主要關懷。❷當然，這樣的說法並不表示中國哲學完全排斥有關知識論或形上學的討論，事實上荀子、莊子、墨辯、名家，對以上問題皆有十分精彩的說明。然而，即使是如此，這些有關知識論及形上學的討論仍然是第二義的，也就是

---

❶ 參見侯外廬主編：《中國思想通史》（北京：人民出版社，1957年8月版），其中有〈春秋時代的唯物主義思想〉、〈墨子唯物主義的知識論〉、〈思孟學派儒學的唯心主義的放大〉、〈惠施的相對主義唯心思想〉、〈公孫龍的絕對主義唯心論思想〉等章節名稱，由此便可明顯看出其對唯心與唯物相對性的預設。另參見張錫勤：《中國近代思想史》（臺北：萬卷樓圖書有限公司，民國82年3月版），頁15〈導言〉：「中國近代的資產階級哲學雖然受到西方資產階級機械唯物論的影響，某些人的哲學思想具有機械唯物論的傾向，但總的說來機械唯物論在中國近代資產階級哲學中並不佔優勢。相反，中國近代的資產階級哲學，主觀唯心論的色彩是比較突出的。」此中，資產階級、唯心論、唯物論等觀念，依然是一種具獨斷色彩的預設，對合理理解中國哲學而言，妨礙多於幫助。

❷ 參見牟宗三：《中國哲學十九講》（臺北：臺灣學生書局，民國78年2月版）第一講〈中國哲學之特殊性問題〉。

在實踐的前提下而後展開的關懷。就此而言，無論是知識論或形上學的討論，其目的並非為知識論或形上學理論的客觀建構，而是為實踐要求而展開的客觀化努力。正是在此義上，牟宗三先生才會提出「良知的自我坎陷」以及「道德的形上學」等觀念，以充分回應生命實踐之學在面對知識論及形上學之時，應有之回應與發展。❸其次，純就方法論意義而言，唯心與唯物的對比亦嫌粗糙而不適用，何以故？以其過分簡化故也。許多哲學問題並非是唯心或唯物的問題，而且，就算有些問題與心物問題相關，但也未必就能無條件地化約為唯心或唯物的問題。因此，堅持著唯心與唯物的對比，並不能增益吾人對中國哲學之理解與掌握。不但如此，對某種方法或理論的過分堅持，極可能無形之中扭曲或窄化了對象的豐富性。也因此，某些重要的哲學問題，也會在不當的立場預設中被遺忘而消失了。❹值得注意的是，這樣的問題並不僅僅存在於大陸某些學者所擁有的唯心與唯物的對立上，事實上也有某種程度的普遍性。本文的主要目標，便是藉由當代學者對先秦哲學發展之說明與理解，展示方法及立場上之預設及其可能之限制，並嘗試提供較為開放而宏觀的理解視野，此一方面是對先秦哲學發展之重估，另一方面也是試圖為中國哲學之發展提供新的角度。在介紹了唯心與唯物的對比之後，讓我們回到港臺方面的學者研究成果上。

二、幾個參考點的討論

人是歷史的動物，人必然受到其所處時代及環境之影響。當然，影響並不等於決定，人受歷史影響卻不受歷史決定，反之，人會對歷史做出自覺的反省與回應。若此

❸ 參見牟宗三：《現象與物自身》（臺北：臺灣學生書局，民國65年9月版），第四章〈由知體明覺開知性〉，其中有小節專論「自我坎陷，執，與認知主體」。又，關於道德形上學可另參看牟宗三：《心體與性體（一）》（臺北：正中書局，民國68年12月版）〈導論〉部份。

❹ 參見勞思光：《中國哲學史（一）》（臺北：三民書局，民國73年1月版），序言部份對系統研究法之批評，頁6-8。

義是合理的，那麼，我們也就有充分的理由接受牟宗三先生對先秦哲學的理解態度。依牟先生，中國先秦哲學基本上乃是環繞著「周文疲弊」此一時代問題而展開，而這樣的主張仍是建立在十分清楚的反省基礎上的。

首先，我們仍然必須回應歷史的發生意義，就此而言班固《漢書·藝文志》中「諸子出於王官論」便是十分典型的代表，它指出知識由貴族轉向平民的發展趨勢。

> 古代的知識都是集中在官府的專家手中，這並不是普遍於民間的，照古代的說法就是藏之於王官。所以熊先生說「百家」是指王官裡頭管這件事管那件事的那些專家說的，這種說法值得我們參考。❺

牟先生這段話是承認了諸子出於王官論中的確反映了部份的歷史事實，我們可以說這是從發生的角度來加以說明的立場。牟先生對此分別的十分清楚：

> 這個「諸子出於王官」的「出」是指歷史的「出」，是表示諸子的歷史根源（historical origin），而不是邏輯的出，不是邏輯根源（logical origin）。所以，說諸子出於何官何官，大都是聯想，並不是很嚴格的。❻

諸子出於王官論之所以是不嚴格的，主要便是因為這種說法只是指出諸子思想發生的歷史背景，而這種歷史背景對諸子思想之內容特色並不具有決定性。除此之外，牟先生也舉出胡適先生為例：

> 胡先生既然反對「諸子出於王官」這個說法，因此他自己也提出一個觀點。傳統的「諸子出於王官」是個縱的觀點，胡適之先生所提出的觀點是個橫的觀點。他的觀點是什麼呢？他是以社會學的觀點從社會環境上講。說當時的社會出問題、民生有疾苦，所以諸子的思想都是反映當時的社會問題的，這些思想家都

❺ 同註❷，頁 53。

❻ 同註❷，頁 54-55。

> 是來救世的。這在民初是個新觀點。可是，「諸子出於王官」這個說法固然是鬆，胡先生這個社會學的觀點也還是鬆。……可見環境並不能直接決定，而且和某某思想也沒有直接的邏輯關係（logical relation）。所以你從社會學的觀點來講諸子的起源也還是鬆。❼

如果胡適先生所提出之環境問題導致諸子思想的產生，那麼，更確切的說法便是對此「環境問題」加以限定，由是而導出其間的邏輯關係及根源。依牟先生，便是將之定在周文疲弊上。其謂：

> 這套周文在周朝時粲然完備，所以孔子說「郁郁乎文哉，吾從周」。可是周文發展到春秋時代，漸漸的失效。這套西周三百年的典章制度，這套禮樂，到春秋的時候就出問題了，所以我叫它做「周文疲弊」。諸子的思想出現就是為了對付這個問題。這個才是真正的問題所在。它不是泛泛的所謂社會問題，也不是籠統的民生疾苦問題，它就是這個「周文疲弊」問題。所以我在前面之所以說儒墨道法這四家是相干的，就是因為這四家有一共同的特點，也就是說，他們是針對周文之疲弊而發。從這個地方講諸子的起源才是中肯的、才切。❽

周文疲弊是文化問題，而諸子思想也正是環繞著這個文化問題展開。就儒家而言，文化問題的根源在人，因此，對禮樂的反省，最後便回溯到個人的「仁」，由仁而義而禮，此所謂「攝禮歸義」、「攝義歸仁」。個人的仁不是客觀制度問題，而是個人主觀反省與修養問題，就此而言，儒者在孔孟之初，似乎仍是將文化問題還原為個人修養問題加以處理，所謂內聖外王亦可顯現以心性論而後修養論而後政治論的發展邏輯。儒家如此，道家亦然。道家的老莊在面對周文疲弊之時，固然是採取一種消極性的治療方式，然而老莊並未將重心放在文化問題的客觀結構解析上，而是將重心放在

---

❼ 同註❷，頁 55-56。

❽ 同註❷，頁 60。

聖人身上。而聖人之為聖人，又在其超於常人的工夫修養上。由此看來，道家的修養論固然重在無、無為、虛靜之上，由此而有別於儒者，但是其將重心放在主體修養上則無別。再看墨學，墨子依然是環繞著周文疲弊而展開，其特色在墨子並不由主觀修養的提倡以改善周文化的困結，而是直接提供一套新價值觀與秩序來取代崩解的周文。依墨子，天下之亂乃是聖人所須對治的首要問題，此在〈兼愛〉說之甚詳。既欲平亂，當知亂之所自起，是以墨子乃以人之別愛說明社會動亂之原因。今人因別愛而導致不相愛而相賊，當何以易之呢？墨子於是提出兼愛的主張，說明兼愛的效果足以止亂。唯此兼愛雖能止亂，亦只表示其有工具價值，至於其自身之價值又果何在？墨子於是乃訴諸宗教的權威——天志。❾蓋天乃最貴、最智之存在，是以天志的內容——兼愛，亦是最具價值者，而為人人所應遵循。由此看來，墨子雖然不重心性論與修養論，而重客觀問題之解決。然而其仍然寄望於超越的天志以及人間的聖人、君王，雖然不若儒道二家完全將重心放在主觀的修養上，卻仍然是以外在權威改造個人，並未將客觀問題之結構解析置於優位也。即就中國哲學史之發展而言，墨學在秦後即大衰，對中國哲學之發展影響甚微，完全無法與儒道思想之影響相抗衡。此義既明，則牟先生在《中國哲學十九講》一書中，以儒道思想為先秦主流而加以詮釋，而略過了墨家思想，便是十分可理解的做法了。而此做法的合理引申，便是以心性論、修養論為主軸的主體哲學，視為是中國哲學的主流思潮，此義不但在歷史的發展中得到充分的支持，而且也較唯心唯物的對比，或是單純的社會學問題之挑戰——回應，更為合理而嚴格，就此而言，我們的確必須接受牟先生的主張。

值得注意的是，當我們說儒道思想以主體心性論及修養論為主軸的發展乃是中國哲學的主流之時，這只是宣稱一種事實上的發展內容，此種事實上的發展內容並不代表具有一種先天的價值優位性。易言之，儒道思想作為主流乃是歷史的事實，但是這

❾ 參見同註❹，頁 293-297。又，其中頁 295：「此明言價值規範出於『天』（意即『合理』，指價值規範言）。而其根據則在於『天為貴，天為知』。權威主義之立場固至為明顯。」亦即說明兼愛的價值根源也。

並不表示只有儒道的主流思想才是有價值的，或是在價值上一定較非主流思想更為優位。無可否認的，儒道思想在經過長期的發展，的確呈現出許多有價值的內容，這些內容都是極其珍貴的。但是，也正因為這些內容在某方面的精彩，也相對顯現出其在另一方面的可能忽視。其實，也正是因為有這樣的相對性，是以在儒道主流思想之外，總有些非主流的思想，試圖對主流思想中的可能限制，提出批評及補充，例如先秦哲學中的法家思想便是一明顯的例子。基於此義，我們可以回顧一下勞思光先生的看法，或許正可作為說明的例子。

勞思光先生在其大作《中國哲學史》中論及法家思想時中有如是的陳述：

> 韓子之言，甚雜而淺；蓋韓非思想中之基源問題僅是：「如何致富強？」或「如何建立一有力統治？」至於心性論及宇宙論等方面，則韓非子實空無所有。就先秦思想全盤觀之，則發展至韓非時，文化精神已步入一大幻滅，一大沉溺；蓋依韓非之方向，自我即墮入形軀利害感一層面，而全無超越自覺矣。故就此義言之，韓非子所代表之法家理論之出現，不代表一新哲學系統之產生，而實表示先秦哲學之死亡。……蓋認為如何如何條件下方有「價值」成立，固是一哲學論斷；而認為價值根本不能成立，則更涉及一根本哲學問題。故韓非子之純否定本身仍屬涉及哲學大問題者，且就歷史影響而論，此種法家思想導生秦之統一；在中國文化精神之進程中，實有劃時代之作用；則中國哲學史既以研究中國哲學之歷史進程為課題，對此一劃時代之歷史巨變，豈能不析論之？[10]

勞先生說韓非思想「甚雜而淺」，就某種意義而言仍然是十分合理的。易言之，韓非之學有承於儒家的荀子，有受於道家的老子，有取於三晉的法家理論，凡此皆足以說韓非學的綜合性格，此亦不妨以「雜」說之。另一方面，則韓非既不談天道的形上思想，亦不深論心性論及修養論，而直接以現實問題為關懷，相較於儒道思想而言，

[10] 註[4]，頁 353-354。

謂韓非思想為「淺」，誰曰不宜？問題是，勞先生在此所說的雜與淺顯然並非只是如上文所做的客觀描述，而是帶有強烈的價值色彩，試看「一大幻滅」、「一大沉溺」、「先秦哲學之死亡」，其價值上之貶抑十分明顯而強烈。而勞先生之所以會有如此的價值批評並非來自韓非理論本身的不堪，而是來自其對先秦甚至整個中國哲學價值的認定。勞先生指出：

> 倘謂中國文化精神在孔孟手中定型，在荀子手中被歪曲，則在法家手中被處死刑。雖精神有復活之日，然升降死生之間，數百年匆匆已逝矣。秦祚雖短，秦政權所代表之大否定，則影響中國文化史達數百年。兩漢文物，為史所稱。然就文化精神言，則甚為萎縮。儒學自荀卿引入歧途，遂一往而不能反。漢代儒者雖盛道六經，動言孔子之義，然其本領皆屬陰陽家之末流。董仲舒以災異釋春秋，乃有「天人相應」之說；即一明證。他如講易者之受陰陽家影響，亦至為明顯。於是，稍後遂見讖緯盛行，而儒者津津樂道，不知其醜，豈孔孟始料所及乎？由於漢代儒學步入邪僻荒謬之途，已衰之中國文化精神自無由重振。於是，印度佛教侵入中國，進而佔據中國文化之主壇。至於隋唐，則中國幾無佛教以外之哲學力量。直至宋代二程出現，儒學始得復振。而此已為中國哲學中期之事矣。⓫

我們由以上冗長卻又十分重要的引文中不難發現，勞先生之所以會對法家、荀子之思想加以貶抑，乃是因為其已然預設了孔孟思想為儒學之正宗，並進一步而為中國文化精神之定型者。此義既成，則兩漢思想之價值便在遠離孔孟的理由下被加以否定，至於魏晉及隋唐佛學亦在以儒學為主流的預設下而未能得到合理的肯定。事實上，我們細觀勞先生《中國哲學史》洋洋巨著，雖是前後一貫，成一家之言，但是對漢代、魏晉之思想則是十分缺乏同情的。即就先秦哲學而言，勞先生也是以孔孟思想為主軸，

⓫ 註❹，頁 373-374。

尤其以心性論、修養論為主軸，對形上學並未予以高度的評價，其在論及孟子思想時，力斥其有關的形上學命題即可見一斑。⓬相對而言，牟宗三先生則較勞先生寬容多了，牟先生雖然以十足的新儒家自居，而且在《原善論》一書中，明白地推舉儒家原善的優越性，此義可與唐君毅先生在《生命存在與心靈境界》中之立場相呼應。⓭然而，我們卻不得不佩服牟先生對其他學說之理解與詮釋所表現出的卓見與智慧。例如，牟先生對法家思想有詳細而深刻的批判，我們在其《政道與治道》、《歷史哲學》、《道德的理想主義》等三本早期的作品中，得到十分明確的印象。然而，牟先生在較晚的《中國哲學十九講》一書中，則以「早期法家」與「後期法家」之區分，對法家思想有較為肯定而正面的評價，雖然對韓非仍是持批判的立場。⓮值得一提的是，本文也正要以此為線索，說明對先秦哲學結構及發展的看法。其次，牟先生以《周易的自然哲學與道德涵義》一書，表彰兩漢易學及相關思想；《歷史哲學》一書中，對漢代思想雖有批評，然仍有肯定，不若勞先生完全採取否定立場也。在魏晉方面，《才性與玄理》一書可謂典範性的作品，尤其在論及老子思想為境界型態形上學，更是學界所熱切討論的重點。⓯及至隋唐，《佛性與般若》判攝空宗、禪宗、唯識、華嚴、天臺，亦是提出典範式的主張，貢獻尤大。在宋明理學方面，著名的《心體與性體》、《從陸象山到劉蕺山》完構了整套的宋明理學架構，而將朱子判為「繼別為宗」，更是歷史性的貢獻。我想，牟先生之學術地位之所以難以超越，正在其能正視各家學說而予以應有之地位，並能提出典範性的詮釋也。然而，我們雖然無法撼動牟先生對各家學說之典範地位，但是仍有值得進一步釐清的問題。一如前論，牟先生仍然是以心性論

⓬ 註❹，頁 201：「而以上所涉資料，一一檢論，則並無必然引出一『孟子之形上學』之確據。即就『立命』與『正命』說，孟子此處之論點，亦不須依賴一對『天命』之信仰，或對『形上天』之肯認也。」

⓭ 參見唐君毅：《生命存在與心靈境界》（臺北：臺灣學生書局，民國 75 年 5 月版），其中以「天德流行境——盡性立命說——觀性命界」說儒學，亦是以儒為最後歸宿之義也。

⓮ 參見註❷，第九講及第十講之法家部份。

⓯ 詳細之討論可參見袁保新：《老子哲學之詮釋與重建》（臺北：文津出版社，民國 80 年 9 月版）。

為主軸，展開對先秦哲學之詮釋，其中雖然也論及客觀結構問題，例如荀子、法家、名家之思想，然而畢竟未予以一整體之發展性說明，本文正欲對此提出新的說明。

三、先秦哲學的辯證發展

其實，本文的說明並非首創，其原初之精神實可由唐君毅先生《中國哲學原論》中得到啟發。唐先生在此書的寫法依然是介紹中國哲學的重要人物及其學說，然而其中卻有二義十分特殊，其一是採取專題的角度下手，例如專論性、命、道、言與默等問題，此義與徐復觀先生的《中國人性論史．先秦篇》之做法有異曲同工之妙。其二是在展示眾多學說之際，並非只是個別獨立說明，而且是環繞其發展而展開。易言之，每個學說皆有其精彩之處，但同時也隱含著某種忽略與遺忘，而這種忽略與遺忘也正好是接下來的學說所欲說明、解決者，由是而使得整個哲學之發展呈現出一種辯證發展的意義。唐先生在《中國哲學原論．原教篇》序言中指出：

> 至于就此書之論述方式而說，亦與原道篇之為「即哲學史以論哲學」之方式無殊。所謂即哲學史以論哲學者，即就哲學義理之表現于哲人之言之歷史秩序，以見永恆的哲學義理之不同型態，而合以論述此哲學義理之流行之謂。既曰流行，則先後必有所異，亦必相續無間，以成其流，而其流亦當有其共同之所向。⑯

如果牟先生是分別架構出不同哲學家的理論體系，則唐先生便是指出此種種體系間之發展關係及其得失。「此論述之方式之本身，即為一限極。」⑰今無論是牟先生或唐先生亦不逃此限極。然二者雖不同卻又不必排斥，吾人若能深究理論，同時發現其間轉承辯證之機，當更可逼顯哲學發展之原貌。當然，我們在做如此的努力與嘗試

---

⑯ 唐君毅：《中國哲學原論．原教篇》（臺北：臺灣學生書局，民國 73 年 2 月版），序言頁 7。

⑰ 同註⑯，頁 9。

之時，也要注意避免過於主觀的臆測。吾人就理論發展而言，可能會認為 A 理論當在 B 理論之後，例如荀子在孟子之後，同時重視客觀禮法，正可補足孟子思想之不足。然而，荀子思想卻反對性善論而成為儒學的歧出。此中之分際不可不察。⓲

根據以上諸多問題之反省，本文擬將先秦哲學之結構與發展勾勒如下：

周文疲弊誠然是先秦諸子思想的共同課題，儒家的孔子、道家的老子以及墨家的墨子，在回應周文疲弊之時，其實是比較主客兼顧的。例如孔子誠然強調仁的重要，但是對禮則念念不忘，這表示孔子雖然重視人的內在修養及其修養之根源，但是並未將問題轉化為個人內聖修養問題，此中仍有客觀問題有待解決。在孔門之後有子夏、子張的傳經之儒與曾子、子思的傳道之儒的區分，也正反顯孔子對客觀之倫常禮教以及仁義德性的兼及並重。⓳至於老子，則其工夫總綱在《老子·十六章》有十分簡要之說明，此即所謂「致虛極，守靜篤」以觀道之復返不已。此亦類似孔子之重仁道之義。然而，老子也明白對時代進行客觀之描述，例如五色、五言、五味之令人盲爽發狂，以及「大軍之後必有凶年」之慘狀描寫，都迫使老子亟於以聖人無為之方式處理國家問題，此亦是兼及主客觀之理論模式也。墨子之兼愛雖不重修養，然其仍以聖人、君王為重，此其重主觀面之表現，另一方面，則其非攻、非樂、節葬、節用以及至於種種工藝器具之發明，又明白顯示其對客觀結構及事物的重視。此可謂先秦哲學第一

⓲ 參見同註❹，頁 330：「然歷史脈絡之實況每與理論脈絡之要求不能盡合。依理論脈絡之要求論之，孟子後之言儒學者應能內補孔孟之說，外應諸子之攻。而實際出現之學說，則未循此道路以進展；反之，此一新學說乃違離孟子之心性論，而又雜取道家墨家之言，以別立系統者。此系統即荀子之哲學。就荀子之學未能順孟子之路以擴大重德哲學而言，是為儒學之歧途。而尤應注意者是此一學說之歸宿。荀子倡性惡而言師法，盤旋衝突，終墮入權威主義，遂生法家，大悖儒學之義。學者觀見此處之大脈絡，則亦可知荀學之為歧途，固無可置疑者。」

⓳ 參見王邦雄：《韓非子的哲學》（臺北：東大圖書公司，民國 66 年 8 月版），頁 32：「孔子之儒學，其弟子傳下者，有兩大支：一為曾子，一為子夏。曾子承一以貫之之仁，及忠恕之道，反求諸己，重內省之約；子夏承孔子之禮樂，篤信聖人，重外發之博。前者為傳道之儒，下開孟子仁心仁政之學，後者為傳經之儒，下開荀子聖人隆禮之學，曾子另傳吳起，子夏亦旁及李克，已轉向法家一路。此當為錢穆先生法出於儒之說的由來。」

階段之發展。

其次，我們看儒家在孔子之後的孟子，則至少有三個發展面向。第一，孟子正式回應了孔子對心性的理解態度。蓋無論是「性相近也，習相遠也」，或是「夫子之言性與天道不可得而聞」，此中皆表示孔子並未對心性問題直接提出分析或說明。這也可以反證孔子仍是以主客兼及的方式解決時代問題。而孟子之重要，即是正式以四端說心、以良知說心、以心說性，由是挺立性善論的儒學傳統。第二，孟子的性善論只是充分展示人之成德的超越根據，至於如何成德之種種內容及歷程，則有待後天的努力，這也就成為孟子知言養氣、存養擴充的工夫格局。第三，孟子仁政王道之說，以及革命、禪讓、世襲等政權轉移之說，皆是回應孔子「君不君」時當如何處置的問題，同時也正式由周天子的封建家天下的政治觀，開放為仁者為王的民本主義的政治觀。此中，我們不能不承認孟子對當時社會及政治有相當的關切與批評，就此而言，孟子並未忽視對客觀結構問題之重視，例如政權轉移問題便是明顯的結構性問題。值得留意的是，即使在面對客觀結構問題，孟子仍然訴諸個人修養做為問題的解決手段。以仁政王道為例，孟子固然指出「正經界，王道之始也。」（〈滕文公〉），同時也具體指陳出王道仁政之具體狀態：

> 不違農時，穀不可勝食也；數罟不入洿池，魚鱉不可勝食也；斧斤以時入山林，材木不可勝用也。穀與魚鱉不可勝食，材木不可勝用，是使民養生喪死無憾也。養生喪死無憾，王道之始也。五畝之宅，樹之以桑，五十者可以衣帛矣；雞豚狗彘之畜，無失其時，七十者可以食肉矣；百畝之田，勿奪其時，數口之家，可以無飢矣。謹庠序之教，申之以孝悌之義，頒白者不負戴於道路矣。七十者衣帛食肉，黎民不飢不寒，然而不王者，未之有也。（〈梁惠王上〉）

但是，孟子也只是陳述其然，至於如何使其然，使其所以然之客觀結構為何，孟子並未深論。反之，孟子乃是將重心放在仁政王道的主事者——君王、聖人的修養上。孟子曰：

> 人皆有不忍人之心。先王有不忍人之心，斯有不忍人之政矣。以不忍人之心，行不忍人之政，治天下可運之掌上。……凡有四端於我者，知皆擴而充之矣，若火之始然，眾之始達。苟能充之，足以保四海；苟不充之，不足以事父母。（〈公孫丑上〉）

不忍人之政來自於不忍人之心，此無問題，然而，不忍人之政之客觀結構及具體內容，卻不是不忍人之心可單獨完成，也不是個人良知修養所能完全掌握。牟宗三先生在《現象與物自身》一書中提出著名的「坎陷說」，以良知的自我坎陷為認知心，以開展出客觀知識之論述，其實正是反映了孟子學所遺留的問題。此外，《大學》由誠意正心到治國平天下，其間的轉折亦是類似的問題。果如前論，則孟子學基本上乃是由孔子主客兼及的理論型態，轉為以主體心性為主的型態。這也是儒學由孔子而孟子的第一次辯證發展。

孟子由孔子之主客兼及而至重主體性，此在道家則是由老子而莊子之重主體性。一如孟子，莊子亦論及政治社會問題，然而其重點同樣不在相關客觀結構之解析，而僅在個人主觀修養之建構上。試觀《莊子》原文：

> 若夫乘天地之正，而御六氣之辯，以遊無窮者，彼且惡乎待哉。故曰：至人無己，神人無功，聖人無名。（〈逍遙遊〉）

又：

> 之人也，之德也，將旁礴萬物以為一，世蘄乎亂，孰弊弊焉以天下為事。之人也，物莫之傷。大浸稽天而不溺，大旱金石流、土山焦而不熱。是其塵垢粃穅，將猶陶鑄堯舜者也，孰肯以物為事。」宋人資章甫而適諸越，越人斷髮文身，無所用之。堯治天下之民，平海內之政，往見四子藐姑射之山，汾水之陽，窅然喪其天下焉。（〈逍遙遊〉）

又：

> 夫聖人之治也，治外乎？正而後行，確乎能其事者而已矣。……無名人曰：「汝遊心於淡，合氣於漠，順物自然而無容私焉，而天下治矣。」……老耽曰：「明王之治，功蓋天下而似不自己，化貸萬物而民弗恃；有莫舉名，使物自喜，立乎不測，而遊於無有者也。」（〈應帝王〉）

無論是「無己、無功、無名」，或是「正而後行」，抑或是「順物自然而無容私」，甚至是「遊於無有」，此中之精神皆是落在主體修養境界上說，並非是重在客觀結構之關懷或分解。此則較老子尚兼及客觀世界結構之描述，更內收於主體，而純顯一主觀境界之姿態。若相比於孟子，則孟子、莊子雖主張各異，然其間以主體境界為主軸之思維型態則又甚為一致也。我們可以說，儒家由孔子而孟子，道家由老子而莊子，乃是先秦哲學的第二階段，也就是由主客兼及的思維型態，轉為強調主體修養的階段。如實而論，由主客兼及的型態轉變為重主觀義之型態，此中並無任何價值上的優劣問題，我們不能說主客兼及必然就比重主觀義的型態更為殊勝。易言之，孟子及莊子未必排斥客觀結構之分析及掌握，但是事實上他們可能是將重點擺在主觀修養上，重主觀修養的事實並不必然涵蘊著對客觀結構之忽視也。另一方面，我們也可以從個人解決問題的態度上下手。對孟子、莊子而言，問題的解決誠然有個人主觀修養的層次，而這也是人最無待於外而能當下掌握之事，果如此，則孟子、莊子對主觀義之掌握與重視，亦正是重在此人人皆無待於外而能當下對治之義，此則可無懼於外在世界之變化多端，而可當下終生奉行者也。就歷史之發展而言，中國哲學也的確用心於此，並在此義獲得十分豐富的成果。

一如前論，孟子、莊子由孔子、老子的主客兼及的思維型態轉化成為重主觀修養之型態，此中並無價值之優劣可說，當然，也就不表示這樣的發展便比較有價值，此中有得之部份已如上述，至於其失亦當予以正視。首先，以主體修養為重的進路，誠然是掌握到了問題的主觀面意義，同時也展現出無待的當下即是之義，由是而超拔於一切外在客觀條件之上而有一切實之下手處。然而，我們也必須指出的是，正是由於主觀修養型態乃是完全將問題內收為個人修養問題，因而也造成個人對外在世界客觀結構的疏離可能。我們不否認問題的主觀層面之意義，但是完全將問題簡化、歸約為一種主觀修養，則無疑是一種過分簡化的過失。此時，我們便喪失了對客觀結構問題正視、掌握的動力。孟子、莊子之不見用於當世，此或許有個人意願的因素，然而也不乏其學說重主觀面而對客觀面之掌握畢竟不足之因素在也。《孟子·梁惠王上》一開始便記載著梁惠王的要求：「叟，不遠千里而來，亦將有以利吾國乎？」孟子的回答以仁義高於利益之說誠有其道理，但是這又畢竟有些脫節，因為在當時競爭慘烈的時代裡，生存仍是極為迫切而現實的問題。仁義問題誠然是重要的，但是在迫切性上是否較生存為優先，則不無可疑也。

若以上所論無誤，則在孟子之後的荀子重客觀禮義師法，強調法後王之道，便是十分順適的發展，也就是在主觀面已然充分強調之後，將重心重新放在客觀結構問題的處理上，而且顯現出強烈的經驗主義色彩。試觀以下引文：

> 天行有常，不為堯存，不為桀亡。應之以治則吉，應之以亂則凶。……故明於天人之分，則可謂至人矣。……天職既立，天功既誠，形具而神生，好惡喜怒哀樂臧焉，夫是之謂天情。耳目鼻口形能各有接而不相能也，夫是之謂天官。心居中虛，以治五官，夫是之謂天君。財非其類以養其類，夫是之謂天養。順其類者謂之福，逆其類者謂之禍，夫是之謂天政。暗其天君，亂其天官，棄其天養，逆其天政，背其天情，以喪天功，夫是之謂大凶。聖人清其天君，正其天官，備其天養，順其天政，養其天情，以全其天功。如是，則知其所為，知其所不為矣；則天地官而萬物役矣。其行曲治，其養曲適，其生不傷，夫是之謂知天。（《荀子·天論》）

荀子在此對天、形、心等概念之分析，表現出十分強烈的經驗主義色彩，也同時對其採取轉為客觀的理解型態。再觀其〈性惡篇〉之論性：

> 人之性惡，其善者偽也。今人之性，生而有好利焉，順是，故爭奪生而辭讓亡焉；生而有疾惡焉，順是，故殘賊生而忠信亡焉；生而有耳目之欲，有好聲色焉，順是，故淫亂生而禮義文理亡焉。然則從人之性，順人之情，必出於爭奪，合於犯分亂理，而歸於暴。故必將有師法之化、禮義之道，然後出於辭讓，合於文理，而歸於治。用此觀之，然則人之性惡明矣，其善者偽也。

此中之論性立場近於告子之經驗主義，而遠於孟子的理想主義及先驗主義之立場。凡此，皆是指出荀子之重客觀結構面之表現。相對於荀子，在莊子之後道家有慎到的自然物勢之論。我們先看《莊子·天下》的描述：

> 是故慎到棄知去己，而緣不得已，冷汰於物，以為道理。曰：「知不知將薄知而後鄰傷之者也。」謑髁無任，而笑天下之尚賢也；縱脫無行，而非天下之大聖。椎拍輐斷，與物宛轉，舍是與非，苟可以免。不師知慮，不知前後，魏然而已矣。推而後行，曳而後往，若飄風之還，若羽之旋，若磨石之隧。全而無非，動靜無過，未嘗有罪。是何故？夫無知之物，無建己之患，無用知之累。動靜不離於理，是以終身無譽。故曰：「至於若無知之物而已，無用聖賢，夫塊不失道。」豪傑相與笑之曰：「慎到之道，非生人之行，而至死人之理，適得怪焉。」

〈天下篇〉雖然是以「死人之理」評論慎到，然而這卻並非不移之論。蓋慎到之所謂「棄知去己」，大可是去除小我之小知小見，由是而能以更為開放而客觀之態度，聆聽自然之理的召喚，此所謂「緣不得已」者，正是說明自然之理乃客觀常存之存在，非我人主觀態度所能左右，今若欲掌握此客觀之道，則亦當去一己之小私，而後能因循緣順此道之自然也。慎到在此不必排斥聖賢之存在及價值，唯此自然之道自有其存在之理，此非聖賢單由主觀心境而可完全了解，甚至更當「無用聖賢」，以純冷智之態度體道也，此所謂「塊不失道」。若必欲以「死人之理」論慎到，則此中所死之人，正是一缺乏對客觀結構加以尊重之存在也。再觀《韓非子·難勢》對慎到的描述：

> 慎子曰：「飛龍乘雲，騰蛇遊霧。雲罷、霧霽，而龍蛇與螾螘同矣，則失其所乘也。故賢人而詘於不肖者，則權輕位卑也；不肖而能服賢者，則權重位尊也。堯為匹夫，不能治三人；而桀為天子，能亂天下。吾以此知勢位之足恃，而賢智之不足慕也。」

根據〈難勢篇〉的記載，重視客觀物勢正是慎到勢治論的主要立場，而其對「賢智不足慕」之強調，其實也正是扭轉主觀型態思維而成為客觀結構型態思維的重要轉折也。無論是荀子或是慎到，都表現出由主觀型態轉化為客觀型態的思維模式，這樣的發展趨勢我們可由二義加以解讀。首先，純就哲學理論之發展邏輯而言，由孔子、老子的主客兼顧到孟子、莊子的重主觀型態，以至於到荀子、慎到的重客觀型態，可說是一種內在的辯證發展。也就是由無分別的狀態轉為自覺的主觀狀態，而後再將自覺轉向對象而成為客觀的自覺型態，果如此，則此中之客觀型態，應是辯證地綜合了主觀型態，而成為一層次更高的思維型態。然而，這只是理論上可能如此，而事實並不盡然。我們由荀子對孟子的批評、《莊子·天下》對慎到的批評，可見此中之事實並非如吾人在理論上想當然耳的辯證發展。雖然這樣的發展並非如此圓滿，但是其由主觀而客觀的辯證性卻是不爭的事實，值得吾人注意。其次，之所以有如此的發展，社會環境的變遷應該也是因素之一。時至戰國，愈是晚期，戰爭愈形慘烈，而客觀問題的迫切性也愈形明顯。是以荀子以降之先秦諸子，似乎也都自覺或不自覺地被迫要對此時代的客觀問題加以正視、回應。而其中最為明顯而徹底的，便是韓非子了。

韓非子在〈五蠹篇〉中對儒墨顯學之批評，其中重點之一，並不是因為儒墨思想本身必然是錯誤的，而是認為儒墨思想昧於事實，完全無法回應時代的真實面貌與要求，韓非子謂：

> 是以聖人不期循古，不法常行，論世之事，因為之備。宋人有耕田者，田中有

株，兔走觸株，折頸而死，因釋其耒而守株，冀復得兔，兔不可復得，而身為宋國笑。今欲以先王之政，治當世之民，皆守株之類也。（〈五蠹〉）

儒墨喜好以先王之政為理想，韓非子也不認為這是錯誤，但是如果一味想以過時的先王之政來處理今世之政，則顯然是守株而不知變通之類也。韓非子又謂：

是以古之易財，非仁也，財多也。今之爭奪，非鄙也，財寡也。輕辭天子，非高也，勢薄也。重爭士橐，非下也，權重也。故聖人議多少、論薄厚而為之政。故罰薄不為慈，誅嚴不為戾，稱俗而行也。故事因於世，而備適於事。……是干戚用於古，不用於今也。故曰：「事異則備變。」上古競於道德，中世逐於智謀，當今爭於氣力。（〈五蠹〉）

依韓非子，儒墨思想及其所嚮往的先王之政或許有其相應的時代，是以其有相對之價值，但是，相對於當時的環境，卻非得用韓非子的法家思想不可，理由非常簡單，就是二個原則，其一是相對主義原則，所謂世異則事異，事異則備變；其二是歷史發展的原則，所謂「當今爭於氣力」，由是而做出必須以強調國富兵強的法家思想，做為面對當今之世挑戰的主要選擇。顯然，韓非子的重實效的主張，亦是十分強調客觀結構面的重要。〈顯學篇〉的這段引文明確以客觀結構為主，而以必然之道相期，其謂：

夫聖人之治國，不恃人之為吾善也，而用其不得為非也。恃人之為吾善也，境內不什數；用人不得為非，一國可使齊。為治者用眾而舍寡，故不務德而務法。夫必恃自直之箭，百世無矢；恃自圜之木，千世無輪矣。自直之箭，自圜之木，百世無有一；然而世皆乘車射禽者，何也？隱栝之道用也。雖有不恃隱栝，而有自直之箭，自圜之木，良工弗貴也。何則？乘者非一人，射者非一發也。雖不恃賞罰，而有恃自善之民，明主弗貴也。何則？國法不可失，而所治非一人也。故有術之君，不隨適然之善，而行必然之道。（〈顯學〉）

即使儒墨顯學有其效果，仍然只是偶然的「適然之善」，以其將重心放在個人主觀之條件上，是以充滿變動性與相對性；反之，法家之學乃是以客觀結構的「必然之道」為主，此中不但不強調對人的修養或道德的依賴，反而要君主能不依賴充滿變動的個人修養或道德，由是而充分極成其客觀精神之表現也。而事實上，這樣的客觀精神也可以在歷史上找到相當的支持，說明其影響及效果。〈定法篇〉有如下記載。其說明申不害輔佐韓昭侯一例時曾謂：「故託萬乘之勁韓，十七年而不至於霸王者，雖用術於上，法不勤飾於官之患也。」對商君輔佐秦惠王一例亦謂：「故乘強秦之資，數十年而不至於帝王者，法雖勤飾於官，主無術於上之患也。」當然，結論是「申子未盡於術，商君未盡於法也」。然而，試問，日後又是誰統一六國呢？無他，秦也。何以是秦而非韓呢？就理論而言，法是客觀性原則，是以人亡而法仍存，此秦也；反之，術乃主觀性原則，是以人亡而術息，此韓也。前者有客觀基礎，而後者則無，是以日後能統一六國者，亦非秦莫屬了。此義既明，則由韓非子所代表的中國先秦諸子思想之客觀型態，正有其重要的意義值得重視，並非如勞思光先生所說是中國哲學之災難性的死亡也。關於此，牟宗三先生確有善解：

> 同樣是針對周文疲弊的問題，儒家向立教方面發展，而道家則變成玄理，此是由儒、道兩家對人生的態度，基本方面有所決定而轉成者。如此當然就不切於當時的客觀問題了。儒、道兩家既不能解答當時政治社會方面之客觀問題，那麼誰能呢？誰來解答呢？就是法家。由此我們可以知道，同是針對周文疲弊，然而產生的態度有二：一是向著人生之基本問題方向發展；一是將周文疲弊視為一政治社會之客觀問題來處理。後者在當時是一有迫切需要的問題，而前者之向人生之基本問題發展，就有普遍性、永恆性，故至今仍可應用。但就有普遍性、永恆性，則對當時之客觀問題就不切。能切當時問題的只有法家。因此大家也要好好地正視這方面的問題，應對法家的用心及法家在當時所擔當的事業有充分的了解。平常講哲學史時很少談到這一方面，因為這不屬於純粹哲學

的問題。但從中國文化的發展上講，這是個重要的問題。[20]

依牟先生，無論是以人生之基本問題或是社會的客觀問題來看待周文疲弊，都有其價值，而且不必排斥。因此，即使儒道墨法諸子在其著作中充滿著彼此的批評，然而卻不排斥其理論間的辯證性與發展性。若就此義而言，則先秦諸子思想固有差異，然其間之互補性仍然十分強烈而明顯，值得吾人進一步加以說明。

四、新經驗主義的提出

其實，中國哲學中對客觀結構之重視，一直以不同的方式呈現。例如，漢代哲學重視天人相感，多少也是以客觀結構面的角度重新審視天人關係，而漢代對人性的理解，也仍然是繼承了告子以降的經驗主義傳統。此外，最為特殊的例子，應該就是朱子了。

朱子在宋明理學中地位之重要是毋庸置疑的，然而，牟宗三先生在其《心體與性體》一書中，卻翻轉了傳統的看法，而認為朱子應該是承襲伊川之思想性格，而非正宗儒學，此所謂朱子為「繼別為宗」也。[21]表面上看來，以「繼別為宗」說朱子，似乎降低了朱子在傳統理學中崇高的地位，然而，筆者卻不認為如此。蓋朱子之偉大不必依附在傳統儒學系統之上，而可以是表現其特有之思想與貢獻。若相對於先秦諸子中重客觀義的發展而言，朱子思想亦是宋明理學中重客觀義之發展，而與明末的顧炎武、黃宗羲、王船山之重外王思想相呼應。

誠然，朱子思想中將道體理解為只存有不活動，將性體理解為只是理，將心理解為氣之靈，將工夫放在格物致知而反對逆覺體證，凡此，皆是牟先生十分準確地指出朱子思想與先秦儒學之差異所在。然而，吾人如果還原到先秦諸子思想間的辯證發展，

[20] 註❷，頁 158-159。

[21] 參見牟宗三：《心體與性體（一）》。

則亦可依同理說明朱子思想。筆者以為，朱子格物致知固然與逆覺體證之型態不同，但是二者並非完全的排斥。逆覺體證是良知心體的自覺自證，然而，良知之自覺自證卻也不是在真空管中發生，而依然要在現實生活中發展。也因此，格物致知或許不是良知自覺自證的充分條件，但卻是良知自覺充分完成的必要條件。易言之，良知之自覺自證，並非只是自證良知而使一切天清地寧，反之，一切客觀問題才剛開始。除非我們自我蒙蔽地逃避在自我的想像中，否則我們必定是在生活世界中具體化、客觀化我們的良知及其內容，就此而言，格物致知便是必要的方法與內容。套用牟先生所謂「良知的自我坎陷說」，則朱子的格物致知也當是良知自我坎陷之後的必經之路，就此而言，誰能不重視朱子的格物致知呢？然而，問題並不在朱子的格物致知，而是朱子對心即理，以及對逆覺體證的排斥，正因為這樣的排斥，使得朱子的格物致知並不具備所謂「自我坎陷」的意義，由是而使得宋明理學中客觀思想型態辯證發展的希望落空。或許我們可以較為同情地理解，而認為這種客觀型態的發展尚非完全自覺的，也就是朱子並未完全自覺地要以「良知自我坎陷」之發展論格物致知，然而客觀問題又畢竟存在而有待解決，是以朱子乃有格物致知等一套理論，試圖加以充分回應也。因此，儒家之有荀子、朱子，筆者認為皆非偶然，而有其理論上的必然性，此即主觀面與客觀面辯證發展的必然性，唯有如此，我們才能在荀子的「歧出」、朱子的「繼別為宗」之外，重新安頓荀子與朱子在儒學，甚至整個中國哲學中的意義與價值。

若以上所論無誤，則當今中國哲學之發展，似乎亦同樣顯現出一種對新經驗主義的迫切需求。顯然，中國哲學在今日仍不脫對西洋哲學挑戰的回應格局中，而且也不免受西方哲學之影響。今日，如果中國哲學要走出自己的特質與提出獨有之貢獻，除了商量舊學、引入新知之外，重視時代及個人的真實經驗內容，由此而開發出自己的哲學問題、哲學概念及理論，方是一條康莊大道。放眼人類歷史，偉大的心靈無一不是真實回應其自身及時代之問題而創造其偉大。中國哲學在今日，亦當重新建立新經驗主義傳統，由是而充實中國哲學的新生命與新內容，而此中，先秦哲學之發展以及朱子學所象徵的客觀化要求，都是值得吾人深思再三的，此亦是本文主要用心之所在。

五、結論

天道論、心性論、修養論、聖人論，以上做為中國哲學的主流思想是筆者所肯定的，只是這樣的肯定不應妨礙吾人對中國哲學全貌的理解與掌握。中國哲學的荀子、慎到、韓非、朱子等重要思想家，其出現並非偶然，而有其理論及歷史上的必然性。本文即是試圖通過主客觀辯證發展以及社會環境的回應上，說明先秦諸子思想的結構及其發展，指出由主客兼顧到主觀到客觀之發展，乃是一內在理論及外在環境共同的促成。吾人不必以某哲學家之意見或以中國哲學的主流思想，排斥了此中寓意深刻的發展性。推擴此義，則宋明理學中的朱子，亦可在「繼別為宗」的判語之外，另有豐富之意義等待開發，此即是中國哲學之重客觀義及結構義之發展。尤有進者，這種新經驗主義的態度，也正是今日中國哲學持續發展時，不可或缺的必要條件。筆者相信，唯有我們認真對待我們自己及時代的問題，才可能為中國哲學注入新內容、新生命，使中國哲學逃離考古化、煩瑣化、泡沫化的危機，進而展現出新的生命力與哲學智慧。區區之意，或即在是。

昌彼得教授八秩晉五壽慶論文集
2005年2月　　頁397～426

兩宋「無題詩」考論

黃啓方

一、前言：詩「題」之由無而有，又由有而無

顧炎武在《日知錄》〈詩題〉條下說：

> 三百篇之詩人，大率詩成，取其中一字二字三、四字以名篇，故十五國風並無一題，雅頌中間一有之，若〈常武〉美宣王也，若〈酌〉若〈賚〉若〈般〉，皆廟之樂也，其後人取以名之者一篇，曰〈巷伯〉，自此而外無有也。五言之興始自漢魏，而十九首並無題，「郊祀歌」、「鐃歌曲」各以篇首字為題，又如王、曹皆有〈七哀〉而不必同其情，六子皆有〈雜詩〉而不必同其義，則亦猶之十九首也。唐人以詩取士，始有命題分韻之法，而詩學衰矣。❶

又說：

> 杜子美詩多取篇中字名之，如：「不見李生久」則以〈不見〉名篇，「近聞犬戎遠遁逃」則以〈近聞〉名篇，「往在西京時」則以〈往在〉名篇，「歷歷開元事」則以〈歷歷〉名篇，「自平中官呂太一」則以〈自平〉名篇，「客從南溟來」則以〈客從〉名篇，皆取首二字為題，全無意義，頗得古人之體。

---

❶ 按〈常武〉在「大雅、蕩之什」，次三篇在「周頌、閔予小子之什」、〈巷伯〉在「小雅、小旻之什」。

又說：

> 古人之詩，有詩而後有題；今人之詩，有題而後有詩。有詩而後有題者，其詩本乎情；有題而後有詩者，其詩狥乎物。❷

顧氏此三段文字，略述詩之由「無題」變而為「有題」，頗有所見，茲試予補充。據逯欽立氏所輯《先秦漢魏晉南北朝詩》，漢以前有〈南風〉、〈卿雲〉、〈麥秀〉、〈澤門〉、〈凍水〉等歌，皆取其首二字以為名。漢高祖〈大風〉、〈鴻鵠〉，漢武帝〈瓠子〉、〈秋風〉亦然，其後有因諷諫而賦，有為抒怨而詠，即取「諷諫」、「怨」為題，而「郊祀」、「鼓吹」仍如〈南風〉之例，至張衡則有〈同聲〉、〈四愁〉等，秦嘉有〈述婚〉、〈贈婦〉，蔡琰有〈悲憤〉等題，而樂府古辭若〈婦病〉、〈孤兒〉之作，〈艷歌〉、〈梁甫〉之吟，多已由「無題」而「有題」。漢、魏之際，〈公讌〉、〈從軍〉與贈答之作寖多，曹植〈閨情〉、〈棄婦〉，嵇康〈幽憤〉，尚稱著題，至阮籍〈詠懷〉，等如無題。而陶淵明所作，詩「題」最為多樣，其中與前此相類者，則「雜詩」十二首也，「雜詩」其亦等於「無題」之義乎！謝靈運詩題，不減淵明，自陶、謝以下，詩之有「題」，已成慣習矣。唐代科舉取士，分韻命題，而近體勃興。顧氏所舉杜甫命題之例，往往得見。《全唐詩》近五萬首詩作，而稱「雜詩」者僅五十九首，是足以見詩人已多先立題而後作詩。李商隱（813-858）所作詩近六百首中，以篇首二、三字為題者有〈錦瑟〉、〈商於〉、〈人欲〉、〈潭州〉、〈巴江柳〉、〈咸陽〉、〈石城〉、〈夢澤〉、〈碧瓦〉、〈二月二日〉、〈為有〉、〈碧成〉、〈明神〉、〈玉山〉、〈一片〉（二題）、〈日射〉、〈春風〉、〈促漏〉、〈瑤池〉、〈相思〉、〈鏡檻〉、〈洞庭魚〉、〈日日〉、〈龍池〉、〈流鶯〉、〈殘花〉、〈海客〉、〈昨日〉、〈井絡〉、〈高松〉、〈搖落〉、〈滯雨〉、〈東南〉、〈如有〉等，若依顧氏之意，則商隱乃能得「古人之體」者，而更別開生面，另創「無題」詩

---

❷　以上所引俱見《日知錄》卷二十一。

十四首，又使詩由「有題」而「無題」。以「無題」為「題」。在李商隱之前，大歷十才子之一的盧綸（748-799），有「恥將名利託交親」一首，缺第七句，劉學鍇教授以為「究竟是原題如此，還是佚去題目後編錄者署以〈無題〉，似難定論。」❸蔣寅則以為係「失題」。❹其次則比李商隱年長二十五歲之李德裕（787-849），亦有〈無題〉五絕一首，雖作年不詳，然其詩意蓋「藉聞笛以抒傷舊之情」。❺或係李德裕六十二歲（848）流貶潮州、朱崖時之作品。則遠較李商隱〈無題〉「八歲偷照鏡」之為少作或〈無題二首〉「昨夜星辰」、「聞道閶門」之作於任職秘書省校書郎即二十六歲時為晚。。❻又案《全唐詩》收有李溟〈無題〉五律一首❼。李溟雖與賈島（779-843）同時人，較李德裕尤長於李商隱，但其人生平不詳，難以確切比較。由此，以「無題」斷為李商隱所創之「題」，應無疑義。其後韓偓、吳融等各有〈無題〉詩之作，所謂「香奩體」者，而唐彥謙（?-893?）有〈無題〉七絕十首，無非閨情、相思之細密鋪張。至錢起之曾孫錢珝❽，更有〈江行無題〉五絕一百首之作，描寫作者赴撫州（江西臨川）貶所，沿流至九江所見長江沿岸風光與人民生活情景❾。蓋「江行」為實際經歷，所見所感，形諸文字，則不再分別命題。盧綸、李溟、李德裕及錢珝之作，與李商隱〈無題〉之內容不同，近乎感遇、詠懷，抒情、紀事、說理兼而有之，可與李商隱、唐彥謙之「無題」或香奩體分別觀之。

---

❸ 見氏著《李商隱詩歌研究》本體篇三〈李商隱的無題詩〉（安徽大學出版社，1998年）。

❹ 見所著《大歷詩人研究》上編第二章之六，盧綸之2（中華書局，1995年）。

❺ 劉學鍇教授語。

❻ 用劉學鍇教授意。

❼ 卷四七〇。

❽ 錢珝為唐僖宗乾符六年（879）鄭藹榜及第進士。周本淳《唐才子傳校正》卷九誤作昭宗乾寧六年。乾寧只四年（894-897）。

❾ 傅璇琮先生《唐代詩人叢考、錢起考》文末附有相關論述，以為此百首詩作係唐末時期應當肯定的較好的詩篇（中華書局，1980年）。

二、陸游所論南宋〈無題〉詩析說

李商隱之「無題詩」應如何解讀，劉學鍇教授與余恕誠教授已有專著討論。本文所要探討的是宋人對「無題詩」的反應與表現。宋初「西崑體」專學李商隱、唐彥謙，楊億且手鈔李、唐詩集，隨身攜從。西崑風氣既衰，「宋詩」漸興，北宋人論李商隱詩者不多見，唯王安石晚年喜稱商隱詩，以為「唐人知學老杜，而得其藩籬，惟義山一人而已。」❿然於「無題」之作，少見論議。南宋大詩人陸游（1125-1210）針對「唐人」及與其同時詩壇前輩所作「無題詩」，則曾有以下評論：

> 唐人詩中有曰「無題」者，率杯酒狎邪之語，以其不可指言，故謂之無題，非真無題也。近歲呂居仁、陳去非亦有曰無題者，乃與唐人不類，或真亡其題，或有所避，其實失於不深考耳。（《老學庵筆記卷八》）

陸游之意，蓋已將「唐人」「無題」詩，劃定為「杯酒狎邪」之作，他認為南宋呂居仁、陳去非二人不能深考「唐人」「無題」詩的旨趣，因此所作「無題」詩「與唐人不類」。似不以呂、陳「無題」之作為然。陸氏當年應該未曾見盧綸、李漠、李德裕或錢珝之作，固純以個人直覺，對「唐人」「無題」詩發為論斷，並從而批評同時之前輩詩人。

按陳去非即陳與義，字去非，自號簡齋居士。北宋哲宗元祐五年（1090）生於洛陽，二十四歲上舍及第，三十七歲丁憂，遇靖康之難，避亂南下，四十八歲參知政事，明年冬卒，四十九歲（1090-1138）⓫。與義為南渡重要詩人，在南宋四大家之前，獨樹一幟，又因身遭變亂，經歷類似杜甫，故其風格也近杜甫，極受明人推重。其〈無題〉詩作僅一首，引錄如下：

---

❿ 見蔡居厚《蔡寬夫詩話》，又見釋惠洪《冷齋夜話》。

⓫ 參鄭騫先生《陳簡齋詩集合校彙注附陳簡齋年譜》（臺北聯經出版社，1975 年 10 月）。

六經在天如日月，萬世隨時更故新。

江南丞相浮雲壞，洛下先生宰木春。

孟喜何妨改師法，京房處處有門人。

舊愛讀書今懶讀，焚香閲事了閒身。⓬

詩中「江南宰相」指王安石（1021-1086），「洛下先生」指程頤（1033-1107）。王安石早年作〈登飛來峰〉詩，有「不畏浮雲遮望眼，自緣身在最高層」之語。此詩云「浮雲壞」者，或語意雙關，既指王安石新法已如浮雲壞散，所謂人亡政亡也。又王安石為推行變法，提出「天變不足畏」、「祖宗不足法」、「人言不足恤」之主張，盡排異己（浮雲），結果仍歸失敗，且因變法而釀成黨爭，成為加速北宋覆亡之一大原因。程頤與兄程顥為北宋理學宗師，洛陽人，故為「洛學」領袖。程頤畢生盡力於《易傳》之撰述，而孟喜、京房均以《易》學名家。此詩作於南宋高宗建炎元年（1127），簡齋三十八歲，當年二月避亂至鄧州（河南南陽）時作。當時汴京已經淪陷，中原擾攘。簡齋必有所感而作。《朱子語類》云：

劉叔通屢舉簡齋「六經在天如日月，萬事隨時更故新。江南丞相浮雲壞，洛下先生宰木春。」先生曰：「此詩固好，然也須與他分一個是非始得，天下之理哪有兩個都是，必有一個非。」⓭

朱熹對陳詩的了解，或有問題。簡齋或謂無論政治上炙手可熱如江南宰相王安石，或學術成就崇高如洛下先生程伊川，其人均已逝矣，徒留遺憾。五、六兩句反襯王、程二人個性之執拗自信。而「舊愛讀書今懶讀」語，尤意在言外，故作「了語」以寄幽忿。南宋劉辰翁（1232-1297）評曰：

⓬ 見《陳簡齋詩集合校彙注卷十七》。

⓭ 卷一百四十。按：劉淮字叔通，號泉溪，建陽人。遊朱熹之門，登紹熙元年（1190）進士，博學能文，為詩不事雕刻。參《宋元學案補遺卷六十九》。

其時其人，可以意會。末二語盡難言之感，南渡之中興以此。⓮

簡齋此時避亂流離，面對國破家亡，憤慨之餘，發為感嘆，宜無顧忌，然則劉氏所謂「難言之感」與陸游「或有所避」之說，亦各有所見，詩人用心，誠然深不可測。

呂居仁名本中，北宋神宗元豐七年（1084）生，較陳與義長七歲。本中祖父為北宋名相呂公著，本中以祖父恩蔭授官，南宋高宗紹興六年（1136）賜進士出身，仕至中書舍人，紹興十五年卒，六十二歲。世稱「東萊先生」。居仁以詩主盟當世，陸游稱其詩「兼備眾體，高古渾厚。」⓯論詩則創「悟入」、「活法」，所作〈江西詩社宗派圖〉，首拈「江西詩派」之名，推尊黃庭堅，影響尤巨。居仁詩作近千首，而「無題」詩共十四首，茲全錄如下，並略作考論：

1.「胡虜安知鼎重輕，禍胎元是漢公卿。襄陽耆舊惟龐老，受禪碑中無姓名。」

（〈無題〉《東萊詩集卷十一》）

2.「我病無能到處窮，子才安得尚飄蓬。如何共飲重陽酒，相對無言似乃翁。」

3.「重陽共採東籬菊，卻似乃翁年少時。顧我無能甘老病，相尋唯有向來詩。」

4.「聞鐘即起待天明，客舍無聊坐五更。何日長風破巨浪，看渠萬里出門行。」

5.「平生隨我飯脫粟，靜夜不眠尋細書。可見烏衣諸子弟，從來志業不如渠。」

（以上〈無題四首〉《東萊詩集卷十六》）

6.「一任衡們可雀羅，時容倚枕聽懸河。因君小試屠龍手，要與午窗降睡魔。」

（〈無題〉）

7.「衿裯尚冷知春早，意緒無聊覺病深。夜半改詩緣底事，向來餘習正關心。」

8.「心廣體故胖，意肅氣自屏。頹然萬物表，樂此一室靜。念君久安坐，轉覺此味勝。踈籬過野馬，破牖行日影。但令此意真，不必費譏評。想當溪山橫，

⓮ 見《陳簡齋詩集合校彙注卷十七》引《劉辰翁評增注十五卷本簡齋集》。

⓯ 陸游《渭南文集》卷十四〈呂居仁集序〉。

更有松竹映。隱几得晝眠，此固可補病。」（〈無題〉）（以上卷十七）

9.「柴門羅雀懶頻開，喜有新詩到眼來。聞道繫舟城腳底，莫乘溪漲便輕回。」

10.「入秋多病渾無酒，學道無成卻讀書。莫謂窮居便寂寞，天涼猶枉故人車。」（以上〈無題二首〉）

11.「疾病侵凌我亦衰，後生誰復更相知。可憐日落長安路，不見驊騮整轡時。」（〈無題〉）

12.「德盛不狎侮，玄談多作俳。居然少莊語，無乃近齊諧。恨此達者趣，猶乖壯士懷。故當先復禮，方得盡梯階。」

13.「盛學邈難繼，斯文當望誰。還能養志氣，且務攝威儀。曾子但三省，子長徒愛奇。從來要功處，本不在多知。」（以上〈無題〉二首）

14.「學詩漸老轉銷聲，末日蒙公此日情。尚有文章能起寂，豈惟田里解蚩甿。近郊秔稻成秋熟，遶郭溪山入晚晴。剩繞長廊和新句，不知庭下薄寒生。」（〈無題〉）（以上卷十八）

案：《東萊詩集》二十卷，大抵依寫作年歲為序，第十一卷有多首記汴京圍城之作。金兵圍汴京在欽宗靖康元年（1126）冬，欽宗降，至次年三月，金人立張邦昌為楚帝，四月，擄徽、欽二帝、后妃、宗室諸臣北去，即「靖康」之難。本中第一首〈無題〉正作於其時，蓋痛責宋齊愈、王時雍、吳幵、莫儔、范瓊等揣摩金人意圖而勸立張邦昌稱帝，時居仁父呂好問獨能抗論利害，說服張邦昌奉迎康王趙構（即南宋高宗），有「濡跡存趙」之忠。⑯居仁此詩意甚顯豁，以後漢襄陽人龐德公之高節人品以喻其父，而所以用〈無題〉者，其以事涉親長之故乎！胡仔嘗云：「此詩有謂而作，可以意逆也。」⑰所謂「有謂而作」者，應即指此也。胡仔安徽績溪人，父胡舜陟（1083-1143）係南宋名臣，為秦檜所害，冤死獄中。

---

⑯ 《宋史紀事本末》張溥語。

⑰ 見胡仔《苕溪漁隱叢話》後集卷五十三。

居仁所作第二組四首〈無題〉詩，其寫作時間，據四詩前後推究，應在「己未重陽」之時，詩中「如何共飲重陽酒」、「重陽共采東籬菊」之語可見。「己未」為高宗紹興九年（1139），居仁前一年因忤秦檜，為御史所劾，提舉江州（九江）「太平觀」，由臨安西南行，經由浙江建德，將往三衢（衢州，治今浙江衢縣）途中。時居仁五十六歲，世路風波，難免感嘆，故有「我病無能到處窮」之語。是此四詩之作意可知。此四首之前一首為〈余迪漫浪齋〉，故四首之第一首第二句中「子才」之「子」，應即指「余迪」其人。

第六首「一任衡門」之作，蓋已抵達衢州，以此詩後三題為〈窮臘有懷〉，則應在己未年冬，時在病中，故前後詩作以「病中」為題者亦多。此詩前一題，為與曾端伯詩。曾端伯名慥，建炎二年（1128）進士，編有《宋百家詩選》、《樂府雅詞》，亦南宋名家。後三題均與曾吉父唱和者。曾幾（1084-1166）字吉甫（父），號茶山，官至權禮部侍郎，諡「文清」，詩尤工，陸游十八歲從之學，曾有「憶在茶山聽說詩，親從夜半得玄機」之語。⑱居仁在三衢度過庚申（紹興十年，1140）上元，仍然臥病，於是而有「衿裯尚冷知春早」一首，三四句正可見其「作詩改詩」之習。然後又作「心廣體故胖」五言十四句。當年既過「處暑」，再作「柴門羅雀懶頻開」兩首，「窮居寂寞」、「多病無酒」、「學道讀書」、「吟詩接友」是兩詩的主要內容。是年入冬後，又作「疾病侵凌我亦衰」一首，有「後生誰復更相知」之歎，悵惘可知。當年年底或明年初，作「德盛不狎忤」二首，鼓吹「復禮」、「養氣」之學，又與其他各首內容大不相侔。辛酉年底，作「學詩漸老轉銷聲」一首，此詩與前一題〈次葉守喜雨〉，同為七律，首句同協「聲」韻，餘四韻亦同，應係次韻之第二首，則此首不應標「無題」。二句「公」即指「葉」姓知州，又據第五句「秋熟」與結句「薄寒」，知是秋晚之作。

居仁十四首〈無題〉中，有十一首為七言絕句，第九首五言十四句，十三、十四

⑱ 見陸游《劍南詩稿》卷二〈追懷曾文清公呈趙教授趙近嘗示詩〉。

兩首為五律。詩作時間，除第一首較早，其餘均在紹興八年至十一年間，內容俱與第一首不同，與陳與義所作亦不類。或以為「本中詩集中〈無題〉者，皆作於違難之後，其所避者，亦略如此詩（案指第一首），可尋繹得之也」，而一例視為「忠憤激越」風格⑲，則是失於考訂之論也。

呂、陳二人「無題」之作已如上述，雖與李商隱、唐彥謙之作不類，惟與盧綸、李湞、李德裕及錢珝之作近似。陸游未見於此，只就李商隱、唐彥謙或韓偓、吳融所作加以論定，自是難以周延。陸游本人亦有「無題」之作七首，茲錄如下，以作比較參證：

1. 畫閣無人晝漏稀，離悰病思兩依依。
   釵梁雙燕春先到，箏柱羈鴻暖不歸。
   迎得紫姑占近信，裁成白紵寄征衣。
   晚來更就鄰姬問，夢到遼陽果是非。（《劍南詩稿》卷四）
2. 半醉凌風過月旁，水精宮殿桂花香。
   素娥定赴瑤池宴，侍女皆騎白鳳凰。
3. 出繭修眉淡薄妝，丁東環珮立西廂。
   人間浪作新秋感，銀闕窮樓夜夜涼。（《劍南詩稿》卷十三）
4. 輕轆氈車赴密期，追歡最屬牡丹時。
   新春欲近猶貪喜，舊愛潛移不自知。
   寶鏡塵生鸞悵望，鈿箏弦絕雁參差。
   玉壺莫貯胭脂淚，從濕泥金帶上詩。（《劍南詩稿》卷十四）
5. 碧玉當年未破瓜，學成歌舞入侯家。
   如今憔悴蓬窗裏，飛上青天妒落花。（《劍南詩稿》卷十五）

⑲ 見歐陽炯《呂本中研究》（臺北文史哲出版社，1992年）第四章第三節。

6.珠鞲玉指擘箜篌，誰記山南秉燭遊。

結綺詩成江令醉，槖泉夢斷沈郎愁。

天涯落日孤鴻沒，鏡裏流年兩鬢秋。

不用更求驅豆術，人生離合判悠悠。（《劍南詩稿》卷十六）

7.金鞭朱彈意春遊，萬里橋東罨畫樓。

夢倩曉風吹不去，書憑春雁寄無由。

鏡中顏鬢今如此，幙下朋儔好在不。

竊有吳箋三萬個，擬將細字寫新愁。（《劍南詩稿》卷二十六）

此七首詩無論是否「杯酒狎邪」之作，或寫「閨怨」、「相思」之情愁，然詩意隱晦，難以索解，顯然與李、唐之作較類似。[20]明、唐順之曾云：

放翁之詩曰：「城上危樓畫角哀，沈園非復舊池臺，傷心橋下春波綠，曾逐驚鴻照影來。夢斷香消四十年，沈園柳老不吹綿，此身行作稽山土，猶弔遺蹤一泫然。」其題曰〈沈園〉而已。誠齋之詩曰：「飽喜饑嗔笑殺儂，鳳凰未必勝狙公，雖逃暮四朝三外，猶在桐花竹實中。」其題曰〈無題〉而已。是三詩者不言所謂，人莫能知其所以作之意也。劉後村詩話釋之曰：「放翁幼婚某氏，頗倦於學，嚴君督過之，竟至仳離。某氏別適某官。一日，通家於沈園，目成而已。晚年遊園，感而賦之。誠齋既里居，累章乞休致，不得命，再予祠。有感而賦。以為雖脫吏責，尚縻閒廩，不若相忘於物外也。然後三詩之意始明。夫後村之說即三詩之序也。後村之於楊、陸二公，相去不百年，得於長老之所誦說，口耳之所習聞，筆之簡冊，可以質諸二公而不謬也。倘後乎此千百載，說者必欲外後村之意而別為之說，則雖其體認之精，辨析之巧，亦終於臆說而

[20] 劉學鍇《李商隱詩歌接受史》（安徽大學出版社，2004 年 8 月）下編第五章第四節〈李商隱對陸游的影響〉對此七首詩有所論析，可參考。

已。」㉑

案劉克莊（1187-1269）號後村，南宋後期重要詩人，被推為「江湖派」領袖。《後村詩話》記放翁事云：

> 放翁少時，二親教督甚嚴。初婚某氏，伉儷相得。二親恐其惰於學也，數譴婦。放翁不敢逆尊者意，與婦訣。某氏改適某官，與陸氏有中外。一日通家於沈園，生間目成而已。翁得年最高，晚有二絕云：「腸斷……」，舊讀此詩，不解其意，後見曾溫伯言其詳。溫伯名黯，茶山孫，受學於放翁。（卷六）

則劉克莊所記，乃得於曾幾之孫曾黯。陸游作〈沈園〉二首以追念元配唐琬，在七十五歲時。如無劉克莊之解釋，則詩題〈沈園〉亦等如「無題」，讀其詩終難了解。又所記楊萬里（1127-1206）事云：

> 舊讀楊誠齋絕句云：「飽喜飢嗔……」，不曉所謂，晚始悟其微意，此自江東漕奉祠歸之作也。鳳雖不聽命于狙公，然猶待桐花竹實而飽以花實，況祠廩也。欲併祠廩掃空之爾。未幾，遂請挂冠。（卷二）

所舉楊萬里絕句，或題曰〈有歎〉（見《誠齋集卷三十六》），而唐順之稱為「無題」，蓋劉克莊只言絕句，或竟以為「有歎」亦等如「無題」。有題之詩尚難遽解，況「無題」之作乎！然陸游之作，與其所指「唐人」之作者應較類似。

三、兩宋「無題」詩概述

以上就陸游對「無題」詩之意見及陸游所論呂本中、陳與義二人「無題」詩略作

㉑ 見《稗編》卷十。

詮解，再引陸游本人所作相對比較，對南宋主要詩人之表現與看法大概可知。實則，「無題」既發軔於晚唐，衡情度勢，無論贊成或反對，在北宋時即應有所迴響，茲經檢索《文淵閣四庫全書、集部、宋人別集》，兩宋「無題詩」即有百二十八首之多，「北京大學出版社」編印之《全宋詩》，尚未及翻檢，則其總數必當更多。茲將檢索結果羅列如下，以清眉目，並略作分析說明，以見兩宋「無題詩」遞變情形：

1. 寇準：「金甲珠襦鏁繡扃，杜城殘月葬娥英。春風候館花如雪，空有鶯傳度曲聲。」（《忠愍集》卷中）

2. 楊億：「曲池波煖蕙風輕，頭白鴛鴦占綠萍。纔斷歌雲成夢雨，斗迴笑電作嗔霆。湘蘭自古成幽怨，秦鳳何年入杳冥。不待萱蘇蠲薄怒，閒階門雀有遺翎。」

3. 楊億：「合歡蠲忿亦休論，夢蝶翩翩逐怨魂。祇待傾城終未笑，不曾亡國自無言。風翻林葉迷歸燕，露裛池荷觸戲鴛。湘水東流何日竭，煙篁千古見啼痕。」

4. 楊億：「滿天飛絮罥游絲，鈿砌苔錢晦履綦。北渚自應流怨淚，東鄰誰敢效顰眉。嫦娥桂獨成幽恨，素女弦多有剩悲。幾夕空機愁促杼，銀河休問報章遲。」

5. 楊億「巫陽歸夢隔千峰，辟惡香銷翠被空。桂魄漸虧愁曉月，焦心不展怨春風。遙山黯黯眉長斂，一水盈盈語未通。曼託鶤弦傳恨意，雲鬢日夕似飛蓬。」

6. 楊億：「銅盤蕙草起青烟，斗帳香囊四角懸。沈約愁多徒自瘦，相如意密有誰傳。金塘雨過猶疑夢，翠袖風迴祇恐仙。日上秦樓休寄詠，東方千騎擁輜軿。」

7. 楊億：「露冷星翻月上弦，九枝銀燭照金鈿。應知韓掾偷香夜，猶記潘郎擲果年。天上明河雖可望，苑中高柳未經眠。烏啼人散青樓曉，堂下輕風轉英錢。」

8.錢惟演：「悞語成疑意已傷，春山低斂翠眉長。鄂君繡被朝猶掩，荀令薰爐冷自香。有恨豈因燕鳳去，無言寧為息侯亡。合歡不驗丁香結，只得淒涼對燭房。」

9.錢惟演：「耿耿寒燈照醉羅，看朱成碧意如何。虎頭辟惡無妨枕，犀角涼心更待磨。唯有幽蘭啼月露，可將尺素託雲波。山屏六曲歸來夜，祇恐重投折齒梭。」

10.錢惟演：「香歇環沉無限猜，春陰濃淡晝簾開。有時盤馬看猶懶，盡日投壺笑未迴。蝶怨豈能重傅粉，雉嬌疑待更求媒。啼妝不治金翹闇，腸斷溫郎玉照臺。」

11.錢惟演：「絳縷初分麝氣濃，紘聲不動意潛通。圓蟾可見還歸海，媚蝶多驚欲御風。紈扇寄情雖自潔，玉壺承淚祇凝紅。春窗亦有心知夢，未到鳴鐘已旋空。」

12.劉筠：「走馬章臺冒雨歸，後門猶嘆滯前期。荷心出水終無定，羅蔓從風莫自持。複帳麝輕難辟惡，曲房蠶懶不成絲。漸漸寥朧藏鳴雉，更恨如皋一箭遲。」

13.劉筠：「簾聲燭影浪多疑，仙穀何能為解迷。藻井風高蛛壞網，杏梁春曉燕爭泥。更看山遠惟凝黛，縱使犀靈祇駭雞。杻裂霜繒幾千尺，紅蘭終夕露珠啼。」

14.劉筠：「麝烈初難和，烏驚每易傷。蕩舟殊不禁，奔月可能防。洛浦多遺翠，秦樓滯采桑。飛蛾攢釦燭，綠鴨鬪銀塘。葉合花含霧，宜男草帶霜。琅玕餘舊實，須要鳳求凰。」

15.劉筠：「曾許千金答浣紗，越溪浪淺不通槎。曉樓簾捲還凝霧，外苑牆低卻映花。滿目離愁頻駐馬，一春幽夢祇驚鴉。柔桑蔽日南城路，懊惱羅敷自有家。」

16.劉筠：「昱淪銀鞍狹路逢，長裙連帶任流風。身輕近視吳宮燕，木斷還驚洛

浦鴻。未許香難安肘後，獨憐丹枕在房中。南園和蝶飛無限，一一雌隨一一雄」。（以上楊、錢、劉三人詩俱見（《西崑酬唱集》）

17.晏殊：「油壁香車不再逢，峽雲無跡任西東。梨花院落溶溶月，柳絮池塘淡淡風。幾日寂寥傷酒後，一番蕭瑟禁煙中。魚書欲寄何由達，水遠山長處處同。」（《元獻遺文》，一作〈寄遠〉，《瀛奎律髓》作〈寓意〉）

18.宋庠：「西峙東流意欲分，紫簫呼鳳隔煙聞。書因屢達機無素，夢為頻驚峽費雲。羽帳枕寒晨未轉，欲樓衣洽夜還薰。琴烏一曲何曾聽，七十鴛鴦失舊群。」（《元憲集》卷十）另有〈陸農師又示第五和篇褒借益勤輒復酬答〉詩，有句云「信史已成知有法，好詩頻寄更無題。」

19.梅堯臣：「斗覺瓊枝瘦，慵開寶鑑妝。臨風恐仙去，倚扇怯歌長。綠桂薰輕服，靈符佩縹囊。西臨空自賦，不解到君傍。」（《宛陵集》卷二）

20.文彥博：「西陵何限柏，一一勝瑤華。幾縱青絲騎，多逢油壁車。香囊猶未致，春代已成賒。莫作雲間月，願親檞上霞。」（《潞公文集》卷三）

21.邵雍：「昔日不鍊物，嘗為物所誤。今日不鍊人，又為人所怒。物誤亦可辨，人怒難往訴。我對人稱過，人亦為我恕。」（〈無題吟〉《擊壤集》卷七）

22.呂夷簡（979-1044）：「老讀文書興易闌，須知養病不如閒。竹床瓦枕虛堂上，臥見江南西後山。」（元陳世隆（《宋詩拾遺》卷四）

23.王周（1052年致仕）：「冰雪肌膚力不勝，落花飛絮繞風亭。不知何事鞦韆下，蹙破愁眉兩點青。」

24.王周：「梨花如雪已相迷，更被驚烏半夜啼。簾捲玉樓人寂寂，一勾新月未沉西。」㉒

25.范仲淹：「十口相將泛巨川，來時暖熱去淒然。關津若要知名姓，定是孤兒寡婦船。」（文集附〈言行拾遺事錄〉卷一）

㉒ 案王周原被收入《全唐詩》卷七六五，蓋誤為唐人。

26.范仲淹：「江南有美人，別後長相憶。何以慰相思，贈汝好顏色。」（宋姚寬《西溪叢話》下）

27.王安石：「碧蕪平野曠，黃菊晚村深。客倦留酣飲，身閒累苦吟。」

28.王安石：「夢長隨永漏，吟苦雜疏鐘。動蓋荷風勁，霑裳菊露濃。」

29.王安石：「迸目川魚躍，開雲嶺鳥翻。徑斜荒草惡，臺廢冶花繁。」（《迴文類聚》卷三）

30.蘇軾：「引手攀紅櫻，紅櫻落如綫。仰首看紅日，紅日走如箭。年光與時景，頃刻互衰變。何當血肉身，安得常強健。人心苦執迷，富貴憂貧賤。憂色常在眉，歡容不上面。吾今頭半白，把鏡非不見。惟應花下盃，更待他人勸。」㉓（《東坡全集》卷二十六）

31.蘇軾：「六秩行當啟，區中緣更疎。不貪為我寶，安步當君車。故國多喬木，先人有弊廬。誓將閒散好，不筭一行書。」（《東坡全集》卷二十八）

32.蘇軾：「簾卷牕穿戶不扃，夕塵風葉任縱橫。憂人睡足誰呼覺，欹枕床前有月明。」㉔

33.蘇軾：「春風寂寂夜寥寥，一望蒼臺雪影遙。何處幽香飛幾片，只宜月色帶花飄。」（《蘇詩詩集卷四十八》元祐二年春。或錄他人詩。）

34.張耒：「萩萩鳴葉下，初無風過之。流年一如此，慷慨使心悲。平日談堯舜，立朝羞自私。溫爐煖老客，聊復此棲遲。」（《柯山集八》）

35.張耒：「風槐已踈遽如許，夜蛩雖怨可若何。出門屐齒苔痕滿，隱几書塵鼠

㉓ 案查慎行已見此詩為白居易〈花下對酒二首之二〉，文字略有不同，茲錄於下：「引手攀紅櫻，紅櫻落似霰。仰首看白日，白日走如箭。年芳與時景，頃刻猶衰變。況是血肉身，安能常強健。人心苦執迷，慕貴憂貧賤。愁色常在眉，歡容不上面。況吾頭半白，把鏡非不見。何必花下杯，更待他人勸。」（《全唐詩》卷四三四）

㉔ 查慎行《蘇詩補註》卷四十八：本集〈與黃師是〉尺牘云：「近者幼累舟中皆伏暑，自愍一年在道路矣，決計旦夕渡江至毘陵矣。塵埃風葉滿室，隨掃隨有，然不可廢掃，以為賢於不掃也。有詩錄呈」云云。據此當是度嶺以後未到常州以前所作。

跡多。」

36.張耒：「晚起清秋一枕涼，四簷鳴雨下淋浪。竹籠燒藥時添火，書榻焚香卻閉房。」（《柯山集二十四》）

37.秦觀：「君子有常度，所遭能自如。不與死生變，豈為憂患渝。西伯囚演易，馬遷罪成書。性剛趣和樂，淺淺飛丈夫。」

38.秦觀：「世事如浮雲，飄忽不相待。欻然化蒼狗，俄頃成車蓋。達觀聽兩行，昧者乃多態。舍旃勿重陳，百年等銷壞。」（《淮海後集卷一》）

39.秦觀：「掃地燒香閉閣眠，簟紋如水帳如煙。客來夢覺知何處，掛起西窗浪接天。」（《淮海後集卷二》）

40.晁說之：「身世何如薦福碑，浮沉聊學弄潮兒。清風一日令心盡，黃卷三冬漫手批。夢寐無煩征錦段，笑談誰敢犯湯池。周侯鳳德寧減少，所謂春陽或滅之。」（《景迂生集卷六》）㉕

41.李之儀：「邂逅俱青眼，招攜愧白頭。穿林猶畏日，坐石忽驚秋。不作崎嶇倦，幾成汗漫遊。臨分懷杜老，月湧大江流。」

42.李之儀：「步武高低外，生涯夢寐中。不知三徑足，信是一生窮。觸目如逢舊，隨緣似有功。便應參羽翼，何異注魚蟲。」

43.李之儀：「軒廡千尋碧，江山一抹紅。微吟接僚友，健啖趁群童。戀別猶能暫，論懽昔已通。更憑將此況，遠問霅溪翁。」（《姑溪居士前集卷八》）

44.趙鼎：「韻勝應難畫，肌香不受熏。拂眉煙度柳，梳鬢月侵雲。歌罷猶依扇，閒來懶繫裙。最憐能賦客，渾似卓文君。」（《竹隱畸士集卷四》）

以下南宋：含金代元遺山（1190-1257）二首。

㉕ 案：晁補之《雞肋集》23〈趙開祖輓歌辭〉有「淒涼長吉無題句，冥默淮南未試方」語，是以「無題」屬李賀。

45.王安中：「秋蘋一寸風，吹我鄴王臺。臺邊委黃落，繐帷化灰埃。平生三徑步，屐齒黏蒼苔。羈棲望不到，蠅頭寫歸來。人堅持板手，欲展何由開。再拜丈人行，卷投當瓊瑰。丈人龍眠龍（一座英），夾策奔風雷。豪端須臾寄，一挽正始回。年來心法孤，駸駸古爐灰。淵明不並世，此事為誰才。紫鸞固超詣，白鷗竟何猜。所期起朝華，歲暮儻相陪。」

46.王安中：「玉府真游擁萬僊，蕊珠深殿駐雲軿。宮尊自吸瓊漿盡，御筆猶封寶字全。密護幾重香冉冉，倒藏餘瀝想涓涓。君恩許侍神霄仗，先向壺中覓洞天。」（《初寮集卷二》）

47.許景衡：「功名等戲劇，俗眼自驚詫。詩酒有真味，多應知者寡。嘗聞歐陽子，風月本無價。今我貧到骨，懸磬比居舍。就使一錢直，在我已不暇。故知造化意，特用相慰藉。（《橫塘集卷二》）

48.許景衡：「臺奴初學語，丹子已能行。問叔今何處，嗔爺太懶生。會令主門戶，豈復意功名。坐對江湖晚，橫堂舟自橫。」（《橫塘集卷三》）

49.趙鼎：「膠膠身世竟何窮，急電飛花過眼空。惟有離愁推不去，五更孤枕角聲中。」

50.趙鼎：「吳九何如黃四娘，能令詩老醉顛狂。可憐去歲花前客，戎馬塵埃兩鬢霜。」（《忠正德文集卷六》）

51.陳與義：「六經在天如日月，萬世隨時更故新。江南丞相浮雲壞，洛下先生宰木春。孟喜何妨改師法，京房處處有門人。舊愛讀書今懶讀，焚香閱事了閒身。」（《簡齋集卷十一》）

52.鄧肅：「風行水上偶成文，煖入園林自在春。換骨雖工非我有，嘔心得句為誰珍。三年戒老詩堪畫，千古長庚筆有神。不用臨風嘆奔逸，簞瓢一笑舜何人。」（《木幷櫚集卷二》）

53.王銍：「三月柳花飛，東風繡香國。桂影弄春光，飛瓊悵分缺。雲輿反積霄，翠浪翻天末。蘭苑桃李花，莫使芳香歇。緬懷霞中人，芙蕖艷秋色。煙鸞吟碧空，行雲不停刻。何事寄紅埃，悲聲調綠髮。神觀動太虛，紫清注金格。玉晨丹鳳檢，詞章煥瓊笈。孰執招真旗，笙簫下空闕。靈光湛法身，生死本無別。妙合造化機，陰陽時出沒。欲識天中真，寒江浸明月。」（《雲溪集卷一》）

54.呂本中：「敵國安知鼎重輕，禍胎元是漢公卿。襄陽耆舊惟龐老，受禪碑中無姓名。」（《東萊詩集卷十一》）

55.呂本中：「我病無能到處窮，才子安得尚飄蓬。如何共飲重陽酒，相對無言似乃翁。」

56.呂本中：「重陽共採東籬菊，卻似乃翁年少時。顧我無能甘老病，相尋唯有向來詩。」

57.呂本中：「聞鐘即起待天明，客舍無聊坐五更。何日長風破巨浪，看渠萬里出門行。」

58.呂本中：「平生飽我飯脫粟，靜夜不眠尋細書。可見烏衣諸子弟，從來志業不如渠。」（以上四首同題下。《東萊詩集卷十六》）

59.呂本中：「一任衡們可雀羅，時容倚枕聽懸河。因君小試屠龍手，要與午窗降睡魔。」

60.呂本中：「衿裯尚冷知春早，意緒無聊覺病深。夜半故事緣底事，向來餘習正關心。」

61.呂本中：「心廣體故胖，意肅氣自屏。頹然萬物表，樂此一室靜。念君久安坐，轉覺此味勝。踈籬過野馬，破牖行日影。但令此意真，不必費譏評。想當溪山橫，更有松竹映。隱几得晝眠，此固可補病。」（以上卷十七）

62.呂本中：「柴門羅雀懶頻開，喜有新詩到眼來。聞道繫舟城腳底，莫乘溪漲變輕回。」

63.呂本中：「入秋多病渾無酒，學道無成卻讀書。莫謂窮居便寂寞，天涼猶枉故人居。」

64.呂本中：「疾病侵凌我亦衰，後生誰復更相知。可憐日落長安路，不見驊騮整轡時。」

65.呂本中：「德盛不狎侮，玄談多作俳。居然少莊語，無乃近齊諧。恨此達者趣，猶乖壯士懷。故當先復禮，方得盡梯階。」

66.呂本中：「盛學邈難繼，斯文當望誰。還能養志氣，且務攝威儀。曾子但三省，子長徒愛奇。從來要功處，本不在多知。」

67.呂本中：「學詩漸老轉銷聲，末日蒙山此日情。尚有文章能起寂，豈惟田里解蚩甿。近郊秔稻成秋熟，繞郭溪山入晚晴。剩繞長廊和新句，不知庭下薄寒生。」（以上卷十八）

68.鄭剛中：「池塘好處煙迷柳，簾幕昏時雨過山。燕子不知春有恨，銜將花片入梁間。」

69.鄭剛中：「雨出筍尖高玳瑁，風開花蕾入胭脂。恐須費盡東君力，造化無心本不知。」

70.鄭剛中：「柳色幾番隨雨暗，焦心閒處向人開。箇中豈得無詩句，至斯如膠索不來。」（《北山集卷十九》）

71.黃公度：「雞蟲底處覓得失，鳧鶴無心較短長。醫國未能三折臂，憂時空費九迴腸。」（《知稼翁集卷上》）

72.趙善括：〈虞美人〉「長空一夜霜風吼，寒色消殘酒。問伊今夜在誰行。遺恨落花流水誤劉郎。　猶雲殢雨多情話，吩咐阿誰也。儂家有分受悽惶，只怕嬌癡不稅也思量。」（《應齋雜著卷六》）

73.薛季宣：「朦朧夜色暗浮雲，咫尺氛埃怯戰塵。深夜鳴榔到庭戶，江湖知有釣魚人。」（《浪語集卷八》）

74.范成大：「聞道明朝送舊官，無情更鼓夜將闌。此生見面知何日，忍類須臾子細看。」（《石湖詩集卷十七》）

75.楊萬里：「坐看胡孫上樹頭，旁人只恐墮深溝。渠儂狡獪何須教，說與旁人

莫浪愁。」（《誠齋集卷二十二》）

76.陸游：「畫閣無人晝漏稀，離悰病思兩依依。釵梁雙燕春先到，箏柱羈鴻暖不歸。迎得紫姑占近信，裁成白紵寄征衣。晚來更就鄰姬問，夢到遼陽果是非。」（《劍南詩稿卷四》）

77.陸游：「半醉凌風過月旁，水精宮殿桂花香。素娥定赴瑤池宴，侍女皆騎白鳳凰。」

78.陸游：「出繭修眉淡薄妝，丁東環珮立西廂。人間浪作新秋感，銀闕窮樓夜夜涼。」（《劍南詩稿卷十三》）

79.陸游：「輕轆氈車赴密期，追歡最屬牡丹時。新春欲近猶貪喜，舊愛潛移不自知。寶鏡塵生驚悵望，鈿箏弦絕雁參差。玉壺莫貯胭脂淚，從濕泥金帶上詩。」（《劍南詩稿卷十四》）

80.陸游：「碧玉當年未破瓜，學成歌舞入侯家。如今憔悴蓬窗裏，飛上青天妒落花。」（《劍南詩稿卷十五》）

81.陸游：「珠韝玉指擘箜篌，誰記山南秉燭遊。結綺詩成江令醉，橐泉夢斷沈郎愁。天涯落日孤鴻沒，鏡裏流年兩鬢秋。不用更求驅豆術，人生離合判悠悠。」（《劍南詩稿卷十六》）

82.陸游：「金鞭朱彈意春遊，萬里橋東罨畫樓。夢倩曉風吹不去，書憑春雁寄無由。鏡中顏鬢今如此，幙下朋儔好在不。竊有吳箋三萬箇，擬將細字寫新愁。」（《劍南詩稿卷二十六》）

83.楊冠卿：「鶯語丁嚀隔曉窓，露翻紅藥鬥新妝。玉笙莫坐相思調，猶恐春歸得見郎。」（《客亭類稿卷十三》）

84.戴復古：「憶聞春燕語雕梁，又聽秋鴻叫斷腸。一縷沉烟飛不過，兩樓相對立斜陽。」（《石屏詩集卷六》）

85.陳造：「薄宦受風梗，還家歸岫雲。行人與喬木，老色竟平分。末路慚周朴，窮交有墨君。看渠綬若若，千騎詫相枌。」

86.陳造：「浪出嗟何補，歸來樂有餘。山川付不借，天地託籧廬。酒熟聊呼客，釣垂不在魚。平生棲遯意，政用蓋迂踈。」

87.陳造：「臥病十四五，秋來身自輕。已拚不藉在，寧復可憐生。每笑隱者傳，尚存身後名。灌園聊日力，分藥且交情。」（以上三首《江湖長翁集卷十一》）

88.陳造：「酒鴟車後無何飲，易卷床頭脫復看。豈謂浮生須此具，世紛方解不相干。」

89.陳造：「才不時宜懶治生，學專信以一官輕。只今尚友須千載，獨惜時無尚子平。」

90.陳造：「居為耕叟出為官，出處人將二致看。朝市山林俱樂地，卻須神武掛衣冠。」（以上三首《江湖長翁集卷十八》）

91.陳造：「多譽庸非蠲忿草，一謙良是避兵符。先生謦欬忘雞口，俗子過逢動虎鬚。」（《江湖長翁集卷二十》）

92.廖行之：「州牧誰能舉，邦人願借情。聲名簡宸扆，恩信著湘城。龐統才何陋，班超策故平。何如今別駕，膏澤與江橫。」（《省齋集卷二》）

93.廖行之：「生憎城裏只塵埃，勝處何妨特地來。況是近郊新雨歇，可能乘興一樽開。春隨使者軺車至，花倩梨園羯鼓催。來歲披香侍華宴，也應猶記此低佪。」

94.廖行之：「意興飄飄鶴九皋，涼州哪待費葡萄。一從卜築東山勝，便覺聲名北斗高。手種百花從日涉，心澄萬慮弭湯鏖。主人已作騎鯨去，誰與鴻濛共勝遨。」（《省齋集卷三》）

95.高翥：「獨展羅衿無夢成，寶香熏徹轉愁生。癡心不願郎思妾，只願郎今厭客情。」

96.高翥：「風竹蕭蕭淡月明，孤眠真箇可憐生。不知昨夜相思夢，去到伊行是幾更。」（以上二首《菊磵集》）

97.薛師石：「平生愛菊與梅花，菊比淵明梅似逋。誰知此道今寥落，愛菊愛梅

人也無。」（《瓜廬集》）

98.趙汝鐩：「人與春俱老，花因雨易殘。天涯雲萬里，腸斷倚欄干。」（《野谷詩稿卷五》）

99.汪日卓：「農夫只合老山林，辜負時卿一寸心。老矣不堪持手板，死時何用覆斜衿。有人稱善名非細，對客無慚樂最深。回首暮雲天黯淡，誰能更聽伯牙琴。」（《康範詩集》）

100.蘇泂：「愛酒陶彭澤，能詩陳後山。浮沉將底用，長大若為顏。鏡面舟一葉，梅邊屋數間。饒君雙鬢白，還我半生閒。」（《冷然齋詩集卷三》）

101.蘇泂：「綠雲無據玉樓空，回首悲歡一夢中。為憶當時裙樣色，隔牆嫌見石榴紅。」

102.蘇泂：「月樣梳橫鬢腳傾，弄簫騎鶴上青冥。歸來自摘金莖露，手寫黃庭一卷經。」

103.蘇泂：「夢到無煽起較遲，花梢日在不多時。關心自對空梁語，一箇飛來燕子知。」

104.蘇泂：「樹端浮綠漲連雲，青草池亭不見人。猶有薔薇數枝在，雖然是夏亦如春。」（以上四首《冷然齋詩集卷八》）

105.劉克莊：「主聖如天忍棄遺，臣愚何地著孤危。白虹貫日殆虛語，中野履霜無怨辭。寶玦已隨屍血浸，鐵鞭未必鬼臀知。暮年一寸丹心在，卻怪湘纍有許悲。」（《後村集卷十六》）

106.岳珂：「秋水芙蓉試早粧，半軒微雨灑鴛鴦。細腰正欠酬金餅，奮翼何堪卸玉梁。髮鬢釵橫人在牖，繩低斗轉月侵床。無情花影雲來去，都作一天風露涼。」（《玉楮集卷三》）

107.樂雷發：「天裙褒衣走浙淮，何人不識鶴山來。只今心印誰傳得，自摺通書撥篆灰。」（《雪磯叢稿卷四》）

108.陳著：「鏡中看青山，山色非塵寰。月中看水光，全勝日中看。山水本無改，所過成異顏。朝過齊王門，暮叩西秦關。人生貴知己，不遇何不還。了了心自定，我居山水間。」

109.陳著：「秋色薄山色，黃葉溪景瘠。出門欲何之，失笑坐溪石。冥鴻入層霄，感次萬里翼。手中鐵柱杖，睨視難枉尺。起舞衣袂揚，不借西風力。浩浩天地間，誰能省頭白。」（《本堂集卷二十四》）

110.胡仲弓：「身似浮雲不定棲，倚欄覓聽鴉啼。洛陽紙價新來貴，吟得詩成就壁題。（《葦航慢遊稿卷四》）

111.舒岳祥：「墮馬烏雲懶畫眉，薄山宿火翠煙微。綠意不掃香塵護，暖日青蟲化蝶飛。」

112.舒岳祥：「溪草鴨頭相間綠，山榴雉頰一時紅。白鷗飛起無尋處，衮入梨花柳絮中。」

113.舒岳祥：「綠樹陰中春雨過，乳鴉聲裏曉寒生。紙衿木枕清如水，暗想山城又殺更。」

114.舒岳祥：「清江似酒能迷客，綠酒如江不醉人。似酒似江俱莫問，傷心最是艷陽春。」

115.舒岳祥：「尋花不問村遠近，愛酒能論巷淺深。江上幾家官釀戶，如今南北忘追尋。」

116.舒岳祥：「竈戶炊秔香似乳，山童切餅細如絲。黃鸝銜得春愁句，玉管吹成楊柳枝。」

117.舒岳祥：「白鷗滄海尋盟主，黃鳥喬林命友生。燕子不來人獨自，東風扶我趁花行。」

118.舒岳祥：「春風萬里虞姬草。月夜千村蜀帝花。已矣莫論如許事，菜畦黃蝶繞田家。」（以上八首《閬風集卷九》）

119.汪夢斗：「磵邊竹樹絕幽香，燕坐雲根寫洞章。馬上行人重回首，只知草軟臥牛羊。」

120.汪夢斗：「海風吹上一天秋，獨臥扁舟自在流。傾盡酒壺人已醉，卻橫長笛荻花州。」（以上二首《北猶集卷上》）

121.謝翱：「天風下黃葉，山樹掛綠蓑。世情逐流水，東去無迴波。可與語人少，不成眠夜多。濕雲黏短髮，飄泊奈愁何。」（《晞髮遺集卷上》）

122.俞德鄰：「杯酒河橋餞去篷，誰知此別竟西東。隙車冉冉歲華改，樓燕飛飛春事空。珮冷江皋淒落月，笳吹朔漠動悲風。芳魂寂寞揚州路，后土瓊姬恨略同。」

123.俞德鄰：「花柳亭臺半劫灰，故人淪落共徘徊。湖光山色西施舸，水影月香和靖梅。鴻踏雪泥猶記憶，鶴歸華表總成哀。一樽酌酒和愁酌，淚灑東風醉玉頽。」（以上二首《佩韋齋集卷四》）

124.元好問：「七十鴛鴦五十絃，酒熏花柳動春煙。人間只道黃金貴，不問天公買少年。」

125.元好問：「春風也解惜多才，嫁與桃花不用梅。死恨天臺老劉阮，人間何戀卻歸來。」（以上兩首《遺山集卷十一》）

126.胡仲昌：「露重詩征衣，風急翻紗帽。山下灌園人，倚鋤看馬過。」（《江湖小集卷十四錄竹窗小稿》）

127.陳允平：「閒拈紅葉欲題詩，待得詩成又懶題。心事不隨流水去，月明人在赤橋西。」（《江湖小集卷十七錄西麓詩稿》）

128.何應龍：「玉釵風斷扇雲深，砌冷簾空月易沉。流水落花無處問，一年春事一年心。」（《江湖小集卷二十五錄橘潭詩稿》〈效無題體〉）

歸納分析這一百二十八首作品，得有以下各點說明：

1.南宋詩人所作「無題」詩，幾乎是北宋詩人的三倍。北宋四十四首中，七律十八首最多。次為五律十首，七絕九首，五絕四首，五言十六句一首。而十八首七律中，除晁說之一首外，全為西崑體詩人，晏殊、宋庠各一首，楊億(974-1020)、劉筠(971-1031)、錢惟演（977-1034）即佔了十五首，三人中又以楊億七首最多，基本上即《西崑酬唱集》之代表，而其內容與李商隱的表現一致。

南宋情形丕變，八十四首中七絕佔了四十八首，七律十四首中陸游佔四首最多，前引陸游作品可見，則陸游最能體現其本人所謂「無題」之旨。

2.號稱開啟宋詩先聲的梅堯臣（1002-1060），在三十一歲（1032）時，亦曾有「無題」之作（見第19首，據朱東潤《梅堯臣集編年校注》），風格近李商隱，雖僅一首，亦可見時代風氣。

3.理學家邵雍（1011-1077），名臣呂夷簡（979-1044）、范仲淹（989-1052）俱以「無題」詩說理，王安石（1021-1086）則以「無題」寫景、抒情，又係五絕，頗有錢珝〈江行百首〉之風。其中王安石詩集中，以篇首兩字為詩題者多達五十餘首，為兩宋詩人所僅見。

4.蘇軾（1036-1101）、秦觀（1052-1101）、張耒（1054-1114）、晁說之（1059-1129）俱藉「無題」抒懷或說理。

5.北宋江西詩派主要詩人黃庭堅（1045-1105）、陳師道（1052-1100）俱無「無題」之題，南宋則陳與義、呂本中俱有所作，呂本中尤為兩宋「無題」詩作最多者。

6.北宋「無題」詩之內容、風格大體奠定，南宋沿其波，除陸游等少數詩人固守李商隱風調外，其餘已無所不詠，於所引詩作可見大概。

7.南宋趙善括以詞調〈虞美人〉作「無題」詞，為兩宋僅見。詞之著題，自宋初而然，然以「無題」為「題」，素所未有。

8.蘇軾「引手攀紅櫻」一首，經確定為白居易〈花下對酒二首之二〉，類似情形恐或難免。

四、結語

「無題」詩經兩宋之發展，金、元作者，承其風氣，約有五十餘首，明代後來居上，較兩宋猶多，約百六十首，故實已成詩歌體裁之一。元、曹安云：

> 論詩文體製，《文章正宗》（南宋真德秀編）蔑以加矣，然諸體中亦有遺者。《元詩體要》為類三十有八，曰：……『無題體』」（《讕言長語》）。明、宋公傳「無題體」云：「無題之詩，起於唐李商隱，多言閨情及宮事，故隱諱不名，而曰無題。其間用隱語如：身無綵鳳雙飛翼，心有靈犀一點通；春蠶到死絲方盡，蠟炬成灰淚始乾之類。（《元詩體要卷九》）

此所謂「閨情宮事」，尚與陸游之說類似，至徐伯齡〈擬宮詞〉云：「古人無題、閨怨、宮詞、去婦等詩，皆非直述景物故事悲愁哀怨而已，其間特寓孤臣孽子流落及忠良志士與時不偶，情不能忘，托以寡妻怨女，因事感懷，以伸其情耳。」（《虫覃精雋》卷十四）「古人」云云，自是泛指，與實際情形大有出入。及楊基（孟載）：〈無題和唐李義山商隱〉詩序云：「嘗讀李義山無題詩，愛其音調清婉，雖極其濃麗，然皆託於臣不忘君之義，而深惜乎才之不遇也。客窗風雨，讀而悲之。」（《眉菴集卷九》）楊氏此說一出，頗受矚目，故何喬新〈無題和唐李商隱〉序云：「唐李商隱賦無題五首，蓋託宮怨之情，以寓思君之義，其引物託興，有國風楚騷之旨焉。」（《椒邱文集卷二十四》）於是「無題」之作，身價斗增。而明人所作「無題」詩，往往以「和李義山」自我標榜，此則兩宋詩人所無者。楊氏之說，何焯深不以為然，有云：「〈無題四首〉（按即「來是空言」四首）：「此等只是艷詩，楊孟載說迂謬穿鑿，風雅之賊也。」《義門讀書記五十七》然其勢已不可遏。清人魏裔介云：「修齡吳子，於唐人中尤酷愛李義山，嘗注義山無題詩，慨然曰：義山抱用事之才，適際唐運之衰，非宰相援引則無由進，而令狐氏齷齪自私，無開誠佈公之見，此明珠所以汨而江離所以詠也。世概以艷詩目之，不探厥本旨。謬哉。」（《兼濟堂文集卷六》）「修齡吳子」即吳喬，著有《西崑發微》，與馮班同一主張，朱鶴齡又從而扇之，於是「無題寄託」之說大行。而《四庫全書李義山詩集提要》有云：

今考商隱〈府罷〉詩中有「楚雨含情皆有託」句，則借夫婦以喻君臣，固嘗自道。然無題之中，有確有寄託者，「來是空言去絕踪」之類是也；有戲為艷體者，「近知名阿侯」之類是也：有實寓狎邪者，「昨夜星辰昨夜風」之類是也；有與無題相連誤合為一者，「幽人不倦賞」是也，其摘首二字為題如〈碧城〉、〈錦瑟〉諸篇，亦同此例。一概以美人香草解之，殊乖本旨。

所論最為通達。而本文對無題詩在兩宋之流變全面觀察梳理，以見「無題」詩在兩宋之大勢，一得之愚，或亦有助於「無題詩」之討論。

「附記」：

本年八月二十九日，應邀赴安徽師範大學訪問，該校「詩學研究中心」主任余恕誠教授特囑次日作學術演講。「詩學中心」劉學鍇、余恕誠兩位教授專治唐詩，尤精於義山詩之研究，相關著作極受推重。行前匆匆，倉促訂題成篇，勉強應命。會中承劉教授告以已撰成《李商隱詩歌接受史》，即將刊行，並以未能納入拙見為憾。十一月下旬，劉教授來校客座，惠贈是書，得以拜讀參證。適逢徵集昌師瑞卿壽慶論文，因將原稿重新寫定應徵，以申祝賀之忱。

九十三年十二月二十八日

【附錄】：

一、盧綸〈無題〉：「耻將名利託交親，只向尊前樂此身。才大不應成滯客，時危且喜是閒人。高歌猶愛思歸引，醉語惟誇漉酒巾。□□□□□□□，豈能偏遣老風塵。」

二、李湞〈無題〉：「喬木挂斗色，水驛壞門開。向月片帆去，背雲行雁來。晚年名利跡，寧免路歧哀。前計不能息，若為玄鬢迴。」

三、李德裕〈無題〉：「松倚蒼崖老，蘭臨碧澗衰。不勞鄰舍笛，吹起舊時悲。」

四、李義山〈無題〉十四首（據劉學鍇教授考訂）：

1.「白道縈迴入暮霞，斑騅嘶斷七香車；春風自共何人笑，枉破陽城十萬家。」

2.「近知名阿侯，住處小江流。腰細不勝舞，眉長唯是愁。黃金堪作屋，何不重樓。」

3.「昨夜星辰昨夜風，畫樓西畔桂堂東。身無綵鳳雙飛翼，心有靈犀一點通。隔座送鉤春酒暖，分曹射覆蠟燈紅。嗟余聽鼓應官去，走馬蘭臺類斷蓬。」

4.「聞道閶門萼綠華，昔年相忘抵天涯。豈之一夜秦樓客，偷看吳王苑內花。」

5.「來是空言去絕蹤，月斜樓上五更鐘；夢為遠別啼難喚，書被催成墨未濃。蠟照半籠金翡翠，麝薰微度繡芙蓉。劉郎已恨蓬山遠，更隔蓬山一萬重。」

6.「颯颯東風細雨來，芙蓉塘外有清雷。金蟾齧鎖燒香入，玉虎牽絲汲井迴。賈氏窺簾韓掾少，宓妃留枕魏王才。春心莫共花爭發，一寸相思一寸灰。」

7.「含情春晼晚，暫見夜闌干。樓響將登怯，簾烘欲過難。多羞釵上燕，真愧鏡中鸞。歸去橫塘曉，華星送寶鞍。」

8.「何處哀箏隨急管，櫻花永巷垂楊岸。東家老女嫁不售，白日當天三月半。溧陽公主年十四，清明暖後同牆看。歸來輾轉到五更，梁間燕子聞長歎。」

9.「照梁初有情，出水舊知名。裙釵芙蓉小，釵茸翡翠輕。錦長書鄭重，眉細恨分明。莫近彈棋局，中心最不平。」

10.「八歲偷照鏡，長眉已能畫。十歲去踏青，芙蓉作裙釵。十二學彈箏，銀甲不曾卸。十四藏六親，懸知猶未嫁。十五泣春風，背面鞦韆下。」

11.「紫府仙人號寶鐙，雲漿未飲結成冰；如何雪夜交光夜，更在瑤臺十二層。」

12.「相見時難別亦難，東風無力百花殘。春殘到死絲方盡，蠟炬成灰淚始乾。曉鏡但愁雲鬢改，夜吟應覺月光寒。蓬山此去無多路，青鳥殷勤為探看。」

13.「鳳尾香羅薄幾重，碧文圓頂夜深縫。扇裁月魄羞難掩，車走雷聲語未通。曾是寂寥金燼暗，斷無消息石榴紅。斑騅只繫垂楊岸，何處西南待好風。」

14.「重幃深下莫愁堂，臥後清宵細細長。神女生涯元是夢，小姑居處本無郎。風波不信菱枝弱，月露誰教桂葉香。直到相思了無益，未妨惆悵是清狂。」

五、唐彥謙〈無題〉七絕十首

1.細草鋪茵綠滿堤，燕飛晴日正遲遲。尋芳陌上花如錦，折得東風第一枝。

2.錦箏銀甲響鶤弦，勾引春聲上綺筵。醉倚欄干花下月，犀梳斜嚲鬢雲邊。

3.楚雲湘雨會陽臺，錦帳芙蓉向夜開。吹罷玉簫春似海，一雙彩鳳忽飛來。

4.春江新水促歸航，惜別花前酒漫觴。倒盡銀瓶渾不醉，卻憐和淚入愁腸。

5.誰之別易會應難，目斷青鸞信渺漫。情似蘭橋橋下水，年來流恨幾時乾。

6.雨滴銅龍夜已深，柳梢斜月弄疏陰。滿園芳草年年恨，剔盡燈花夜夜心。

7.夜合庭前花正開，輕羅小扇為誰裁。多情驚起雙蝴蝶，飛入巫山夢裏來。

8.憶別悠悠歲月長，酒兵無計敵愁腸。柔絲漫折長亭柳，綰得同心欲寄將。

9.楊柳輕輕映畫樓，翠眉終日鎖離愁。杜鵑啼落枝頭月，多為傷春恨不休。

10.雲色鮫綃拭淚頻，一簾春雨杏花寒。幾時重繪鴛鴦侶，月下吹笙和綵鸞。

昌彼得教授八秩晉五壽慶論文集
2005 年 2 月　　　頁 427～448

紹承與開創
——試論明代詩話的詩說體系

連文萍

一、前言

詩話，本是「以資閒談」、極為自由的書寫形式，從宋代確立名稱與體例後，有無數文人撰著詩話，用以寄託詩情懷抱、記錄詩事典故，或提出詩學見解。發展到明代，不但撰著風氣愈盛，傳統詩話閒談、隨筆的性質有更多樣的開展，甚至成為卷帙龐大、體系完整的詩學論著形式，也成為詩歌理論最主要的載體。

細究明代詩話的詩說體系，主要以復古詩說、性靈詩說為兩大主要系統，這兩大系統又引逗出對於詩歌「神韻」的推究與講求，進而俱為清人加以截取、敷演或發揚，成為清代詩說的重要內容，也成為中國詩歌理論最後總結。本論文旨在提綱挈領的勾勒明代詩話主要的詩說體系，以見其對清代詩說的引領作用，以及在中國詩學理論上的建樹。

二、明代詩話中的復古詩說

復古詩說可謂明代詩話理論體系的主軸，不但這類詩話數量最夥，內容變化最多端，且論述也較為豐富周延，形成明代詩話最重要的內容。推究其原因，應與復古詩論必須講求詩法、考究格調、確立學習標的有關，撰著詩話足以建立復古的宗主、學古的門徑以及學詩的方法，以供創作者依循，因此成為復古派文人的主要詩學論著。

(一) 復古詩說之宗唐論述

復古詩說中最為基礎、可能也是層次較低的詩話，就是明初以來纂刊不絕如縷的詩法彙編，如朱權（1378-1448）《西江詩法》、懷悅（成化元年 1465 在世）《詩法源流》、楊成（天順八年 1464 進士）《詩法》、王用章（嘉靖二年 1523 以前在世）《詩法源流》、黃省曾（1490-1540）《名家詩法》、梁橋（嘉靖二十四年 1545 在世）《冰川詩式》、朱紱（萬曆四年 1576 在世）《名家詩法彙編》、謝天瑞（萬曆年間在世）《詩法大成》等等❶，各書撰輯手法或有異同、內容或有分合，但大都承繼著前代鑽研詩法的風氣，吸納整編唐、宋、元人所著詩法、詩式、詩格的精華❷，建立以唐詩為主體的詩學典範，其中兼納眾體、技巧高超的杜詩，更成為近體詩模擬寫作的主要範本。這些詩法彙編，

---

❶ 《西江詩法》一卷，今可見明嘉靖十一年（1532）重刻本；懷悅《詩法源流》一卷，今有明初刊黑口本；楊成《詩法》五卷，有明成化十六年（1480）序刊本；王用章《詩法源流》三卷，有明嘉靖三十八年（1559）刊本；黃省曾《名家詩法》八卷，有明嘉靖二十四年（1545）浙江葉杏園刊本；梁橋《冰川詩式》十卷，有明嘉靖二十八年（1549）原刊本；朱紱《名家詩法彙編》十卷，有明萬曆五年（1577）刊本；謝天瑞《詩法大成》十卷，有明復古齋刊本，各書的相關論述請參見連文萍《明代詩話考述》（東吳大學中國文學研究所博士論文，1998）（本論文所引各明代詩話，其作者、版本、詩說特色等相關論述，亦請參見《明代詩話考述》，僅此註明）。各書的編纂手法互相因襲，其中，梁橋所編纂之《冰川詩式》，將歷來詩格、詩式之說重新整編，畫分為定體、練句、貞韻、審聲、研幾、綜賾六類，由基礎而進階，指引初學者循序漸進的學習詩歌創作，最有特色，影響亦深遠，關於此一命題，請參見連文萍〈以詩學著述建構自我價值——論梁橋《冰川詩式》與明代詩學面相〉（《漢學研究》第 22 卷第 2 期，頁 95-119，2004 年 12 月）。

❷ 以朱紱《名家詩法彙編》為例，即廣泛收錄唐、宋、元人詩法詩格之作，包括范德機（范亨，1272-1330）《木天禁語》、《詩家一指》、《詩學禁臠》；嚴滄浪（嚴羽，南宋人，生卒年不詳）〈詩法〉；楊仲弘（楊載，1271-1323）《詩法》；白樂天（772-846）《金鍼集》；《沙中金集》；傅與礪（傅若金，1304-1343）《詩法正論》、《詩文正法》；黃子肅（或為元人，生卒年不詳）《詩法》；揭曼碩（揭傒斯，1274-1344）《詩法正宗》、《正法眼藏》；《詩準》；《詩翼》。按，上述詩法詩格的作者多有偽托的情形，本論文仍存其舊，不另作辨析。

以「復古」為旗幟，肩負著詩學啟蒙的任務，也使得「詩話」由隨筆閒談的性質，向具體而循序漸進的詩學方法論更加探求，也將晚唐以來的詩法、詩格、詩式，巧妙的涵融在「詩話」的天地裡。

復古詩說向更高層次進展，是對詩的「格調」進行較系統性的論述，李東陽（1447-1516）的《懷麓堂詩話》具有前導性的地位，他兼融嚴羽《滄浪詩話》與高廷禮（1350-1423）《唐詩品彙》等前人詩說的精要，以及自己的創作經驗，首先要求嚴格區分與確認古詩與律詩的不同體制，並探討分辨歷代詩歌風格及作家個人風格的方法，提倡「具眼」、「具耳」❸，亦即從體制、聲調雙管齊下的省視與鑑別。然而，李東陽的復古其實是溫和的、廣泛的學習前代，包括宋、元的詩家都得到他的稱揚與仿效，因而未能明確指出復古標的、樹立鮮明的旗幟❹，要到李夢陽（1475-1531）、何景明（1483-1521）等「前七子」，王世貞（1526-1590）、李攀龍（1514-1570）等「後七子」，以向初、盛唐學習，向杜甫學習等嚴格的口號與身體力行，才以十足的霸氣，開創復古詩說的前、後兩次高峰。

環繞在宗唐議題的相關討論，包括由尊唐思考詩歌的本質、由尊唐考究詩歌的美

---

❸ 「具眼」、「具耳」之說是李東陽著名的詩說之一，見《懷麓堂詩話》頁 1371（木鐸出版社翻印《歷代詩話續編》本，1983）：「詩必有具眼，亦必有具耳。眼主格，耳主聲。聞琴斷知為第幾絃，此具耳也；月下隔窗辨五色線，此具眼也。費侍郎廷言嘗問作詩，予曰：『試取所未見詩，即能識其格調，十不失一，乃為有得』」。此說繼承嚴羽《滄浪詩話》「看詩須著金剛眼睛」、「大歷以前，分明是一副言語；晚唐，分明是一副言語；本朝諸公，分明是一副言語。如此見，方許具一隻眼」（二說俱見藝文印書館 1974 年影印《歷代詩話》，頁 450）之說，並加以推而廣之。

❹ 李東陽除了在詩話中不嘗稱讚元人劉因、虞集等人的詩作，自己也廣泛取法前人，錢謙益《列朝詩集小傳》丙集「李少師東陽」條即謂：「西涯之詩原本少陵、隨州、香山，以追宋之眉山、元之道園，兼綜而互出之。」（世界書局 1985 年版，頁 246）其廣泛學習前代，卻未能明確指出復古標的、樹立鮮明旗幟，王世貞在《明詩評》曾給予評論：「惜乎未講體格，徒逞才情。」（見新文豐圖書公司影印《紀錄彙編》本），在《藝苑巵言》中也將李東陽比為「陳涉」，謂：「長沙之於何李，其陳涉之啟漢高忽？」（見木鐸出版社 1983 年翻印《歷代詩話續編》本，卷 6，頁 1044），均慨嘆其未能明確標舉一格，以樹立詩歌創作的取法楷模。

感呈現、由尊唐衍出創作的法則、由尊唐提出作家的品評等等，也交織建構出明代詩話層次最多也最豐富的內容。其中如李夢陽等力主尊盛唐，而詆訶「宋無詩」，引發復古詩說中學唐、學宋的爭議❺，而安磐（弘治十八年（1505）進士）《頤山詩話》即以「漢無騷，唐無選，宋無律」為命題，有謂：「所謂『無』者，非真無也，或有矣而不純，或純矣而不多，雖謂之『無』亦可也」，嘗試以較圓融的說法，來平撫「宋無詩」的爭議❻。

尊唐的路線中，又有更加仔細區分學習路徑者，如王世貞在《藝苑卮言》極力推崇初、盛唐詩，並仔細標舉各種詩體的學習標的，如云：「五言律、七言歌行，子美神矣，七言律，聖矣；五、七言絕，太白神矣，七言歌行，聖矣，五言次之。太白之七言律、子美之七言絕句，皆變體，間為之可也，不足多法也」❼，就以李、杜詩為喻，由正、反面指出各種詩體的典範，以利於學習取法。謝榛（1495-1575）《四溟詩話》則以初、盛唐十四詩家的學習與仿效加以說明，指出十四家咸足為法，但復古並非蹈襲古人，而是要「化陳腐為新奇」，要於「十四家又添一家」❽，於是他也衍出「學

❺ 李夢陽、何景明等標舉學詩的最高標的，以為「詩必盛唐」，又謂「宋無詩」，如李夢陽〈潛虬山人記〉（《空同集》卷47）謂：「山人商宋梁時，猶學宋人詩。會李子客梁，謂之曰：『宋無詩』，山人於是遂棄宋而學唐。」「宋無詩」之說曾引發多方批駁與挑戰，楊慎（1488-1511）《升庵詩話》「蓮花詩」條（見木鐸出版社1983年翻印《歷代詩話續編》本，卷12，頁872）即記錄，楊慎曾取宋人張文潛〈蓮花〉、寇平仲〈江南曲〉等詩測試何景明，景明皆誤以為係唐人所作，知實為宋詩之後，仍強謂：『細看亦不佳』。」

❻ 《頤山詩話》一卷，今有《四庫全書》本。安磐提出對「宋無詩」的解釋，而其論學詩仍力求詩之真，嘗與楊慎論詩謂：「論詩如品花木，牡丹、芍藥，下逮苦楝、刺桐，皆有天然一種風韻。今之學杜者，紙牡丹、芍藥耳。」（見錢謙益《列朝詩集小傳》丙集「安給事磐」條，世界書局1985年版，頁355）。

❼ 見木鐸出版社1983年翻印《歷代詩話續編》本，卷4，頁1005、1006。

❽ 見木鐸出版社1983年翻印《歷代詩話續編》本，卷3，頁1189：「一日，因談初、盛唐十二家詩集，并李、杜二家，孰可專為楷範？或云沈、宋，或云李、杜，或云王、孟。予默然久之，曰：「歷觀十四家所作，咸可為法。當選其諸集中之最佳者，錄為一帙，熟讀之以奪神氣，歌詠之以求聲調，玩味之以裒精華。得此三要，則造乎渾淪，不必塑謫仙而畫少陵也。夫萬物一我也，千古一心也，易駁而為純，去濁而歸清，使李、杜諸公復起，孰以予為可教也。諸君笑而然之。」

釀蜜法」，以「蜂采百花為蜜，其味自別，使人莫之辨也」❾，來作為復古的最終境界。其後，胡應麟（1551-1602）《詩藪》也推衍之，指出明代的詩歌就在紹承與兼融前代詩歌體制與風格，集其大成，進而超越宋、元，與漢、唐鼎足為詩歌的三大盛世。所以，復古詩家們由尊唐出發，前仆後繼的以復古為號召與手段，意欲建構一個詩歌的輝煌時代。

除了推尊盛唐，又有不少詩話針對各別詩家的學習而申說推闡，像應該學習杜甫還是李白，就各執一詞。由於杜詩詩體變化多端、法度謹嚴，有利於學習，因此學杜構成尊唐詩說體系的主要基調，如前引李東陽《懷麓堂詩話》、王世貞《藝苑卮言》、謝榛《四溟詩話》、胡應麟《詩藪》等大家詩話，都對經由杜詩的分析，帶出學杜的討論❿。而如王文祿（舉嘉靖十年（1531）鄉試）《詩的》、楊良弼（約為明嘉靖時人）《作詩體要》、唐元竑（萬曆十六年（1588）舉人）《杜詩攟》等小家詩話，⓫也都有鮮明的擁杜立場，其中《詩的》曾對時人學杜提出批評：

> 杜詩意在前，詩在後，故能感動人。今人詩在前，意在後，不能感動人。蓋杜遭亂，以詩遣興，不專在詩，所以敘事、點景、論心，各各其真，誦之如見當時氣象，故曰「詩史」。今人專意作詩，則惟求工於言，非真詩也。空同詩自

---

❾ 同註⓬，頁 1217，謝榛謂：「予以奇正為骨，和平為體，兼以初唐、盛唐諸家，合而為一，高其格調，充其氣魄，則不失正宗焉。若蜜蜂歷採百花，自成一種佳味，與芳香殊不相同，使人莫知其所蘊。作詩有『學釀蜜法』，要在想頭別爾。」

❿ 關於李東陽《懷麓堂詩話》、王世貞《藝苑卮言》、謝榛《四溟詩話》、胡應麟《詩藪》等都對經由杜詩的分析，帶出學杜的討論，以及彼等最終希望紹承與兼融前代詩歌體制與風格，集其大成，進而超越宋、元，與漢、唐鼎足為詩歌的三大盛世，筆者〈明代格調派詩論中的「杜詩集大成」說——以李東陽《懷麓堂詩話》為論述中心〉（《國立編譯館館刊》，23 卷 1 期，頁 225-238，1994 年 6 月），以格調派文人品論杜詩為探討焦點，有完整的論述，可參考。

⓫ 王文祿《詩的》一卷，有隆慶二年（1568）刊《百陵學山》本，新文豐圖書公司影入《叢書集成新編》發行。楊良弼《作詩體要》一卷，有嘉靖古崑書屋清稿本，廣文書局影入《古今詩話續編》發行。唐元竑《杜詩攟》四卷，有舊鈔本，大通書局於 1974 年影入《杜詩叢刊》第三輯發行。

敘亦曰：「予之詩非真也」，王叔武所謂「文人學子之韻言耳」，是以詩貴真，乃有神，方可傳久。

指出明人學杜詩成與不成的關鍵，就在於是否有真情實意，其「詩貴真，乃有神，方可傳久」的看法也頗為中肯。至如楊良弼《作詩體要》，羅列八十二種詩歌體制，杜甫以「詩備眾體」，成為各種體制的不二典範，他不但多次主張「老杜詩無一首不可法」，甚至對於杜詩中「重字」及對仗的瑕疵，均以「在老杜可，在他人則不可」一語來解釋，其原因居然是「老杜詩無人敢議」⓬。楊良弼的說法可謂推尊太過、不夠客觀，卻也呈現出部分明人極端崇杜與尊杜的實況。

相對的，陳沂（1469-1538）所著《拘虛詩談》，為了與北地李夢陽等所主導的崇杜、學杜風氣相抗衡⓭，提出杜詩「如滄海無涯涘可尋，其間蛟龍以至蝦蚌、明珠珊瑚之與砂石，無一不據，要識其所當取」，他話鋒一轉，又謂：「後學茫昧，特拾其粗耳」，直指當世不善學杜的弊病，他指出正確的復古應是：

學四言當詠味風雅，長辭當詠味楚騷，五言古必宗蘇、李，近體必宗開元以前，

⓬ 楊良弼《作詩體要》論「重字體」，引杜甫〈曲江〉為詩例，謂：「此詩三用『花』字，在老杜則可，在他人則不可。」論「單對雙體」，以杜甫〈秋望〉為詩例，謂：「『吾老』單字也，『榮華』雙字也，在老杜則可，在他人則不可，若吾輩必曰『衰老甘貧病』，終是弱，不能如『吾老』之健也。這類評語的心態與根源，是詩話中「平易體」的詩例下所云：「老杜詩無人敢議」。

⓭ 陳沂，字宗魯，後改字魯南，是浙江鄞縣人，以醫籍居南京。所著《拘虛詩談》一卷，有民國二十五年（1936）張約園所刊《四明叢書》本。關於陳沂與北地李夢陽等人論詩相抗衡的情形，錢謙益《列朝詩集小傳》丙集「陳太僕沂」條謂：「於時大江南北文士，稱朱（朱應登，1477-1526）、顧（顧璘，1476-1545）、陳（陳沂）、王（王韋，弘治十八年（1505）進士）四家，朱、顧皆羽翼北地，共立壇墠，而魯南能另出手眼，訟言一時學杜之弊，欽佩（王韋之自號）亦與之同調。」（世界書局 1985 年版，頁 344）陳田《明詩紀事》丁籤卷 5「陳沂」按語則謂：「（陳沂）論詩針砭北地之失，可謂談言微中，但其所作，去北地仍不可以道里計，牧齋援魯南以攻北地，譬如挾邾莒小國以抗齊楚，多見其不自量也。」（上海古籍出版社 1993 年影印本，第 2 冊，頁 1208）

七言長歌必宗李白，七言律必宗少陵，絕句必以李白為師，縱力不能及，詠味久則入，步正不蹈旁蹊矣。

在陳沂所建構的復古體系中，杜甫並非不能學習，但卻被「稀釋」，只剩「七言律必宗少陵」，李白則獨得「七言長歌」、「絕句」兩項「桂冠」，且其後「縱力不能及，詠味久則入」云云，也係針對李白不易學而發，可謂對學杜、學李都提出自我的看法，頗能獨樹一幟。

在各別詩家學習的討論上，黃甲（嘉靖二十九年（1550）進士）《獨鑒錄》宗唐詩、抑宋詩的主張，雖不出復古的牢籠，但他左打李白、右攻杜甫，並以「予於二公，頗知彈射，使二公若在，當必以我為知言者」⓮沾沾自喜，其言論又為尊唐的復古詩說別立狂妄的典型。而如萬曆年間蔣一葵（萬曆二十二年（1594）曾應試南京）寫作《詩評》⓯，也由針砭當世詩壇摹仿李攀龍及「爭事剽竊，紛紛刻鶩，至使人厭」的現象，提出自己的復古進程：「余謂學于鱗不如學老杜，學老杜尚不如學盛唐」，將個別詩家的學習又放大回歸到唐詩的盛世。

事實上，隨著復古勢力的衰微，復古詩說也不斷的進行修正與總結，除了蔣一葵的省察，也有採取更寬容而周延的態度來看待復古的，如王世懋（1536-1588）《藝圃擷餘》不但主張作詩當本才學性情，且莫理論格調，也以「逗」、「變」說解唐律由初、而盛、而中、而晚的變化，原是一種漸進的過程，並非絕然的對立，因此圓融的解決

⓮ 《獨鑒錄》一卷，有明崇禎二年（1629）刊《廣快書五十種》本，此書作者本不知其人，據陳田《明詩紀事》己籤卷 10「黃甲」按語云：「……所著《獨鑒錄》，即在《編年稿》（即黃甲所著《鳳巖編年稿》）中，其彈射古人詩文，亦互有得失。」（上海古籍出版社 1993 年影印本，第 4 冊，頁 2039）。黃甲謂：「論詩美惡不相揜。如少陵『岱宗夫如何』，『夫如何』三語，頭巾氣甚矣，註詩者目為『跌蕩』；又如太白〈襄陽歌〉『清風明月不用一錢買』，何其鄙熟之甚，註詩者目為『橫放』，大覺為古人縛故耳。予於二公，頗知彈射，使二公若在，當必以我為知言者。」

⓯ 《詩評》一卷，有日本文林軒寶曆十二年（即清乾隆二十七年（1762））刊本，由日本古典研究會影入《和刻本漢籍隨筆錄》發行。

宗主盛唐卻不必為盛唐所侷限的問題⓰。

也有以更嚴格的追復唐調，來挽救復古派的頹勢，如殷雲霄（萬曆二十六年（1594）進士）處身於公安詩說強烈挑戰的環境，猶自堅持宗盛唐的復古論調，所著《冷邸小言》即謂：「如欲創奧堂，可不用前人木石，不可不用前人規矩繩墨；恥拾人餘唾矣，能不取音於舌根，轉聲於齒罅，以足語，以手呼，得乎？」他進而以花、月為喻，說明花、月人所共賞，今歲之花非昔時之花，但花樣不殊；今夕之月，即前夕之月，而月境不同，屢賞不厭。他以為復古是以前人規矩繩墨，寫自然之情、之法、之韻，雖用古而實自用⓱。至於殷雲霄以「前人規矩繩墨」作為學習標的，「前人」係指初、盛唐而言，他以吹簫加以說明：

> 初、盛唐詩，樓上之簫也，聽之隨風飄揚，逸韻哀音，沁人腑肺，而殊無指爪唇舌之跡；中晚近耳之簫也，但聞點指摝擫，Ᾰ唇舔嗒，何韻之有？即韻亦滯響耳；宋則吹火筒，全然無響，付之祖龍可也。

⓰ 《藝圃擷餘》一卷，版本眾多，書中對復古詩說的流弊，提出省察，如云：「今世五尺之童，纔拈聲律，便能薄棄晚唐，自傳初、盛，有稱大曆以下，色便赧然。然使誦其詩，果為初邪、盛邪、中邪、晚邪？大都取法固當上宗，論詩亦莫輕道。詩必自運，而後可以辨體；詩必成家，而後可以言格。晚唐詩人如溫庭筠之才、許渾之致，見豈五尺之童下？直風會使然耳，覽者悲其運衰可也。故予謂今之作者，但須真才實學，本性求情，且莫理論格調。」（藝文印書館影印《歷代詩話》本，頁501）也以逗、變的觀念，說解唐律由初、而盛、而中、而晚的變化，原是一種漸進的過程：「唐律由初而盛，由盛而中，由中而晚，時代格調故自不必同，然亦有初而逗盛，盛而逗中，中而逗晚者，何則？逗者變之漸也，非逗故無繇變也。……」（頁499）

⓱ 《冷邸小言》一卷，有清道光二十七年（1847）梓刻本。書中針對當時詩壇論詩風氣而提出：「說者謂一代有一代之詩，一人有一人之作，何必效顰風騷魏晉、學步初盛唐人？還當自創奧堂，顧甘拾人餘唾。予以為不然。詩有自然之情，有自然之法，有自然之韻，非學古人、學天地間，不得不然也。如欲創奧堂矣，可不用前人木石，不可不用前人規矩繩墨；恥拾人餘唾矣，能不取音於舌根，轉聲於齒罅，以足語，以手呼，得乎？故用古人已用之句，是蹈襲也；用古人自然之情、之法、之韻，雖用古而實自用也，何也？我實有之，反是則病狂譫語耳。如花、月人所共賞也，今歲之花非昔歲之花，而花樣不殊；今夕之月即前夕之月，而月境忽別，是以屢賞而不厭。如曰是花也、月也，前夕前年曾看過，別討一花、月而觀之，必夢入鬼道而後可。今之工蹇澀、索奇僻，無景無情，無聲無調，是入鬼道而已，何取焉？」

指出初、盛唐詩，與中晚唐、宋詩的分別，就在於「韻」，初、盛唐詩「逸韻哀音」裊裊不絕，所以動人心絃，其說已為日後「神韻」詩說的張目。至如其謂宋詩「付之祖龍可也」，亦即將宋詩付諸火炬焚之，此看法雖不免過激，卻見其嚴明唐、宋詩之別的立場。

殷雲霄的《冷邸小言》雖沒有極廣的流傳，然其極力推服滄浪的「悟」與李夢陽的「法」，又兼融王世貞的「才思格調」與胡應麟的「興象風神」，提出「情、景、氣、格、風、調」六端，作為詩歌創作的六個面相，凡不符合者則「非詩」也⓲。殷雲霄提出「六端」，反映出晚明文人的復古宗向更趨於全面，也凸顯出復古理論中宗唐詩說已趨向總結⓳，並漸次逗引出「神韻」的相關討論。

㈡ 復古詩說之其他論述

明代復古詩說中，除了宗唐的相關論述呈現豐富的意涵與變化之外，也不乏宗漢魏、六朝或宋詩的論述。其中，著重宣示尊法漢魏的路數者，以徐禎卿（1479-1511）的《談藝錄》最具代表性，他主張「魏詩，門戶也；漢詩，堂奧也，入戶升堂，固其機也」⓴，以對漢魏古詩的分析與讚頌，指出復古取法的標的。但他兼納吳中論詩純任性情、講究興致趣味的特色，強調情為詩之源，「因情立格」㉑，亦即情的作用在先，格調的形成在後，成為以情的抒發為內在基礎，與外在詩歌規矩法度互為協調的彈性復古主張。

⓲ 《冷邸小言》謂：「詩家情、景、氣、格、風、調六字，缺一則非詩。然其中最難者是風字，蓋如人之風流者，一段飄逸，不在言笑，不落形骨，不寄衣妝，轉盼含顰，咳唾步趨，皆覺可悅，惟裊絲飄雪，差可擬比，全不由人力矣。」關於殷雲霄詩說與王世貞、胡應麟的關係，可參見筆者《明代詩話考述》頁 204、205。

⓳ 殷雲霄之外，明代尊唐的復古詩說，最後是在許學夷（1563-1633）《詩源辨體》、胡震亨（萬曆二十五年（1597）舉於鄉）《唐音癸籤》兩本詩話中，以不同的思考與撰著方式，完成了總結。參見《明代詩話考述》頁 251、265。

⓴ 此說見藝文印書館 1974 年影印《歷代詩話》中之《談藝錄》，頁 492。

㉑ 同註㉓，頁 493。

閔文振《蘭莊詩話》[22]也主張向《三百篇》及漢魏古詩學習，但其清楚的認知到「世風日下，好尚隨之，詩之不能復古，宜哉」，為師法漢魏的復古詩說加上圓融的「但書」。陳德文（嘉靖時人）《石陽山人蠡海》在極力推尊詩歌性情之正的同時，對於時人學習漢魏詩一以蕭統（501-531）《昭明文選》為依歸，號稱「選體」，提出不同的思考：

> 蕭統以六朝委靡之聲，綺麗之習，尚論於漢魏，選掄其篇詩，混紫為朱，列鄭于雅，所必至者，而世乃翕然宗之，何邪？吾嘗謂兩漢三國之詩，恐不止此數篇，蓋經統刪後，貴耳賤目者，因舉而棄置之，希響寂寥，遺慨千古。[23]

陳德文不同意蕭統以六朝文風與文學觀點，來尚論漢魏之詩、編選詩集，他認為這是「混紫為朱，列鄭于雅」，而後世居然翕然宗之，真不知是何緣故？他也感歎：「兩漢三國之詩，恐不止此數篇，蓋經統刪後，貴耳賤目者，因舉而棄置之，希響寂寥，遺慨千古」。陳德文的思考，指出當世師法漢魏的實際，是片面的師法蕭統《昭明文選》所選的漢魏詩，而非真正涵泳、取法於漢魏詩的廣大天地，這樣的觀點使得他的詩話雖屬小家，卻對詩法漢魏的復古詩說提出珍貴的反省。

力主崇尚六朝的詩說，以楊慎為代表，他不但在《千里面譚》中與張含（正德二年（1507）中雲南鄉試）談到七言排律起源於六朝的看法，也強調李白、杜甫的詩學創作都是學《選》詩而來，所以他也特別選編了《選詩外編》[24]，以見李、杜的本源，並藉

---

[22] 閔文振，字道充，江西浮梁人，生卒年不詳。清同治十一年刊《饒州府志》有小傳，謂其「博綜文詞，尤長於詩，以歲貢教授嚴州，徵修《福甯州志》、《甯德縣志》。」《蘭莊詩話》一卷，有明弘治九年（1496）序刊本，臺灣未見收藏。

[23] 《石陽山人蠡海》共兩卷，上卷為詩話，下卷為陳德文所作古詩選集，有明刊藍印本。此則詩話出自卷上。

[24] 楊慎《千里面譚》係與張含談詩論詩的記錄，有明萬曆四年（1576）琳琅館刊二卷本，明末刊《古今詩話》及清順治三年（1646）宛委山堂刊《說郛》續卷之一卷本。有關是書之一卷、二卷本及《選詩外編》的討論，可參考張錫厚〈楊慎詩論著述考〉（《四川師院學報》，1981 年 2 期，頁 59-67、73；1981 年 3 期，頁 71-77）。

此巧妙的將律詩的學習標的上推到六朝。楊慎的做法，雖引起宗唐的王世貞、胡應麟等復古詩家的批評，但也不乏追隨者，如朱曰藩（1501-1561），係朱應登之子，朱應登為江蘇寶應人，但詩學見解與北地李夢陽等同一聲氣，朱曰藩雖承家學，卻看到北地復古常流於拆洗活剝的弊病，轉而「取材文選、樂府，出入六朝、初唐」，與楊慎的詩說更為接近，楊慎也曾親自評定曰藩的詩作，得七十四首，並深許其為「異於世之學杜者」㉕。

宗宋的詩說，相較於宗漢魏、六朝的詩說，更屬弱勢。如都穆（1459-1525）《南濠詩話》有謂：「予觀歐、梅、蘇、黃、二陳至石湖、放翁，其詩視唐未可便謂之過，然真無愧色者也」，並引方孝儒「天曆諸公製作新，力排舊習祖唐人。粗豪未解風沙氣，難詆熙豐作後塵」詩，表達反對崇唐抑宋的立場㉖。《南濠詩話》的理論性不強，都穆自己的言論也並未具備與宗唐詩說抗衡的火力，充其量只是寄寓了對宋詩的同情而已。相形之下，前文引述楊慎《升庵詩話》的「蓮花詩」條質疑於何景明「宋無詩」的言論，並以宋詩試之，讓何景明出了糗，反而令人印象深刻㉗。

綜觀復古詩說的理論體系，實以宗唐為主軸，兼有宗漢魏、宗六朝等不同的復古主張，雖各有偏重的論說，內容也詳略有別，但討論的面相相當寬廣，也因而擴大了詩話所能承載的範圍與深度。

㉕ 錢謙益《列朝詩集小傳》丁集上「朱九江曰藩」條謂：「當李、何崛起之日，南方文士與相應和者，昌穀（徐棒卿）、華玉（顧璘）、升之（朱應登）三人，而升之尤為獻吉（李夢陽）所推許。子价（朱曰藩之字）承襲家學，深知拆洗活剝之病，於時流波靡之外，另出手眼。其為詩，取材文選、樂府，出入六朝、初唐，風華映帶，輕俊自賞，寧失之佻達淺易，而不以割剽為能事。其於升之，可謂諍子矣。楊用脩（楊慎）評定其詩，得七十四首，比之唐人篋中之集，其為序，極言近世蹈襲之弊，而深許子价之詩，以為異於世之學杜者，則用脩、子价之詩，其流派別于獻吉，從可知矣。」（世界書局1985年版，頁449）

㉖ 《南濠詩話》二卷，有清乾隆三十八年（1773）刊《知不足齋叢書》本，新文豐圖書公司影入《叢書集成新編》發行。

㉗ 詳見註❺。

三、明代詩話中的性靈詩說

明代詩話中對於性靈詩說的討論，並不是起始於公安、竟陵派的興起，甚至「童心說」的代表人物——李贄（1527-1602），他的唯一詩話著作《騷壇千金訣》㉘，根本是整編前人詩說的詩話彙編，內容是要幫助學詩者熟習詩歌格律、寫作技巧，是引領初學者入門的用途，並未針對詩歌表情達意、寫作境界等作更高層次的討論，由此亦可見出復古詩說的影響力，以及當世對於詩法的接受與需求㉙。

在袁宏道標矩「性靈」之前，「性靈」是一個援引自南北朝的文學概念，意指性情懷抱，是個人心靈的情趣抒發，這本是創作詩歌的基礎，因此許多明人的詩話著作，尤其是復古詩說後期的詩話作者，多已提及類似的概念，並申說相關的意涵㉚。但，部分詩話已加重「性情」的論說份量，甚至強調臨文時心中的意念與情感，要比詩歌體制格調的講求更為重要，如邵經邦（1491-1565）《藝苑玄機》㉛論詩有謂：

> 臨文須將古人谿徑放在一邊，不問先秦兩漢、初盛中晚，且只暢發我胸中一段議論，卻將他言語比併看是如何，如此啟憤，煞有增益。

㉘ 《騷壇千金訣》一卷，是詩話的彙編，纂輯嚴羽《滄浪詩話》、晚唐以後詩格，及明人劉基、方孝儒、王世貞等人詩論而成，有明大雅堂刊《大雅堂訂正枕中十書》本。《枕中十書》係袁宏道於萬曆三十七年（1609）主試陝西試畢，夜宿三教寺時，偶然發現，事見《大雅堂訂正枕中十書》卷前袁宏道〈枕中十書序〉。

㉙ 話雖是如此，但必須肯定的是，公安袁宏道標榜「獨抒性靈，不拘格套，非從自己胸臆中流出，不肯下筆」的真詩，方才真正成就性靈詩說，樹立鮮明的標竿，成為足以與復古詩說相抗衡的詩說體系與勢力。

㉚ 如復古詩說後期的王世懋，其《藝圃擷餘》也主張「詩不惟體，顧取諸性情如何耳」、「但須真才實學，本性求情，且莫理論格調」（藝文印書館影印《歷代詩話》本，頁501），均注意詩歌創作應本諸性情，不可但論格調。

㉛ 《藝苑玄機》一卷，有清光緒二十年嘉惠堂刊《武林往哲遺著》本。邵經邦平生自豪於論史，其次論道，詩文則為末事，但在當世復古詩說盛行時，他仍主張：「若非是脫悟於心，而欲句句字字尋古人糟粕來摹仿，如何得有進益？」又云：「古人几案間無一俗子書，若今習套如《詩學大成》、《翰墨全書》、《事文類聚》等，斷然捨去。」

此與袁宏道「詩何必唐，又何必初與盛？要以出自性靈者為真詩爾」㉜是相似的意見。又如馮時可（隆慶五年（1571）進士）《藝海洞酌》中《唐乘》云：

> 詩不必於備體，談詩而求備體，文士之門靡也。古《三百篇》賦比興皆觸意而出，矢口而成，安知備體？若求體備，便遠於性情。㉝

馮時可強調詩歌抒發性情，不必刻意講求於體制的完備，不要被體制所束縛。他也以杜甫〈北征〉、〈述懷〉諸詩為例，以為係「以唐音而運古意，真射鵰手」，進而又說：

> 其不為四言，不為離騷，不用樂府舊題，是其獨立堂搆，不蹈人蹊徑處。然杜不為風、騷，而得風、騷之髓；韓、柳不用班、馬，而傳班、馬之神，深情遠興，篤念厚衷，豈淺學膚見所能窺其藩籬？

結合上述二則論述，馮時可所謂「淺學膚見」指的就是「談詩而求備體」的時人，而「深情遠興，篤念厚衷」則是申說「性情」的重要。他也以杜甫為例，說明杜甫能超越詩歌外在形式的摹擬，「獨立堂搆，不蹈人蹊徑」，又能「深情遠興，篤念厚衷」，所以他的詩「以唐音而運古意」，巧妙融合詩歌的情調與自我的真情實感，這正是杜詩能傳諸久遠的重要因素。馮時可的論述應是著意於曉示當世宗唐、學杜者，立論十分鮮明，該書也在知識分子間也頗為流傳，然復古派詩家許學夷卻在所著《詩源辨體》

㉜ 語出江盈科（1553-1605）《雪濤閣集》（明萬曆二十八年西楚江氏北京刊本）卷8〈敝篋集引〉：「世之稱詩者，必曰唐；稱唐詩者，必曰初曰盛。惟中郎不然，曰：『詩何必唐，又何必初與盛？要以出自性靈者為真詩爾』……。」

㉝ 引自《藝海洞酌》中《唐乘》卷1頁9。《藝海洞酌》原書十一卷，有明萬曆三十年（1602）刊本，今國家圖書館所藏者，存《晉乘》四卷、《唐乘》二卷。原書品評歷代重要詩人與詩作，也對前人詩話中的相關評述，提出再批評，全書卷帙龐雜，故採陸續刊刻的方式成書，據《唐乘》卷前王家屏〈藝海洞酌唐乘引〉謂：「元成（馮時可之號）尚有《經乘》、《先秦乘》、《漢乘》、《魏乘》，以及晉、宋、梁、陳、隋、北朝、宋、元、我明各有乘，以工鉅，先易者，俟諸刻成，當共為序之。」

加以評論：

> 馮元成《藝海洞酌》，兼論古今詩文雜著，最為繁雜。其論詩浮泛瑣屑，而實悟者少，間涉訓釋，大多穿鑿。至引古人詩句，則又似全不知詩者。又意在師心，恥於宗古，故盛推韓、蘇而無所避，此中郎之先倡也。但其資高學博，故於漢、晉人大體間亦有得。㉞

這段評論值得注意的是「意在師心，恥於宗古，故盛推韓、蘇而無所避，此中郎之先倡也」，指出《藝海洞酌》與性靈詩說之間的關係，是相當於「先倡」的位置，亦即《藝海洞酌》是性靈說的先聲。此外，評論也透露了復古詩家對性靈詩說的不滿，包括論詩穿鑿；意在師心，恥於宗古；推許韓愈、蘇軾的詩而無所避諱等，具體的呈現出復古詩說與性靈詩說的分野，在於論詩評詩的宗向不同、詩歌創作的原則或方法不同、推舉取法的詩家不同等等。

袁宏道成就性靈詩說的理論，但本身並無詩話的論著，所以就明代詩話而言，性靈詩說的代表性詩話，首推江盈科的《雪濤詩評》㉟。該詩話論詩並未直揭「性靈」二字，但以「求真」為詩說中心，其〈貴真〉條有謂：「夫為詩者，若係真詩，雖不盡佳，亦必有趣；若出于假，非必不佳，即佳亦自無趣」㊱，這裡的「趣」並非傳統深遠、超俗、難以言喻的「趣」，而是一種淺近、活潑、本色的美感，在江盈科看來，這種美感是令人耳目一新且更加貼近人心、耐人尋味的，是真詩最可人的地方，此與袁宏道重視「寧今寧俗」、純任本色的趣味是一致的。江盈科在〈詩品〉條又強調：

> 詩本性情，若係真詩，則一讀其詩，而其人性情，入眼即見。大都其詩瀟灑者，

㉞ 引自《詩源辨體》（人民文學出版社1987年校點本）卷35，頁349。

㉟ 《雪濤詩評》一卷，原為《雪濤小書》（包括《雪濤詩評》、《閨秀詩評》、《諧史》）之一，有萬曆三十二年（1604）刊本及萬曆四十年（1612）吳公勵校刊《亘史鈔》本等，版本頗多，廣文書局於1971年影印章衣萍鉛印《雪濤小書》本發行。

㊱ 見廣文書局1971年《雪濤小書》影本，頁12。

其人必愷快；其詩莊重者，其人必敦厚；其詩飄逸者，其人必風流；其詩流麗者，其詩必疏爽；其詩枯瘠者，其人必寒澀；其詩豐腴者，其人必華贍；其詩淒怨者，其人必拂鬱；其詩悲壯者，其人必磊落；其詩不羈者，其人必豪宕；其詩峻潔者，其人必清脩；其詩森整者，其人必謹嚴，譬如桃梅李杏，望其華，便知其樹，惟勦襲掇拾者，麋蒙虎皮，莫可方物。㊲

連續闡述性情與詩歌風格的關係，而這個關係是必然的、明確的、不可移易的，以此來強烈的申說「詩本性情」的主張，堪稱體會細膩，論述周備。

江盈科推闡性靈詩說的另一個體現是在《閨秀詩評》㊳，據書前的自序云：「余生平喜讀閨秀詩，然苦易忘，近摘取佳者數首，各為品題，以見女子自攄胸臆，尚能為不朽之論，況丈夫乎？」標榜選採與品評取向是由「直攄胸臆」出發，正是以「真」為品評與接受的基準，著重揭示女性詩作以口頭語書寫心中事的可貴，所以書中評陳玉蘭寄夫戍邊詩云「悽惻之情，盤于胸臆，二十八字曲盡其苦」；評篟桃諫寇萊公奢侈之〈東綾詩〉，為「一句一字皆真切，與蹈襲者迥別」，均著重於真情實境的流露；即使如葉正甫妻劉氏〈製衣寄外〉、豫章婦〈絕客詩〉因為以口語入詩，導致「詩體稍俗」，江盈科也品出「真切不浮」或「結語新麗可喜」的趣味與美感。《閨秀詩評》因為體現性靈詩說，而首開全書品論女性詩作的詩話體例，並引領清代詩話中撰作女性詩話的風氣，本身已深具意義，而江盈科努力讓女性詩作成為「真詩」的典範，讓女性的詩作值得品論、閱讀，也讓女性有機會成為詩史中的「不朽」，這樣的作法除

㊲ 同註㊱，頁 11。

㊳ 《閨秀詩評》一卷，與《雪濤詩評》並稱為「詩評」，原為《雪濤小書》（包括《雪濤詩評》、《閨秀詩評》、《諧史》）之一，有萬曆三十二年（1604）刊本及萬曆四十年（1612）吳公勵校刊《亘史鈔》本等，廣文書局於 1971 年影印章衣萍鉛印《雪濤小書》本發行，然此本有部分刪節。明末有秦淮寓客單獨將《閨秀詩評》刊入《綠窗女史》叢書，此為較完整的版本，現有天一出版社於 1985 年影入《明清善本小說叢刊》發行。

了作為當日詩壇的針砭，也使性靈詩說增添了鼓勵女性從事創作的意義[39]。

輔翼性靈詩說的詩話，另有陳懋仁（萬曆時人）《藕居士詩話》[40]，其推許袁宏道「力糾明詩，藝林咸允，十集出，幾于紙貴。務去陳言，力驅剽竊，殊有功詩道」[41]。又嘗編選中郎詩選，並撰作序文，為袁宏道的詩學看法提出說解，其謂：「袁石公藝談天出，若以為明無詩者，以其覷緣多而生真少也」、「所謂明無詩，非無詩也，無其不己出，而搬排人有者也」、「大要公不顧遺譏，殲剿礪鈍，在各出己見，不從人腳根，一語援濡溺耳」者，不但提出「今人不自深得，至秪人唾而盜人涓，不知肖則人優，弗肖則我面并失」的意見，另方面也著重指出袁宏道雖自謂「不襲前人一字一意」，其詩仍出於少陵、李賀，所以陳懋仁強調：中郎之詩「蓋泛覽六朝，微闚少陵，乃心長吉，而自為石公者也」，說明袁宏道詩並非全無依傍與淵源，可貴在於能自成一格、自出機杼。陳懋仁所編的中郎詩選並未刊行，此段序文則保留於《藕居士詩話》[42]，成為書中極醒目的一則詩說，具有輔翼袁宏道詩說的作用。

---

[39] 關於江盈科《閨秀詩評》與《雪濤詩評》的詳細論述，請參見筆者〈詩史可有女性的位置——以兩部明代詩話為論述中心〉論文，《漢學研究》17卷1期，頁177-200，1999年6月。

[40] 《藕居士詩話》二卷，有清鈔本，臺灣未見典藏。

[41] 前杭州大學中文系周維德教授曾提供筆者鈔自清鈔本的《藕居士詩話》，其書卷上第80則詩話即謂：「袁中郎力糾明詩，藝林咸允，十集出，幾于紙貴。務去陳言，力驅剽竊，殊有功詩道。」

[42] 陳懋仁為袁中郎詩選所撰作之序文，見《藕居士詩話》卷上第82則詩話引錄：「袁石公藝談天出，若以為明無詩者，以其覷緣多而生真少也。夫詩如流黃間色，錯綜成章，重黯輕明，何機蔑有，畏善各成，不是盜剿。故知所謂明無詩，非無詩也，無其不己出，而搬排人有者也。故其詩曰：『殰骨蜷回旋，驢背蒼蠅聚。矉眉少冶容，邯鄲無高步』，諷鋒雖利，實匪徒言。且自弘、正以前尚靡，一當于公，乃今人不自深得，至秪人唾而盜人涓，不知肖則人優，弗肖則我面并失。大要公不顧遺譏，殲剿礪鈍，在各出己見，不從人腳根，一語援濡溺耳。若其詩自為體，不資蔭映，淺識者猶處違仁，故蕺其新秀獨至，與來者期。劃陳根於慧圃，疏宿物于清渠，而後融諸性情，自出機杼，以無犯公摭腐拾浮之誚可也。又其詩曰：『除卻袁中郎，天下盡兒戲』，又曰：『碌碌彼人奴，餘殰蔽天地』，豈公為之斯必有以中公者？其謂不拾前人一字，似未盡然。總之，公蓋泛覽六朝，微闚少陵，乃心長吉，而自為石公者也。」

四、明代詩話中的神韻詩說

明代詩話中對詩歌神韻的推求，基本上也是由對復古詩說的推求與演繹的過程中，陸續生發、漸進而來，特別是復古詩家從李東陽以來，不斷對嚴羽《滄浪詩話》中「別材」、「別趣」、「第一義」等強調形而上的、講究悟入的詩學觀念，多方援引、說解與增添，復古派詩家一方面講「法」，另方面講「悟」，二者並行不悖。尤其是復古詩說因為過於重「法」，而逐漸走向僵化、徒求外在體制的形似、忽略詩歌抒情的本質與新創的可貴之時，部分復古詩家就加重探討詩歌所涵蘊的妙境與美感，亦即加重「悟」的推闡，以作為修正、救弊的良方，終而漸次演為神韻詩說，並在清代發揚光大。

明代詩話中，李東陽《懷麓堂詩話》曾對「意」加以推求，有謂：「詩貴意，意貴遠不貴近，貴淡不貴濃。濃而近者易識，淡而遠者難知」，並舉杜甫「鉤帘宿鷺起，丸藥流鶯轉」、李白「桃花流水杳然去，別有天地非人間」、王維「返景入深林，復照莓苔上」等詩為例，作為意貴淡、遠的說明㊸。其說可視為對嚴羽「言有盡而意無窮」之說㊹的引申。李東陽所謂的「意」，實有「意象」的意涵，是詩人的情與外在景物的觸發，「淡而遠」的意象，正為情與景的融合後，出以淡雅深長的抒寫，產生韻味深長的美感。

又如謝榛《四溟詩話》，強調「詩乃模寫情景之具，情融於內而深且長，景耀於外而遠且大。當知神龍變化之妙，小則入乎微蠓，大則騰乎天宇」㊺，正可作為李東陽論「意」的部分說解。謝榛復演為「作詩不宜逼真」的創作法則：

㊸ 同註❸，《懷麓堂詩話》，頁 1369。

㊹ 嚴羽《滄浪詩話》：「盛唐諸人惟在興趣，羚羊掛角，無跡可求，故其妙處，透徹玲瓏，不可湊泊，如空中之音、相中之色、水中之月、鏡中之象，言有盡而意無窮。」（藝文印書館影印《歷代詩話》本，頁 443）

㊺ 《四溟詩話》同註❽，卷 4，頁 1221。

凡作詩不宜逼真，如朝行遠望，青山佳色，隱然可愛，其煙霞變幻，難於名狀。及登臨，非復奇觀，惟片石數樹而已。遠近所見不同，妙在含糊，方見作手。㊻

他將情與景的觸發，與抒寫的適切距離，以「妙在含糊，方見作手」加以定位，並進一步引申應用於詩歌的鑑賞與說解，提出：「詩有可解、不可解、不必解，若水月鏡花，勿泥其跡可也」㊼，這個說法很明顯的承襲自《滄浪詩話》，也加入他自己對「意」的體會。由於謝榛強調詩的立意可能是游移、飄忽、隨字或韻而生的，詩可能成就於有意、無意之間，詩又有「不立意造句，以興為主」者，所以在鑑賞及說解詩人的命意，就不能不考慮這些因素，特別是詩作因為成於有意、無意間，所展現的悠遠朦朧的妙境及「若水月鏡花」的美感，惟有「勿泥其跡」，不強自說盡，承認詩歌有可解、不可解及不必解的可能，方才能夠領略詩歌的審美情趣。

是故，《四溟詩話》雖有宗唐的復古取向，也多方演繹詩歌創作的方法，卻也援引、發揚滄浪的「悟」，宣說詩歌所展現的悠遠朦朧的妙境及美感，並將「悟」具體落實於「詩有可解、不可解、不必解」的看法，可謂巧妙的將復古詩說向「神韻」更加推闡。

具有總結及修正復古詩說意義的胡應麟《詩藪》，也由滄浪詩說提出「體格聲調」與「興象風神」為作詩之大要，以補益復古詩說理論上的缺憾，他以為「體格聲調」猶如水與鏡，是可以依循的「法」；「興象風神」卻如花與月，無跡可求，須著重悟入。胡應麟主張「必水澄鏡明，然後花月宛然」，也就是在推求格調、嫻熟詩法技巧的同時，須更向詩歌的形而上層面鍾練，使之兼具興象風神。而其所謂「興象」，應指在意象上對於情景交融的追求，這是詩歌美學的最深奧展現，在創作手法上則凸顯

㊻ 同前註，卷3，頁1184。

㊼ 同前註，卷1，頁1137。

「興」的手法，強調「興」對於意象表達的功能，所以又稱「興象」㊽。謝榛《四溟詩話》有謂：「凡作詩，悲歡皆由乎興，非興則造語弗工」，又謂：「熟讀李、杜全集，方知無處無時而非興也」㊾，就是明白的指出「興」的妙境，只是謝榛並未像胡應麟一般，形成「格言」、「定義」式的理論。

至於，「風神」是一種詩歌的情境或最高境界，《詩藪》數以「風神」盛讚盛唐詩歌的成就，如謂「初唐七言以才藻勝，盛唐以風神勝」等，他也使用「神韻」來形容盛唐，如謂：「盛唐氣象渾成，神韻軒舉」等，所以「風神」與「神韻」應具有近似的內涵，可能「風神」的指涉意涵略廣，而「神韻」對於韻味的部分較為強調。

明代詩話中最鮮明的神韻詩說，出現在陸時雍（崇禎六年（1633）貢生）的《詩鏡總論》，這部詩話成書於明末，兼有復古詩說、性靈詩說的理論成分，並彙萃二說向神韻詩說過渡。是書以「情真」、「韻長」為立論中心，強調：

> 詩之可以興人者，以其情也，以其言之韻也。夫獻笑而悅，獻涕而悲者，情也；聞金鼓而壯，聞絲竹而幽者，聲之韻也。是故情欲其真，而韻欲其長也，二言足以盡詩道矣。㊿

其對「韻」有多面相的剖析，除「韻長」之外，並有「生韻」、「神韻」的不同詞彙變化，且「韻」的生成與情、景的合融鋪陳密切相關，如謂：

㊽ 《詩藪》〈內編·近體中·七言〉，胡應麟謂：「漢、唐以後談詩者，吾於嚴羽卿得一悟字，於明李獻吉得一法字。皆千古詞場大關鍵。……」（廣文書局 1973 年影印本，頁 307）又謂：「作詩大要不過二端，體格聲調、興象風神而已。體格聲調有則可循，興象風神無方可執，故作者但求體正格高、聲雄調鬯，積習之久，矜持盡化，形跡俱融，興象風神，自爾超邁。譬則鏡花水月，體格聲調，水與鏡也；興象風神，月與花也，必水澄鏡朗，然後花月婉然，詎容昏鑑濁流，求睹二者？故法所當先，而悟不容強也。」（頁 308）

㊾ 同註㊺，卷 3，頁 1194。

㊿ 《詩鏡總論》一卷，原為陸時雍所編古詩及唐詩選集《古詩鏡》、《唐詩鏡》的序言，有明崇禎間刊本，丁福保刊入《歷代詩話續編》發行。此段引文出自木鐸出版社翻印《歷代詩話續編》本，頁 1415。

善言情者，吞吐深淺，欲露還藏，便覺此衷無限。善道景者，絕去形容，略加點綴，即真相顯然，生韻亦流動矣。此事經不得著做，做則外相勝而天真隱矣，直是不落思議法門。[51]

生韻要流動，要掌握「在意似之間」的分際，陸時雍說：「此事經不得『著』做」，這其實就是前引謝榛所說「妙在含糊，方見作手」，謝榛雖沒有直接提到「生韻」或「神韻」，但所舉的例證可以作為陸時雍「意似」的說解，也見明代神韻詩說的發展有其轉輾承遞的關係[52]。

五、結語

綜觀明代詩話所呈現的詩說內容，以復古詩說為主，且由於詩話卷帙日趨龐大、論述漸趨體系化，甚至有文人窮盡一生志力來從事著作詩話[53]，所以各式復古論述十分完備，部分小家詩話也能添加面相多樣的看法。明人藉由詩話進行復古的申說與推衍，可以有正反兩面的意義：一方面因為抱持「體以代變，格以代降」的詩學觀念，導致詩歌創作的「退化」；又因為標舉復古、偏執立論，導致摹擬剽竊、互相詰責的流弊，從而使明代的詩歌創作失去新創的動力，以及藝術的生命。但另一方面明人總結前代詩學論述，致力於詩史的發掘與建立，探討詩歌發展的規律、流派詩家的興衰與成就，深入的思考詩歌的創作法則，思索詩歌藝術的本質與美感，並嘗試建立創作

[51] 同前註，頁 1416。

[52] 關於陸時雍《詩鏡總論》對「神韻」的說解，可參見《明代詩話考述》頁 254-257。

[53] 如許學夷《詩源辨體》三十八卷，即窮盡一生志力，其〈凡例〉謂：「此編辨體小論，四十年十二易稿始成。或夜臥有得，即起書之；無燭，曉起書之；老病後不能手書，命姪輩代書……」，撰作時間由萬曆中葉到崇禎初年，長達四十年，歷經復古、公安、竟陵等各種詩學思潮遞嬗起伏，故是書之作，尤在評論並總結明代詩學的各種論述，〈詩源辨體自序〉即謂：「後進言詩，上述齊梁，下稱晚季，於道為不及；昌穀諸子，首推〈郊祀〉，次舉〈鐃歌〉，於道為過；近袁氏、鍾氏出，欲背古師心，詭誕相尚，於道為離。予《辨體》之作也，實有所懲云。」

與鑑賞的體系，所以，明代詩話中復古詩說的功與過，可以給予不同的探看與評價。

相較於復古詩論的豐富內容，明代詩話作者在性靈詩說體系的建立與推闡上，不論就數量或成就而言，都不特別突出。但如馮時可《藝海洞酌》、江盈科《雪濤詩評》及《閨秀詩評》等，仍舊閃爍著輝光。明代詩話作者對詩歌神韻的推求，基本上也是由對復古詩說的推求與演繹的過程中，陸續生發、漸進而來，包括李東陽、謝榛、胡應麟諸人，均能注意詩歌抒情的本質，進而探討詩歌所涵蘊的妙境與美感，並加重「悟」的推闡，以作為詩歌體制之外的涵詠與追求，陸時雍《詩鏡總論》則多方剖析「韻」的各種意涵與變化，終而漸次演為神韻詩說，並在清代發揚光大。

是故，中國詩歌理論中相當重要的復古、性靈、神韻詩說，都在明代詩話中得到開展，因此明代詩話的撰作與編刊，不論就中國文學史或批評史，抑或是就詩話發展的過程看來，都是一個重要的「增添」，何況，明代詩話有其承襲與變化，足以反映時代，也對於詩歌藝術有深入的發掘與探求，可以提供後世參考，都是其價值的所在。

昌彼得教授八秩晉五壽慶論文集
2005 年 2 月　　　頁 449～460

才高學博卻用力太猛
——論《野叟曝言》的特色與缺失

王瓊玲

前　言

清．乾隆中葉，江陰人夏敬渠（1705-1787）所著的《野叟曝言》，是最具代表性的「才學小說」，作者因博學多藝、際遇不凡卻功名失意，故藉著創作《野叟曝言》以：

1.闡明崇程、朱，斥陸、王，排佛、道的「崇正闢邪」理念。

2.庋藏「醫、兵、詩、算」四大才學，兼炫耀其他各種才藝。

3.記錄豐富之生活閱歷，存錄未能刊刻的多種著作內容。

4.展現其個人內聖外王之理想。

5.批判歷來科舉弊病、政治缺失、倫理失序，建立「理學的理想國」。

6.彌補其人生缺憾，滿足其身心幻想。

全書一百五十四回，洋洋一百餘萬字，評註亦近十八萬字，乃現知古典小說中篇幅最長者。其內容、體材承續、鎔合明代講史❶、人情、神魔等三大類小說而來；且仿效

❶ 有關《野叟曝言》與明代史事之關合，錢靜方《小說叢考．野叟曝言考》已有論及（臺北：長安出版社，1999 年 1 月初版，頁 162-167）；拙作《野叟曝言研究》第二章第二節〈講史小說——《野叟曝言》與正史關合處探討〉亦有詳論（臺北：學海出版社，1988 年，頁 56-70）。

唐人小說中的名著❷；並兼採元、明豔情小說中的筆法及情節❸。在中國小說史上，有其特殊之地位。

數年前，筆者在南京圖書館古籍部尋獲夏敬渠的詩文集——《浣玉軒集》；又數度親赴北京·中國社科院文學所檢核「光緒五年精鈔本《野叟曝言》」，對於《野叟曝言》的義蘊內涵、版本流傳，有了較精準的掌握❹。

近年又尋獲《江陰夏氏宗譜》❺。由內容確知，夏敬渠將其祖先許多事跡，鋪敘、改寫成小說的重要情節。證明《野叟曝言》不只具有「自傳」性質，亦浸染濃厚的「家傳」色彩❻。

根據以上的研究基礎，筆者進行《野叟曝言》的溯源與探流研究，並撰寫《野叟

---

❷ 《野叟曝言》承續、鎔合明代人情、神魔及唐人小說的部份，拙作《野叟曝言研究》第二章第二節已有詳論。（頁 70 至 78）

❸ 《野叟曝言》中，描寫豔情的情節長約五萬餘字，其筆法、內容多有承襲自元、明豔情小說者。

❹ 1988 年，筆者曾撰寫《野叟曝言研究》，首次探討夏敬渠其人其書（臺北：學海出版社，1988年）。1995 年，根據北京：中國社會科學研究院文學研究所收藏的「光緒四年精鈔本《野叟曝言》」及相關資料，撰寫了〈《野叟曝言》光緒四年精鈔本析論——兼論《野叟曝言》版本問題〉（發表於《東吳中文學報》第一期，頁 121-150），探討了《野叟曝言》傳鈔、版本諸問題；並證明其內容、情節，並無人為的刻意增削等。1996 年，又根據南京圖書館所藏夏敬渠所著的《浣玉軒集》及相關資料，撰寫了〈由《浣玉軒集》看夏敬渠之生平、著作及創作《野叟曝言》之素材、動機〉，（連續發表於《明清小說研究》1996 年 12 月，第四期；及 1997 年 1 月，第一期。）探討夏敬渠之生平、家庭、交遊、著作等；並觀察夏氏如何將其生活經歷、理學思想、詩賦文章等，檃括、存錄於《野叟曝言》中。1997 年，再以此二篇論文為基礎，完成了《清代四大才學小說——甲篇《野叟曝言》研究》（臺灣商務印書館，1997 年初版）。

❺ 筆者在南京社科院文學研究所蕭相愷先生的幫助之下，於 2001、2002 年八月、2003 年二月，三度前往南京圖書館古籍部，細勘經由夏敬渠的叔祖父夏敦禮，胞叔夏宗淮、宗洛、宗瀾，族叔宗泰、及堂弟夏敬顏，侄兒夏祖燿、姪孫夏翼琳等人所修纂，曾姪孫夏子沐編訂，在光緒十六年刊行的「源遠堂」《江陰夏氏宗譜》，發現不少夏氏先祖、夏敬渠本人及《野叟曝言》的重要資料。

❻ 根據《江陰夏氏宗譜》及相關資料，筆者撰寫了〈由《江陰夏氏宗譜》看夏氏先祖對夏敬渠與《野叟曝言》的影響——夏敬渠與《野叟曝言》補論之一〉，發表於《明清小說研究》，2003年第三期。以及〈夏敬渠生平補證——夏敬渠與《野叟曝言》補論之二〉，發表於《明清小說研究》，2004 年第二期。

曝言作者夏敬渠年譜》，茲惴惴焉將部份心得先行提出，贅錄於祝壽文集之編末，謹求方家斧正，並銘謝　瑞卿吾師二十餘年來耳提面命之恩。

一、兩面評價：優劣並存、褒貶互見

歷來學者對《野叟曝言》互有褒貶，光緒七年（1881），知不足齋主人云：

> 是書之敘事說理、談經論史、教孝勸忠、運籌決策；藝之兵、詩、醫、算；情之喜、怒、哀、懼；講道學，闢邪說，描春態，縱諧謔，無一不臻頂壁一層；至文法之設想布局，映伏鉤綰，猶其餘事，為古今說部所不能彷彿。誠不愧第一奇書之目。（光緒辛巳（七年，1881）毗陵彙珍樓木刻活字本《野叟曝言·凡例》）

民初，錢靜方承續其說，言：

> 夏君湛深理學，而又長於兵、詩、醫、算。乃以素臣自居，而以理學歸之母氏，兵、詩、醫、算，分之四妾。舉所心得，宣洩無遺。書凡一百五十四回，其中講道學，闢邪說，敘俠義，紀武力，描春態，縱諧謔，述神怪，無一不臻絕頂。（《小說叢考》之《野叟曝言》條）

二人對於《野叟曝言》可謂推崇備至。清末，邱煒萲之《續小說閒評》亦贊揚其：

> 《野叟曝言》……萃數十年精力，成百數十回大書。借王文成公擒宸濠舊事，以為影子。其宗旨全在誅鋤僧、道，收羅技武，苦心組織，獨出心裁，直欲前無古人。又念俗情：聞雅樂而臥，聞鄭聲而悅。中間撰出許多褻語褻事，識者譏之。要于小說體裁，未足深責也。……（據阿英《晚清文學叢鈔·小說戲曲研究卷》卷四《客雲廬小說話》卷一轉錄）

近代，林語堂列《野叟曝言》為「我最愛讀的書籍」之一：

> 近讀《野叟曝言》，知是白話上等文字，見過數段，直可作修辭學上之妙語舉例。

> （《野叟曝言》）增加我對儒道的認識。儒道有甚麼好處，此書可以見到。❼

對於《野叟曝言》的修辭與內容、思想有頗高的評價。

但是，不久，針對林語堂的贊揚，悍膂在〈談《野叟曝言》〉一文，即列舉該書「最方巾氣」、「不是性靈」、「否認思想自由」、「心靈不健全」、「白中之文」五點，認為「《野叟曝言》處處和林語堂先生底主張相反，為甚麼林先生還要再三推薦呢？」❽

魯迅在《且介亭文二集·尋開心》一文，亦指責《野叟曝言》「是道學先生的悖慢淫毒心理的結晶，和『性靈』緣份淺得很」。而在《中國小說史略》中，魯迅雖然列《野叟曝言》為「以小說見才學者」之首，肯定其在小說史中之地位與影響。但卻也批評其：「意既誇誕，文復無味，殊不足以稱藝文。」可謂責之深矣！

黃人在《小說小話》中，對《野叟曝言》則更是撻伐：

> 夫小說雖無所不包，然須天然湊合，方有情趣。若此書之忽而講學，忽而說經；忽而談兵論文，忽而誨淫語怪。語錄不成語錄，史論不成史論，經解不成經解，詩話不成詩話，小說不成小說。《雜事秘辛》與昌黎〈原道〉同編；香奩妝品與廟堂禮器並設；陽阿激楚與雲門咸池共奏，豈不可厭？

此外，即使是對《野叟曝言》推崇有加的學者錢靜方，在贊賞之餘，亦指出其缺

❼ 第一段引文是林語堂在《論語》半月刊第四十期（1934 年 5 月 1 日）發表的〈語錄體舉例〉。第二段引文是次年在《人間世》半月刊第十九期的〈新年附錄：一九三四年我所愛讀的書籍〉。又林語堂在〈人生的宴享〉中云：「然而直到 1890 年秋，他（指夏敬渠）的孝思的曾孫替他重印《夏懋修全集》，俾傳夏君之名于不朽。」案：是夏敬渠之曾姪孫夏子沐，蒐羅夏敬渠之詩文，編為《浣玉軒集》，林氏之言有誤。

❽ 刊於《太白》半月刊第一卷第十二期（1935 年 3 月 5 日）

失：「昔人評高則誠之《琵琶記》，謂用力太猛，余謂是書亦然。」（《小說叢考·「野叟曝言」條》）邱煒萲《客雲廬小說話》卷一亦云：「其短處盡在全書筆墨過於糾纏，敘至文素臣功成名就之日，已可收科；以後絮絮叨叨，連子及孫，講之不了，未免畫蛇添足。」（據阿英《晚清文學叢鈔·小說戲曲研究卷》卷四轉錄）

以上學者對《野叟曝言》的贊賞或貶抑，差別不可謂不大。

平心而論，《野叟曝言》確實有其明顯的優點及缺失。其優點來自於夏敬渠的才高學博、閱歷豐富，故堪稱是質與量皆精采的「才學小說」。小說中詳細表述的內聖外王理想、反佛闢道的具體言行；刻意展現的醫、兵、詩、算、天文、地理、歷史等才學；技巧上呈現單一主角、倒敘、伏筆、編年紀事、刪小說套語等等緊嚴結構；以及前一百二十回精心設置的生動情節等等❾，除了蘊涵、呈現作者的博學廣智、才藝技能、人生理想及不錯的寫作技巧之外；又兼具娛樂效果、傳播知識及道德教化等「社會功用」。此是《野叟曝言》的特色，亦是其不容忽視的外在優點。

因為具有以上優點，使得《野叟曝言》在後代的小說、戲曲上起了很大的影響：

先是清末陸士鄂撰寫了科幻小說《續野叟曝言》。1939年，朱石麟改編《野叟曝言》成京劇「文素臣」，由「麒麟童」（周信芳）在上海「卡爾登」戲院演出連臺本戲，造成大轟動，四年之內連續演出數次。香港邵氏公司拍了的電影《文素臣》，頗為賣座。1966年，在馬來西亞上映時，卻因情節「反佛」，觸怒佛教界。佛教徒成立「防止毀辱佛教影片工作委員會」，又舉辦世界佛教代表大會，強力撻伐並聲請政府下令禁演此電影。此片在星加坡，亦以同樣的理由被禁演。民國五十九年（1970）三月，臺灣電視公司推出黃俊雄掌中戲團由《野叟曝言》改編的布袋戲《雲州大儒俠》，收視率竟高達百分之九十幾，造成「百業怠工」的情況，迫使政府下令干預其演出。

除此之外，潮劇、粵劇、黃梅劇也都有改編《野叟曝言》小說成「文素臣」戲劇

---

❾ 有關《野叟曝言》的結構特色、情節設計，詳參拙作《野叟曝言研究》第四章〈野叟曝言的表現技巧〉。

的。

《野叟曝言》從小說衍化為各種戲劇，平面文字結合了舞臺、電影、電視等大眾傳播工具，其「臨場感」、「立體感」再加上「聲光化電」的科技功效，使得此部才學小說更廣為人知，更具影響力。

然而，《野叟曝言》雖有明顯的優點及深遠的影響力，但是其內在缺失卻不容粉飾。學者所評斷：語涉淫穢、內容誇誕、思想頑固、運筆拖沓糾纏等，確實是《野叟曝言》嚴重的內在缺失。然而，造成這些內在缺失的原因為何？則頗值得探究。

二、用力太猛的原因及缺失

錢靜方《小說叢考》指出《野叟曝言》的缺點在於「用力太猛」。但何謂「用力太猛」？錢氏並未說明。

筆者認為所謂的「用力太猛」，乃是夏敬渠撰寫《野叟曝言》時，「為了刻意達成其各項創作意圖，而罔顧文學藝術的基本原則所致。」

例如：為了要達成「炫才耀學」、「存錄著作」的創作意圖，夏敬渠用力太猛，只一味舖陳程、朱理學、批判佛、道宗教，並羅列醫、卜、星、算、詩、兵、史地等才學，全然不管小說的趣味度及普遍性。因此，窮篇累牘的「才學」、「著作」，雖然內容包羅甚廣，卻違反小說天然湊合、引人入勝的原則，增加讀者太多的閱讀負擔。

又為了要達成「補償人生缺憾」、「滿足身心幻想」的創作意圖，夏氏又用力太猛，致使主角文素臣，表面上是才德兼備、忠孝兩全的「奮文揆武、天下無雙正士」；但實質上卻缺乏知識份子應有的自覺與自省，幾乎只能稱是熱中權勢富貴、沉溺聲色幻想又暴虎憑河的莽夫而已！

《野叟曝言》針對各種文化現象、社會階級，又欠缺深入的探討及多角度的呈現，致使「說教式」的正面的建言，往往令讀者厭煩；「詆毀式」的反面的諷刺，又有失溫厚，容易引人不悅。因此，小說的整體內容，在刺激讀者的人生思考、提升生命境界方面，缺乏大助益。

在寫作藝術上，「巧設情節」是《野叟曝言》的一大優點，但夏敬渠用力太猛，便附帶造成拖沓重複、夾雜糾纏的弊病。嚴謹的結構如：單一主角、倒敘、伏筆、映照、編年紀事、刪除卷回首尾的套語或韻文等，乃夏敬渠不錯的寫作技巧；但是因用力過猛，反而拘陷其中，致使部份內容瑣碎繁雜、缺乏情趣❿。

此外，在人物刻畫方面，夏敬渠「用力太猛」地突顯並頌揚忠臣、義士、烈女、義僕等正面角色；又「用力太猛」的貶抑醜化權奸、僧尼、道士、淫娃等負面角色，遂使繁複多面的人性簡化、類化，造成《野叟曝言》文學藝術的一大致命傷⓫。

在主題的呈現方面：《野叟曝言》的內容以「崇正闢邪」為理念，但描述正、邪兩方時，都用力太猛，造成永遠的對立與不可化解的仇恨；又將人類的七情六慾、世事的曲折萬變，都逐一納入世俗的禮教，及嚴苛的道德戒律中。小說自然活潑、包羅萬象的生命，遂大大斲傷了。

---

❿ 單一主角、倒敘、伏筆、編年紀事、刪除卷回首尾之套語或韻文等諸項技巧，乃《野叟曝言》中頗值得重視的寫作技巧。然而，夏敬渠求好心切，不免有所矯枉過正。如：在「嚴謹無誤」的前題要求下，為避免人物混亂，夏氏竟然列出文素臣的家譜（一百四十三回），將二十四子，一百五十六孫，一百四十七曾孫及玄孫等，共四百零三人的名冊列出，註明何房何人所生，及配偶的姓氏、身份。此外，基於寫實的要求，文素臣每率軍征戰，班師回朝後，即將將士名單列出，逐一論功行賞，動輒數千字（一百十九回）。諸如此類，實破壞了小說的完整性及趣味性。試想，豈有讀者願意耗費精力，閱讀一份了無情趣的家譜或功榜？故嚴謹的結構，乃夏敬渠獨到的寫作技巧，但拘泥於其中，又用力過猛，致使內容瑣碎繁雜，則為附帶的缺失。

⓫ 《野叟曝言》在人物刻畫方面：除少數卑微角色如李四嫂、田有謀、及張老實夫婦等刻畫較為成功，其餘正派人物則不見佳績。蓋夏氏疏於形容，以致於人物的面目模糊，體態不詳，如文素臣一妻五妾中，唯知木難兒曾因易容而膚色黝黑之外，其餘音容笑貌大抵類似，無特別鮮明者，讀者實難留下深刻之印像。比起《紅樓夢》上至十二正、副金釵，下至僕婦、丫鬟，都各具風姿，其相差不可以道里計。

夏氏又拙於剖析人性，致使角色簡化而雷同。書中凡貞媛必柔婉嫻靜，凡淫娃必姦穢無恥；英雄烈士皆豪邁武壯、視死如歸；僧人道士則陰狠狡詐、無惡不作。甚且一刀二分：非貞媛即是淫娃，非善士便是惡棍。既忽視各色人物的背景因素，又未能將心比心，寄予同情。唯有一味稱讚歌頌或撻伐貶抑而已。繁複多面的人性遂簡化、類化，造成《野叟曝言》文學藝術的一大致命傷。

故「用力太猛」，罔顧藝術原則，確實是造成《野叟曝言》在文學藝術上，無法臻於最上乘的主因。

夏敬渠創作《野叟曝言》何以會「用力太猛」？筆者認為夏敬渠雖推崇儒學但卻拘泥於世俗禮教，再加上「氣剛易動」、「性絕孤高，情偏狷介」「鋒頑似鐵、性拙如鳩」⓬的個性，使其對芸芸眾生的各種生活及多面的人性，缺乏深微的觀照與體諒。而在幻設的小說天地中，因為不必顧慮現實的羈絆，可以肆無忌憚的展露偏執的個性與倨傲的脾氣。因此，以文素臣自況的夏敬渠，無論言行或思想都「用力太猛」，造成動輒以聖賢之道責人、逼人的情況。

而且夏敬渠晚年居家著書時，自知一生既已勞碌無成，若不在《野叟曝言》虛擬的小說情節中，大大地展現才學、存錄著作、補償人生缺憾、滿足身心幻想，便別無機會了。因此這種「最後奮力一搏」的心態，都是造成創作時「用力太猛」的原因。

再由《宗譜》得知，夏家忠臣、義士、孝子、節婦、義僕，代出不窮：順治二年（乙酉，1645），清兵攻陷江陰，夏敬渠第六世高高叔祖夏嘉祚⓭、第七世高祖父夏維新（1604-1645）⓮、高族叔父夏永光⓯，抗清殉明而死。義僕徐秀護幼主夏霈逃亡，四

⓬ 「氣剛易動」一句，見《宗譜》卷十五〈諭次兒敬渠書〉後夏祖燿的「按語」。
《浣玉軒集》卷三〈悼亡妹文〉夏敬渠論及自己的個性：「性絕孤高，情偏狷介」。在《浣玉軒詩集·自序》中夏敬渠亦自云：「僕也，江左小儒，芙城末士，鋒頑似鐵、性拙如鳩。」（《浣玉軒集》卷三）

⓭ 《宗譜》卷八〈小傳紀事·第六世「嘉祚」〉：「嘉祚字文溪。順治乙酉（1645）六月，大清兵南下。江邑未降，圍之。公先令僕徐秀，挾侄孫霈避於石幢；而己偕侄維新在城捍禦，城陷死之。馮、潘、高四姓僕（按：馮姓僕有二人）從死。道光七年（1827）從祀三公祠。」

⓮ 《宗譜》卷八〈小傳紀事·第七世「維新」〉：「維新，號彩邦，明崇禎癸酉科九十九名舉人。順治乙酉殉節，乾隆四十一年（1776），欽定入祀忠義祠。道光八年（1828）從祀三公。天資穎異，抱幹濟、熟名義，宿以文章氣節推重東林。順治二年乙酉五月，大清兵南下，留都失守，列城望風款。閏六月朔，公與江邑士民引義為明守。未下。大清兵圍焉。八月二十一日申時，城破，死之。」

⓯ 《宗譜》卷八〈小傳紀事·第七世「永光」〉：「永光字元采。乙酉歲，江陰城破。將書作甲以衛其身，戰死于文昌巷，屍首不知何在？……一門十一口同殉難。事見《雨三公筆記》。道光七年從祀三公祠。」

姓僕返危城殉主而死⑯。曾祖父夏霈（1629-1689）⑰、祖父夏敦仁（1652-1710）⑱生性孝友，急公好義，整治斜涇河，鄉梓賴之。雍正元年（1723），江陰蝗旱，祖母葉氏（1654-1724）設廠賑災，活人無數⑲，《江南通志》譽其為「巾幗之丈夫，閨帷之豪俠」⑳。父親夏宗泗為了盡孝，寒天以身暖墓壙，罹疾而亡㉑。母親湯氏守節四十餘年，嚴以督子，

⑯ 《宗譜》卷八〈小傳紀事·第七世「維新」〉：「先是圍急時，家有老僕徐秀，見主誓以身殉，恐祧嗣遂斬，乃偕同業四人，夜負幼主（夏霈）及圖籍，縋城出，至無錫石幢葉氏姻家匿焉。四僕仍入城隨主。而徐以護幼主獨留。城陷，四僕見主自刎死，亦俱自殺。

⑰ 《宗譜》卷八〈小傳紀事·第八世「霈」〉：「至性孝友，品行端潔。痛父死難，不復存用世想，惟日左圖右史，以吟嘯寫其懷。詩尤造唐人三昧。喜行利濟事：康熙十七年（1678），旱。倡捐，得穀三百餘石。募饑民浚斜涇河，寓以工代賑之意，全活無算。逾年（1679），復大旱，合境俱荒，濱斜涇萬餘畝獨稔，至今蒙其利。十九年（1680），大水，九裏塘路圮，行旅頗溺。出粟修築，復為坦道。同邑薛元敏《慎宧山人遺稿》稱其好義若渴。計終歲所入，給日用外，悉以應助不足及地方義舉，如浚河、修途梁類，城市猶不易覯此風者也。」

⑱ 《宗譜》卷七〈傳誌行狀〉楊名時所撰之〈鄉賢夏君傳〉：「然調元雖不遇，其立功施惠，未嘗不歷歷可稱道。城南有斜涇河，引江潮溉田，可千頃。沙泥淤積，遂至壅塞。調元凡一再浚之，深廣加倍，民賴之至今。某歲大祲，調元設粥廠煮賑，全活甚眾。又糾同志諸人，集貲為同善會，凡義塚義棺、夜鐙、草履、棉衣、薑湯、藥餌之旅於貧病者，皆取給焉。族中之貧不能自存者，月有廩，歲有贈，至於姻戚之有志尋父者、遠商缺貲留落不歸者、故人子女無力延師及婚嫁者、鄰里鄉黨以匱乏告者，必給助之不少吝。迄於今，邑中浚渠、成梁、除道、捐賑諸善舉，猶首推夏氏。」

⑲ 《宗譜》卷七〈傳誌行狀·夏母葉太君傳〉：「……未卒之前一歲，嘗病劇。請禱不允，諸子環而泣。則曰：「吾今亦可以禱矣！然非汝等之所為禱也。今歲饑，民貧，嗷嗷望哺，汝等禱資誠厚，何不撤其禱于神者以禱于人耶？」諸子唯唯聽從，合捐二百餘斛以為之倡。上官因即以賑事全委之。設法分廠，全活無算。」

⑳ 《江南通志·人物志·列女傳「夏敦仁配葉氏」》：「……至若給捨綿一絲縷，身親紡織，助施棺木瘞埋，皆賴維持。因弟歿而撫孤十數年，恩勤倍摯；助甥資而尋父三千里，骨肉重圓。鐙火茶湯，晝夜均沾利澤；藥囊草屨，顛危悉沐恩施。推解遍及於親鄰，救濟不遺乎物命。其他美懿，莫磬揄揚。誠『巾幗之丈夫，閨帷之豪俠』。」（《宗譜》卷十〈表章·紀載〉轉錄）

㉑ 《宗譜》卷八〈小傳紀事·第十世「宗泗」〉：「至性過人，喪父哀毀。將葬，天大寒，不忍親靈入冷穴，乃身先臥壙中兩日夜暖之，致疾不起。邑人以為死於孝。合祠，請旌。終以暖壙事不經見，未予。」

有「名聞天下、節冠江南」之譽㉒。再者，夏氏宗族崇尚「苦節」。從七世至十一世，夏家女性受朝廷旌表，建貞節牌坊、崇祀節孝祠的，至少有八人以上㉓。

但是，「天道無親」，如此一門忠孝節義的大家族，竟然功名不彰，甚至還屢屢遭受鄉人誣告。諸如：鄉人誣陷夏家在夏敦仁的喪禮上，「誦五經作佛經為奉邪教」，欲將夏敦仁排除在「崇祀鄉賢」之外，且不列入《縣志》中。又誣陷殉國的夏維新不發糧食，致使江陰城被清兵攻破㉔等等。

夏敬渠對家族有深情，心中就難免憤恨不平。因此，夏敬渠在小說中「用力」頌揚「善人」，為守忠、盡孝、苦節、講義者補恨。唯因「用力太猛」，竟造成貪慕富貴、人物單調、人性簡化的諸項缺失。

夏敬渠個性偏執的成因，與其先祖及鄉親過度崇奉禮教、矯逆人情的作風大有關係。如：其六世祖夏永光「以書作甲」，抗清戰死。祖父夏敦仁丁母艱，哀毀而死。父親夏宗泗遭父喪，為暖壙而病死。且夏家三代「以好施毀其家」㉕。夏母湯氏待己嚴苛。夏氏宗族割股療親、夫死妻絕粒求死、未婚入夫家守寡……。另外，江陰人許

㉒ 《宗譜》卷八〈小傳紀事·第十世「宗泗」〉：「（湯氏）孝而貞正，通達禮義。年二十九，誓柏舟。上事孀姑惟勸，病則日侍湯藥；下課二子惟嚴，督訓不怠。事載《邑志》。乾隆十九年聞於朝，給帑旌其門。……崇祀節孝祠。」

又：《浣玉軒集》卷四〈懷人詩〉：「如椽彰母德，節許冠江南。積感心何似？春輝寸草含。」詩下夏氏自註：「相國徐蝶園元夢，壽余母六十，親書聯曰：『名聞天下，節冠江南』」。

㉓ 詳見拙作〈由《江陰夏氏宗譜》看夏氏先祖對夏敬渠與《野叟曝言》的影響——夏敬渠與《野叟曝言》補論之一〉。

㉔ 夏氏先祖事略，及鄉人誣陷夏家「誦五經作佛經為奉邪教」事，詳見〈由《江陰夏氏宗譜》看夏氏先祖對夏敬渠與《野叟曝言》的影響——夏敬渠與《野叟曝言》補論之一〉。

又：《宗譜》卷七〈傳誌行狀·彩邦公傳〉：「武進·劉毓麟曰：『……顧訾維新者曰：「維新主糧，嗇不發，城以陷。」嗚乎！且樂死矣！尚區區穰乎之嗇乎哉？彼固傳聞有異詞也。』」

㉕ 《宗譜·傳誌行狀》盧文紹所撰〈夏節母傳〉：「夏氏之先好施，以是毀其家。」（卷七）

又：趙元樾〈湯孺人傳略〉載：「初，若時公（夏霈）有田千餘畝；至調元公（夏敦仁）祇二百；至傳一公（夏宗泗）僅可得數十畝，而好善樂施則如一轍。」（《宗譜·傳誌行狀》卷七）

用殉國，其母據邑大井，招婦女投井事；戚勳全家二十一口自焚殉國事……㉖。以上夏氏先祖及鄉親諸事，固然令人驚歎；但不免違逆人情常理。夏敬渠長期受「家風」及「鄉風」的影響，使其道德觀趨向嚴苛。

嚴苛的道德觀，在真實的人生中，偶爾還需要有所退讓、妥協、或放棄；但在小說中，則可以名正言順，且毫無阻礙地執行到底。故在《野叟曝言》中，夏敬渠「用力太猛」地展現其嚴苛的道德觀，以此來實現現實人生中難以貫徹的道德理想。

然而，「食色性也」，人性慾望，只能合理疏導，難以強制壓抑。愈受道德禮教壓制，就愈容易噴薄而出，不可收拾。《野叟曝言》豔情內容何以窮篇累牘？此可看成是夏敬渠潛在意識的反映。因現實生活中，夏敬渠是嚴以律己的道學先生，但「用力太猛」所強行克制的人慾，在小說中卻隨著潛意識而泛濫奔流，終至不可遏抑了。

總之，小說以記述人情、通達事理為主。人情重在真實，毋須計較其善惡；世事貴在合宜，不可規避其紛歧多變。善讀小說者自有慧眼可評斷，作者毋庸一再遊說、強加分判。夏敬渠為了達成其各項創作意圖，不惜「用力太猛」，罔顧文學藝術的基本原則，故削足適履、扭曲人性，致使大千世界的錦簇幻變，芸芸眾生的好惡情仇等等，凡在小說中最饒富趣味及引人深思的部份，《野叟曝言》卻頗為欠缺，造成其文學藝術上的重大缺失。

餘　論

整體觀之，各種外在、內在因素的刺激，造成夏敬渠個性的偏執。偏執的個性，又造成夏敬渠創作小說時「用力太猛」。「用力太猛」，又造成《野叟曝言》文學藝術上各種嚴重的缺失。

㉖ 以上諸事，詳見拙作〈由《江陰夏氏宗譜》看夏氏先祖對夏敬渠與《野叟曝言》的影響——夏敬渠與《野叟曝言》補論之一〉。

因此，研究者當正視此事的成因、結果與影響；而讀者、小說作者，亦當引以為人生警惕、創作龜鑑！

昌彼得教授八秩晉五壽慶論文集
2005 年 2 月　　　頁 461～470

李公麟以畫易古銅器·榮咨道的里貫仕履

張臨生

《畫史》中米芾點到的書畫藏家，有不少位也出現在我所熟悉的古器藏家圈子裡，信手拈來一二，為也收銅器的藏家稍事潤色。

一、李公麟以畫易古銅器

宋人筆記《畫史》中米芾多次提到李公麟，品評其藏畫給予很高的評價：「李公麟家展子虔〈朔方行〉，小人物甚佳，韓馬破裂四足，如涉水中，皆南唐文房物。」古原宏伸教授對此做了詳細的註解。❶陳德馨教授在〈從趙雍駿馬圖看畫馬圖在元代社會網絡中的運作〉一文中，也提到李公麟所修復的家藏〈韓幹馬圖〉以及以畫易商鼎的故事。❷宋代收藏家往往書畫文物兼愛並蓄，本文想就學者提到的李公麟家藏〈韓幹馬圖〉乙事，做一點補充。

---

❶ 古原宏伸，〈畫史集註〉二，46 條，《國立臺灣大學美術史研究集刊》13 期（臺北：國立臺灣大學，2002.9），頁 115-123。

❷ 陳德馨，〈從趙雍駿馬圖看畫馬圖在元代社會網絡中的運作〉《國立臺灣大學美術史研究集刊》15 期（2003.9），頁 147。

李公麟字伯時（1049-1106）出身安徽舒城，家世儒業。❸早慧，熙寧三年（1070）二十二歲就中進士，既不熱衷、官運也不濟，最後只做到六七品大的散官——朝奉郎，在五十二歲時（1100）因右臂患風濕不能抬手提舉而退休，歸隱龍眠山。❹李公麟的父親虛一先生喜歡收藏，自小浸潤在家中的書法名畫藏品中，耳濡目染，李公麟能深切體會古人的用筆。他作畫習慣不加顏色，以白描出名，講究用澄心堂紙；惟獨臨摹古畫時用絹不用紙，而且著色。

哲宗元祐元年（1086），李公麟藉著與他一同考上進士的同年陸佃（1042-1102）的推薦，調回京師開封，任中書門下省刪定官。❺京師十年，與蘇軾兄弟、黃庭堅兄弟、王欽臣、蔡肇、陳師道、張耒、秦觀、米芾、王詵等文友，時相往來，切磋文章藝事，是他平生最多采多姿的時光。❻得休沐假日，碰上好天氣，就走訪名園蔭林，坐石臨水，翛然終日。李公麟特殊的養成環境，使他承繼家學，酷好古畫文物，加上認真研究，遂能精於古文物的品鑑，不需假耳目於人；用心計購，即不貪名又不好勝，屬於

❸ 鄧椿，《畫繼》，卷 3，頁 3-4，《景印文淵閣四庫全書》，冊 813，頁 511，臺北，臺灣商務印書館，1983；《續名醫類案》，卷 32：元豐中，淮南陳景初，名醫也，獨有方論治妊婦子腫病，其方初謂之香附散，李伯時易名曰天仙藤散。此見方得于李伯時家……。天仙藤散，能治妊婦子腫病的秘方在李家是否意味著李家也經營醫藥生意，或為家族致富的一項財源。《景印文淵閣四庫全書》，冊 784，頁 707-708。

❹ 張澂，《畫錄廣遺》：「伯時中熙寧丙科，即隱龍眠山，十年不求仕。」《美術叢書》冊 16，頁 65，臺北，藝文印書館，1947 版；米芾，《畫史》：李公麟病右手三年，余（米芾）始畫，《景印文淵閣四庫全書》，冊 813，頁 9；《新校本宋史並附編三種》，卷 444〈李公麟傳〉，頁 13125，元符三年，病痺，遂致仕，臺北，鼎文書局，1978。

❺ 鄧椿，前引文。

❻ 各家詩集、年譜。如《欒城集》，卷 15，頁 179，蘇東坡與李公麟合作畫〈翠石古木〉，題其後：「東坡自作蒼蒼石，留取長松待伯時。只有兩人嫌未足，更收前世杜陵詩」，《四部叢刊初編》，冊 53，臺北，臺灣商務印書館，1965；《東坡全集》，〈東坡先生年譜〉，引趙德麟《侯鯖錄》：東坡云元祐三年二月二十一日與魯直、蔡肇天啓聚在李公麟家錄鬼仙詩文，與王詵晉卿論雪堂義墨，及為文驥作字說。《景印文淵閣四庫全書》，冊 1107，頁 42；米芾，《寶晉英光集·補遺》，〈西園雅集圖記〉，頁 153-155，據記載李公麟畫下當日情景，但今人多認為所有參加者的詩文中都沒提到此雅集，西園雅集是否實際存在，就成了大問題，古原宏伸〈畫史集註四〉，《國立臺灣大學美術史研究集刊》，15 期（2003.9），頁 71-74。

好古敏求、冷靜用事的典型，他收藏的多，對古器物的研究心得也多。我們今日所知李公麟的銅器、玉器收藏差不多七十件，約近半數是得自開封，可以推想李公麟古器購藏與研究的高峰期，就是哲宗元祐年間他與同好時相過從的這段黃金歲月。❼

李公麟得天獨厚，一隻妙筆能把收藏的古器如圭璧鼎彝之類，忠於原作的都描繪出來。而且每件文物也儘可能標明尺寸、來歷，並對文物作考訂，編成《考古圖》。❽《考古圖》影響深遠，大觀初年，徽宗是仿照李公麟的《考古圖》敕編《宣和殿博古圖》，從此為整理古器物著錄者立下圖文並陳的最佳典範。❾《宣和畫譜》收錄北宋晚期的徽宗時的皇室繪畫收藏，登錄畫家兩百多人，只有〈文臣李公麟傳〉，不但詳盡，佔了很大的篇幅，而且稱讚備至，認爲李公麟平生所長，文章有建安風格，書體如晉宋間人，畫則直追顧陸，至於鑒定鐘鼎古器，博聞強識，當世無與倫比。《宣和畫譜》全由徽宗一手品評點定，可見徽宗對李公麟的肯定。❿

李公麟家藏書畫中，有一幅〈韓幹師子驄圖卷〉，據記載是皇祐年間，李公麟的父親虛一先生從同鄉馬忠肅亮處得到的。〈韓幹師子驄圖卷〉是張流傳有緒的絹畫，

❼ 張臨生，〈李公麟與北宋古器物學的發軔〉，《宋代大展圖錄》，1-28，國立故宮博物院，2000，臺北。

❽ 李公麟撰寫的《考古圖》，各家記載中冠上不同的書名：翟耆年，《籀史》，頁 17，曰：「李伯時《考古圖》五卷」；趙明誠，《金石錄》，卷 11，頁 2，曰：李公麟《古器圖》一卷；蔡絛在《鐵圍山叢談》裡提到，李公麟圖繪生平所得，作《考古圖》；王明清，《揮麈錄》，第三錄，卷 2，頁 1，曰：「李伯時多收三代以來鼎彝之類，爲《考古圖》」，《四部叢刊續編》，冊 99；張邦基，《墨莊漫錄》，卷 7，頁 15，李伯時《古器圖》；薛尚功，《歷代鐘鼎彝器款識法帖》，卷 1，頁 20，引《李氏古器錄》；王應麟，《玉海》，卷 56，頁 32，李公麟爲《古器圖》一卷；《新校本宋史並附編三種》，卷 202，頁 5072，李公麟《古器圖》一卷。

❾ 《四庫全書總目》卷 115，蔡絛《鐵圍山叢談》：李公麟字伯時，最善畫，性喜古，取生平所得，及其聞睹者，作爲圖狀，而名之曰《考古圖》。及大觀初，乃做公麟之考古作宣和殿博古圖，則此書踵李公麟而作，非踵黃伯思而作。且作於大觀初，不作於宣和中。絛蔡京之子，所說皆其目覩，當必不誤。

❿ 《宣和畫譜》（景元大德本），卷 7，頁 5-8，〈李公麟傳〉；昌彼得，〈宣和畫譜跋〉，頁 3-4，昌公細考認為書中對神宗稱神考、多處褒貶顯宦與內臣似帝王辭氣，用如此口氣評鑑的唯徽宗本人莫屬。臺北，國立故宮博物院藏本，1971。

曾經南唐李後主收藏，在江南時已經傷損，馬缺四足，李公麟補全後，並落下元祐五年的題款，當時在京師同儕間是一樁盛事，蘇軾兄弟並為李公麟家的韓幹〈馬圖〉賦詩，東坡詩曰：

潭潭古屋雲幕垂，省中文書如亂絲，
忽見伯時畫天馬，朔風胡沙生落錐，
天馬西來從西極，勢與落日爭分馳，
龍膺豹股頭八尺，奮迅不受人間羈，
元狩虎脊聊可友，開元玉花何足奇，
伯時有道真吏隱，飲啄不羨山梁雌，
丹青弄筆聊爾耳，意在萬里誰知之，
幹惟畫肉不畫骨，而況失實空餘皮，
煩君巧說腹中事，妙語欲遣黃泉知，
君不見韓生自言無所學，廄馬萬匹皆吾師。⓫

當時富貴人家為了得到公麟的畫，往往執禮結交，而李公麟隨和，乘興落筆了無難色，李公麟曾經得到王老先生的重禮——「商朝銅尊」，無以為報，乃作畫償還人情，臨了一幅〈韓幹師子驄圖卷〉，同樣是畫在絹本上，著色。還特別請友人李回作跋文：「朝議大夫王公年丈嘗以商時銅尊贈伯時，伯時戲為此以報其贈，俾余書讚。」⓬王公年丈是何許人也？

按南宋葛立方《韻語陽秋》，提到他女婿沈子直在王炎府上拜觀韓幹畫馬圖，曰：

⓫ 《東坡全集》，卷 16，《景印文淵閣四庫全書》，冊 1107，頁 253。

⓬ 胡敬，《胡氏書畫考三種》，頁 255，《西清劄記》（嘉慶 21 年版）卷 4，頁 31，〈李公麟臨韓幹師子驄圖卷〉，《藝術賞鑑選珍續輯》，臺北，漢華文化事業公司，1971；李回，江寧人，元祐進士，宣和間任詞臣，以校正御前文籍，南宋初，李回以散官居吉州，召復端明殿學士，紹興初任參知事，又陞同知樞密院；熊克，《中興小紀》卷 8，卷 11，《景印文淵閣四庫全書》，冊 313，頁 862；（明）余寅，《同姓名錄》卷 10，《景印文淵閣四庫全書》，冊 964，頁 269。

「此畫與贊，舊藏李後主家，其後李伯時得之，則馬四足已敗爛，伯時題之云，此馬雖無追風奔電之足，然甚有生氣，因自作四足以補之，遂為伯時家畫譜中第一。一日出以示王公明之祖，祖甚愛之，時祖有商鼎亦甚珍惜，王曰如能以韓畫相易，不敢靳也，於是贈商鼎而得其畫。今見藏公明家，余壻沈子直嘗見極愛之，為余言此。」⑬當代大文豪，也就是前面提到的陸佃的孫子陸游也讚美道：「予平生見三尤物：王公明家〈韓幹散馬〉，吳子副家〈薛稷小鶴〉及韓晉公〈子母犢〉是也。不知未死間，尚復眼中有此奇偉否？」⑭

王公明，就是王炎（1115-1178），河南安陽人，南宋高宗孝宗朝，任官觀文殿大學士，湖廣安撫使，以參知政事宣撫四川，再升至樞密院使，恩數如宰臣，是朝中炙手可熱的人物。王炎的父親王絢（1085-1134），字敏功，頗有幹才，北宋徽宗政和間，朝廷推行道教與青苗役法、保甲、市易、居養、安濟、漏澤等措施，苛政擾民，王絢任蔡州真陽縣官，獨以身庇民，頗有政聲，南宋初靖康、建炎間，又團結義社抵抗金人，招降巨盜，事蹟詳載於〈興國太守贈太保王公絢神道碑〉。⑮王絢祖父王東珣（1016-1097），是慶歷六年（1046）進士，嘗典三州，官至朝議大夫，六十一歲退隱，後贈太保龍圖閣待制。⑯由這些材料我們知道，朝議大夫王公年丈該是王東珣。而王東珣，應是王炎的曾祖父，而不是祖父。葛立方《韻語陽秋》的記載有誤。

其次要釐清的是送給王東珣的馬圖究竟是李公麟仿韓幹的，還是以修補後的韓幹真跡來交換「商代銅器」？王公明談起祖宗家藏，誇張吹噓難免，事隔三代，細節部分也記不清楚，商尊成了商鼎，李公麟的韓幹摹本成了韓幹真蹟。李回是李公麟的朋

---

⑬ 葛立方《韻語陽秋》卷 14，頁 4，《景印文淵閣四庫全書》，冊 1479，頁 168，韓幹畫馬；葛立方，字常之，丹陽人，紹興戊午進士，官至吏部侍郎。

⑭ 陸游，《渭南文集》，卷 30，《景印文淵閣四庫全書》，冊 1163，頁 542，跋韓晉公子母犢。

⑮ 鄭騫，《宋人生卒考示例》，頁 146-147，臺北，華世書局，1977；周必大，《文忠集》，卷 29，〈興國太守贈太保王公絢神道碑〉，《景印文淵閣四庫全書》，冊 1147，頁 324-328，按周必大紹興二十一年進士，必大以文章受知孝宗，為南渡後臺閣之冠，考據亦極精審。

⑯ 周必大，同上注。

友，受命為當事人記當時事，可信度自然比後世葛立方與陸游的記載可靠。況且根據曾紆紹興甲寅（1134）的回憶，〈韓幹師子驄圖卷〉真跡後入宣和御府，其後並與其他內府御藏皆被金人席捲北去。⑰

我們都瞭解李公麟編撰的《考古圖》早已失傳，幸運的是稍後三、四年間，呂大臨把李書內容相當完整的納入呂氏所編的《考古圖》中，流傳至今，凡是文字敘述中見到「李氏錄云」，必是李公麟圖錄中的文字。⑱呂書中每器各注明尺寸、來源，也是循李公麟《考古圖》實事求是的風格。李公麟收藏品中的〈象尊〉，根據圖繪與尺寸，是一件三十多公分高，十分體面、大器的古銅器，其形制與花紋堪稱規矩，時代到不了商代，該是屬戰國時期，形制是壺形器，只不過器蓋上配以圓雕象鈕，釋文曰：「不知所從得。」顯然這件銅器不是李公麟直接花錢購藏的，所以沒有骨董商提供的出土地或是來歷資訊，非常可能就是得自王東珣的厚禮。⑲

⑰ 張丑，《清河書畫舫》，卷八下：紹聖丙子，伯時為予摹韓馬後，為王彥舟取去，又在此馬後七年也，王元規所得劉景文家紫燕亦名世之畫，又敗其足，豈圉人太僕為祟乎，二畫真跡後皆入宣和御府，今悉從胡塵北去，痛哉。紹興甲寅七夕後一日，青老人曾紆公卷題。曾紆，曾布第四子，曾鞏之弟，以詞翰名世，號空青先生，後官至真寶文閣知衢州，雖位不至公卿，而所交皆一時英豪，《景印文淵閣四庫全書》，冊 817，頁 335。

⑱ 方以智，《通雅》卷 3，古今書籍之大厄有十而小厄不與焉，……宣獻書，元符中焚，晁文元累世之書，政和甲午焚，……物聚必災，其理也，每歎藏書難，……今見《考古圖》原本發行量就小，水火之下，難逃全佚失傳的命運；根據張臨生，前引文，李公麟的《考古圖》應作於元祐三、四年之間，呂大臨的《考古圖》成書于元祐七年（1092），所以能夠充分利用李公麟的《考古圖》，而書中徵引時稱之為《李氏錄》。

⑲ 呂大臨，《考古圖》卷 4，頁 59，《景印文淵閣四庫全書》，冊 840，頁 181。古原宏伸，〈畫史集註二〉，40 條，頁 89-94。

欽定四庫全書　考古圖 卷四

右不知所從得高尺有一寸徑三寸有半深七寸有半
容九升四合無銘識
按司尊彝春祠夏禴再獻用兩象尊鄭衆謂象尊以象
鳳凰或曰以象骨飾之阮諶禮圖曰畫象形於尊腹王
肅以為犧象尊為牛象之形背上負尊魏太和中青州
掘得齊大夫送女器為牛形背上負尊先儒之說既不
同乃為立象之形於蓋上又與先儒之解不同

二、榮咨道的里貫仕履

《畫史》中提到榮咨道〈雪獵圖〉的收藏，學者們對其生卒年、籍貫都不清楚。但知他曾任職樂律部門，為太常寺協律郎，建請作金石之樂。元豐七年（1078），倡議選玉造磬，被採納，哲宗元祐初，明堂祭祀時也確實使到了。[20]

榮咨道博學多聞，在主管祭典的太常寺任職，神宗元豐間，榮咨道以太常寺音樂副監從協律郎的身份奏請皇帝於皇家庫房奉宸庫「選玉，造玉磬，令太常審定音律」，神宗降旨照辦。哲宗元祐元年，咨道已升任太常寺協律郎，又建言：「先帝詔臣製造

[20] 古原宏伸〈畫史集註四〉，頁 14-15，第 73 條；昌彼得、王德毅、程元敏、侯俊德編，《宋人傳記資料索引》，亦不見榮咨道的資料，臺北，鼎文書局，1976。

玉磬，將用於廟堂之上，依舊同編磬以登歌，今年親祠明堂，請用之，以章明盛典，從之。」㉑榮咨道可以說在北宋復古的風潮中，是一位勉勵以赴，終能貫徹其金聲玉振、金石之樂理念並付諸實踐的先行者。

榮咨道的仕途，包括出任太原府陽曲縣主簿、寧夏固原鎮戎軍通判，累官至五品大的散官——朝請大夫。㉒官做的雖不大，但人緣極佳。㉓他的興趣似乎與李公麟相似，好收名家書畫與古銅器，如〈雪獵圖〉；㉔如虞世南〈孔子廟堂碑〉拓本；㉕如上百件青銅重器。㉖呂大臨《考古圖》中收錄了三件：〈木父己卣（觶）〉、三耳壺、〈從單彝（從姜尊）〉；趙九成《續考古圖》收錄了二十多件，包括自洛陽出土的〈單睪從簋〉、〈單睪從簋〉以及觚、爵等。㉗榮咨道也曾為文論述收藏的心得，作《榮氏考古録》十五卷，一如晏慧開、蔡肇、趙明誠、董彥遠、以至黃伯思、翟耆年、薛尚功諸家，可惜文章不傳。㉘

呂大臨編著的《考古圖》，明代泊如齋刊本所附〈考古圖所藏姓氏表〉，東平榮

㉑ 《續資治通鑑長編》卷 342，頁 3518、卷 386，頁 3977，臺北，世界書局，1974；《新校本宋史并附編三種》，卷 128，樂志，頁 2988。

㉒ 韓琦，《安陽集》，卷 47，《景印文淵閣四庫全書》，冊 1089，頁 519；蘇轍，《欒城集》，卷 28，頁 287。

㉓ 《全宋詩》，冊 12，卷 661，頁 7772，呂陶（1028-1104）送榮咨道：并府最多士，朋游皆喜君，小官雖困俗，秀氣自凌雲，道遠車方札，風高酒未醺，親闈極西望，薄霭似秋汾。北京大學古文獻研究所，1998。

㉔ 米芾，《畫史》，《景印文淵閣四庫全書》，冊 813，頁 10。

㉕ 黃庭堅，《豫章黃先生文集》，卷 28，頁 315，〈題榮咨道家廟堂碑〉。《四部叢刊初編》，冊 54。

㉖ 趙九成，《續考古圖》，卷 3，頁 2，謂咨道大夫收古器百餘種，《景印文淵閣四庫全書》，冊 840。

㉗ 呂大臨《考古圖》，卷 4，頁 4，洛陽河清因河岸崩塌，出土十多件具同銘器物，張景先亦同獲數器；趙九成《續考古圖》，卷 4，頁 21，舟虔三器；卷 5，頁 16，卷 3，頁 3-6，單睪器群。

㉘ 《元文類》，卷 33，《景印文淵閣四庫全書》，冊 1367，頁 409；倪濤《六藝之一錄》卷 194；松丸道雄，《新編金石學錄》，頁 145，東京，汲古書院，1976。

氏，就是榮咨道。榮咨道，字詢之，山東東平人。㉙榮咨道的夫人臨濮張氏，是同鄉，出身名門，遂州觀察使張亢的三女兒，張亢倜儻有膽勇，歷官團練防禦使、都總管，馭軍嚴明，㉚榮咨道內兄張燾（1013-1082）才智敏給，官至通議大夫、兵部郎中、龍圖閣直學士，曾參與洛陽耆英會。㉛

目錄學家陸心源考證《續考古圖》，曰：「書記所見藏器之人，……若王晉玉、張仲謀、榮詢之、姚毅夫、皆徽宗時人，作者姓名雖不可考，其必生長北宋而終於南宋無疑也。」《續考古圖》並非如前人所傳，由呂大臨編撰，而是成於趙九成之手，所記藏器之人，皆北宋時人，此書並非南宋時所輯，而是成書於北宋徽宗崇寧間，今已成定論。㉜榮咨道在元豐間做京官前，已有不少閱歷，年歲當超過三十，陸心源把榮咨道的活動期拉長到徽宗時期，米芾的《畫史》當是支持此說法的依據之一。

榮咨道好書帖成癖，曾以二十萬錢天價買下虞世南〈孔子廟堂碑〉拓本，為此，黃庭堅簡直不敢置信，特意問榮咨道是否真的花偌大價錢，為的就是多了額書「大周孔子廟堂之碑」八個字。寫道：「今世有好書癖者榮咨道，嘗以二十萬錢，買虞永興孔子廟堂碑，予初不信，以問榮，則果然。後求觀之，乃是未剷去大周字時墨本，字猶有鋒鍔，但墨紙有少腐敗處耳」㉝後來黃庭堅又生感慨，嫌他徒然藏奇書，卻沒有下功夫好好的讀帖練書法。在〈書摹拓東坡書後〉，寫到：「此書摹拓出於拙手，似

㉙ 呂大臨，《考古圖》（明泊如齋刊本），頁 6 所附〈考古圖所藏姓氏表〉，東平榮氏，下注榮啟道，當是咨道之誤。

㉚ 《新校本宋史并附編三種》，冊 13，卷 324 張亢，頁 10482-10490。

㉛ 韓琦，《安陽集》，卷 47，《景印文淵閣四庫全書》，冊 1089，頁 515-519：（張亢）女四人，長適殿中丞趙約之，次適著作佐郎高士綸，次適太原府陽曲縣主簿榮咨道，次在室，八年十月十八日，其姪三司户部副使燾與公之諸孤舉公與夫人尚氏之喪，葬於宋城縣長樂鄉之清溝里。

㉜ 《續考古圖》，《景印文淵閣四庫全書》，冊 840，頁 271-350；陸心源，《儀顧堂續跋》，卷 10，頁 19，臺北，廣文書局，1968；陸心源，《儀顧堂集》，卷 6，頁 17-18，臺北，臺聯國風出版社，1970；容庚，〈宋代吉金書籍述評〉，頁 8，《頌齋述林》，香港，翰墨軒出版公司，1994；葉國良，《宋代金石學研究》，國立臺灣大學中國文學研究所博士論文，1982，頁 95-98，「考此書當作於北宋崇寧間，趙九成或為宋之宗室。」

㉝ 同注㉕。

清狂不慧人也，藏書務多而不精。別此，近世士大夫之所同病，唐彥猷得歐陽率更書數行，精思學之，彥猷遂以書名天下。近世榮咨道費千金，聚天下奇書，家雖有國色之姝，然好色不如好書也，而榮君翰墨居世不能入中品，以此觀之，在精而不在博也。」㉞

榮咨道因為不惜鉅資，收藏了虞世南〈大周孔子廟堂碑〉拓本，行徑好像是書癡，黃庭堅一提再提，或是揄揚或是諷刺，倒也成為話題，總之為榮咨道做了最好的宣傳。藉著一件碑拓文物，使榮咨道揚聲留名，發揮了最大的邊際效應，當是榮咨道始料未及的事。

㉞ 黃庭堅，《豫章黃先生文集》，卷 29，頁 325。

昌彼得教授八秩晉五壽慶論文集
2005年2月　　頁471～492

乾隆的書畫：兼述代筆的可能性

王耀庭

乾隆皇帝（1711-1799）的書跡，在故宮收藏裡，讓人感到隨處可見的自是古書畫上的題跋，其數量之多，不曉得該如何估計。以《石渠寶笈》初、續及三編著錄，乾隆臨書及題識內府所藏古人書跡，從乾隆二年（1737）到五十七（1792）年，總計約七百餘件（則），這還不包括他對於單件書畫上的題跋。❶他以「天子」至尊身份，論收藏數量之多，固然是得天獨厚，集歷朝之大成，又能於古（今）書畫作此豪舉著，也惟有這「天下一人」了。他的喜好題識，當他對目前藏在故宮博物院的兩件名跡：〈王羲之快雪時晴〉及〈元黃公望富春山居圖〉（子明本），題到無處可題，就信誓旦旦的寫下「以後展玩，亦不復題識矣。」❷而這時他已是垂垂老矣的「太上皇」。對於這位多產的皇帝，他的古今第一「多」是「詩」多，《清高宗御製詩文集》收錄了所謂他一生寫下了四萬二千餘首的詩文。這是不可能的，對於詩文的捉刀人，研究者早已指出是沈德潛（1673-1769）、梁詩正（1697-1762）等人了。❸對於必須在大內對著原作書寫，或者從起稿到做畫，都是比單純的代擬詩（文）句，複雜困難。儘管乾隆體健

---

❶ 按就《石渠寶笈秘殿珠林續編》（臺北：國立故宮博物院，1971）之索引計算，此為同事何傳馨先生提供，謹致謝意。

❷ 《快雪時晴》見國立故宮博物院收藏原件第五開，即本幅左側裱綾。《富春山居子明本》見前隔水右騎縫處。

❸ 關於此點見諸於前人筆記外，近人如吳博婭，〈乾隆與詩翁沈德潛〉，《歷史月刊》，1996年11月，頁108-114。又如莊練，〈乾隆皇帝的御製詩〉，《中華文化復興月刊》，第13卷，第3期，頁71-75。

壽長，盛世中儘管他的精力過人，單從日程表時間的排列來看，恐怕也是無法獨自完成的。做為一個皇帝，有文臣捉刀並不難理解。如〈快雪時晴帖〉上乾隆之跋寫到：「余八十有三，不用眼鏡，今歲詩字多艱，於細書命董誥代寫，亦佳話也。」❹對乾隆的書畫創作研究，令人感興趣的是他在書畫上的因緣際會，而不是做為一代名家的成就。乾隆就自己說道：「非欲與文人競追摹能事，聊以志吾幾務之餘，亦不肯頃刻自逸耳。」❺

先說乾隆皇帝的書法。在龐大的乾隆詩文裏，卻不見到他自述何時從何師作書法工夫。其實，學習書法是隨著啟蒙教育來的，第一課認字「描紅」，也可以認為是學習書法之始。不知乾隆作為「皇孫」時，授經時的的一位業師：福敏（1673-1759），是否有過對他基本上的書法影響？清宮中的皇太子教育是包含有書法課的，康熙皇帝（1654 生；1662-1722 在位）甚至還親自指點評定皇子的楷書，乃至於展示給大臣們。❻從年齡上來說，乾隆做為皇孫，依例六歲學滿字，十歲學漢字，❼在南書房受教育，自不外於此。祇是無法得知當時學帖的範本是那一家？若從一般習慣上的楷書學習看來，乾隆還是以「顏體」為基本。以現藏於北京中國歷史第一檔案館的〈乾隆元年元旦許願〉的朱字，就是「顏體字」，然而字裡行間，猶無法做到楷書勻整的基本要求。如見於〈孝賢皇后（1731-1748）繡花卉火鐮荷包〉（圖 1）上的乾隆戊辰年（十三年，1748）詠詩，這是很標準的顏體字，即使是到了乾隆丙申（四十一年，1776）刻於〈澄泥墨硯〉（圖 2）猶是有顏體的字出現。對於乾隆皇帝愛好書法的興趣，完全可以確定。1747年《石渠寶笈》初篇上諭：「朕少年時，間涉獵書繪，登極後每緣幾暇，結習未忘，弄翰抒毫，動成卷軼。」❽ 1754 年〈御筆墨妙軒法帖序〉：「朕聽政之暇，翰墨自娛，

---

❹ 《快雪時晴》第十一開右側。
❺ 〈御臨快雪堂帖御識〉，《石渠寶笈秘殿珠林初編》（臺北：國立故宮博物院，1971），頁 2392。
❻ 《康熙起居注冊》（北京：中華，1983），二十六年六月初十日條，頁 1645。
❼ 《康熙起居注冊》（北京：中華，1983），五月二十六日條，頁 1485。
❽ 《石渠寶笈秘殿珠林初編》（臺北：國立故宮博物院，1971），頁 246。

內府所藏書家真蹟，無慮數十百種，展閱之餘，手自摹寫，品評題識，至於再三。」❾這猶如他口中的皇祖：康熙。康熙對書法的喜好，形諸於文字著錄的，幾乎和乾隆如出一轍。康熙五十歲生日時告訴臣下：「朕自幼好臨池，每日寫千餘字，從無間斷，凡古名人之墨跡、石刻、無不細心臨摹，積今三十餘年，實亦性之所好。」❿

乾隆皇帝對於他的「皇祖」應該是有一份欽敬之心。書法上也是頗有步趨。試以故宮藏〈清蔣廷錫野菊軸〉先來探討。本幅上有康熙題七絕一首：「山花野菊喜清風，塞北烟光報嶺楓。無暑不知秋氣至，數叢蘂蕊放離宮。乙酉（1705）秋日山莊偶成並書。」（圖3）從書整體之手神言，清朗中不失健峭，用筆形態骨多於肉，其中若「花、野、菊、風、煙」諸字的結體與間架，應是近於趙孟頫（1254-1322）一格。相對於此，再舉乾隆猶是寶親王時期的書法，題於〈高其佩廬山瀑布〉詩塘上的書法，「廬山高，高插天，瀑布千尺飛其巔，……」（圖 4）衡量一個二十出頭的青年（雍正十一年（1733）受封寶親王），這幅字寫得過份的成熟，氣息上是與康熙皇帝一樣的清健，如要論其中前賢的蹤跡，那是趙孟頫之外又加上些許董其昌（1555-1636）。董其昌的影響是當時的潮流，而趙孟頫的影響是所謂館閣體的「顏骨趙面」。以上述寶親王這樣的大字，字的結體較修長用筆較為銳利，手神從容清秀，這與乾隆後來的書風轉為追求圓勁從容是兩回事了。其實比對兩岸故宮的藏品，這幅字是出於梁詩正。進一步，在此必須舉出並且是相當有趣的是：康熙在〈清蔣廷錫野菊軸〉這幅題詩的上的「偶成并書」四字，和乾隆書寫的同一字「因偶成書」的「偶」字並列比較，如何分辨？這並不是偶然。乾隆在雍正八年（1730），〈聖祖仁皇帝御書題畫詩一卷〉⓫這一卷的裝箱上寫到〈賜御書記〉：「憶自年十二時，隨皇祖聖祖仁皇帝駕往熱河避暑，朝夕隨侍，皇祖萬幾之暇，輒流覽書史，或親灑宸翰，從旁竊觀，心慕而未敢以請也。皇祖顧曰：『汝愛吾書乎？』賜長幅一、復賜橫幅一、扇一、皆持以告我皇父，寶而藏之。」祖孫之

---

❾ 《石渠寶笈秘殿珠林續編》（臺北：國立故宮博物院，1971），頁 870。
❿ 《大清聖祖仁皇帝實錄》（臺北：新文豐，1978），卷 216，康熙四十二年七月乙卯條，頁 19。
⓫ 《石渠寶笈秘殿珠林初編》（臺北：國立故宮博物院，1971），頁 262-263。

間的書法因緣，不管出於內心的虔敬，或者門面話，有此相似現象並不為過。

對於乾隆皇帝常見於古書畫的題跋，書風上之出處或者奠基何處？〈王羲之快雪時晴帖〉的影響是相當深刻的，乾隆本身也確實勤加臨習。梁詩正等跋王羲之（303-361）〈快雪時晴帖〉：「我皇上好古敏求，萬幾之暇，精研八法，是帖心摹手追，不下數十百本，而聖懷虛受，猶臨池未輟也。丙寅（1746）春正，清宴是娛，復臨茲帖，御製七言斷句五章，題於冊首。因副頁宋牋古潤可愛，更濡筆作〈雲林小景〉，傳示臣等。」⓬又臣工奉敕跋〈乾隆臨三文翰〉：「皇上萬幾餘閒，每當春風秋月之時，展玩不置，近年以來，對本臨摹，不啻數十過矣。以此御書日進。」⓭乾隆本人於丙寅年（1746）也寫到：「王右軍快雪時晴帖為千古妙蹟，收入大內養心殿有年矣，幾暇臨仿不止數十百過，而愛玩未已……。」⓮康熙十六年（1677）馮詮（1596-1672）之子馮濟遠進呈〈快雪時晴帖〉入宮，⓯而乾隆登基後，自然擁有而日夕摩挲把玩，從這冊上，乾隆十一年（1746）起，到「老矣三年命捉刀，祥霙應節沛恩膏。獲麟鳌汭近上日。七字因之重涉毫。」⓰還是忍不住的每次展玩總要題識，所說對於〈快雪時晴帖〉的用心是可以相信的。

能與乾隆詩文往來，自是南書房入直諸臣，其中工書法者，梁詩正（1697-1762；元-27入直）、張照（1691-1745；2-10入直）、汪由敦（1692-1758；2-23入直）、于敏中（1714-1719；8年入直）、董誥（1740-1818；28年入直）、劉墉（1720-1804；47-嘉9入直）。⓱這其中劉墉入值較晚且筆性相當不合，或者說此時期乾隆的閱歷，應無法受劉墉的影響了。張照，雖以書名於康雍乾三世，從筆性說，梁詩正是較可能的。梁師正嘗言：「往在上書房，

⓬ 見〈快雪時晴帖〉原件上第十三開。

⓭ 《石渠寶笈秘殿珠林續編》（臺北：國立故宮博物院，1971），頁266。

⓮ 見〈快雪時晴帖〉原件上第十二開。

⓯ 《康熙起居注冊》（北京：中華，1983），十六年八月十八日條，頁321。

⓰ 見〈快雪時晴帖〉原件上第十二開。

⓱ 關於諸文臣之入直。參見馮明珠，〈玉皇案吏王者師：論介乾隆皇帝的文化顧問〉，《乾隆皇帝的文化大業》（臺北：故宮博物院，2002），頁241-258。

為高宗作擘窠大字，適憲皇駕至，諸臣鵠立以俟，憲皇命作書，墨漬於袖，又命高宗拽之，遂弃此衣三十年，願他時服以就木。」⑱可見梁氏與乾隆有書法的實質來往。

今舉梁氏所書〈行書七言聯〉：「重簾不卷留香久；虛幌無塵得月多。」（圖5）⑲及乾隆大字〈行書五言聯〉：「水樹宜涼影；煙花帶露姿。」（圖6）⑳這兩對聯字體均是在行楷書之間。兩聯的文字，固然沒有相同的，用筆上若以小筆寫大字，或者說所用筆毫不全發開，全然見不到提頓的變化所形成的粗細，加上兩聯都是使用臘箋，紙拒墨，筆觸就更清楚，也更有相通之處。試以梁聯中的「留香久，無塵得月多」諸字，置之乾隆書法中，又做如何辨識呢？

乾隆皇帝的題識，此中有否代筆？簡單的說，除習見的出於〈快雪時晴帖〉一系的書風之外，略舉幾例。單以1743年郎世寧所畫〈十駿圖〉上：其一〈奔霄驄〉是一般的楷書（圖7）；其二〈蔚雲駛〉溫雅（圖8）；其三〈赤花鷹〉是近於顏體（圖9）。遲至1772年（壬辰）的艾啟蒙（1708-1780）畫〈良吉黃〉又如于敏中的行楷書了；清金廷標春野新耕（圖10）。單以這幾件的「御識」，實在與吾人認知的有所差距。「御識」在這裡有它的含糊性，它既可以說是「乾隆皇帝親筆自己書寫」，也可以說這是「乾隆皇帝的文章（詩文）」。就如同前舉的「圖4」「寶親王題」一樣，它是乾隆為阿哥時的詩，卻是出於梁詩正的書寫。

乾隆書寫有這種狀況，必也南書房諸文學供奉之手？乾隆一生始自皇子，陪伴諸文臣，若寫起小行楷來，汪由敦最為可能。汪由敦以小楷見長且為內府所藏。㉑雖從未有記載或暗示由何人是乾隆題識的捉刀者，然而，這是可以從筆跡的比對來求得的。今試以故宮藏〈董邦達御製雪浪石詩〉為例，畫上的乾隆題跋與汪由敦的題跋（圖11）剛好並列，兩者的差別如何呢？在結體上來說，應該可以說接近，用筆來說，乾隆是

---

⑱ 馬宗霍，《書林記事》，收入《近人書學論著》（臺北：世界，無年月）冊下，卷2，頁84。

⑲ 國立法院故宮博物院收藏。黃杰捐贈。

⑳ 國立法院故宮博物院收藏。黃杰捐贈。

㉑ 關於清宮之收藏汪由敦書法見《石渠寶笈秘殿珠林續編》著錄，多不勝舉。

「圓鈍」汪則「刻露」。如果再舉〈清錢維誠蒼崕煙磴〉上汪由敦所寫的〈御題七絕一首〉（圖 12）那說出自乾隆，又如何呢？舉出此證，那可否認定汪由敦代筆的說法？文獻文字上的記錄從未有此說，單從字跡論，可否也說成是汪由敦倒過來學習乾隆，以邀聖寵？這也不無道理。

對於《快雪時晴帖》的筆法評論，乾隆雖然於本帖上一再題跋，但卻未有隻言半語實質的描述，然而，在相同筆趣上的〈王羲之行穰帖〉上卻有如此的說法：「幾暇展觀，乃知其於渾穆中，精光內韞，雖稍遜〈快雪〉，要非勾摹能辦。」㉒可見乾隆強調的是渾穆、精光內韞。對形容王羲之〈快雪時晴帖〉之書法風格，稱讚其古韻、古澹，運筆則和緩穩定，筆鋒圓勁收斂，書寫的勁力是含蓄圓潤，或者說寫來通篇意態悠閒。目前無法看到乾隆對於〈快雪時晴帖〉的整本臨本，但是在〈快雪時晴帖〉原件的封面上就有乾隆所寫「王羲之快雪時晴帖」一行標題（圖 13）。而這一行字正足以和原帖「羲之快雪時晴」（圖 14）諸字比對，乾隆寫來是相當恭謹，對原件諸字的結體，也中規中矩的反應。比起乾隆多數被筆法所拘滯的此類風格，自是不同。〈快雪時晴帖〉對於乾隆影響之深，又見於乾隆所臨〈蘇軾帖〉（圖 15），這一臨帖的結字，固然是效法「蘇」字的「筆圓」法，然而從蘇軾（1037-1101）特有字的結體，實在看不出與有何關聯，反而是「我手寫我『王』法」了，看其中的「多」等字，還是一樣的他自己的本色，無由得見蘇軾的肥壯或所謂肌肉骨妍，乃至結體左秀而右枯的特徵了。

乾隆與文臣之間的繪畫活動也是頻繁。我們可以發現許多奉敕而作的繪畫。如乾隆在得到王珣（349-400）的〈伯遠帖〉時，在卷尾時就命董邦達（1699-1769）畫圖補白。㉓乾隆的行幸道途中，隨侍的詞臣也會作畫以獻，而乾隆本身也往往有這種雅興命令臣子作畫，如巡幸鎮海寺，即在不同的時間分別命張若澄（1722-1770）、張若靄（1713-1746）

㉒ 見普林斯頓大學所藏原件。

㉓ 《石渠寶笈秘殿珠林初編》（臺北：國立故宮博物院，1971），頁 1171。

兄弟各畫一幅〈鎮海寺雪景〉。㉔臣子們也往往藉機會作畫奉承皇帝，其例可以蔣溥（1708-1761）的〈絡緯圖〉為準（圖版見故宮書畫圖錄十一，頁 357），蔣溥畫完的這張畫以後自跋說：

> 絡緯秋蟲，向例於溫室中豢養。至春正月十六日賜宴於圓明園正大光明殿。鼓樂既奏，音響四作，特命臣溥、臣劉統勳、臣秦蕙田、臣開泰、臣劉綸、各賦詩一首，未及片刻睿製於筵上先成，獨切春候秋蟲。臣等所作並屬浮泛，不能細貼時物，猶之丹鳳和鳴，百蟲失響。臣退而繪圖，敬錄御製一章。以誌盛典。臣蔣溥。㉕

皇帝於名園中，賜宴文臣，且相互酬和。臣子對清高宗的才思敏捷，更極盡阿諛之詞。具有繪圖修養的蔣溥（1708-1761）就乘此機會畫下他所欣賞的梅花草蟲，以邀聖眷。

乾隆本身也學過繪畫，因此文臣也藉圖向他請教畫法。張鵬翀（1688-1745）在他的〈翠巘高秋圖〉（圖版見故宮書畫圖錄十一，頁343）上說：

> ……臣以下直餘閒，作山水畫一幀，當九日登高之會，侑萬年獻壽之觴，臣學畫以來，將及三紀，通籍後，所遇山水古蹟，觸發殊少，倘蒙睿鑒，指示秘要，得所師承，庶稍脫凡近也，乾隆九年甲子重九日……㉖

在本幅畫的左上方，乾隆也回答了他一首詩：

> 問我繪事應師誰，橫嶺近在帝城西，從來師心非所貴，師古道遠勞攀躋，鵬翀汝詩說筌蹄，欲侔元白志不低，我於詩畫涉藩籬，安能示汝匪手攜，得其環中遊方外，疇謂半偈非全提、佳節展汝山水奇。與酣展筆一漫題，黃花笑我拈吟

㉔ 《石渠寶笈秘殿珠林續編》（臺北：國立故宮博物院，1971），頁 1837。
㉕ 《石渠寶笈秘殿珠林續編》（臺北：國立故宮博物院，1971），頁 1799。
㉖ 《石渠寶笈秘殿珠林初編》（臺北：國立故宮博物院，1971），頁 809。

髭，蕭蕭寫影臨清溪。㉗

乾隆的回答雖然非常含糊，但皇帝能與臣下論畫總是一件藝壇佳話。他也喜歡展現自己的筆墨。乾隆皇帝的畫藝如何呢？從《石渠寶笈》的著錄約略統計一下，他名下的畫約有四百多件。㉘正如乾隆自誇一生詩篇多於全唐詩的篇數，在清宮的收藏裡，論件數他也應屬第一名。這位皇帝本身既是滿州人，每天又須處理繁忙的政事，竟能雅好丹青、寄情書畫，也足以令人佩服。

遺憾的是目前故宮所藏，只有〈煙波釣艇〉、〈御筆開泰說並仿明宣宗三羊開泰圖〉兩幅掛軸，除此之外，便是附於舉世聞名的王羲之〈快雪時晴帖〉上的兩開冊頁，以及接受捐贈的一開〈盆梅〉扇面。以下試分述之。

先說「煙波釣艇」（圖 16），畫面左下角，一棵半彎的柳樹被微風吹起，兀立在煙雨濛濛的江邊，小漁舟盪漾著，船上二位漁夫，穿蓑衣戴笠帽的正在收起漁網，另一位輕搖船槳。正是一幅典型的十八世紀文人畫，造景立意，實屬清新，固然不是第一流的好畫，倒也清新可愛。然而，故宮博物院又藏有標名〈明宣宗煙波捕魚圖〉，在構圖上是相當接近的。筆墨趣味上，乾隆顯然勝於所謂明宣宗者。當然標名宣宗者是一幅贋品，至於兩幅之間何者時代為先，先不必論，但以中國畫傳移摹寫之盛，同出於一稿是可以理解的。歷代的皇帝也不少具有畫家的本事。乾隆皇帝能作畫，《石渠寶笈》登錄了乾隆皇帝的〈三餘逸興圖〉，題款裡約略地談到他自己的畫歷：「憶昔己酉歲，偶習繪事，而獨愛花鳥，因博覽所藏畫冊……」。㉙「己酉」為雍正七年（1729），乾隆皇帝年十八，猶未登基，學畫的起步倒不晚。

〈快雪時晴帖〉上的〈仿倪雲林筆意〉（圖 17），前景枯樹下修竹旁、平坡上有個小亭子，隔岸有遠山。畫上有三個乾隆題跋，第一次的款寫到：「乾隆丙寅新正幾

㉗ 《石渠寶笈秘殿珠林初編》（臺北：國立故宮博物院，1971），頁 809。

㉘ 乾隆的畫件數，按就《石渠寶笈秘殿珠林續編》（臺北：國立故宮博物院，1971）之索引計算。

㉙ 〈三餘逸興圖〉見《石渠寶笈秘殿珠林續編》（臺北：國立故宮博物院，1971），頁 701。

暇，因觀羲之快雪時晴帖，愛此側理，輒寫雲林大意。」此畫成於乾隆十一年（1746），一河兩岸的構圖正如他自跋所言是得自倪雲林的手法；只是畫上的皴法圓軟，不類倪氏所特有的折帶皴。另一開是仿元代畫家錢選（1239-1301）的〈蘭亭觀鵝圖〉（圖 18），畫上也有三個乾隆自跋，另書「丙寅」二字，可見此作也完成於乾隆十一年。現藏故宮的〈錢選蘭亭觀鵝圖〉是幅手卷，是一幅工整嚴謹的青綠作品。乾隆皇帝的仿作位置略有變動，也成了水墨作品，樹石也是宋、元文人畫的手法。遠景的竹、坡已被省略，反而加入了近景。二幅畫都作於「丙寅」，筆法相當一致，出人意料的是，並沒有帝王恢宏的氣度，倒是一個亦步亦趨的學生作品。

〈盆梅〉（圖 19）扇面，自題：「丁亥上巳日寫。」即乾隆三十二年（1767）。單純水墨，用筆之稚拙實與乾隆在此扇面另一面的題詩書法完全一致，〈盆梅〉布局以冰裂紋之花瓶供養梅花一枝，瓶祇露肩以上，梅枝則四開，取景上不俗。從上述四幅來比較，筆趣乃至抒發的情趣，以及水準是相當一致，應是出於一手。

再說另一幅〈御筆開泰說並仿明宣宗三羊開泰圖〉（圖 20）。這幅三隻綿羊，小羊雙膝下跪吃奶，母羊神色自若地站立著，左旁黑白相間的羊兒正低頭覓食。右下，左上布置著方形的石頭，石上有山茶、梅花等。羊描寫得相當仔細，身上的毛更富裝飾趣味。右上角有乾隆皇帝的題字，正是他自己得意的文章〈開泰說〉，說明三陽開泰的意義。最後的款寫道：「壬辰新春成開泰說一篇，既書牋裝卷弆之，幾暇復仿明宣宗開泰圖，花石則命鄒一桂（1688-1772）補之，仍錄說於幀端，養心殿明窗，御筆」。壬辰年是乾隆卅七年（1772），乾隆皇帝已是六十一歲。題款也告訴我們，補景是出於鄒一桂之手。因此，這幅畫，名雖歸乾隆皇帝，其實該說是君臣合作。既然是仿自宣宗，可見乾隆皇帝收藏有這幅作品，看看專門記載清宮收藏書畫的專書《石渠寶笈》，明宣宗（1399-1435）名下倒有一幅〈三羊開泰〉，而且目前尚收藏在故宮博物院。兩相對照，除了畫題相同之外，顯然乾隆皇帝的〈三陽開泰〉應該不是出自於這張畫。當然，清宮中的收藏，也有未經《石渠寶笈》著錄的例子。乾隆既已經說明是仿自宣宗，或許另外尚有一張未經《石渠》著錄的〈三陽開泰圖〉，因為明宣宗也是一位有名的畫家皇帝。

有趣的是著名的傳教士畫家郎世寧（1688-1766）有一張〈開泰圖〉（圖 21），畫上的三隻綿羊，不但位置不差，即使羊身上的細節也一模一樣，這樣當然使我們懷疑乾隆皇帝的作品是否為郎世寧所代筆。答案如果是單從畫上的年款推論，倒是否定的。郎世寧於乾隆卅一年（1766）去世，乾隆款署三十七年（1772），晚於此時了。但是如果讓我自由心證的話，我想說乾隆皇帝真懂得製造不在場證據。

然而，郎世寧與乾隆的仿本與明宣宗的作品之間到底有多少區別？我們不排除明宣宗有這樣一張作品的可能性，關鍵在畫羊的表現法。回顧中國歷史上一些畫羊的作品，表現羊毛沒有這麼整齊的裝飾性畫法，尤其是兩隻小羊作圈圈式的描繪，是否也來自西洋人的意念，當然也考慮細部的光影成份。中國畫裡說「仿」，其仿本與原本往往會產生很大的距離，且仿製人也多少加入一點自己的意見。宣宗與郎世寧的作品儘管細節不同，但大體上三羊在下，左上角花石的結構是相同的。就郎世寧而言，明宣宗的純中國式有筆有墨的畫法，並非他所擅長，因此只師其大意，完成了他這張畫。就乾隆皇帝而言，也許一時失察，以為郎世寧的作品源自明宣宗，就逕說是仿自明宣宗了。然而在細察，故宮博物院又藏有〈元人三陽開泰圖〉，這三羊的形狀，如將它左右相反，乾隆、郎世寧與此幅，又是同出一稿了。

對於命筆捉刀，再舉出乾隆對於藝術鑑賞乃至歷史考證，取諸於他人的一例。故宮博物院所藏傳為〈五代董源龍宿郊民〉的畫題題義考證，如駁斥董其昌所言之『迎王師』說，提出『請雨』、『禱雨』之說，以及所引以為據的出處典故，還有『執藝以諫』的規諫畫意之提出，乾隆的說法，皆是從厲鶚（1692-1753）而來的。㉚

人事物之所以能傳世，或得之以人傳，或得之以藝傳，對乾隆來說，是「藝以人傳」，那對於乾隆的書畫藝術，衹該是一項歷史性的研究，而不是藝術高下的探討。

㉚ 關於〈龍宿郊民〉的解釋，乾隆所說，見故宮藏原件詩塘。另見勵鶚，〈董源龍宿郊民圖跋〉，《樊榭山房集文》（四部叢刊初編本），卷 8，頁 7-8。文長不錄。此處承李靜雅小姐整理，謹此致謝。

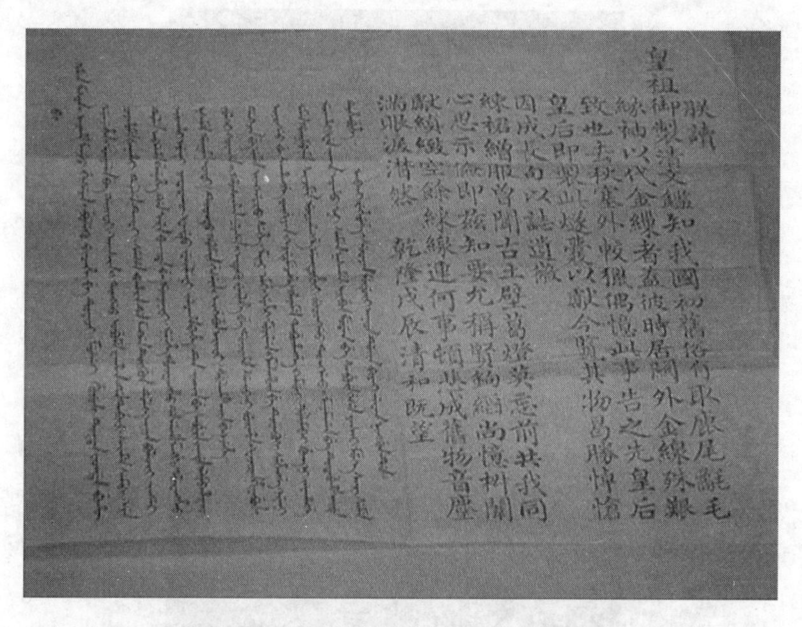

圖 1　清乾隆 孝賢純皇后繡花卉火鐮荷包戊辰年詠詩

圖 2　清乾隆丙申（1776）〈澄泥墨硯〉御識刻銘

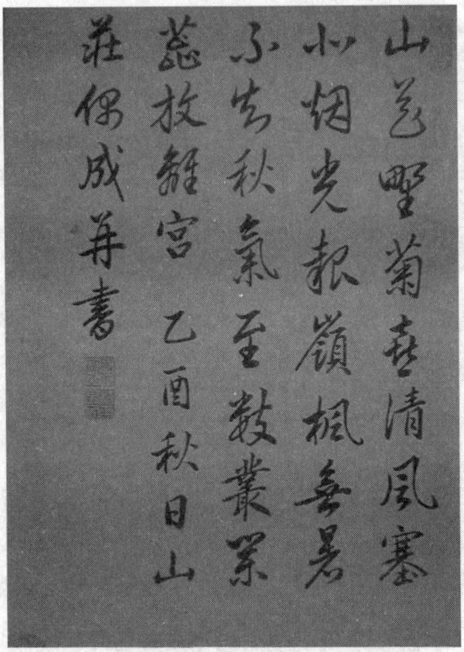

圖3　清聖祖題〈清蔣廷錫野菊軸〉

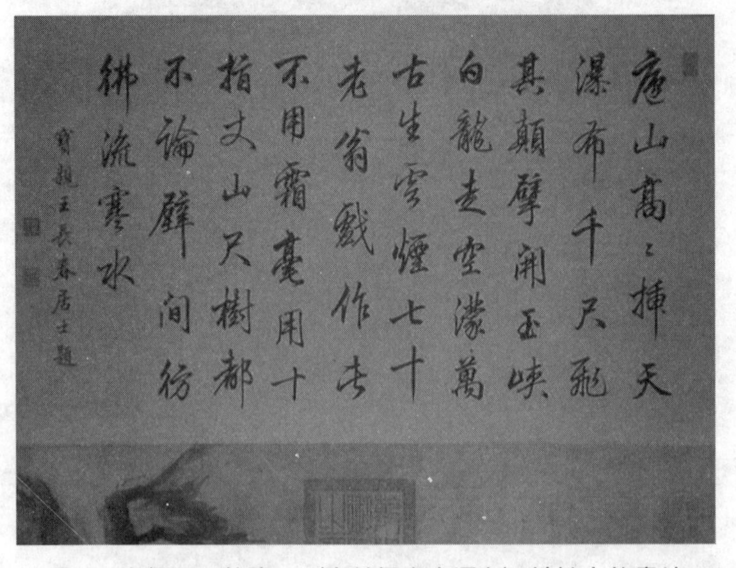

圖4　寶親王（乾隆）〈高其佩廬山瀑布〉詩塘上的書法

圖5　清梁詩正書〈行書七言聯〉

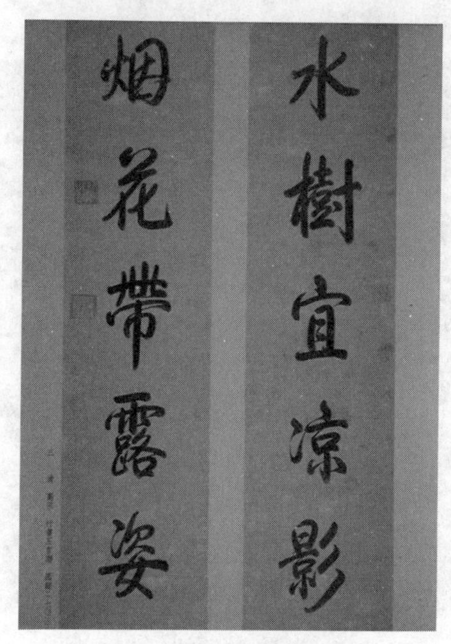

圖6　清乾隆行書五言聯

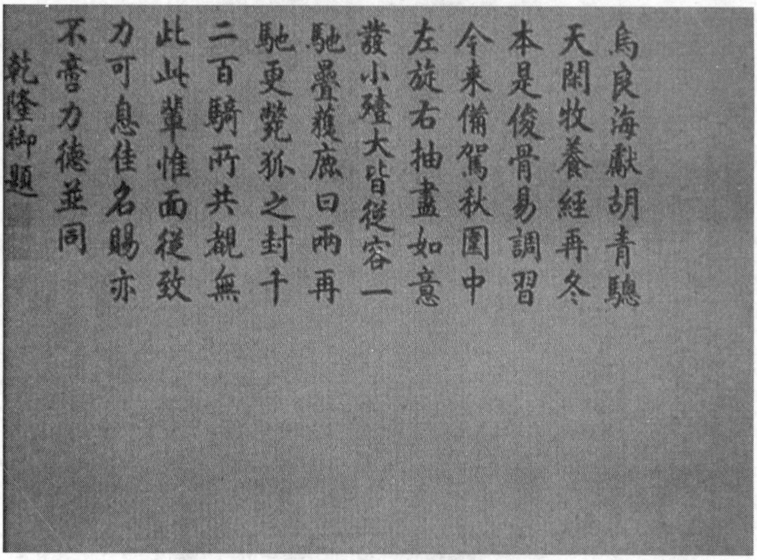

馬良海獻胡青驄
天閑牧養經再冬
本是俊骨易調習
今來備駕秋圍中
左旋右抽盡如意
蔑小殪大皆從容一
馳疊獲麃曰兩再
馳更斃狐之封千
二百騎所共覩無
此此輩惟面從致
力可息佳名賜亦
不啻力德並同
乾隆御題

圖 7　清乾隆題郎世寧畫（1743 年）十駿圖〈奔霄驄〉

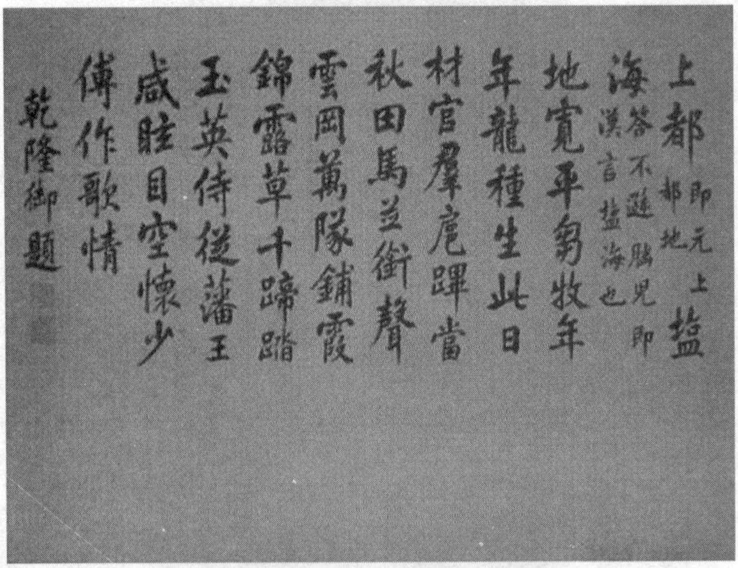

上都即元上都地盐
海答不遜腦兒即漢言盐海也
地寬平芻牧年
年龍種生此日
材官羣麃蹕當
秋田馬並銜聲
雲罔萬隊鋪霞
錦露草千蹄踏
玉英侍從藩王
咸睦目空懷少
傅作歌情
乾隆御題

圖 8　清乾隆題郎世寧畫〈蓊雲史〉

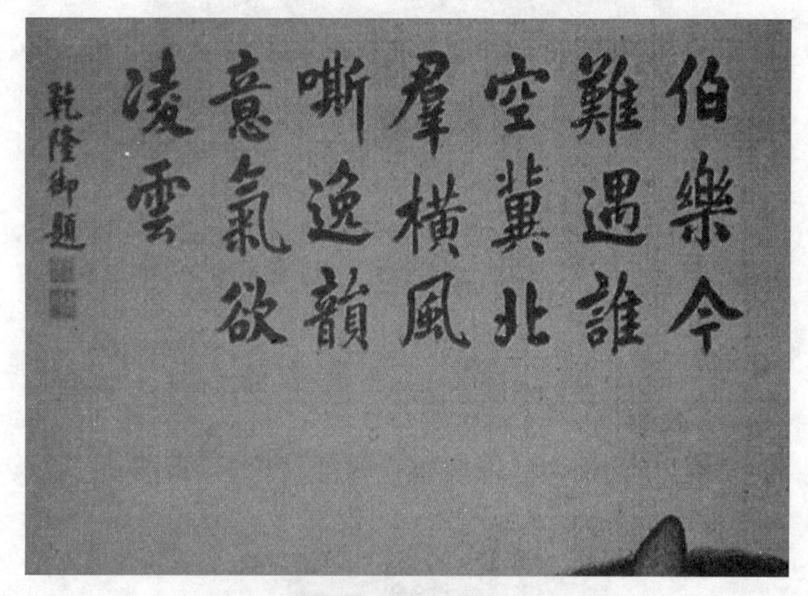

圖 9　清乾隆題郎世寧畫〈赤花鷹〉

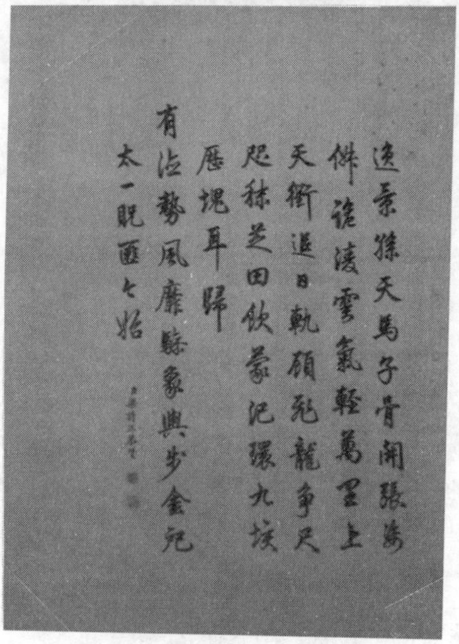

圖 10　清于敏中的行楷書

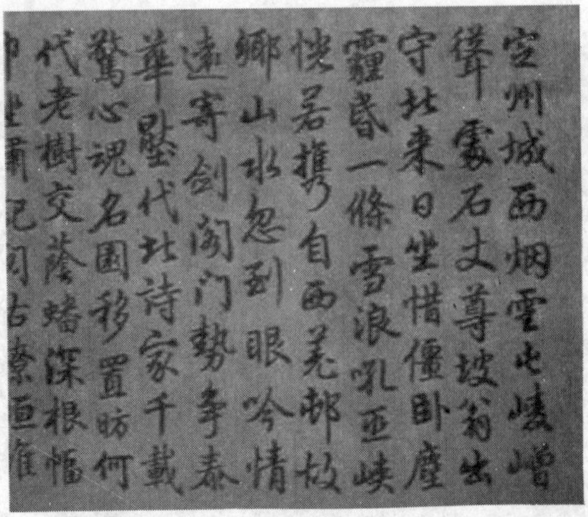

圖 11　清乾隆題、汪由敦題〈董邦達御製雪浪石詩〉

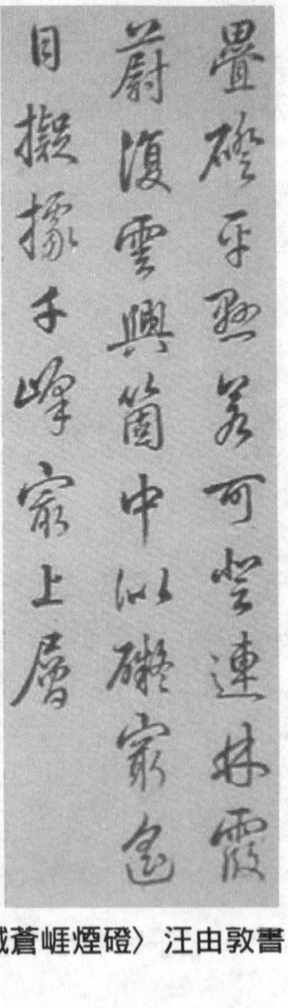

圖 12　〈清錢維誠蒼崕煙磴〉汪由敦書〈御題七絕一首〉

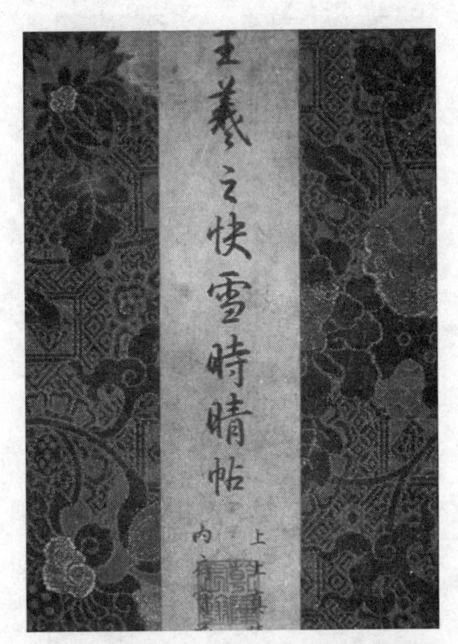

圖 13　清乾隆題「王羲之快雪時晴帖」籤

圖 14　〈王羲之快雪時晴帖〉

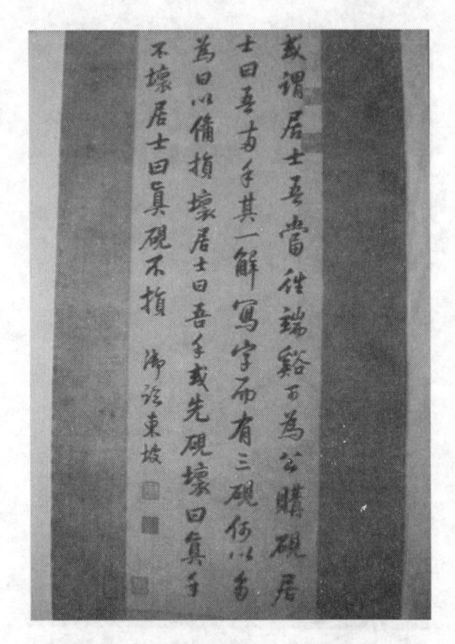

圖 15　清乾隆臨〈蘇軾帖〉

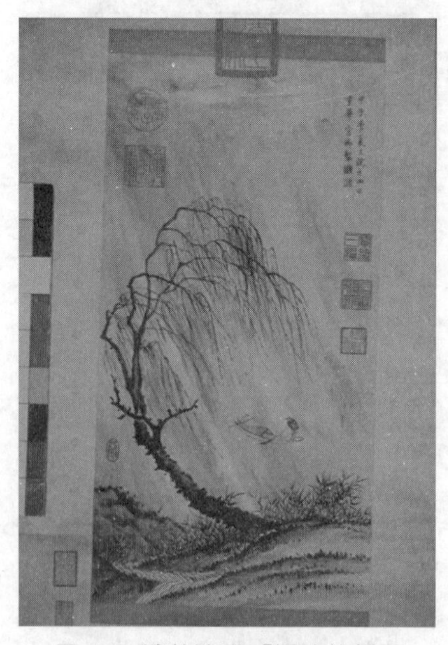

圖 16　清乾隆畫「煙波釣艇」

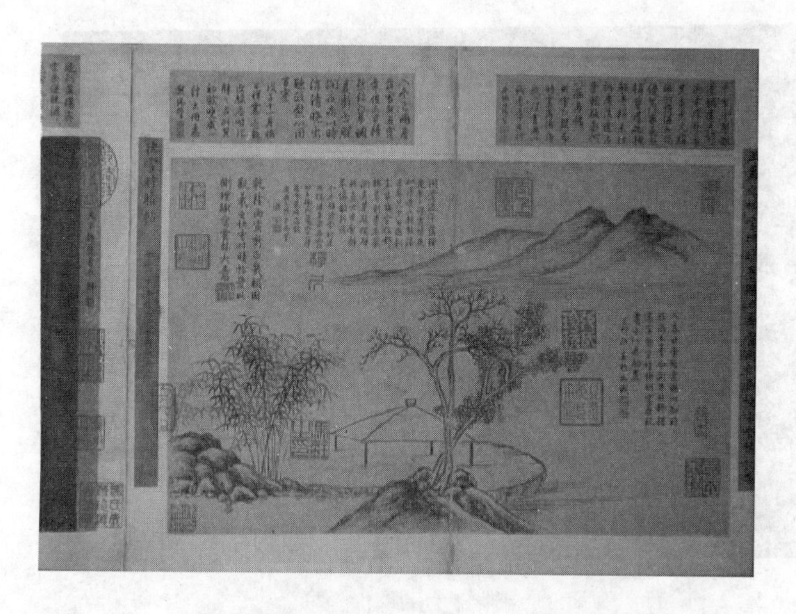

圖 17　清乾隆畫〈快雪時晴帖〉上的〈仿倪雲林筆意〉

圖 18　清乾隆畫仿元代畫家錢選（1239-1301）的〈蘭亭觀鵝圖〉

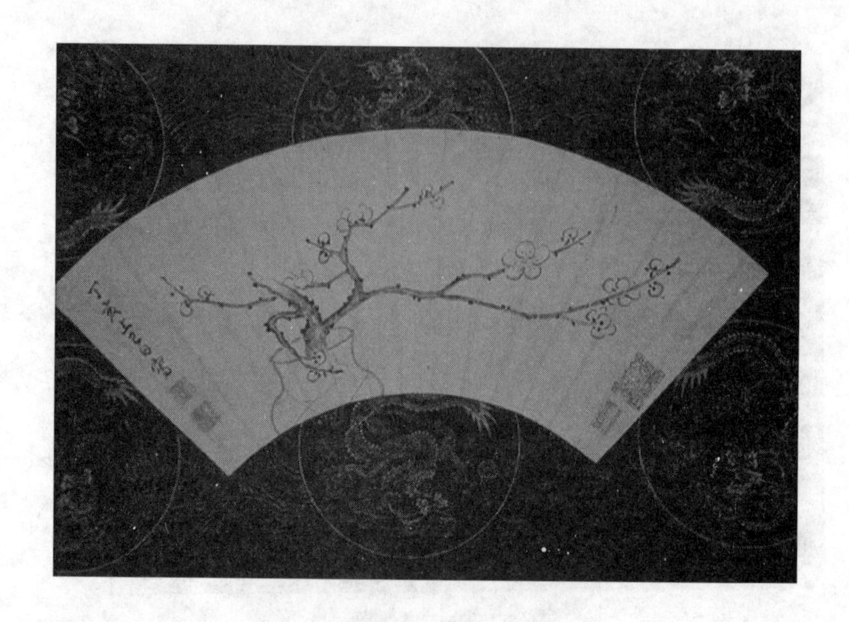

圖 19　清乾隆畫〈盆梅〉扇面

圖 20　清乾隆畫〈御筆開泰說並仿明宣宗三羊開泰圖〉

圖 21　清郎世寧〈開泰圖〉

昌彼得教授八秩晉五壽慶論文集
2005 年 2 月　　　頁 493～510

故宮西周金文零釋

游國慶

茲以工作之故，2001 年於故宮籌劃展出「文存周金——故宮西周金文特展」，並出版專輯圖錄《故宮西周金文錄》（簡稱《金文錄》）及導覽手冊《千古金言話西周》二書，後者以通俗方式、簡明筆法介紹銅器與金文的相關知識，前者匯錄臺北故宮典藏的西周有銘銅器和金文，凡 124 件。除了彩色圖像之器型與放大銘文外，編後更附原大尺寸之銘文墨拓影本及釋文等參考資料，特別是隸定釋文部份，在結合前人研究成果之外，也間下己意，但由於體例緣故，無法在書中完整呈現，因此迻錄札記成此十則零釋，尚祈方家指正。

壹、數簋（圖 1。《金文錄》序號 19）

銘文隸定作：

數寏（球）㪟用乍（作）

訇（詢）辛䊿簋。㢑冊。

一、訇，从言旬聲（甲文旬作[illegible]），即「詢」字。

《說文》：「訇，騃言聲。从言勻省聲。漢中西城有『訇鄉』。又讀若玄。訇，籀文不省。」

段注：引申為匉訇大聲……虎橫切，古音在十二部，變為「圁」字，則西河圁陰、圁陽皆音「銀」是也。……謂讀若勻矣，其訇鄉則又讀若玄也。

郭沫若《弭叔簋及訇簋考釋》：「訇者詢之古文，甲骨文旬字多見，均作[glyph]，金文旬字鈞字等均同此作。」

于省吾《雙劍誃古文雜識》：「訇字从言从[glyph]，[glyph]即古旬字……錢大昕謂訇即「詢于四岳」之詢。」

茲檢甲文，《綴三·四》：「……卜，爭貞，帚姘娩㓜（嘉）？王固曰：其隹庚娩㓜旬辛……帚姘娩，允㓜，二月。」

此「旬辛」當為近十日內之辛日，未必為人名。本銘「訇（詢）辛」則依辭例當為受祭者。

二、𩜁，不見于《說文》，《說文》有「甾」字。

《說文》：「甾，東楚名缶曰甾，象形。[glyph]古文。」

段玉裁注：「缶下曰瓦器，所以盛酒漿……象缶之頸少殺。」

今檢《集韻》有「𩜁」字，从食甾聲，非以盛酒漿，乃以為粥名。《集韻》：「莊持切。饘名。」

《說文》：「饘，糜也，……周謂之饘，宋謂之餬。」

《廣韻》：「饘，厚粥也。」《禮記·檀弓上》：「饘粥之食。」

銅器自名中有饙簋（饙，滫飯也，如「𧴴簋」）、飤鼎（食，飼也，如「陳生寉鼎」）、善鼎（善，膳也，如「郜伯鼎」）、醴壺（醴，甜酒也，如「伯庶父壺」），前一字均用以表明器用性質或所容之物，與此「𩜁簋」用法同。

從作器者名看，此簋當為女性自作、用祭先人之器。「㢑冊」族徽顯示「數」家族宜為殷遺族❶。

貳、史獸鼎（圖2。《金文錄》序號8）

❶ 參林巳奈夫：〈殷周時代的圖像記像·以前的研究〉，《東方學報》（京都），第39冊，1968年。

張振林：〈對族氏符號和短銘的理解〉，中國古文字研究會第八屆年會論文，1990年。

銘文隸定作：

尹令史獸立工

于成周。十又一月

癸未，史獸獻工

于尹，咸獻工，尹

賞史獸福，易豕

鼎一，爵一，對揚皇尹

不顯休，用乍父

庚永寶尊彝。

一、獻工，疑與「㪤士卿尊」的「饉工」相近，均指在成周洛邑新作工事（立工）完成後的驗收與落成儀式。

二、豕鼎，疑「豕鼎」即「家鼎」，「豕」為「家」字鑄造脫誤之文，「頌鼎」：「成周貯廿家」，上博藏器作「廿豕」❷。「家鼎」即「小臣缶方鼎」：「家祀隮」之意。為其家族宗廟祭祀所用之鼎。西周晚期「函皇父鼎」、「函皇父簋」、「函皇父盤」有銘「自豕鼎降十又一」，或以為即「受一家之鼎」（「曶鼎」：「鬻牛鼎」，即《淮南子·詮言訓》之「函牛之鼎」）。

然古人祭祀或不用「豕」：

(一)豕

《說文》：「彘也。竭其尾，故謂之豕，象毛足而後有尾，讀與豨同。古文。」

《方言·卷八》：「豬，關東西或謂之彘，或謂之豕。」

《玉篇·豕部》：「豕，豬豨之總名。」

---

❷ 參游國慶〈銅器銘文中的「同銘異範」及其類別與價值之探究〉「知訛字」的討論。國立花蓮師範學院語教系編《第十三屆全國暨海峽兩岸中國文字學學術研討會論文集》頁21，2002年。

㈡豚

《說文》：「小豕也，从彖省，象形。从又持肉以給祠祀也。」

《方言·卷八》：「豬，其子或謂之豚。」

《廣韻》：「豚，豕子。」

《周禮·天官·庖人》：「凡用禽獻，春行羔豚。」

可知祭祀用小豬（豚）而不用大豬（豕），將「豕鼎」解為「容一豕之鼎」，不僅於鼎的實際容量不符，恐怕也不合於古代獻祭用豚的禮制。

參、𦐊父方鼎（圖3。《金文錄》序號11）

銘文隸定作：

休王易（賜）𦐊

父貝，用乍（作）

厥寶障彝。

𦐊，《三代》與《集成》均著錄同銘異笵的三個拓本，透過比對，可知作器者首字左旁上从羽，下从矢，可隸作「𦐊」，「𦐊」字不見於字書，然古文字偏旁上下、左右往往可以互易（例多不舉），故此字宜可通「翐」。

《通志·器服略一》：「命婦歸寧，則服翐衣。」原注：「翐，玄色，音秩。」右旁作「」、「」、「」三形，金文「肁」从戶旁，作「」、「」、「」諸形（《金文編》卷十二），魯士㦿父匠的「㦿」字作「」、「」二形，其左右二旁橫線串聯及戶旁異形現象與此字相似，則此字右旁當即从戶。全字可隸定為「𦐊」，字書不收，疑為从戶𦐊（翐）聲的形聲字，亦讀若秩。「𦐊」字在本銘中為人名。

肆、卯𠨍甗（圖4。《金文錄》序號3）

銘文隸定作：

雔卯弋(必)乍(作)

母戊彝。

一、雔,《說文》:「雔,雙鳥也,从二隹。……讀若醻。」

柯昌濟稱「雔字象兩鳥相對形,……兩鳥對形有儔匹之義,殆匹儔之最初字。」《金文編》四·一三「雔」字下收「[illegible]」凡五例,見於父癸爵、卯弋甗、父丁觶、父辛觶、趞罍。此字雖可隸「雔」,然實為族徽,同書附錄上二四,收「[illegible](「父乙簋」)」,可以參證。

二、卯,《說文》:「卯,冒也,二月萬物冒地而出,象開門之形,故二月為天門。」《說文》凡涉陰陽五行之訓,什九皆妄,而于十干十二支之解釋,尤為紕繆(吳其昌,《金文名象疏證》語)。

金文作「[illegible]」,其本義約有四種說法:

㈠「卯」為「窌」之初文。窌,窖也,掘地藏穀也,「[illegible]」象穿地之形,「[illegible]」或「[illegible]」則象兩旁之窖也。(吳式芬、白玉崢)

㈡兜鍪之鍪本字,首鎧也,卯鍪古同音,「[illegible]」象兜鍪形,兩旁與兜从[illegible]同意。(林義光)

㈢象雙刀對植並立之形。(吳其昌)

㈣卯,門閉也,象形。(朱芳圃)❸

當以㈠說為是,故从卯之「留」亦有藏義。「卯」字於金文多作為干支字,本銘作人名,與「亞中卯鼎」、「卯簋」同。

三、「弋」疑是「必」的省文。必,有主宰之、制其必然的意思(《說文》段注),也假借為美好(《詩·衛風》,「有斐君子」,韓詩作「有必君子」)。「弋」字不見字書,「必」,《說文》:「分極也,从八弋,弋亦聲。」段注改為「八亦聲」云:「八

❸ 以上諸說轉引自周法高《金林詁林》,「卯」字條下諸家之說,中文出版社,1981年。

各本誤弋，今正。古八與必同讀也。」晚商金文「𠨘其卣」作「」（二祀）「」（四祀）「」（六祀），或从「弋」，或从「必」，知「弋」、「必」為聲母與聲子的關係，故可互易。（或以為「弋」字形象木柲，即「柲」之初文。）段注改易各本之「弋亦聲」為「八亦聲」，恐涉武斷。

伍、子廟觶（圖5。《金文錄》序號40）

銘文隸定作：

子廟（䆯）父乙

「廟」字象屋內有人受執之形。古文字裡從「宀」和從「广」常常互通（如「宅」作「庑」，「安」作「庈」，「寓」作「廙」，「宕」作「宕」），甲骨文有從宀從執的字，象拘罪人於屋下之形，或疑為「圉」的繁文❹。

《說文》有「籟，窮治罪人也。」又「䆯，窮也。从宀，𥨊聲。𥨊與籟同，，䆯或从穴。」（𥨊是籟的或體字），字形正象屋內有人被竹製手銬桎梏之形（人受執，有所窮）。

「執」的左旁象桎梏形，故《說文》：「執，捕辠（罪）人也」，「圉、囹圉，所以拘辠（罪）人」。

今人說「身繫囹圉」，若「廟」為官名，則「子廟」可能是執法官員。

䆯、圉古音相同，義亦相近，「廟」應是其異體字，「廟」字之从「广」既與从「宀」旁相通，則此字實同甲骨文从「宀」从「執」之字，徐中舒以為「圉」之繁文，唯「圉」之字義雖與此字字形所表意象相近，然从口之偏旁則罕見有與从「宀」之字相通者，故由字形推之，將「廟」讀為「䆯」，於形、音、義三方面當較讀「圉」更為妥切。

---

❹ 參徐中舒：《甲骨文字典》，中華書局，1988年。

陸、㝼史㒸甗（圖6。《金文錄》序號2）

銘文隸定作：

㝼史㒸

乍（作）肇彝

一、「㝼」字不見於字書。「史」為其官職，「㒸」為私名，依例「㝼」當為國名或地名（《集成》6490、6491有西周早期「齊史疑觶」銘：「齊史疑作且辛寶彝」，與本器同例）。

二、㝼下从易，見「易叒簋」、「易鼎」、「同簋」。㝼，從宀易聲，疑讀為「崵」。《說文》：「崵，首崵山也，在遼西，從山易聲。一曰嵎銕，崵谷也。」段注：「地理志：『遼西郡令支有孤竹城』……應劭曰：『故伯夷國』。按許意首陽山，即伯夷叔齊餓於首陽之下也。」孤竹是商的同姓諸侯國，春秋時尚存，與令支、山戎盟好，活動於今河北、遼寧間，周初分封有中心在北京的燕國，對當地少數民族進行統治❺。「㝼（崵）」是否究為商子姓之孤竹國之遺，轉入周朝為史，尚待進一步驗證。

三、㒸，《說文》曰：「擊踝也，从丮戈，讀若踝。」金文常見作人名，如「㒸簋」：「□子易㒸貝廿朋。」

四、肇，通旅，是行祭之意。

柒、䰠父卣（圖7。《金文錄》序號37）

銘文隸定作：

䰠（畏）父乍

旅彝。罝

❺ 李學勤，〈試論孤竹〉，《新出青銅器研究》，頁54-59，文物出版社，1990年。

首字从鬼从父，可隸作「魃」。古文字中从「又」之字或亦从「爪」（如「叔」本从「又」，而「叔卣」作「[illegible]」、「叔鼎」作「[illegible]」），或亦訛从「父」（如「毛公鼎」銘「尃命于外」之「尃」，字下本从「又」，而字作「[illegible]」訛从「父」，「王孫鐘」之「尃」字亦作「[illegible]」，下訛从父）。

今檢金文「畏」字或象鬼執杖可畏之形，或从手（又）、从支形，而「駒父盨蓋」从鬼从又之形，依古文字从「又」之字或訛从「父」之例（見上述），本銘「魃」或即「畏」字之另一異體。

捌、成周王鈴（圖8。《金文錄》序號41）

銘文隸定作：

鈴

成周王

一、鑄款四字在器身一面正中：「成周王鈴」。北京故宮於一九五八年收購一件同銘的銅鈴，造型相若，銘文款式不同，由右至左讀「成周王令」（原釋），意為「成周（洛陽）王室用鈴」，此鈴為祭祀用的樂器，《詩·周頌·載見》：「龍旂陽陽，和鈴央央」，《周禮·春官》：「巾車，掌公車之政令，……大祭祀，鳴鈴以應雞人。」

二、成周，西周之東都洛邑，故址在今河南洛陽市東郊。周成王時周公所築，遷殷民居此。《尚書·洛誥序》：「召公既相宅，周公往營成周。」「何尊」：「惟王初遷宅于成周」、「史獸鼎」：「尹令史獸立工于成周」、「夨令方尊」：「明公朝至于成周」。

三、成，《說文》：「成，就也，从戊，丁聲。[illegible]，古文成，从午。」甲文作「[illegible]」、「[illegible]」，早期金文同，从戊从丨，林義光謂「丨」即朾之古文，《廣雅·釋詁》：「朾，擊也。」此殆作為聲符，後乃上連併筆轉訛為从午（古文）。

四、令，《說文》：「令，發號也，从亼卩。」甲文作「[illegible]」、「[illegible]」，从口在人上，象口發號，人跽伏以聽也。金文作「[illegible]」（「卲卣」）、「[illegible]」（「保卣」）、「[illegible]」（「蔡侯鐘」），「成周鈴」作「[illegible]」、「[illegible]」，所以人頭作空廓，與「卲卣」之實心相異。古文字空廓與實心每多相通（如「丁」之作「口」、「●」，「天」之作「[illegible]」、「[illegible]」），則其下為从人跽之卩形，應無問題。

所增二點，當即「金」字所從之銅液之形，勞榦謂金字上部象一熔金之坩鍋，其下部為一器範，旁之長點則表示流注銅液，為熔金鑄器之象。考慮金文「鈞」字作「[illegible]」（敔鼎）、「[illegible]」（「守簋」），或从[illegible][illegible]（旬省，即甲文「旬」字之形）聲，或从金[illegible]聲，知[illegible]可代金旁，則二件「成周鈴」上之字或即為「鈴」之異構，而非「令」字之假為「鈴」者。

《說文》：「鈴，令丁也，从金从令令亦聲。」

段注：「廣韻曰：鈴似鐘而小，然則鐲鈴一物也。古謂之丁寧，漢謂之令丁。」

金文習見為从金令聲之字（見「番生簋」），或从金命聲之字（見於「毛公鼎」）。成周王鈴之从[illegible]令聲，或為「鈴」之另一異體。

至於「蔡侯鐘」、「蔡侯鎛」、「蔡侯尊」諸器銘命令字，亦从二點作，除了可能是「成周鈴」寫法的遺留以「鈴」假為「令」外，也可能是晚周新體增添飾筆之習。

玖、辜卣（圖 9。《金文錄》序號 73）

銘文隸定作：

辜，不叔，庚厥邦，

烏虖，誎帝家

以寡子乍（作）永寶。

一、辜，《說文》：「孰也，从亯从羊，讀若純。一曰鬻也。」

金文多假為「敦」，治，攻擊也。（「敦伐」見「㝬鐘」、「禹鼎」），此作為人名，與「鼓䨣觶」：「鼓䨣作父辛寶隮彝」相類。

二、不叔，即不淑、不善、不良、不幸。

《詩·鄘風·君子偕老》：「子之不淑，云如之何。」

〈費誓〉：「善敹乃甲胄，敿乃干，無敢不弔（淑），……無敢不善。」

〈大誥〉：「王若曰，猷大誥爾多邦，越爾御事，弗弔（淑），天降割于我家，不少延。」

〈多士〉：「王若曰，爾殷遺多士，弗弔（淑），旻天大降喪于殷，我有周佑命，將天明威……」

〈君奭〉：「周公若曰，君奭，弗弔（淑），天降喪于殷，殷既墜厥命，我有周既受……」

「卯簋蓋」：「昔乃且亦既令乃父死（尸）嗣葊宮葊人，女毋敢不善……」

三、庚，讀為「賡」，續也。「賡乃邦」即續承先祖舊命，復受命掌理此邦國。（「曶壺蓋」：「王乎尹氏冊令曶曰：更乃且考作冢嗣土。」可以參證。）

又疑「庚」讀為「更」，經也、歷也。「不淑庚乃邦」並全文，均似為天子口吻，稱：「䨣啊，爾邦不幸遭逢變故（子為殷遺之姓，疑䨣即殷人之後，〈君奭〉：『弗弔，天喪降于殷。』），嗚呼，希爾與爾之嫡子盡瘁于帝家（周邦），並作為此器，祈永寶不忘也。」

四、烏虖，嘆詞，或表贊美，或表悲傷。

「㺇方鼎」：「㺇曰：烏虖！王唯念㺇辟剌（烈）考甲公。」

《尚書·旅獒》：「王曰：嗚呼，明王慎德，四夷咸賓。」

五、諒，《說文》所無，字从言从衣，「衣」為「卒」之省[6]，故可讀作「誶」。

---

[6] 古文字「衣」旁與「卒」旁往往通作，參湯餘惠：《戰國文字編》（福州：福建人民出版社，2001年12月），頁580。

《說文》：「誶，讓也。」《爾雅》：「告也。」「誶」或通「訊」，亦解為「告」（方濬益），或假為「瘁」（劉心源）。

郭沫若以為古字从言从口每無別（如「詠」作「咏」），左旁从言通口，右旁从衣，即「哀」之異文，「哀」、「愛」古字通，此讀為「愛」。然讀為「愛」，於文義殊不通暢。

「瘁」，《玉篇》：「病也。」、《字彙》：「勞也。」、《詩·小雅·北山》：「或燕燕居息，或盡瘁事國。」

銘文「瘁帝家」當指盡瘁于天子帝王之家。

六、寡子，《詩·大雅·思齊》：「刑于寡妻，至于兄弟，以御于家邦」，《毛傳》：「寡妻，適妻也。」則「寡子」即適（嫡）子。「以寡子」，以、與也，意指𩫏自謙不善（或先祖遭逢閔凶，致失爵官），今再受命承繼先業，封為一邦之主（諸侯），唯有盡瘁事奉於天子家國，並以此受封受賞榮耀作為此器，以與嫡子共守，更祈子子孫孫能永寶不替。

拾、鄧少仲方鼎（圖10。《金文錄》序號10）

銘文在內壁，隸定作：

弄（鄧）小（少）仲隹（雖）友（有）得，

弗敢𠭰（沮），用乍（作）氒（厥）

文且（祖）寶鬻隮（尊），

用隮（尊）氒（厥）丁□于□宮。

蘇黎世利特堡博物館藏有同銘方鼎，器身保存較好，銘文行次與此相同，但較清晰，二銘為同銘異笵之佳例。

李學勤稱，鄧氏器過去即出于陝西，民國七十三年在陝西長安張家坡一六三號墓出土了「鄧仲獸形尊」❼，年代為西周早期。這個鄧氏與在河南鄧縣的曼姓的鄧並無關係。

李學勤釋：「異（鄧）小仲隻（獲）得，弗敢取（沮），用乍（作）氒（厥）文且（祖）寶鼎障，用障氒（厥）□于□宮。」❽

一、隹，即「唯」，通「雖」。

「㝬簋」：「有余隹（雖）小子，余亡塽晝夜，巠（經）雝（擁）先王，用配皇天。」

「中山王鼎」：「隹（雖）有死辠，及參（三）殜（世），亡不若（赦）。」

《禮記・表記》：「唯天子受命于天，士受命于君。故君命順則臣有順命，君命逆則臣有逆命。」鄭注：「唯當為雖。」

《漢帛書老子甲乙本》：「唯小，天下莫能臣。」今本三十一章，唯作雖。

「雖」字於文中作語氣翻折之用，故後多接否定詞「弗」、「亡」、「莫」，可證鼎銘「隹」宜讀為「雖」。

二、友，通「有」。

虢仲盨：「虢仲以（與）王南征，……乍旅盨。茲盨友（有）十又二。」

《尚書・牧誓》：「嗟，我友邦冢君。」

《史記・周本紀》「友」作「有」。

「雖有得」似較李釋「獲得」更貼近銘文辭例。

三、取，通「且」、「沮」。沮，喪也、失也。

「且」與从「又」之「取」通，例見《金文編》「且」字條。「沮」从且聲，例可通作。

「耳卣」：「寧史易耳，耳休，弗敢且（沮），用乍父乙寶障彝。」（《集成》5384.1）

文例與本鼎銘相近。

---

❼ 中國社會科學考古研究所灃西發掘隊：〈長安張家坡西周井叔墓發掘簡報〉，《考古》，1986年1期。

❽ 李學勤、艾蘭：《歐洲所藏中國青銅器遺珠》，頁336、337，文物出版社，1995年。

本銘當指「鄧少仲」雖受賞（冊命）封官，謹守而弗敢或失，並鑄作此鼎以祭祀祖先而陳於宗廟之中（□宮）。

數寏𣪘簋（舊名：𢿍簋）

數寏𣪘用作
訇辛𠭰簋。𪓐冊。
數寏𣪘爲詢辛鑄作用盛饘粥的禮器銅簋。「𪓐冊」爲其族徽。

「𢿍簋」銘拓

圖1

史獸鼎

尹令史獸立工
于成周。十又一月
癸未，史獸獻工
于尹，咸獻工，尹
賞史獸裸，易豕
鼎一，爵一，對揚皇尹
丕顯休，用作父
庚永寶尊彝。

尹命令史獸建立工事于成周洛邑。在十一月的癸未日，史獸完成工事，行落成祭典，儀式完畢，尹賞賜給史獸祭祀的胙肉，並賜予豕鼎與爵各一。史獸爲稱揚偉大的尹官的美德與賞賜，也彰顯父庚的榮耀，鑄作此鼎，祈求萬年永寶用。

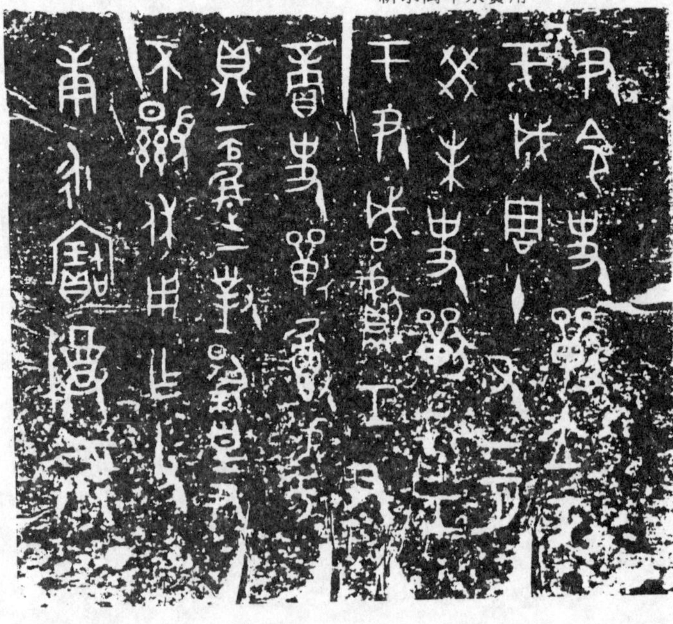

「史獸鼎」銘拓

圖2

「鄞父方鼎」（臺北故宮藏，《集成》二四五三）

「鄞父方鼎」（《集成》二四五五）

「鄞父方鼎」（《集成》二四五四）

圖3

鄞父方鼎

休王易鄞
父貝，用作
厥寶尊彝。
鄞父爲稱揚並感謝周王的賜貝，鑄作此鼎（以資志念並祀先祖）。

卯𠨍甗（舊名：切作母戊甗）

雔。卯切（𠨍）作
母戊彝。
卯𠨍爲其母戊作祭器。「雔」是卯𠨍的族徽。

圖4

「子廝觶」銘拓

圖5

子廝觶（舊名：子廟父乙觶）

子廝（窾）父乙
記子廝爲父親乙製作此器。

器　　蓋

「魁父卣」蓋、器銘拓

圖7

魁父卣

魁父作
旅彝。田

「寡史㚬甗」銘拓

寡史㚬甗

寡史㚬
作𣄰（旅）彝。
寡地史官㚬鑄作一件行禮祭器。

圖6

北京故宮藏器（《故宮青銅器》）一四二號，頁一五七

「成周王鈴」

臺北故宮藏器

圖8

成周王鈴（舊名：王成周鈴）

成周王
鈴
成周洛邑的王室用鈴。

圖 9

𩫏卣

𩫏不叔（淑），庚（賡）乃邦，

烏虖（呼），誶（誶、瘁）帝家

以寡子，作永寶。子。

𩫏自謙不善，茲再受命承繼邦國，唯有盡瘁事於天子，並以此受封之榮，鑄爲此器，與嫡子共守，祈子孫永寶。「子」爲其族徽。

X光片

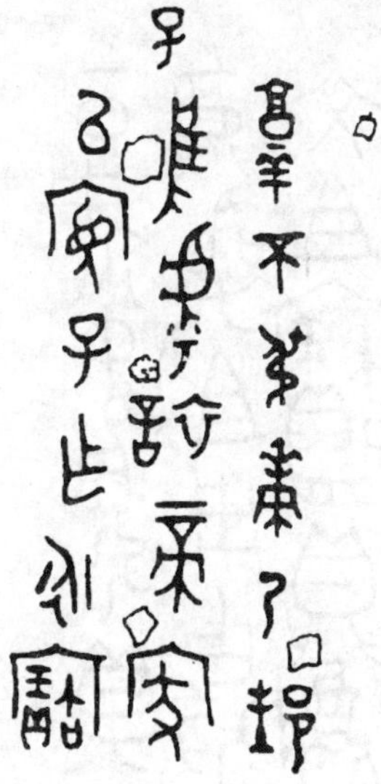

摹本

「鄧少仲方鼎」，故宮藏拓本

圖10

鄧少仲方鼎

（舊名：豆小仲方鼎）

弃（鄧）小（少）仲隹（雖）友（有）得，

弗敢𣪘（沮），用作厥

文祖寶𩰫尊，

用尊厥丁□于□宮。

鄧少仲雖因有功而獲得賞賜，謹守而勿失，並爲偉大的祖父製作彝器，以陳列祭祀於家廟宮中。

故宮藏摹本（參X光片）

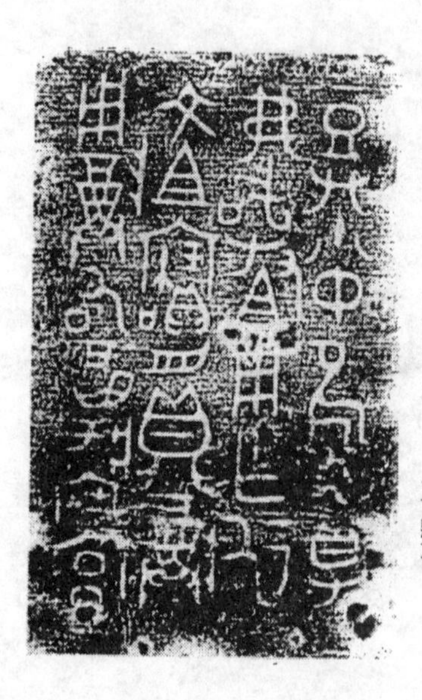

「鄧少仲方鼎」銘拓，蘇黎世博物館藏（《遺珠》，頁三三六，八一號）

[illegible]

[illegible]

[illegible]

漢武改制論

呂彼得

漢自高帝滅秦，而有天下，承秦之敝；及歷八載干戈搶攘，物力耗損，戶口銳減，務息民力，政法悉沿諸秦，少有損益，而雜采郡國并建，地方分權。歷孝惠高后文景數十年承平之世，在上政治鬆弛，寬容，姑息養奸，諸侯強大，恣睢地方，跋扈中央；官吏驚利，政治貪污；下而人口增殖，經濟繁榮，富商大賈因起，轉販郡國，致利千金，與封君子弟挾其富貴之資，侵暴鄉里；而賦役之不均，農民生活困苦，疲於力役，貧者愈貧，富者愈富，無告者流離徙都市，為非作歹，社會騷擾，舊日政治破綻迭出，實不足維繫此新社會也。

漢初政法之弊，別而言之，政治上則地方之權太重；官吏貪污，及文官制度又足維護此官僚集團也。高帝封建關東，盡王子弟，功臣列侯則食邑內郡蓋以關

中為建號之地勢，力均內外，以收互相維制之效。漢書諸侯王表序云：「漢興之初，海內新定，同姓寡少，懲戒亡秦孤立之敗，於是剖裂疆土，立二等之爵，功臣侯者百有餘邑，尊王子弟大啟九國。自雁門以東，盡遼陽為燕代；常山以南，太行左轉，度河濟，漸於海為齊趙；穀泗以往，奄有龜蒙為梁楚；東帶江湖，薄會稽為荊吳；北界淮瀕，略廬衡為淮南；波漢之陽，亘九嶷為長沙；諸侯比境，周帀三垂，外接胡越。天子自有三河、東郡、潁川、南陽，自江陵以西至巴蜀，北自雲中至隴西，與京師內史凡十五郡，公主列侯頗邑其中。」諸王大者連城數十，列侯亦數萬戶，富厚如之，皆世有其土，且控有封地行政司法財政之權。

「其有功者上致之王，次為列侯，下乃食邑。而重臣之親，或為列侯，皆令自置吏得賦斂。」（高紀十二年詔）

『漢興諸侯王皆自治民聘賢』(鄒陽傳)

『往者諸侯王斷獄治政』(何武傳)

采邑内山川園池亦王侯所私有

『山川園池市井租税之入自天子以至于封君湯沐邑皆各為私奉養焉不領於天下之經費』(史記平準書)

『諸侯無入貢弛山澤』(文紀後六年令)

而諸侯得自除御史大夫群卿以下諸官如中央中央獨為置傅相甚者如梁孝王且自置之』由此関係観之諸王侯與中央直若列國并立猶有甚者諸王侯且把持朝議凡國大事必經此貴族會議所議定史記齊悼恵王世家載琅邪王劉澤(呂氏之亂時)説齊王曰『齊悼恵王高皇帝長子推本言之而大王高

皇帝適長孫也，當立；今諸大臣狐疑未有所定，而澤於劉氏最為年長，大臣固待澤決計。」又據西漢會要卷四十集議篇所彙，舉凡議立君、儲嗣、封建、功賞、民政、法制，莫不集宗室列侯大臣（漢初公卿大臣皆武力功臣亦多封爵）議之。如文帝之迎立於代，即由彼輩決之。其有奏議法令不利彼輩者，時則排陷之。賈生議更定法令，絳灌東陽侯之屬盡害之；鼂錯定法令三十章，而諸侯諠譁。賈誼疏曰：

「雖行不軌如厲王者，令之不肯聽，召之安可致乎；幸而來至，法安可得加。動一親戚，天下圜視而起。陛下之臣，雖有悍如馮敬者，適啟其口，匕首已陷其胸矣。」

貴族權勢之大，跋扈之情，於此可窺。袁盎諫立梁王而見刺，鼂錯議削諸侯為

迫殺，貴族之控制政治，實有害國家之統一，有阻國家政策之推行也。

漢制：丞相地位極尊，通攷引漢儀云：

「丞相進，天子御座為起，在輿為下，有疾法駕至第問。」

其權極大「上佐天子，理陰陽，順四時；下育萬物之宜；外鎮撫四夷，諸侯，內親附百姓，使卿大夫各得任其職」（史記陳平世家）無所不總。漢制：歲盡郡國守相遣上計掾史各一人，條上郡國內衆事，謂之計簿。送呈丞相府，丞相即據以考課郡國，奏行賞罰并能除吏或至二千石；且有劾案大臣之權，得發二千石。丞相為帝王與朝臣郡國溝通之樞紐：一方總收天下上書，公卿奏事送呈帝王；及或領銜與諸侯上奏。一方受帝王之詔令而執行，故丞相總收受奏章、詔令，認有不合律令者，得擯棄之，封駁之，史載：

『惠帝崩，高后欲立諸呂為王，問（丞相王）陵，陵曰：高皇帝刑白馬而盟曰：非劉氏而王者，天下共擊之。今王諸呂非約之。』（王陵傳）

『竇太后欲侯皇后兄王信，景帝曰：請與丞相計之，亞夫曰：高帝約，非劉氏不得王，非有功不得侯，不如約，天下共擊之。今信雖皇后兄，無功侯之，非約也。上默然而沮。』（周勃傳）

『哀帝託傅太后遺詔，令成帝母王太后下丞相御史，益封董賢二千石戶，及賜孔鄉侯汝昌侯陽新侯國。丞相王嘉封還詔書。』（王嘉傳）

丞相實為最高行政長官，威逾帝王，權適人主。史記袁盎傳『絳侯為丞相，朝罷趨出，意甚得，上（文帝）禮之恭，常自送之。』魏其武安傳『丞相（武安侯田蚡）入奏事，坐語移日，所言皆聽，薦人或起家至二千石，權移主上。』漢初皇權低落極矣。御

史大夫「掌副丞相，有兩丞，秩千石，一曰中丞，在殿中蘭臺，掌圖籍祕書，外督部刺史，內領侍御史員十五人，受公卿奏事，舉劾按章」（公卿百官表）職權亦考課、監察、檢舉、劾案。太尉則典武事，三者并為三公，負實際行政指揮督導之責，而以諸侯、王大臣所組之貴族會議為立法機関，皇帝但聽受可否而已。漢初，率常以列侯為丞相，公卿亦皆多武力功臣。此新興貴族之把持政治，因造成漢初之政治因循，墨守成規，以保持其貴族之特權。而文官制度又足資為護符；漢初，吏途甚狹，雖有賢良、孝廉之徵舉，然無定制。仕宦捷徑，唯自郎官。「貲五百萬為常侍郎」（漢書張釋之傳）「吏二千石以上視事滿三歲，得任同產若子一人為郎」（哀紀注應劭引漢儀注）納貲為郎及任子之制，唯貴族所能。且二千石以上，得自辟椽屬，互相援引。此漢初官僚集團之所由形成也。

漢初政治，既外有諸王與中央之并立。諸王庸者，縱驕，奢恣淫佚，厚賦斂以自娛，窮民物力。如「梁孝王築東苑，方三百餘里，廣睢陽城七十餘里，大治宮室，為複道，自宮連屬於平台三十餘里。」「江都易王非好氣力，治宮館，招四方豪傑，驕奢甚。」（本傳）或殘暴良民以為樂。若「濟東王彭離驕悍，昏暮私與其奴亡命數十人，行剽（掠）殺人取貨物以為好，所殺發覺者百餘人。國皆知之，莫敢夜行。」「江都王建宮人姬八子有過者，輒令贏立擊鼓，或置樹上，久者三十日乃得衣，或髡鉗以鉛舂，不中程輒掠；或縱狼令齧殺之，建觀而大笑；或閉不食令餓死。」（本傳）其強者則修守備，繕甲兵，僭擬天子抗衡中央；列國間亦互相猜忌，陰蓄兼併之心，造成政治上之不安定。內而貴族把持政權，民生困苦，未能積極解決；貧民流離為盜，甚竊廟器。賈誼嘗曰：「盜者慮探柱下之金，掇寢戶之簾，搴兩廟

12

之器，白晝大都之中，剽吏而奪之金。」（新語卷三俗激篇）又形成社會之擾亂也。

自經秦漢之際，八年干戈擾攘，民生凋疲。漢初為政者，務主清靜、無為，專掩人過。史記曹相國世家：

「曹參為相國，舉事無所變更，一遵蕭何約束，擇郡國吏木詘於文辭，重厚長者，即召除為丞相史。吏之言文刻深，欲務聲名者，輒斥去之。日夜飲醇酒，卿大夫已下吏及賓客，見參不事事，來者皆欲有言，至者參輒飲以醇酒，間之，欲有所言，復飲之，醉而後去，終莫得開說，以為常。相舍後園近吏舍，吏舍日飲歌呼，從吏惡之，無可如何，乃請參遊園中，聞吏醉歌呼，從吏幸相國召按之，乃反取酒張坐飲，亦歌呼與相應和。」

老子之說「我無為而民自化」，遂成為漢初之政治理論。加以帝王提倡老子一

書，其說吏盛，然在上清靜無為，在下猾吏因緣為姦，貪污營私，剝削人民；或官商勾結以牟利，賈誼嘗嘆世俗之敝，謂「廉吏釋官而歸為邑笑，居官敢行奸而富為賢吏」，董仲舒於「遑遑求財利，乃庶民之事」，辯之不煩，貪污隱然若當時之俗，至武帝世猶未泯，史載之：文帝時「（原）袁盎諸人為牟侯大夫，女姓利，好以其黨，袁盎遁，論免」（本傳）「群臣如張武等受賂遺金錢」（史記孝文本紀）「江都王建恐為淮南衡山所併，遂作兵器，遣人通越繇王閩侯，及淮南事發，治黨與頗連及建，建使人多推金錢絕其獄」（漢書景十三王傳）「主父偃得幸武帝，大臣皆畏其口，賂遺累千金」「趙王告偃受諸侯金，以故諸侯子多以得封者」……偃服受諸侯金（本傳）「張湯與長安富賈田甲魚翁叔之屬交私」「田信曰：湯且欲為請奏，信輒

先知之，居物致富，與湯分之」（本傳）

「始杜周為廷史，有一馬，及久任事，列三公，而兩子夾河為郡守，家訾累巨萬矣。」（本傳）

官吏如此，固執政者之鬆弛少為；亦文官制度有以使然。官吏相依為用，自成集團，遂鮮改進。景帝時曾數下詔切禁之，中五年詔曰：

「法令度量所以禁暴止邪也。獄，人之大命，死者不可復生。吏者，不奉法令，以貨賂為市，朋黨比周，以苛為察，以刻為明，令無罪者失職，朕甚憐之。有罪者不伏罪，姦法為暴，甚無謂也。」

後二年又詔曰：

「今歲或不登，民食頗寡，其咎安在？或詐偽為吏，吏以貨賂為市，漁奪百

六

姓，侵牟萬民，縣丞長吏也，奸江興盜。

然禁者自禁，而吏為姦者自若。武帝元狩六年猶詔曰：夫仁行而從善，義立則俗易，意奉憲者所以導之未明，與將百姓所安殊路，而撟虔吏因乘勢以侵蒸邪。

按此政治之貪污乃俗化成下在上督導立制未善。夫政治者之為用，所以輔世長民也。制度者，所以維持穩定或控制政治社會之秩序也。然政治社會日趨複雜，欲求秩序之穩定與控制，必須時時求制度之變遷與進步，而後其制度之本身，乃能繼續適應，不致於崩潰。一面從控制上求秩序，一面在秩序中謀進步，換言之，須在穩定與變遷之間，維持一種動態平衡。（賀昌羣先生：兩漢政治制度論）漢初之政制，既無以輔世長民，復不能維持控制政治社會之秩序，窮則變，亦自然之演進耳。

國以民為本，民以食為天；欲求國家社會之安定而有秩序，必先解決人民之生活。我國以農立國，國家之基礎，即建之於農民身上；故若圖社會穩定，必先謀農民生活安定。致漢初農民負担極重，生活極苦，除田租外，尚有：

一、獻費：高帝十一年詔曰：「欲省賦甚，今獻未有呈，吏或多賦以為獻。而諸侯王尤多民疾之。令諸侯王通侯常以十月朝獻，及郡各以其口數率人歲六十三錢，以給獻費。」

二、户賦：貨殖傳：「秦漢之制，列侯封君歲率户二百」

三、算賦：高紀四年注引如淳曰：「漢儀注：民年十五以上至五十六出賦錢，人百二十為一算，為治庫兵車馬。」

四、更賦：食貨志：「漢民常有更賦，疲癃咸出」昭紀注引如淳曰：「更有三

品，有卒更，有踐更，有過更；古者正卒無常，人皆當迭為之，一月一更，是為卒更也，貧者欲得顧更錢，次直者出錢顧之，月二千，是為踐更也。天下人皆直戍邊三日，不可人人自行三日戍，諸不行者，出錢三百入官，以給戍者，是為過更也』

他尚有稿稅、假稅、海稅、軍市租（參賀昌群先生漢唐精神）皆取之於民，此外又有力役之征，民年二十三，傅之疇官（景帝二年令二十始傅）著名籍，給公家徭役，至五十六歲始免。高紀注如淳引漢儀注：

『民年二十三為正，一歲為衛士，一歲為材官騎士，習射御馳戰陳，年五十六乃免，為庶民，就田里』。

計在官三十三歲，除給事中都官，任衛士，充郡國樓船材官騎士，及戍邊外，其

間每歲尚復給事郡縣徭役一月，賈誼云

「今淮南地，遠者或數千里，越兩諸侯而縣屬於漢，其吏民繇役往來長安者，自悉而補，中道衣敝錢用諸費稱此。」

據是則繇役往來之費，亦需自給矣。又有不時之泛役，征用民力，如「惠帝三年，發長安六百里內男女十四萬六千人城長安，三十日罷。五年復發長安六百里內男女十四萬五千人城長安，三十日罷」。列國之廣城池苑囿，武帝之發巴蜀民通西南道，城朔方，皆徵民為之，故董仲舒論漢代力役之重三十倍於古，農民處此租稅重重，力役頻頻之下，生活困苦勞頓，其情，文帝時鼂錯曾描繪之：

「今農夫五口之家，其服役不下二人，其能耕者不過百晦；百晦之收，不

過百石，春耕夏耘，秋獲冬藏，伐薪樵，治官府，給徭役，春不得避風塵，夏不得避暑熱，秋不得避陰雨，冬不得避寒凍；四時之間，無日休息，又私自送往迎來，弔死問疾，養孤長幼在其中；勤苦如此，尚復被水旱之災，急征暴虐，賦斂不時。」（食貨志）

不獨然也；而田租又甚重。漢初約法省禁，輕田租什五而稅一，量吏祿，度官用，以賦於民。景帝二年甚令民半出田租，三十而稅一。文帝且數除田租，由此言之，似農民負担甚輕，然自商鞅開阡陌，田得買賣，漸轉入豪族之手，及為商人所兼併，漢興，歷數十年承平之世，商業經濟發達，富商大賈因起，挾其經濟勢力，侵削農民，農民在豪族及富商兼併之下，多破產變為農奴，或為佃農，其納租地主什去其五。故董仲舒謂「或耕豪民之田，見稅什五。」（師古曰：下戶貧人自無田而耕豪富家田

十分之中以五輸政府之賦免租，無與小農，徒地主得其利耳。荀悅論曰：

本田主也(食貨志)

「今漢氏或百一而稅，可謂鮮矣，然豪彊富人占田逾侈，輸其賦大半，官收百一之稅，民輸大半之賦，官家之惠，優於三代；豪彊之暴，酷於亡秦；氏上惠不通，威福分於豪彊也。文帝不正其本，而務除租稅，適足以資豪彊耳。」

猶有甚者，小農又遭受政治之壓迫，與經濟之剝削也。

漢初吏治之貪污，前已言之，其多挾其政治勢力，漁肉人民，董仲舒謂彼輩「或不承用主上之法，暴虐百姓，與姦為市，貧窮孤弱，冤苦失職」(本傳)蓋官吏出仕既皆援引，故有所恃，敢為姦利。史記田叔列傳褚少孫補：

「(武帝時丞相長史)田仁上書言：『天下郡守多為姦利，三河尤甚，臣請先

乙

刺舉三河，三河太守皆內倚中貴人，與三公有親屬，無所畏憚，宜先正三河，以警天下姦利。」是時河南河內太守，皆御史大夫杜父子兄弟也，河東太守石丞相子孫也。」

又如「灌夫不喜文學，好任俠，已然諾，諸所與交通，無非豪傑大猾，家累數千萬，食客日數十百人，陂池園田，宗族賓客為權利，橫於潁川。」吏之設，為謀增民福利，而今不然，以財利為務，以虐民為事，是甚於無也。列侯於其采邑儼若一主，乘其政治地位，亦役利人民。周亞夫傳：

「條侯子為父買工官尚方甲楯五百被可以葬者，取庸苦之不予錢。」

又據史記高祖功臣侯年表所載：如信武侯靳亭、祝阿侯高成事國人過律；曲逆侯陳何略人妻；貰侯倩殺人；南安侯宣千秋傷人；其他未記載未發覺當不

止此也。

次則大地主之剝削農民也；漢代所謂豪族遊俠，皆擁有農奴，及大量土地之地主。史記季布傳：

「濮陽周氏髡鉗季布，衣褐衣，置廣柳車中，并與其家僮數十人之魯朱家所賣之。朱家心知是季布，乃買而置之田，誡其子曰：田事聽此奴，必與同食。」

朱家為漢初一大遊俠，其能購奴數十以耕田，是必大地主也。酷吏列傳稱寧成「為任俠，」「貰貸買陂田千餘頃，假貧民役使數千家。」天下初定，劉敬說高祖曰：

「秦中新破少民，地肥饒可益實。夫諸侯初起時，非齊諸田，楚昭、屈、景莫能興。……臣願陛下徙齊諸田，楚昭、屈、景、燕韓趙魏後，及豪傑名家居關中。」

九年因徙齊楚大族，昭氏、屈氏、景氏、懷氏、田氏，五姓於關中，興利田宅，此強本弱末之政策；後帝踵行，世世徙吏二千石高訾富人及豪傑并兼之家於諸陵。然彼輩扶其宗黨豪盛，處良土，不免兼併，其弱者則靡，而悍則黠矣。地理志稱曰：『其世家則好禮文，富人則商賈為利，豪傑則遊俠通姦。』其他豪傑在武帝前據史所載，尚有濮陽周氏（史記季布傳）河內穰氏（酷吏傳）郭解，洛陽劇孟，符離王孟，濟南瞯氏，陳周膚，陽翟原氏（遊俠傳）不知名者猶衆。此輩所謂豪傑遊俠之大地主，固有「溫良泛愛，振急周窮」如朱家劇孟者，然大抵以設財役貧，虐民為事。如『濟南瞯氏宗人三百餘家，豪猾，二千石莫能制』（酷吏傳）或『持吏長短，出從數十騎，其使民威重於諸郡守』（寧成傳）或『陰賊感概，不快意，所殺甚衆，以軀借友報仇，臧命作姦，剽攻，休乃鑄錢掘冢』（遊俠郭解傳）既奴虐侵暴農民，武斷鄉曲，

又復以高祖壓榨，董生所云「或耕豪民之田，見稅什五，」即役此等大地主之剝削也。

再則商人之兼併也。漢初採經濟放任政策，通關梁，弛山澤之禁，而久歷承平之世，人口繁殖，且社會習尚奢靡，需用較多，工商業因盛，富商大賈遂起，轉販郡國，乘人之急，所利必倍。商人之財富，史記貨殖列傳云：

「通都大邑，酤一歲千釀，醯醬千瓨，醬千甔，屠牛羊彘千皮，販穀糶千鍾，薪稾千車，船長千丈，木千章，竹竿萬个，其軺車百乘，牛車千兩，木器髹者千枚，銅器千鈞，素木鐵器若卮西千石，馬蹄躈千，牛千足，羊彘千雙，僮手指千，筋角丹砂千斤，其帛絮細布千鈞，文綵千匹，榻布皮革千石，漆千斗，糵麴鹽豉千荅，鮐鮆千斤，鯫千石，鮑千石鈞，棗栗千石者三之，狐貂裘千

皮，羔羊裘千石，旃席千具，他果菜千鍾，子貸金錢千貫。」

因工商而致富者，有臨邛卓氏，富至僮千人；程鄭亦奴數百人；宛孔氏致富數千金；曹邴氏富至巨萬；齊刁間起富數千萬；周師史七千萬；橋姚致馬千匹，牛倍之，羊萬頭，粟以萬鍾計；關中富商大賈，大抵盡諸田，田嗇、田蘭、韋家、栗氏、安陵杜氏亦巨萬，考諸商人致富不外二途：即高利貸盤剝，及操縱壟斷也。貨殖傳：

「吳楚七國兵起時，長安中列侯封君行從軍旅，齎貸子錢，子錢家以為侯邑國在關東，關東成敗未決，莫肯與。唯無鹽氏出捐千金貸，其息什之。吳楚平，一歲之中，則無鹽氏之息十倍。」

又云：「庶民農工商賈，率亦歲萬息二千，戶百萬之家，則二十萬。」其息高至十之，

低亦什二，既若是之高，農夫於青黃不接之際或春耕伊始，需貲亦唯仰給之。於是『有賣田宅鬻子孫，以償債者矣。』（食貨志鼂錯語）且漢初商人，多以鹽鐵致富，控有人民生活必需品，遂可操縱價格，以贏高利。史記平準書曰：『富商大賈或蹛財役貧，轉轂百數，廢居居邑，封君皆低首仰給。』況小農乎；而商人又勾結官吏，武斷鄉曲。史謂

『因其富厚交通王侯，力過吏勢，以利相傾』（食貨志）

『罔疏而民富，役財驕溢，或至兼併豪黨之徒，以武斷於鄉曲。』（史記平準書）

『浮食奇民欲擅管山

其或獨占商業，壟斷市場，平準書云：『浮食奇民，欲擅管山海之貨，以致富羨，役利細民。』貨殖列傳亦云：『力農畜工虞商賈為權利以成富，大者傾郡，中者傾縣，

下者傾鄉里者，不可勝數。」如臨卭卓氏，「即鐵山鼓鑄，運籌策，傾滇蜀之民。」宛孔氏「大鼓鑄，規陂池，連車騎遊諸侯，因通商賈之利。……南陽行賈盡法孔氏之雍容。」農民經濟全操之彼輩之手，亦但唯「衣牛馬之衣，食犬彘之食」也。

漢興以來，貨幣不統一，造幣之權，操之於富豪大賈，雖時有禁止，然獲利甚厚，盜鑄之風不勝弥，如吳王濞鄧通之錢布天下，郭解「鑄錢掘冢」，卓氏「運籌策」，錢益多，形成通貨膨脹，物價愈貴，食貨志：

「漢興以來，以為秦錢重難用，更令民鑄莢錢，黃金一斤，而不軌（逐利之民，）蓄積贏餘，以稽市物，痛騰躍，米石至萬錢，匹馬至百金。」

「奸或盜摩錢質而取鋊，錢益輕而物貴。」

在此物價騰躍下，受影響深者主為小農，小農一面受豪強之租稅壓迫，一面

受商人之經濟剝削，又復受都市生活之吸引，於是多變賣家產，或賣身為奴，

或蟻聚都市，以圖另謀生活。於是造成漢初農村凋敝一大嚴重問題。賈誼鼂錯上

其疏始安策詳論此情形曰：

「當其有者，半賈而賣，亡者取倍稱之息，於是有賣田宅、鬻子孫，以償債

者矣。而商賈大者，積貯倍息，小者坐列販賣，操其奇贏，日遊都市，乘上之

急，所賣必倍，故其男不耕耘，女不蠶織，衣必文采，食必梁肉，亡農夫之苦，

有阡陌之得，因其富厚，交通王侯，力過吏勢，以利相傾，千里遊遨，冠蓋相

望，乘堅策肥，履絲曳縞，此商人所以兼併農人，農人所以流亡也。」

「令農事棄損，而采銅者日蕃，釋其耒耨，冶鎔炊炭。」(見食貨志)

然大工商業家多以奴隸生產，如卓氏家僮千人，程鄭亦數百人，刁間「收取黠

奴，使之逐漁鹽商賈之利，自饒而盡其力。」自非隻身流亡都市之農民所能與爭，於是犯法令盜鑄金錢者有之。食貨志：

「自造白金五銖錢後，五歲，而赦，吏民之坐盜鑄金錢死者數十萬人，其不發覺相殺者不可勝計，赦自出者，百餘萬人，然不能半自出。」

當日社會上無業遊民之衆，亦足窺也。董生亦曰：「今世廢而不脩，（教訓之官）亡以作民，民以故棄行誼，而死財利，一歲之獄，以萬千數。」此猶其差愈者，甚者為非作歹，賈誼謂：「盜者剟寢戶之簾，搴兩廟之器，白晝大都之中，剽吏而奪之金。」（食貨志）有之。董仲舒更論當日社會擾攘形成之由云：

「身寵而載高位，家溫而食厚祿，因乘富貴之資力，以與民爭利於下，民安能如之哉，是故衆其奴婢，多其牛羊，廣其田宅，博其產業，畜其積委，務

此而無已，以迫蹙民，日削月朘，寖以大窮，富者奢侈羨溢，貧者窮急愁苦，

窮急愁苦，而上不救，則民不樂生，民不樂生，尚不避死，此刑罰之所以蕃，

而姦邪不可勝者也。（董仲舒傳）

政治之不安既如彼，社會之騷動又如此；政制政策之不善，改革實亟有待也。

改制之議首倡賈誼，當時政法之弊已數顯，濟北西嚮而擊，淮南謀為東帝，

吳王叛逆有徵，社會上則兼併之勢已成，農村破產，農民流亡。賈誼因痛陳曰：

進言者皆曰：天下已安已治矣，臣獨以為未也。曰安且治者，非愚則諛，

皆非事實，知治亂之體者也。夫抱火厝之積薪之下，而寢其上，火未及燃，

因謂之安。方今之勢，何以異此。本末舛逆，首尾衡決，國制搶攘，非甚有紀，

胡可謂治。……諸王雖名為臣，實皆有布衣昆弟之心，慮亡不帝制，而天子

自為者，擅爵人，赦死辠，甚者或戴黃屋，漢法令非行也。……天下之勢方病大瘇，一脛之大幾如腰，一指之大幾如股。……今民賣僮者，為之繡衣絲履偏諸緣，……今富人大賈，嘉會召客以被牆，……牆屋被文繡。……夫百人作之，不能衣一人，欲天下亡寒，胡可得也？一人耕之，十人聚而食之，欲天下亡飢，不可得也；飢寒切於民之肌膚，欲其亡為姦邪，不可得也。國已屈矣，盜賊直須時耳。」（賈誼傳）

「今令細民人操造幣之勢，各隱屏而鑄作，因欲禁其厚利微姦，雖黥罪日報，其勢不止。迺者民人抵罪多者一縣百數，及吏之所疑榜笞奔走者甚衆。」（食貨志）

并工其策，「衆建諸侯而少其力」，「興教化」，「收銅勿令布」，踵而倡改制者，魯人公孫

臣，文帝十四年。公孫臣上書陳終始五德事，言方今土德時，土德應黃龍見，當改正朔、服色、制度。（本紀）繼則鼂錯「言削諸侯事，及法令可更定者，書凡三十篇。」（本傳）文帝雖頗有採納詔行，然政權為貴族所把持，令不下佈，政治經濟社會諸問題未稍得而解決。鼂錯對策有云：

「今陛下（文帝）配天象地，覆露萬民，絕秦之迹，除其亂法，躬親本事，廢去淫末，除苛解嬈，寬大愛人，肉刑不用，辠人亡帑，非謗不治，鑄錢者除，通關去塞，不孼諸侯，賓禮長老，愛卹少孤，辠人有期，後宮出嫁，尊賜孝悌，農民不租，明詔軍師，愛士大夫，求進方正，廢退姦邪，除去陰刑，害民者誅，憂勞百姓，列侯就都，親耕節用，視民不奢，所為天下興利除害，變法易故，以安海內者，大功數十，……今陛神明德厚，資財不下五帝，臨制天下，至今十

歹有六年，民不益富，盜賊不衰，邊境未安，其所以然者，意陛下未之躬親而待羣臣也。今執事之臣，皆天下之選已，然莫能望陛下清光，譬之猶五帝之佐也，陛下不自躬親，而待不望清光之臣，臣竊恐神明之遺也。日損一日，歲亡一歲，日月益暮，盛德不及究於天下，以傳萬世。（鼂錯傳）

亦文帝初為貴族擁立，地位未固，未能親政，而大權全操之貴族大臣也。是故賈生外謫，公孫見罷，鼂錯得幸於景帝，其策稍行；而諸侯大譁，吳楚七國連兵西嚮，釀成內戰，內而列侯喧騰，錯終為迫斬於東市。改制之議，則有待雄桀之主，——孝武皇帝全面實行也！

漢武為人，史稱，雄才大畧，而實滲有猜忌之情，史記衛青列傳載：

（四）元朔五年之役）右將軍蘇建盡亡其軍，獨以身得亡去，自歸大將軍，大

將軍問其罪，正閎、長史安、議郎周霸等，建當云何？霸云：自大將軍出，未嘗斬裨將，今建棄軍，可斬以明將軍之威。……大將軍曰：青幸得以肺腑待罪行間，不患無威，而霸說我以明威，甚失臣意。且使臣職雖當斬將，以臣之尊寵，而不敢自擅，專誅於境外，而具歸天子，天子自裁之，於是以見為人臣不敢專權，不亦可乎」；

「蘇建嘗責大將軍不招選擇賢，大將軍謝曰：自魏其、武安之厚賓客，天子常切齒，彼親附士大夫，招賢絀不肖者，人主之柄也。人臣奉法遵職而已，何與招士。」（傳贊）

誅敗將以明賞罰，招賢士以備諮議，本大將軍職權所及，而衛青不敢者，固其「仁善退讓，和柔自媚」為性，蓋亦彼幼侍中，久隨上，必深知武帝之性，不敢擅

其權，以啟武帝猜忌之心。劉屈氂傳：

「司直田仁部閉城門，坐令太子得出，丞相（劉屈氂）欲斬仁，御史大夫暴勝之謂丞相曰：司直吏二千石，當先請，奈何擅斬之，丞相釋仁。」

斬二千石，本丞相之權，而暴勝之諫止者，蓋彼曾職繡衣御史，往來殿中，面奉機宜，常親上，深知武帝，故不欲丞相因此召禍；武帝既猜忌大臣，故於剬威者，無不致之刑，史記朝鮮列傳載：

「樓船將軍楊僕與左將軍荀彘爭功不期戰，朝鮮久不下，武帝使衛山諭降其王右渠，右渠遣太子，山無權不能剬決，與左將軍計相誤，卒沮約。乃又遣濟南太守公孫遂往征之，有便宜得以從事。遂至以節召樓船將軍而執捕之，并其軍，以報武帝，武帝誅之。」

又如張湯帝之親信也，而聞田信一面之辭，遂疑湯洩秘謀以獲利，使趙禹「重致其獄」，此猶外人也，即遇其子亦然。據通鑑卷二二：

「皇后太子寵浸衰，心常不自安，上謂大將軍青曰：『漢家庶事草創，加四夷侵陵中國，朕不變更制度，後世無法；不出師征伐，天下不安；為此者，不得不勞民，若後世又如朕所為，是襲亡秦之迹也。太子敦重好靜，必能安天下，不使朕憂，欲求守文之主，安有賢於太子者乎？聞皇后與太子有不安之意，豈有之邪？可以意曉之。』太子每諫征伐四夷，上笑曰：『吾當其勞，以逸遺汝，不亦可乎！』上每行幸，常以後事付太子，有所平決，上亦無異，有時不省也。黃門蘇文嘗僭太子於帝曰：「太子與宮人戲。」上益太子宮人滿二百人。

武帝雖以「太子不類己」而不豫，然於太子之溫良敦厚，必為守成令主，則不疑，蘇文之數僭，不得行也。但一聞太子巫蠱詛上，與兵造反，信而不疑，而責丞相無周公之風，太子儲君也，此行豈儲君之所為？然其信而不察，非猜忌之心先存而何？衛青后弟也，霍去病后姊子也，論親去病不及，而青自位大將軍後，雖有功不益封，而去病不數載而權位與青埒，寵且逾焉。武帝猜忌防範之情，歷歷可覩。子長作日者列傳，或謂借事抒情，其曰「道高益安，勢高益危，居赫赫之勢，失身且有日矣」，豈傷時歟？故有公孫賀痛哭流涕而辭不受丞相之位也。武帝既立，皇位已固，遂展其雄才大略，雜行王霸之政，繼乃父祖餘業，以其猜忌之情，勵行集權一身，暢然改革，無所顧忌，厘定有漢一代制度之規模焉。欲改革之無阻力，必解除世襲貴族之政權，武帝因擺脫「累日積久」循資格

以任官之傳統，行政用人，拔擢於民間，一以才能為準，以任官稱職為差，超遷不次之位，公孫弘傳贊云、

「漢興六十餘載，海內艾安，府庫充實，而四夷未賓，制度多闕，上方欲用文武，求之如弗及，始以蒲輪迎枚生，見主父而嘆息，羣士慕嚮，異人并出，卜式拔於芻牧，弘羊擢於賈豎，衛青奮於奴僕，日磾出於降虜，斯亦曩時版築飯牛之朋已。漢之得人，於茲為盛。」

武帝用人，大抵皆中產階級，凡可別為三類：一為力田畜而好禮文之儒生。如

公孫弘家貧，牧豕海上，年四十餘，學春秋雜說，歷位公卿至丞相。

卜式以田畜為事，位至御史大夫。

兒寬治尚書，受業孔安國，位至御史大夫。

董仲舒少治春秋，及去位歸居，終不問家產業，以修學著書為事，曾位
國相二千石。
主父偃早學長短縱橫之術，晚乃學易春秋，曾為國相。
他如朱買臣，吾丘壽王，以布衣致位郡守。二為出身低微而無憑籍之小吏。如
張湯其父為長安丞，使學書獄，為長安吏，歷九卿至御史大夫。
杜周少為南陽守爪牙，歷九卿致位三公。
趙禹以佐史補中都官，自刀筆吏積勞歷任九卿。
王溫舒初試縣亭長，數為吏，歷都尉郡守二千石至九卿。
咸宣出身佐史，位至九卿。
三為懷經濟大才之商人。史記平準書。桑弘羊商人子，以計算用事侍中東郭

咸陽齊之大煮鹽，孔僅南陽大冶，三人皆位至九卿二千石。老子曰：「寵辱若驚，得之若驚，失之若驚。」夫卑微之人，一旦天幸臨之，待若知己，稱之有才，讚之曰能，感激流涕，馳驅致命之不暇，遑敢異圖。主父得寵後有云：「臣結髮遊學四十餘年，身不得遂，親不以為子，昆弟不收，賓客棄我，我阨日久矣。且丈夫生不五鼎食，死即五鼎烹耳。吾日暮途遠，故倒行暴施之。」不測之貴，其效可見也矣。凡此三者，既內無異志，復外無援引，武帝利其權術手腕，驅使之出納君命，順上指意，排除貴族勢力，革積弊蔚成一代典章制度，其精神亦迥異昔日矣。

武帝於政治、軍事、經濟，多所改革，更立新制。積極之社會政策，亦頗行之。然要以集權一身，富國強兵為準，茲分論述之：

(一)

高帝封建，地方分權，諸侯世襲，且控有其境內行政、司法、財政之權，形成尾大不掉，輒而動搖國家，前已言之。欲求國家之統一與安定，改制亦事所必然，此策之推行肇於文帝，而成於武帝。文帝納賈誼「衆建諸侯而少其力」之策：

『割地定制，齊為若干國，趙楚為若干國，制既各有理矣，於是齊悼惠王之分地盡而止，趙幽王楚元王之子孫亦各以次受其祖之分地，燕吳淮南它國皆然，其分地衆而子孫少者，建以為國，空而置之，須其子孫生者，舉使君之，諸侯之地其削頗入漢者，為徙其侯國，及封其子孫於彼也。』（賈誼傳）

遂分齊為六，淮南為三，改昔日世子世襲之制也。景帝踵之，分梁為五，又用鼂錯削地之言，削楚東海郡，吳豫章會稽郡，膠西六縣，三年吳楚七國亂後，收諸

王司法行政之權。「中三年罷諸侯御史中丞」，（景紀）「中五年令諸侯王不得復治國，天子為置吏，改丞相曰相，省御史大夫謁者郎諸官長丞，皆損其員。」（公卿百官表）漢書衡山王傳注如淳引漢儀注云：

「四百石以下，自除國中。」

王國官吏四百石以上，概由中央所置矣。武帝既立，續行分封，（分常山為真定泗水）削地（見景十三王傳）之策，又改中央官名使別於王國，貶王國官吏之秩祿。公卿百官表

「損王國郎中令秩千石，改太僕曰僕，秩亦千石。」

悉掃諸王立法之權，王國之相與內史直接受任中央，秉承中央法制以治民。

「相二千石至（膠西）者奉漢法以治，……相二千石從王治，則漢繩以法。」（膠西王端傳）

相二千石欲奉漢法以治，則害於王家。（趙王彭祖傳）

甚且吏二百石以上，亦寖為中央所置。

衡山王又數侵奪人田，壞人冢以為田，有司請逮治衡山王，天子（武帝）不許，為置吏二百石以上。（衡山王傳）

王國有若郡縣矣。然而諸侯地尚廣也，元朔中，主父偃上推恩分封策云：

古者諸侯百里，彊弱之形易制，今諸侯或連城數十，地方千里，緩則驕奢，易為淫亂；急則阻其彊，而合從以逆京師。……今諸侯子弟或十數，而適嗣代立，餘雖骨肉，無尺寸地封，則仁孝之道不宣，願陛下令諸侯得推恩分子弟，以地侯之，彼人人喜得所願，上以德施實分其國，不削而稍弱矣。（主父偃傳）

武帝遂倣親親之義，元朔二年下詔曰：「梁王城陽王親慈同生，願以邑分弟，其許之。諸侯王請與子弟邑者，朕將親覽，使有列位焉。」（本紀）於是藩國始分，子孫畢侯，寖小寖弱，嫡子世襲之制今已不復存矣。

史記平準書云：「山川園池市井租稅之入，自天子以至于封君，湯沐邑皆各自為私奉養焉，不領於天下之經費。」封地境內，一切皆諸侯王所私有，可自由支配管理。漢初，王國之強者數齊、吳，皆因其地饒物豐，侯王控有此經濟力量，得以對抗中央，故吳王濞即豫章銅山鑄錢，煮海為鹽，而國用富饒，百姓無賦，卒之踐更者，輒予平賈，因得民心。又挾其富厚養游客以為己用，獎戰功以勵士卒。景帝三年吳王起兵檄諸侯書曰：

「敝國雖貧，寡人衣節食之用，積金錢，修兵革，聚穀食，夜以繼日，三十餘年

矣。凡為此，願諸王勉用之，能斬捕大將者，賜金五千金，封萬戶，列將三千斤，封五千戶；裨將二千斤，封二千戶；二千石千斤，封千戶；千石五百斤，封五百戶；皆為列侯。其以軍若城邑降者，卒萬人，邑萬戶，如得大將；人戶五千，如得列將；人戶三千，如得裨將；人戶千，如得二千石；其小吏皆以差次受爵金，佗封賜皆倍常法。其有故爵邑者，更益勿因。願諸王明以令士大夫，弗敢欺也。寡人金錢在天下者，往往而有，非必取於吳，諸王日夜用之，弗能盡，有當賜者，告寡人，寡人且往遺之。」（史記吳王濞傳）

斯可見諸王經濟力富之不利中央也。武帝連年征伐，府庫空虛，為增國庫收入，及削減諸侯王經濟財政之權。乃收天下山林川澤為國有。平準書：

「孔僅咸陽言：山海天地之藏也，皆宜屬少府，陛下不私，以屬大農佐賦。」

少府者，掌皇室之財政出入；大農者，理國家財政，山林川澤之入既歸大農，是不再為諸王侯之私奉養矣。自是諸侯王立法司法行政財政諸權概削，但能衣食租稅，勢與富室無異耳。司馬子長論當時王國形勢云：

「天子觀於上古，然後加惠，使諸侯得推恩分子弟國邑，故齊分為七，趙分為六，梁分為五，淮南分三，及天子支庶子為王，王子支庶子為侯百有餘焉。吳楚時，前後諸侯，或以適削地，是以燕代無北邊郡，吳淮南長沙無南邊郡，齊趙梁楚支郡名山陂海，咸納於漢，諸侯稍微，大國不過十餘城，小侯不過數十里，上足以奉貢職，供養祭祀，以蕃輔京師，而漢郡八九十形錯諸侯間，犬牙相臨，秉其阨塞地利，強本幹弱枝葉之勢也。」（史記漢興以來諸侯年表序）

班孟堅亦論曰：

「武帝施主父之策，下推恩之令，使諸侯王得分戶邑，以封子弟，不行黜陟，而藩國自析。自此以來，齊分為七，趙分為六，梁分為五，淮南分為三，皇子始立者，大國不得過十餘城，長沙燕代雖有舊名，皆亡南北邊矣。景遭七國之亂，抑損諸侯，減黜其官，武有衡山淮南之謀，作左官之律，設附益之法，諸侯唯得衣食租稅，不與政事。」（漢書諸侯王表序）

漢初封建名存實亡，政權咸集中央矣。

諸王政權既削，然畢竟帝室之胤，難免為人所利用。若田蚡之私淮南，上官之戴燕王，故武帝又立法令，以限制之。一曰左官律，漢書注引：

「服虔曰：仕於諸侯為左官，使絕不得仕於王侯也。應劭曰：人道尚右，今

淮南王以其郎中春為丞相收聚諸侯人及[illegible]作之中……本作

舍天子而仕諸侯，故謂之左官，師古曰：左官猶言左道也，皆僻左不正。」

據史乘所載：

一「彭宣遷廷尉，以王國人出為太原太守。」

「哀帝即位，從(彭宣)為左將軍，歲餘上欲令丁傅處爪牙官，迺策宣曰：有司數奏言諸侯國人不得宿衛，將軍不宜典兵馬處大位。」(并彭宣傳)

「昌邑中尉王吉，坐昌邑王被刑後，戒子孫毋為王國吏。」王吉傳

「龔舍為楚王常侍，三舉孝廉，以王國人，不得宿衛補吏。」本傳通攷作龔遂誤

殆即此律，即言仕諸侯為私官，不得任職中央，蓋以限制才能之士，為諸侯所用也。

二曰附益法。師古注曰：

「附益者，蓋取孔子云求也為之聚斂，而附益之義也，皆背正法，而厚於

私家也。」

然文義晦澀，不可以訓。據史載有下列諸事：

「地節中，（霍雲之舅）李竟坐與諸侯王交通。」（霍光傳）

「丞相御史復劾（淮陽憲王）欽前與（張）博相遺私書，指意非諸侯王所宜。」（宣元六王傳）

「廷尉梁相等前坐在位不盡忠誠，外附諸侯，操持兩心，背人臣義。」（王嘉傳）

「安昌侯傅商元壽元年坐外附諸侯，免。」（外戚恩澤表）

按漢初中央官吏與諸侯王交好，本未有禁，即武帝初年，田蚡嚴助尚交淮南王安，附益之法，設於淮南衡山叛逆後，淮南之謀，張湯劾嚴助「出入禁門，腹心之臣，而外與諸侯交私，如此不誅，後不可治。」助竟棄市。附益之法，或因此而立，

益以禁中央官吏與諸侯王之互相勾結。又按刺史察州有「二千石違公下比，阿附豪強」之條。附益者亦阿附之意，王國相二千石從王法以治民，即為附益。中央則繩以法，故附益之法者，應為注引「或曰：阿媚王侯，有重法」之謂。後漢建武廿四年下詔申明舊制「阿附藩王之法」（後漢書光武紀）當即此法也。

於列侯，武帝亦收其治民財政之權，改其相如令長秩，對列侯不稱臣，直接受命於中央。列侯衣食亦唯賴之租稅，漢書貨殖傳：

「秦漢之制，列侯封君食租稅，歲率戶二百，千戶之君，則二十萬，朝覲聘享出其中。」

又制定酎金之律。武紀元鼎五年注引：

「服虔曰：因八月獻酎祭宗廟時，使諸侯各獻金來助祭也。如淳曰：漢儀

注：諸侯王歲以戶口酎黃金如漢廟皇帝臨受獻金，金少不如斤兩色惡

王削縣，侯免國。」

此律固非武帝所立，然實行之見於史載者，則以是年為首次。是年列侯因獻酎不如律，一次削爵百六人。蓋自元朔元狩頻年北伐，軍旅動繁，損耗頗鉅，內則關東水旱連年，虛府庫不足以賑，然列侯擁食租稅，厚斂自奉，而不佐國家之急，因嚴是律以削之也。

自經武帝之改制，王國若郡，侯國若縣，政權悉歸中央。襲西周而成之封建政治，曇花一現，復趨消滅。大一統之政治，繼秦後又第二次出現矣。

（二）

自政治演進史上言之，國家政府之機構，乃自部落社會之家族政治衍出。

古代部族土狹人少，政治單簡，以酋長為主，其司各職者，皆其家族僕，國亦即家，家亦即國，一家之政，亦一族之政。迨後部族揉合，漸趨漸大，行政機構日趨複雜，分職日細，非一家一族所能包攬，尤歷春秋戰國之世，政權開放，平民抬頭，君臣關係由絕對而變為相對，政府遂脫離王室而獨立，行政系統自成一機構，而行政最高長官向帝王負責，帝王僅為名義上之國家最高領袖，然在武帝世，却有一逆轉復古之現象，即復收政權於宮中，變國為家之政治趨勢也。

前已論之，漢初丞相為實際行政首領，有領御百官奏事，主持朝議，及攷課選用賞罰封駁之權。而漢代故事，丞相率常以列侯任之，公卿百官亦多武力軍功之臣，此貴族軍人政治，為擁護其階級特權，故雖有英明有為之君，欲圖

改革利益溥施，而政令多不下行，但社會問題日趨嚴重，又勢非改革不可。且武帝雄桀之主，富長才大略，豈甘心受貴族之把持乎：而性多猜疑，常恐大臣之謀不利於彼，因乃別立一政治機構，而自控制之。

武帝改革約分二途：一方壓抑外朝大臣，一方集權宮中。史武安侯傳：

「上(武帝)初即位，富於春秋，(田)蚡以肺腑為京師相，非痛折節以禮詘之，天下不肅，當是時丞相入奏事，坐語移日，所言皆聽。薦人起家至二千石，權移主上。上乃曰：君除吏已盡未，吾亦欲除吏。嘗請考工地益宅，上怒曰：君何不遂取武庫。是後乃退。」

其後武帝用相，概取恭順謹篤。稍有過失，即繩之以法，毫不姑息。公孫賀傳：

「時朝廷多事，督責大臣，自公孫弘後，丞相李蔡、嚴青翟、趙周三人比坐

事死，石慶雖以謹得終，然數被譴。」

又打破列侯拜相之傳統，超擢毫無憑藉之儒生。漢書公孫弘傳：「先是漢常以列侯為丞相，唯弘無爵，上於是下詔曰：『朕嘉先聖之道，開廣門路，宣招四方之士，蓋古者任賢而序位，量能以授官；勞大者厥祿厚，德盛者獲爵尊；故武功以顯重，而文德以行褒，其以高成之平津鄉戶六百五十，封丞相弘為平津侯。』其後以為故事，自丞相封自弘始也。」貴族勢力，乃不復能控制政治也。

武帝改革最大而影响後代政治制度最深者，則唯其新立一行政系統，此機構於其世，固未完成，然實已肇其端，即所謂中朝是也。劉輔傳注引孟康曰：

「中朝，內朝也，大司馬左右前後將軍侍中常侍散騎諸吏為中朝，丞相

以下至六百石為外朝也。」

中朝蓋以別於當時之政府，而設置於皇宮內，其官號除上孟康所引外，武帝時尚有：

給事中：公卿百官表師古注：「漢官解詁云，掌侍從左右無員常侍中」

終軍傳：「終軍為謁者給事中。」

司隸校尉：公卿百官表：「武帝征和四年初置。持節從中都官徒千二百人捕巫蠱，督大姦猾，後罷其兵，察三輔三河弘農。」

龔勝傳：「尚書劾奏(王)嘉言事恣意，迷國罔上不道，下將軍中朝者議，左將軍公孫祿、司隸鮑宣，……」

翟方進傳：「方進劾司隸(陳)慶曰：案慶奉使刺舉大臣，故為尚書，

知機事，周密壹統……」。

公車司馬令：通典卷二六：「公車司馬令掌殿司馬門，夜徼宮中，天下上章，四方貢獻，凡所徵召公車者，皆總領之」。

東方朔傳：「朔初入長安至公車上書，凡用三千奏牘」。

及尚書、中書、僕射等，諸吏給事中皆為加官，加諸外朝官吏，即為中朝官，按尚書侍中諸官本皆皇帝家僕，不預政事，率以宦者任之。武帝時始援用士人，如朱買臣、嚴助、徐樂、嚴安、終軍、主父偃等，皆以文學侍中或給事中，彼輩出納君命，常以義理之文辭，強外朝大臣服從帝王之命。嚴助傳：「武帝擢助為中大夫，後得朱買臣、吾丘壽王、司馬相如、主父偃、徐樂、嚴安、東方朔、枚皐、膠倉、終軍、嚴葱奇等，并在左右。是時征伐四夷，開置邊郡，

二

軍旅數發，內改制度，朝廷多事，婁舉賢良文學之士，公孫弘起徒步數年至丞相，開東閣，延賢人與謀議，朝覲奏事，因言國家便宜。上令助等與大臣辯論，中外相應以義理之文，大臣數詘。」如朱買臣難公孫弘以城朔方，司馬相如屈大臣以通西南夷，外官唯有敦謹奉令遵行而已。

武帝時中朝之系統帝王下設四尚書。應劭漢官儀：

「尚書四員，武帝置。……有侍曹尚書主丞相御史，二千石曹主刺史二千石事；戶曹尚書主庶人上書事；主客尚書主外國四夷事。」（成帝紀建始四年「初置尚書員五人」，然觀師古注引漢舊儀云：尚書四人，……成帝置五人，有三公曹主斷獄事」。是尚書員五人，不為成帝初置明矣，成帝但增三公曹一員而已。）

尚書諸曹居宮內，總收天下奏章議疏，送呈御覽。是同於御史大夫職之一中

朝機關也，其凡吏民有冤屈者可直訴闕下，不關御史，以免壅塞之塗。

「民有上書求見者，輒使詣尚書問其所言。」（梅福傳）

「荼恬上書告（江都王）建淫亂不當為後。」（景十三王傳）

「張湯有所愛史魯謁居，……使人上蜚變告（御史中丞李）文姦事。」（張湯傳）

帝王身居禁中，遂不致與外隔絕，而受大臣矇蔽。侍中中常侍給事中能出入禁宮，每在外刺探消息後，即入宮謁帝，或尚書面奏事。龔勝傳：

「（博士夏侯）常又為（諸吏給事中龔）勝道高陵有子殺母者。勝白之尚書，問誰受，對受夏侯常，尚書使勝問常，常連恨勝，即應曰聞之白衣，戒君勿言也，奏事不詳，妄作觸罪，勝窮無以對尚書。」

註：公卿百官表注引晉灼曰：「漢儀注：諸吏給事中日上朝謁平尚書

奏事」領尚書之設，始武帝臨崩時，因昭帝幼小，不知政事，故託霍光以重任，武帝則親省尚書也。又史稱「武帝晚年常宴遊內廷，不復多與士大夫接，遂用宦者主中書，典尚書章奏」，亦足之証也。故彼等威權日漸增高，而為外朝大臣所畏懼也。

「主父偃數上疏言事，遷謁者中郎中大夫，歲中四遷。……尊立衛皇后及發燕王定國陰事，偃有功焉。大臣皆畏其口，賂遺千金。」（本傳）

內官因得帝王之信任，能預聞政事，常與大臣相駁辯，能直奉君命持節行事，不關三公。如嚴助持節斬司馬，發會稽兵。能劾案朝臣，與御史相表裏。

「終軍為謁者給事中。……元鼎中，博士徐偃使行風俗，偃矯制使膠東魯國鼓鑄。……（御史大夫張）湯以致其法，不能詘其義，有詔下軍問狀，軍詰偃

云云，奏偃矯制顓行，非奉使體，請下御史徵偃即罪。」（終軍傳）

而郡國歲竟之計簿亦直上內中，劉歆西京雜記卷六：

「（司馬）談死，子遷以世官復為太史公，位在丞相下，天下上計，先上太史公，副上丞相。」

據通典，太史公一職漢武所置（通典卷二十六）子長自謂掌石室金匱之書，熟悉國家檔案，武帝歷巡狩各地，親受郡國上計。本紀：

「元封五年三月至泰山增封，因朝諸侯王列侯受郡國計。」

「太初元年春，受計於甘泉。」

「天漢三年三月，行幸泰山，修封祀明堂因受計。」

「太始四年行幸泰山，因受計。」

而太史公常隨之。按漢初計簿上丞相府，郡國事帝王少所知悉，故文帝有「天下一歲錢穀出入幾何」之問，而武帝則知之甚悉。石慶傳：

「元封四年關東流民二百萬，無名數者四十萬，公卿議欲請徙流民於邊以適之。……（上案之丞相石慶上書歸丞相侯印乞骸骨，武帝報書曰）……今流民愈多，計文不改……」。

計簿為考課郡國長吏之藍本，今則先上太史公，是考課選用之權，收之宮中。

張敞傳：

「敞到膠東明設購賞，開群盜令相捕斬除罪，吏追捕有功上名尚書，調補縣令者數十人。」

蘭台圖籍祕書亦漸由御史府轉入禁中矣。

司隸校尉為中朝監察之官，武帝征和四年置，秩二千石，持節察三輔弘農三河，尤督丞相位卑而權重。通典卷二四：「武帝時以中丞督司隸，司隸督丞相。」其於外朝大臣皆可劾案。史載：

「王章遷司隸校尉，大臣貴戚敬憚之。」（本傳）

「司隸校尉王駿劾奏（丞相匡）衡監臨盜所主守直十金以上。」（匡衡傳）

「王尊為司隸校尉，劾丞相衡御史（王）譚知不奏罰中書謁者令石顯，無大臣輔政之義。」（本傳）

直指繡衣使者，亦武帝所置，以近臣任之，持節督捕天下盜賊及不法豪吏。史載：

「武帝拜江充為直指繡衣使者，督三輔盜賊，禁察踰侈貴戚，近臣多奢

僭，充皆舉劾，奏請沒入車馬，令身待北軍擊匈奴。」（本傳）

「武帝末，郡國盜賊群起，暴勝之為直指使者衣繡衣，持斧逐捕盜賊，督課郡國，東至海，以軍興誅不從命者，威振州郡。」（雋不疑傳）

「繡衣御史暴勝之，使持斧逐捕盜賊，以軍興從事，誅二千石以下。」（王訢傳）

是於外朝部刺史外，又一監察官，然威權有過之矣。

大將軍一職，漢初不常置，有事用兵時，帝王則遣其左右親信任之，以監軍，事後則罷。若柴武竇嬰，曾任之也。武帝始常置，位在公卿上，開幕府，有長史、議郎、軍司馬、諸屬官，為宮中最高之職，常以外戚任之，或領尚書之事，與丞相分治中外事。千秋傳：

「（大將軍霍）光謂（丞相車）千秋曰：始與君侯俱受先帝遺詔，今光治內，君

侯治外。」

然國家大政，壹決於中，外朝公卿但奉行詔令，或備諮詢而已。史載：

「武帝崩，昭帝初即位，未任聽政，政事壹決大將軍光。」（車千秋傳）

「大司馬車騎將軍張安世職典樞機，以謹慎周密自著，外內無間，每定大決，輒移病出，聞有詔令乃驚，使吏之丞相府問焉，自朝廷大臣莫知其與議也。」（本傳）

「大將軍霍光擇宗室可用者，辟彊子德待詔丞相府。」（楚元王傳）

「郎有上書言……合光意，光以其書視丞相（楊）敞等，擢郎為九江太守。」（霍光傳）

「元鳳中，匈奴大亂……詔遣中朝大司馬車騎將軍韓增，……問（御史大夫蕭望之計策。」（蕭望之傳）

中朝官府，武帝世尚未完備，若散騎諸吏侍中中常侍給事中之加官，中朝之有集議，中書尚書之攬權，固有待宣元而後。然武帝之提高宮內侍臣之威權，實為濫觴也。

或云西漢之政府，經武帝之改革，漸脫離王室而獨立，為當時統一政府文治上之大進步。（錢穆國史大綱）實為不然，武帝雄桀之主，猜忌成性，衛青有云：「自魏其武安之厚賓客，天子常切齒彼親附士大夫，招賢絀不肖人主之柄也，人臣奉法遵職而已。」武帝疾公卿之權大，乃行其權術之政，法繩群臣，輒加誅戮，既罷除軍人貴族之顓政，而奠立文治之楷模矣，復別立中朝，集權禁內，遂其一人統治之私慾，且古代以家為國之政，歷春秋戰國逮及秦漢已逐漸形成政府與皇室之脫亟離，執政者已放眼及於全國，不以帝王一人利益為準，亦不受帝王

遂私意之支配，令武帝集權宮中，化國為家，一人之政，即一國之政，傾向復古，政出宮中，行政公卿若備虛位，東漢外戚宦官之禍，蓋有自也，豈非武帝貽謀之不張乎。

（三）

漢初郡國并建，中央直轄三輔三河等十五郡。承秦制，地方政府行郡縣兩級，亦治地狹小，中央地方若臂之使指，故秦監御史罷而不置，縣有令長，郡有守尉，文武分制，守治民收賦，於每歲竟，遣上計掾史各一人，條上郡內衆事，如治獄錢穀等，謂之計簿（通典）京內設邸，若今辦事處，邸有守，收計簿，於時上丞相府，丞相據以考課，奏行賞罰，陟降。然計文或有偽飾以避課者也。「武帝曰：令流民愈多，計文不改」（石慶傳）

「黃龍元年詔曰：上計簿具文而已，務為欺謾，以避其課」（宣紀）

自吳楚七國亂後，景帝漸收侯王治民之權，削地奪土，頗入漢郡，繼以武帝之改革，王國若郡；復開疆拓土，東滅朝鮮，置真番、臨屯、樂浪、玄菟四郡。北城朔方，西設酒泉、武威、張掖、敦煌，南取南粵，開儋耳、珠崖、南海、蒼梧、鬱林、合浦、交址、九真、日南九郡，西南置牂柯、越巂、沈黎、文山、武都、益州六郡，轄郡凡百二，而王國不計，疆域遼濶，西起鹽澤，東漸於海，南自瓊崖，北迤大漠，而交通阻隔，邊地音聞易絕，中央之於地方，亦難有指揮裕如者，漢制二千石以上得自辟掾屬，地方官吏多由郡守自辟。本郡人為之。官僚政治，自成集團，朘民自厚，在所難免，武帝時田仁云：「天下郡太守多為姦利，三河尤甚」，三河近京畿之地，猶敢貪殘無忌，遠郡更無論矣。且景武集權以來，王國地削入郡，郡地因廣，太守威權

況大中央難於監督。元光中嚴安上書云：

「今外郡之地，或幾千里，列城數十，形束壤制，旁脅諸侯，非公室之利也。上觀齊晉之所以亡，公室卑削，六卿太盛也。下觀秦之所以滅者，嚴法深刻，欲大無窮也。今郡守之權，非特六卿之重也；地幾千里，非特閭巷之資也；甲兵器械，非特棘矜之用也；以遭萬世之變，則不可稱諱也。」（本傳）

蓋郡雖守尉分統文武，而太守秩二千石，都尉比二千石，太守秩高位尊，不唯典獄治民收租賦，顓斷一方之政，即每歲八月之都試，亦皆太守主持。韓延壽傳：

「韓延壽為潁川太守，及都試講武，設斧鉞旌旗，習射御之事，治城郭，收租賦。」

又：

「延壽在東郡時試騎士，治飾兵車，畫龍虎朱爵，延壽衣黃紈方領，駕四馬，傅總建，幢棨植羽葆鼓車歌車功曹引車，皆駕四馬，載棨戟五騎為伍，分左右軍（部），假司馬千人持幢旁轂，歌者先居射室，望見延壽車，噭咷楚歌，延壽坐射室，騎吏持戟夾陛列立，騎士從者帶弓鞬羅後，令騎士兵車四面營陣被甲，鞮鞪居馬上，抱弩負籣。」

郡守隱然握有軍權，故嚴助持節發會稽兵，而太守不應。地方權大，誠非公室之利，而有需別尋（督）責維制之途也。

漢初罷秦監御史不置，後以吏多不法，惠帝始稍遣御史以九条監三輔通典卷三二。

「惠帝三年，又遣御史監三輔郡，察詞訟，所察之事凡九条。唐六典九条曰詞訟、盜賊、

三三

鑄僞錢、獄不直、繇賦不平、吏不廉、奇刻踰侈、及弩力十石以上、作非當服、監者二歲更之，常以十月奏事，十二月還監。

所察地域既小，其權亦微；後復倣秦制於諸郡置監察御史，但監者居郡，儼然地方長官，有不免與郡長吏相附為奸。文帝十三年又以監御史不奉法，下失其職，乃遣丞相史出刺，并監察監察御史，雖不常置，然制度之重疊，與有破綻，亦有待更立制度，以聯繫中央與地方也。

武帝元封元年罷監察御史，五年劃分全國為幽、并、青、涼、豫、兗、揚、徐、冀、荊、益、交址、朔方十三州，及三輔、三河、弘農七郡，各成一監察區。三輔等七郡，置司隸校尉以司監察，受命天子，持節行事，督公卿大臣，及貴族公戚之踰法者，其權最大。州置部刺史，內領於御史中丞，秩六百石，無椽屬，周行郡國，以六条察州，

漢書注師古引漢官典職儀：

「刺史班宣周行，郡國，省察治狀，黜陟能否，斷治寃獄，以六條問事，非條所問，即不省。一條，強宗豪右，田宅踰制，以強陵弱，以衆暴寡。二條，二千石不奉詔書，遵承典制，背公向私，旁詔守利，侵漁百姓，聚歛為姦。三條，二千石不恤疑獄，風厲殺人，怒則任刑，喜則淫賞，煩擾刻暴，剝截黎元，為百姓所疾，山崩石裂，祅祥訛言。四條，二千石選署不平，苟阿所愛，蔽賢寵頑。五條，二千石子弟恃怙勞勢，請託所監。六條，二千石違公下比，阿附豪強，通行貨賂，割損正令也。」

觀刺史所察諸條，足反映當日吏治之不良，及強宗豪右與地方長吏相椽為姦也。刺史位卑而權重，雖無椽屬，得擇所部二千石卒史與從事，每以秋分八

月巡行郡國，輒先即學宮見諸生，試其誦論，問以得失，然後入傳舍，出記問墾田頃畝五穀美惡，已迺見二千石」（何武傳）察詞訟，錄囚徒，其郡不能決者，方舉奏而不代行聽訟。每歲盡詣京師奏事，奏二千石長吏不任位者，皆先下三公，三公遣掾史案驗，然後黜退。刺史按詔條而察，專察二千石黑綬長吏，若踰條而察，或代二千石聽訟，則將越職而獲罪也。史載：

「冀州刺史朱博行部曰：欲言縣丞尉者，刺史不察黃綬，各自詣郡，欲言二千石黑綬長者，使者行部還，詣治所。」（本傳）

「丞相司直郭欽奏（豫州刺史鮑）宣舉錯煩苛，代二千石署吏聽訟，所察過詔條，行部乘傳去法駕，駕一馬，舍宿鄉亭，為眾所非，宣坐免。」（鮑宣傳）

刺史率由博士三科中之次科，與孝廉茂才稍遷，或縣令長高第及侍御史

列大夫議郎或大將軍三公府掾,進秩,稱職者則超遷之。朱博論其制之美曰:「漢家至德溥大,宇內萬里,立置郡縣,部刺史奉使典州,督察郡國,吏民安寧,故事居部九歲,舉守相,其有異材功效著者,輒登擢,秩卑而賞厚,咸勸功樂進。」(本傳)

不唯此也,刺史察郡,以卑臨尊,重輕相維,周巡郡國,歲竟返京奏事,外無擅權之失,內收藉制之功,蓋武帝之深意歟。

(四)

文官制度自武帝世亦另入新途。漢初官途凡三:曰任子之制,吏二千石以以視事滿三歲,得任同產若子一人為郎,不以德選」(哀紀注引漢儀注)曰納貲,為郎,貲算十可得官。(孝景後二年詔改貲算四)曰長官辟用,凡吏二千石以上

可自辟掾屬，次有詔舉賢良方正直言極諫之士，無定制，舉者亦率多現任官。〔廿二史劄記卷二〕官僚政治實制度所造成，上循下因，政治窳敗，時人頗非議之。董仲舒曰：

「今之郡守縣令，民之師帥，所使承流而宣化也。……今吏既亡教訓於下，或不承用主上之法，暴虐百姓，與姦為市，貧窮孤弱，冤苦失職，甚不稱陛下之意。……皆長吏不明，使至於此也。夫長吏多出於郎中、中郎，吏二千石子弟，選郎吏又以富訾，未必賢也。」（本傳）

武帝既欲革新吏治，一方削減貴族大臣之勢力，乃一方頗損郎員，一方釐定新制。閱其新制，可分數端言之。

一曰學校出身：建元元年董仲舒首上養士之議云：〔漢書作元光元年 茲從資治通鑑〕

夫不素養士而欲求賢，譬猶玉不琢而求文采也。故養士之大者，莫大虖太學。太學者，賢士之所關也，教化之本原也。今以一郡一國之衆，對亡應書者，是王道往往而絕也。臣願陛下興太學，置明師，以養天下之士，數考問以盡其材，則英俊宜可得也。

武帝用其言，五年於京師立太學，獨置五經博士，屬太常。天下郡國皆立學校官。復（元朔五年）為博士官置弟子五十人，復其身，太常擇民年十八以上，儀狀端正者，補博士弟子，郡國縣道邑有好文學，敬長上，肅政教，順鄉里，出入不悖所聞者，令相長丞上所屬二千石，二千石謹察可者，當與計偕，詣太常，得受業如弟子，一歲輒試，能通一藝以上，補文學掌故，缺，其高第可以為郎中者，太常奏籍，即有秀才異等，輒以名聞；其不事學若下材及不能通一藝，輒罷之，而請諸

不稱者罰」（史記儒林列傳）

此制能免學者之徭役，使得專心學藝，並獎以利祿，勸以事功，優者超擢，劣者貶罰，可免地方長官之徇私，平民得有入仕之階也。

二曰小吏通文遷官：史記儒林列傳：

「公孫弘奏曰：臣謹案詔書律令下者，明天人分際，通古今之義，文章爾雅，訓辭深厚，恩施甚美，小吏淺聞，不能究宣，無以明布諭下，治禮次治掌故，以文學禮義為官，遷留滯，請選擇其秩比二百石以上，及吏百石通一藝以上，補左右內史，大行卒史，比百石以下補郡太守卒史，皆各二人，邊郡一人，先用誦多者，若不足，乃擇掌故補中二千石屬，文學掌故補郡屬備員，請著功令，佗如律令。制曰可。」

此令與前制相通，首規定博士弟子之試用，及小吏通文者之擢用。先是遷官多循資格，「累日以取貴，積久以致官，賢不肖渾殽」（董仲舒語）有才學者為抑，愚鈍者不退，頗失其平。此制能選留滯，依才學之高下，使各得其所。於漢亦為得人為，如：

「朱邑少時為舒桐鄉嗇夫，遷補太守卒史，至大司農」。

「張敞以鄉有秩（師古注：鄉有秩嗇夫之類）補太守卒史，至京兆尹」。

「魏相少學易，為郡卒史，至丞相」。

「尹翁歸為獄小吏，曉習文法，除補守河東郡卒史，至右扶風」（皆本傳）

三曰察舉之制。董仲舒傳：

『仲舒對曰：臣愚以為使諸列侯郡守二千石各擇其吏民之賢者，歲貢

各二人，以給宿衛，且以觀大臣之能，所貢賢者有賞，所貢不肖者有罰；夫如是諸侯吏二千石皆盡心於求賢，天下之士，可得而官使也。……仲舒對冊，推明孔氏，抑黜百家，立學校之官，州郡舉茂材孝廉，皆自仲舒發之。」

似言武帝世州郡察舉之目有茂材孝廉也。然觀武帝世詔察茂材史僅一見，

武紀：

「元封五年詔令州郡察吏民有茂材異等，可為將相及使絕國者。」

未成定制。後日諸帝猶多不時詔舉之，

「孝宣元康四年遣太中大夫彊等十二人循行天下，舉茂材異能之士。」

「孝元初元二年，詔丞相御史中二千石舉茂材等直言極諫之士。」

「建昭四年，臨遣諫大夫博士循行天下舉茂材特立之士。」

終西漢世實無定時定額，而成制度。僅武帝以來之一習慣，因需要而舉之也。

孝廉又別為二目；有以單舉者，武帝元光元年定令郡國歲舉孝廉各一人，

平民及吏秩六百石以下皆可被察舉。孝宣黃龍元年始詔以吏六百石位大夫秩祿上通足以效其賢才毋得舉

者須持平正，不得循情循私，所舉稱者賞，不稱者則或削戶免爵免官。史載：

「執金吾韓立御史大夫張譚并坐選舉不實免。」

「河平四年宗正劉順坐使合陽侯(梁放)舉子免。」(并見百官表)

「嚴延年察獄吏察有贓不入身，坐選舉不實，貶秩。」(本傳)

然郡屬地方舉得其真，誠有非易，舉得不當，則重法繩之，於後，故郡國常慎其

選，致有不貢者，於是又制定不舉之律。武紀：

「元朔元年詔曰(昔)深詔執事興廉舉孝，庶幾成風，紹休聖緒，夫十室之

邑，必有忠信；三人并行，厥有我師；今或至闔郡而不薦一人，是化不下究，而積行之君子，雍於上聞也。……且進賢受上賞，蔽賢蒙顯戮，古之道也。其與中二千石禮官博士議不舉者罪，有司奏議曰：……不舉孝，不奉詔，當以不敬論；不察廉，不勝任也，當免。奏可。」

貢士之制，三代鄉舉里選之遺法也。其行於地廣人衆郡縣一統之世，誠為人所詬病。（王夫之讀通鑑論董仲舒貢士之議章）然漢初除吏之權，操之長官，官僚易結成一團體。政治腐敗，廉材沉滯於下，貪吏日遷於上。武帝權宜當時，更制度，勵風俗，革積習，以廉易貪，擇吏治於利民，通壅塞，遷沉滯，奇才異能使咸得展其長。西漢得人於茲為盛。由小吏致位三公者，若黃霸、薛宣、朱博、王嘉、師丹，垂名史策，列二千石者不可勝計。顧一制度之推行，在行之者有無此種意識與精神，徒有良

法美意而行之，不由其正，亦成敝政，未可以後代之濫，而厚非之也。

四曰考試之制：文帝時已有對策之科，「十五年九月詔諸侯王公卿郡守舉賢良能直言極諫者上親策之傳納以言。」文紀即郡國公卿大夫所察舉之士，帝王常加以策試，且或重複行之，如文帝之策鼂錯是也。所謂對策其制如次：

「對策者顧問以政事經義，令各對之，而觀其文辭，定高下也。」蕭望之傳注

「錄政化得失，顯而問之，謂之對策。」後漢書順帝紀注引前書音義

對策分高下之第，高第輒遷官增秩至八百石、蓋寬饒何武第拜諫大夫秩八百石對策高甚至二千石、鼂錯嚴助對策拜中大夫秩比二千石董仲舒為江都相秩二千石武帝踵行不衰，又更立射策之科，漢書儒林傳贊云：

「武帝立五經博士，開弟子員，設科射策，勸以官祿。」

然射策之科不僅限博士弟子，凡通經者皆可應之，如：

「匡衡家貧，庸作以供資用……諸儒為之語曰：無說詩，匡鼎來，匡語詩，解人頤。衡射策甲科。」（本傳）

「馬宮治春秋嚴氏，以射策甲科為郎。」

「王嘉以明經射策甲科為郎。」（並見本傳）

「房鳳以射策乙科，為太常掌故。」（儒林傳）

射策之制為：

「作簡策難問，列遺案上，任試者意投射取而答之，謂之射策，上者為甲，次者為乙。」（後漢書順帝紀注引前書音義）

「謂為難問疑義，書之策，量其大小，署為甲乙之科，列而置之，不使彰顯，

有欲射者，隨其所取得而釋之，以知優劣，射之言投射也。（蕭望之傳注）射策分甲乙丙三等，按應試者之高下而任官，歲課甲科為郎中，乙科為太子舍人，丙科為文學掌故。（匡衡傳注）

五曰納財物買官：漢初即有納貲為郎官之制，然商賈之子孫，仍不得仕宦為吏。武帝時頻年征伐，賦稅之入不贍，乃開放仕途，以作斂財之具。凡民入奴婢、入羊、入財、入穀，不限有否市籍，皆可為郎官。西漢會要卷四五鬻官條彙其事云：

「武帝即位，干戈日滋，財賂衰耗而不贍，入物者補官，選舉陵遲，廉恥相冒，興利之臣自此始也。其後府庫益虛，乃募民能入奴婢，得以終身復為郎，增秩，及入羊為郎，始於此。其後四年，元朔五年，置賞官，命曰武功爵，大者封

侯、卿大夫、小者郎，吏道雜而多端，則官職耗廢。元狩四年除故鹽鐵官家富者為吏，吏道益雜，不選而多賈人矣。元鼎二年始令吏得入穀補官，郎至六百石。所忠言：世家子弟富人或鬥雞走狗馬弋獵博戲亂齊民，廼召諸犯令相引數千人，命曰株送徒。入財者得補郎，郎選衰矣。宏羊又請令吏得入粟補官，黃霸以待詔入錢賞官，補侍郎謁者。坐罪免，後復入穀沈黎郡，補左馮翊二百石卒史。

武帝初置武功爵，爵凡十一級。食貨志注：

臣瓚曰：茂陵中書有武功爵，一級曰造士，二級曰閑輿，三級曰良士，四級曰元戎，五級曰官首，六級曰秉鐸，七級曰千夫，八級曰樂卿，九級曰執戎，十級曰政戾庶長，十一級曰軍衛。師古曰：或者茂陵書說之不盡也。

民買爵至五級官首者，可試補吏，先除用。爵五大夫（爵九級）千夫（武功爵七級）則除為吏，原爵非官，富民買之，多以免除徭役，武帝因調發鮮人，遂除有爵復者為吏，（不欲者出馬免）須買爵乃為仕宦之一途，若楊僕即以千夫為吏也。

班固曰：自孝武興學，公孫弘以儒相，其後蔡義、韋賢、玄成、匡衡、張禹、翟方進、孔光、平當、馬宮、及當子晏，咸以儒宗居宰相位，服儒衣冠，傳先王語。（匡衡傳贊）公卿大夫士吏亦斌斌多文學之士，實導我國由貴族軍人政治，而入平民文士政治之途。其黜百家，隆儒術，置五經博士，議論廷闕，與昔備員待問，迴乎不侔，開學術指導政治之先聲，其行察舉考試之制，且開地方吏由中央直接任用之漸焉。

（五）

自元光二年王恢設馬邑之謀，與匈奴開釁後，迭次北伐，及拓土四裔，用兵無虛年，軍制之改動甚大，茲言其犖犖大端可得考者，如次：

一曰軍隊之平民化而國有也。漢官儀：

「高祖命天下郡國選能引關蹶張材力武猛者，以為輕車騎士材官樓船。」後漢書光武紀注引

民自廿三歲即有服兵役之義務，固軍中不分貴賤，人人可充任車騎材官，然匹馬百金，「一馬伏櫪，當中家六口之食，亡丁男一人之事。」鹽鐵論非平民所能自備。騎士顯然盡貴族富豪子弟所充。漢初封建，關東、王同姓，內郡則從龍軍功貴族食邑其中。勢均內外，國家武力亦皆在彼輩手中。如呂氏之亂，七國之亂，皆列侯武力所平定。天下安危，實繫彼等。史記陸賈列傳：

「陳平用其（賈）計，迺以五百金為絳侯壽，厚具樂飲，太尉亦報如之，此兩人深相結，則呂氏謀益衰，陳平乃以奴婢百人，車馬五十乘，錢五百萬，遺陸生為飲食費。」

列侯贈人物禮如此之厚，亦足見其車馬之眾，財力之富，蓋國家之安危繫乎貴族之武力，故彼等莫不盛備畜車馬，豢養騎士，以自厚，觀史載：

「（七國亂時）景帝詔使救梁，亞夫不奉詔，堅壁不出，而使輕騎兵弓高侯（頹當）等絕吳楚兵後食道。」周亞夫傳

「賈山嘗給事潁陰侯（灌嬰）為騎。師古曰：為騎者常騎馬而從也。」（賈山傳）

「衛青壯為侯家騎。」本傳

可証列侯皆備有騎兵，次則富豪或有車騎馬者可為之，而國家且因免其家

人徭役以優待之。

「張釋之以訾為騎郎。」本傳

「鼂錯說文帝曰：今令民有車騎馬，復卒三人。」食貨志

然富豪奢靡，貴族子孫亦多忘其先祖創業艱辛，驕逸自奉，不預軍旅。且有視從軍為畏途者。

「江充為直指繡衣使者，督三輔盜賊，禁察踰侈，貴戚近臣多奢僭，充皆舉劾，奏請沒入車馬，令身待北軍擊匈奴，……於是貴戚子弟惶恐，皆見上叩頭求哀，願得入錢贖罪。」江充傳

「所忠言世家子弟富人或鬥雞走狗馬弋獵博戲亂齊民，乃徵諸犯令相引數千人，命曰株送徒，入財者得補郎。」史記平準書

其責本在衛國保民，今既玩物喪志，墮其武力，淘汰亦必然之情。漢初外患唯北方匈奴，雖和親以結之，通關市以好之，歲賂絮繒酒米猶不能止其擾。徒費國帑而依然頻歲犯邊，人畜亦不寧。武帝翻然改轍，易守為攻，大加撻伐。然「匈奴地形，技藝與中國異，上下山阪，出入溪澗，中國之馬弗與也。險道傾仄，且馳且射，中國之騎弗與也。」（鼂錯傳）北地山道崎嶇，車不能用，欲勝匈奴，非騎莫為。並貴族富豪騎士志力消沉，不足以恃。武帝亦唯有另尋新徑也。

食貨志云：「天子（武帝）為伐胡故，盛養馬，馬之往來食長安者數萬匹。」武帝罷馬復令，西域傳注，徐天麟按鼂錯疏，民有車騎馬一匹者，復卒三人。即馬復令也。增民賦年三歲至十四歲出口三錢，以為補車騎馬之費。

「貢禹以為古民亡賦，算口錢起武帝征伐四夷，重賦於民，産子三歲則

出口錢。貢禹傳

民年七歲至十四歲出口錢，人二十三。二十錢以食天子，其三錢者，武帝加口錢，以補車騎馬。昭紀注如淳引漢儀注按元帝時用貢禹議，始令民自七歲乃出口錢，武帝时則自三歲始也

政府至各地收購馬匹，

衛將軍青使買馬河東。史記酷吏列傳

或令封君吏民出馬，

（元鼎五年）令封君以下至三百石吏以上差出牡馬。

除千夫五大夫為吏，不欲者出馬。食貨志

太初二年，籍吏民馬補車騎馬。武紀

於河西六郡廣置牧場，設牧師官，領官奴婢以養之，或召邊民畜之，

曰太僕牧師諸苑三十六所，分布北邊西邊，以郎為苑監官，奴婢三萬人，
養馬三十萬匹。景紀注如淳引漢儀注百官
表注師古引漢官儀畧同
曰太僕屬有牧師苑，皆令官主養馬，分在河西六郡界中。
（元狩元年，[illegible]）
曰元鼎四年令民得畜邊縣，官假母馬，三歲而歸，及息什一。并食貨志
註：邊地置苑養馬，前已有之，景帝中六年匈奴入雁門至武泉入上郡
取苑馬，然觀文紀，二年詔太僕見馬遺才足，餘皆以給傳置，食貨志，景
帝始造苑馬，以廣用，皆養馬以備自用，故武帝建元元年罷苑馬以賜
貧民，今則於北邊盛養馬，以供軍用，與前性質不同也。
京師亦養馬，武帝置期門羽林之官，屬光祿勳，常選河西六郡隴西天水安定北地上郡西河
良家子善騎射者任之，其後名將多出焉，昔者有車騎者，多為列侯富豪，今則

以國家財力備置車騎，選民訓之，故造成武帝一代武功之盛，而給養配備，政府供之，不再須自備，有材力者皆可為騎士。甘延壽以良家子為羽林投石騎拔距絕于等倫……試弁為期門兵已非貴族富豪所專占，而軍隊全皆國有也。參韓延壽傳

二曰募兵制之始行也。漢代兵制世所稱頌，蓋其寓兵於農，兵農不分，民無分貴賤，咸有服兵役之義務。「民年二十三為正，一歲為衛士，一歲為材官騎士，習射御騎馳戰陳，年五十六衰老乃得免為庶民就田里。」高紀注如湻引漢儀注國不養兵，兵不擾民，然兵以時徵，常額有定，難以赴急。昭紀「始元元年募吏民，及發犍為蜀郡犇命擊益州。」注引應劭曰：「舊時郡國皆有材官騎士以赴急難，今夷反，常兵不足以討之，故權選取精勇。」武帝征伐四裔，所用兵員常以十萬計，常額當有不足之感。又丁皆須入伍，自有強弱之別，匈奴以「風雨疲勞，飢渴不困」見

身體壯健見長武帝因有選募精壯以為常兵也。武紀：天漢四年發天下七科讁及勇敢士出朔方，是勇敢士當為軍中之選也。又據

『趙王彭祖願從國中勇敢擊匈奴，』景十三王傳

『李陵將勇敢五千人，教射酒泉張掖以備胡。』李陵傳

似邊地郡國多選募之兵也。此外尚有募兵，曰募罪人，

『元封二年四月募天下死罪擊朝鮮，六月遣樓船將軍楊僕左將軍荀彘將應募罪人擊朝鮮。』武紀

曰惡少年，

『太初元年以李廣利為貳師將軍發屬國六千騎，及郡國惡少年數萬人以往，……（越二歲）發惡少年及邊騎，歲餘而出敦煌六萬人。』李廣利傳

曰亡命，

「元封六年赦京師亡命，令從軍。」武紀

自是募兵之制寖盛，徵兵之制漸廢，至後漢光武建武七年詔罷郡國輕車騎士材官樓船士，寓兵於農之意，遂不復存矣。

三曰常備兵之初置也：與募兵并行則有常備軍之設置，初守衛宮殿京師有南北二軍之屯，大抵南軍隸於郎中令，武帝太初元年改名光祿勳 掌宮殿掖門戶，為皇帝近衛，北軍則隸衛尉，掌宮門衛，屯兵為軍法執行處。

「三輔貴戚近臣多奢僭，（江）充皆舉劾奏請沒入車馬，令身待北軍擊匈奴。」江充傳

「中壘校尉主北軍壘門內，尉一人主上書者獄，上章于公車有不如法

者，以付北軍。北軍尉以法治之。（劉向傳注如淳引漢儀注）衛京畿三輔則有中尉之卒，轄三輔都尉之兵，徼循京師，凡此諸衛士皆徼兵充之。丁年二十三須輪番宿衛京師一歲，任南北軍衛士。武帝「建元元年詔衛士轉置送迎常二萬人，其省萬人」（武紀）。蓋寬饒傳：「歲盡交代，上（宣帝）臨饗罷衛卒，衛卒數千人皆叩頭自請願復留共更一年，以報寬饒厚德。」屯衛之兵，不過萬人。中衛兵卒之徵，則若郡國材官騎士。武帝用兵四裔，兵員不足，甚調中尉兵出征，

「武帝元鼎六年發中尉卒擊呂嘉。」（武紀）

於是內無重兵，恐生不虞之變，因另置常備軍。（通考卷百五十：

「武帝用兵四夷，發中尉之卒遠擊南粵，恐內無重兵，或致生變，於是創

置七校尉。

刑法志：「武帝平百粵，內增七校……歲噌時講肆，修武備云。」七校尉曰：

中壘校尉：掌北軍壘門內，外掌西域。

屯騎校尉：掌騎士。

步兵校尉：掌上林苑門屯兵。

越騎校尉：掌越騎。

長水校尉：掌長水宣曲胡騎。

射聲校尉：掌待詔射聲士。

虎賁校尉：掌輕車。

另有胡騎校尉，不常置，掌池陽胡騎，此諸校尉所掌兵員數，大抵七百。見通攷卷百五

十引章漢官儀、屯騎越騎步兵射聲各領士七百人、長水領士千三百六十七
氏曰
人」後漢書安帝紀注引共不足六千人、皆召募充之、屯衞京師。凡諸校尉隸屬北軍、此外
武帝於宮内又增設羽林期門。通攷卷百五十引章氏曰、
「武帝既增校尉、恐中壘之權太重、又於光祿勳之下、旋理會增羽林期
門以益南軍。大概領二軍之勢均。」
期門者、武帝「八九月中與侍中常侍武騎及待詔隴西北地良家子能騎射者
期諸殿門、」東方朔傳故名、掌執兵送從、武帝建元三年初置、比郎、無員多至千人」百官
表續漢百官志、前書武帝置期門、平帝更名虎賁」蔡質漢儀曰、主虎賁千五百
人、無常員多至千人」羽林掌送從、次期門、武帝太初元年初置名曰建章營騎、
後更名羽林騎、蔡質漢儀、羽林郎百一十八人、無常員府次虎賁府」注引續漢志常

選六郡良家子以補宿衛侍從，其下分左右二監：羽林左監，主羽林八百人，右監，主九百人。」（後漢書安紀注引漢官儀）期門羽林共近三千人，武帝又取從軍死事之子孫養之羽林，號羽林孤兒，教以五兵，凡此諸屯衛之兵，或選或募，概為常置，遂開國家養兵之漸，而漢初兵制，亦逐漸破壞，章氏論曰：（通考卷百五十引）「自武帝置八校，大抵以習知胡越人充之，則募兵始此，期門羽林，則家世為之，則長從始此，蓋自是有養兵之病，而京師之兵制壞矣，元狩以後，兵革數動，兵多買復，調發之士益鮮，於是發以謫吏，次及謫民，次及謫戍，次及七科謫，異時以隸於都尉者充兵，故其伍符甚整也，及常兵不足，調及他衆，甲與伍必紊，而郡國之兵制又壞矣。」

漢代兵制，武帝世實經一劇變也。

四曰屯田制之推行也、漢初外患、厥為匈奴、防邊為國家一大要政、凡民皆有戍邊之責、昭紀注引如淳云：

「天下人皆直戍邊三日、亦名為更、律所謂繇戍也、雖丞相子亦在戍邊之調」

然不可人人自行三日戍、又行者自戍三日、不可往便返、高后五年、因定歲更之制、（史記將相年表）一歲一更、諸不行者出錢三百入官、官以予戍者是為繇賦、文帝時鼂錯論繇戍之弊、而獻長屯之策云：

「戍卒有萬死之害、而無銖兩之報、死事之後、不得一算之復、……令使胡人數處轉牧行獵於塞下、或當燕代、或當上郡、北地、隴西、以候備塞之卒、卒少則入、陛下不救、則邊民絕望、而有降敵之心、救之少發則不足、多發

遠縣纔至，則胡又已去，聚而不罷，為費甚大，罷之則胡復入，如此連年則中國貧苦，而民不安矣、陛下幸憂邊境，遣將吏發卒以治塞，甚大惠也、然今遠方之卒守塞一歲而更，不知胡人之能，不如選常居者，家室田作且以備之以便，為之高城深塹，具藺石、布渠答，復為一城，其內城間百五十步，要害之處，通川之道，調立城邑，毋下千家，為中周虎落，先為室屋，具田器，迺募罪人及免徒復作令居之；不足，募以丁奴婢贖罪及輸奴婢欲以拜爵者；不足，乃募民之欲往者，皆賜高爵，復其家，予冬夏衣廩食能自給而止。……其亡夫若妻者，縣官買予之。……胡人入驅，而能止其所驅者，以其半予之，縣官為贖其民，如是則邑里相救助，赴胡不避死。

使五家為伍，伍有長；十長一里，里有假士；四里一連，連有假五百；十連

一邑，邑有假候，皆擇其邑之賢材，有護習地形知民心者，居則習民於射法，出則教民於應敵，故卒伍成於內，則軍正定於外，服習以成，勿令遷徙。」文帝用其言，募民徙塞下。十三年除戍卒令。（史記將相年表）然觀武帝元狩三年減隴西、北地、上郡戍卒半，武帝賜卜式外繇四百人，（蘇林曰外繇謂戍邊也）是武帝世戍邊之制仍存。蓋農業國家，人民安土重遷，應募往者不衆，武帝拓土西北，始置軍屯，以代戍卒，鼂錯之議，方見實現。元朔二年收復河南地，徙關東貧民數十萬以實之，元狩二年昆邪王殺休屠王率衆以降，漢置五屬國以處之，於其故地置武威、酒泉郡，亦稍發徙民充實之；（西域傳）自朔方以西至西河，沿邊遂遍置屯田軍。匈奴傳：「漢度河自朔方以西至令居，往往通渠，置田官卒五六萬人。」食貨志：「上郡、朔方、西河、河西，開田官斥塞卒六十萬人戍田之。」北邊無慮皆軍屯矣。武

帝季世，降樓蘭，破姑師，伐大宛，服烏孫，耀兵西域，威振殊俗，亭障遂西列以至玉門。西域傳云：

「自敦煌西至鹽澤，往往起亭障；而輪臺渠犂，皆有田卒數百人，置使者校尉領護，以給使外國者。」

諸屯田卒隸於農都尉。續漢百官志云：「武帝於邊郡置農都尉主屯田殖穀，」農都尉內屬於郡，有斥候騎以連絡，緩時舉圖地形，通利溝渠，使卒以時益種五穀，畜積於邊，急時據亭障以禦寇，因騎置以聞。既省轉輸之費，復減繇戍往返之勞，而卒朝夕相處，「夜戰聲相聞知，則足以相救；晝則目相見，則足以相識；驩愛之心，足以相死。」晁錯語 北方之患，歷武帝世亦得紓矣。

（六）

五〇

西漢一代至嚴重者，莫若社會問題。而社會問題則又經濟過度繁榮，工商業畸形發展有以促成也。自歷戰國以來，社會經一劇變，由貴賤之分轉為貧富之別，貨幣制度之生，工商業更形發達，如鹽鐵鼓鑄、畜牧、致產，富賈列國之間，多勢擬國君，富埒王者，至聳動帝王對之尊禮；若秦始皇令烏氏贏比封君朝請，為巴寡婦築女懷清臺而客過之，秦漢之際，天下雲擾，兵燹遍及中原，經濟凋疲，物質耗損，自天子不能具鈞駟，而將相或乘牛車，齊民無藏蓋。漢初諸帝為恢復民力物力，採經濟放任政策，弛山澤之禁，商賈之律，通關梁，歷數十年之休養生息，執政無為，天下恬靜，干戈斟起，經濟逐漸繁榮，富商大賈環起。挾造幣之勢，擁奴隸之衆，以之朘削農民，以之兼併土地，美食麗服，廣宅飾牆，不佐公家之急，而農村破產，農民轉離南畝，鬻妻賣子，尚有賦役之勞，社會因不均

而驟動，國家困民貧而不強，武帝遂加以改革，察其方式有二：一則重租稅以困之，一則執行國家統制經濟政策以奪其利也。

漢法賤商人，令賈人不得衣絲乘車仕宦為吏，重租稅以困之，然理與實違，賈人享樂恣欲，自若也，因其富厚，交通王侯勢吏，駕凌農民，勢重於社會，所謂重租稅實不足以困之，武帝乃更增其稅，有：

一、算車船：武帝元光六年初算商車。本紀：注云：始稅商賈車船，令出算 車一乘算錢百二十七，元狩後公卿上言：「異時算軺車有差，請算如故，非吏比者三老北邊騎士軺車一算，商賈人軺車二算，船五丈以上一算，匿不自占，占不悉，戍邊一歲，有能告者半畀之。食貨志，此據西漢會要卷五十二節

二、算緡錢：元狩四年初算緡錢。本紀：李斐曰：一貫千錢出算二十。師古曰：謂有儲積錢者，計其緡而稅之。凡諸賈

之一

人末作，貰貸賣買，居邑貯積諸物，及商以取利者，雖無市籍，各以其物自占，率緡錢二千而算一，諸作有租及鑄，率緡錢四千而一算。

凡此二者，皆為財產稅，其法在使商賈，或因工商而獲利者，自呈報其財產數，政府據此依律以徵稅，然財產多者，所稅益多，故商多不實報，或匿不呈報，乃定法，「匿不自占，占不悉，戍邊一歲，沒入緡錢」。又獎勵人告緡，告者予以所沒收財產之半。因是天下被告者累累，政府分遣「御史、廷尉、正監分曹往往即治郡國緡錢，得民財物以億計，奴婢以千萬數，田大縣數百頃，小縣百餘頃，宅亦如之。於是商賈中家以上，大抵破產」（食貨志）而國用饒矣。

三、息租：王子侯表，「旁光侯殷以武帝元鼎元年坐貸子錢不占租，取息過律」。師古曰：「以子錢出貸，律合收租，匿不占取利息也」。漢代多子錢家，高貸獲利，奢

亦須納稅也。

四牲畜租：西域傳贊「武帝租及六畜」按此亦財產稅之一種。貨殖傳言：民產「陸地牧馬二百蹄，牛千蹄角，千足羊，富比千戶侯。」人民因畜牧致富者比比是，秦時烏氏贏畜牧起家，至用谷量牛馬。漢初橋姚，致馬千匹，牛倍之，羊千萬，粟以萬鍾計。公孫弘牧豕海上；卜式畜羊為河南富人；渠輩亦挾其富厚之資，購買田宅，兼併土地。如「卜式羊致千餘頭，買田宅」然其財厚而賦輕，故武帝亦稅之，以處其均。

五、關稅：太初四年紀「徙弘農都尉治武關，稅出入者，以給關吏卒食」自文帝通關梁不禁出入，今則稅之。

農民受苦甚者，莫若工業家之獨占壟斷市場，商人之囤積居奇，操縱物價

也，武帝因收鹽鐵日用工業為國營，政府設官專賣，於大農下置鹽鐵一丞，以董其事。郡國則視其出產鹽鐵與否，而置大小鹽鐵官，通考載元狩四年置鹽鐵官，鹽官二十八郡，鐵官四十郡。據漢書地理志：

鹽官：（河東）安邑（太原）晉陽（南郡）巫（鉅鹿）堂陽（渤海）章武（千乘）千乘（北海）都昌、壽光（東萊）曲成、東牟、㡉、昌陽、當利（琅琊）海曲、計斤、長廣（會稽）海鹽（蜀郡）臨邛（犍為）南安（益州）連然（巴郡）朐忍（隴西）隴西府（安定）三水（北地）弋居（上郡）獨樂、龜茲（西河）富昌（朔方）沃壄（五原）成宜（雁門）樓煩（漁陽）泉州（遼西）海陽（遼東）平郭（蒼梧）高要（南海）番禺。

凡得二十七郡，三十五官署。

鐵官：（右扶風）雍、漆（弘農）弘農府、宜陽（京兆尹）鄭（左馮翊）夏陽（河東）安邑、

皮氏、平陽、絳（太原）大陵（河內）隆慮（河南）滎陽（汝南）西平（南陽）宛（廬江）皖（沛郡）沛（魏郡）武安（常山）都鄉（涿郡）涿郡（千乘）千乘（濟南）東平陵、歷城（泰山）嬴（齊郡）臨淄（東萊）東牟（瑯琊）瑯琊（東海）下邳、朐（臨淮）鹽瀆、堂邑（桂陽）桂陽（漢中）沔陽（蜀郡）臨邛（犍為）武陽、南安（隴西）隴西（漁陽）漁陽（右北平）夕陽（遼東）平郭（中山國）北平（膠東國）郁秩（成陽國）莒（東平國）（魯國）魯（楚國）彭城（廣陵國）

凡三十八郡，四十七官署，統收山林川澤天地之藏為國有，禁私人不得煮鹽鑄鐵作器，敢有犯者，釱其左趾，沒入其器物，甚者極刑，若徐偃使膠東魯國鼓鑄鹽鐵以自給用，其罪至死也。政府用以鹽鐵起家者為郡國鹽鐵官官府設廠製就鐵器，以售與民，并募民因官家器具以煮鹽，其利概歸國家，次則政

府專賣酒，酒為民間日常飲料之一，「通都大邑酤一歲千釀」，因其為食糧所釀，文景諸帝曾数下令禁之，然不得也。景帝後元年又解禁，允民酤酒，武帝天漢三年始收為國家專賣，「禁民酤釀，獨官開置」，其利遂亦歸國家所專有矣。

武帝又以政府經營商業，於大農下設均輸平準二令丞，以司其事，郡國則設均輸官，往者郡國有貢賦，人民各以其出產為貢品，自輸京師，輸送之費，所花甚夥，民多煩苦。元封元年因置此官，由政府機關—大農備車馬交通工具以相給運，可使郡國之貢，均輸者，「令遠方各以其物，如異物時商賈所轉販者為賦，而相灌輸」（食貨志）即言以其地之特產—出口貨物為賦，責民以貢，均輸官籠此貨物，輸往常此貨品之地，以售之。於京師則設平準官，都受天下委輸，司天下貨物之均衡，賤則收買，貴則賣之，以維持物價之平衡。

綜觀榷酤鹽鐵均輸也，意皆在增國庫之收入，奪豪商之利，其喋喋自詡溥
利人民，塞兼併之途，曰：「建鐵官以澹農用，開均輸以足民財，鹽鐵均輸萬民所
仰戴而取給者，」平準則民不失職，均輸則民齊勞逸，故均輸平準所以平萬物
而便百姓。（鹽鐵論「本議篇」）「總一鹽鐵，非獨為利人也，將以建本抑末，離去朋黨，禁淫侈，
絕兼併之路。（「力耕篇」）「運籌建國用，籠天下鹽鐵諸利，以排富商大賈，買官贖罪，損
有餘，補不足，以齊黎民，是以兵革東西征伐，賦斂不增而用足。（「輕重篇」）徒自美耳！
實則其鹽鐵器也，味苦惡，難用，價貴，彊令民買之；其均輸也，「釋其所有，責其所無，
百姓賤賣貨物，以便上求。」其平準也，「縣官猥發，闔門擅市，則萬物并收，并收則
物騰躍，騰躍則商賈侔利，自市，侔利自市，則吏容姦豪，而富商積貨儲物以待
其急，輕賈姦吏收賤以取貴。（鹽鐵論「本議篇」）此制善，其意患奪豪富之財以供一人之

之 刀

奢侈享受，黷武矜功，民困不唯未紓，而更增其擾，豈執政者所應為哉，

貨幣紊亂，亦漢初一嚴重問題，賈生曾云：「民用錢，郡縣不同，或用輕錢，百加若干，或用重錢，平稱不受，法錢不立，……則市肆異用，錢文大亂」。（食貨志）有少府鑄錢，有郡國鑄錢，有人民盜鑄錢，錢益多而輕，物益少而貴，大賈或蹛財役貧，廢居居邑，或畜積贏餘，以稽市物，富商獲利，而民生困苦，農民不堪生活之迫，釋南畝，聚都市，輕犯法而為奸，農村破產，社會擾攘，殆所致之。食貨志云：「自（元狩五年）造白金五銖錢，後五歲（元鼎四年）而赦吏民之坐盜鑄金錢死者數十萬人，其不發覺相殺者，不可勝計，赦自出者百餘萬人，然不能半自出」，其間固或有謀利者，然必多迫而為者，當日無業遊民之眾，及社會不安之情，歷歷可覩也、武帝更改幣制，無慮三變，初（元狩四—五年）則發通貨以澹用，少府造白金皮幣，以白

鹿皮方尺，緣以繢，為皮幣，直四十萬。王侯宗室朝覲聘享，必以皮幣薦璧，然後得行。白金三品：其一曰重八兩，圜之，其文龍，名曰白撰，直三千；二曰以重差小，方之，其文馬，直五百；三曰復小，橢之，其文龜，直三百。（食貨志）郡國則鑄五銖錢，重如其文，周郭其質，令民不得磨錢取鋊。繼（元鼎二年）則置水衡都尉，掌鑄錢，京師鑄官赤仄錢，一當五，強民用之，賦官用非赤仄不得行。郡國鑄錢仍之，罷白白金。（武紀）終則統一貨幣，元鼎四年，禁郡國毋鑄錢，并銷廢昔所鑄錢，輸銅上林，專令上林三官鑄錢，天下非三官錢不得行。民間盜鑄者，因費不值，而歇。貨幣統一，於焉底成。賈生之策，至是實現，終西漢世無所變革焉。

武帝之改革，其他猶夥。如選太中大夫壺遂、太史令司馬遷、待郎尊大、典星射姓、治歷鄧平、長樂司馬可、酒泉侯宜君等廿餘人，造太初曆，以正月為歲首，數

尙六，色尙黃。如「建藏書之策，置寫書之官，下及諸子傳說，皆充祕府」（藝文志）變指積不干涉而為積極獎勵，論者謂有保存文化之功焉！有漢一代之典章文物制度，大體備具。班固論曰：「孝武初立，卓然罷黜百家，表章六經，遂疇咨海內，舉其俊茂，與之立功，興太學，修郊祀，改正朔，定歷數，協音律，作詩樂，建封禪，禮百神，紹周後，號令文章，煥焉可述。後嗣得遵洪業，而有三代之風。」洵非過語。綜觀武帝之改革，始未嘗不欲以推行其社會政策為目標，彼素嘉唐虞之治，成康之盛。欣然以「畫衣冠，異章服，而民不犯，陰陽和，五穀登，六畜蕃，甘露降，風雨時，嘉禾興，朱草生，山不童，澤不涸，麟鳳在郊野，龜龍遊於沼，河洛出圖書，父不喪子，兄不哭弟，北發渠搜，南撫交址，舟車所至，人迹所及，跂行喙息，咸得其宜」（董仲舒傳元光五年制策）為其政治理想，其渴望臻於斯境之心之切，於其制策諸詔中顯然

可見，故其改革也，首重廓清封建勢力，集權中央，政令一統，次則整飭吏治，掃除漢初貪汙官僚政治。刑法志謂武帝世條定律令凡三百五十九章，大辟四百九條，千八百八十二事，死罪決事比萬三千四百七十二事，文書盈於几閣，典者不能徧睹，雖酷網密，世之所非，然其酷法主以待官吏，若見知故縱之律，廢格沮誹窮治之獄，蓋針對官僚集團層層相衛之惡俗及貴戚，中央政令而立者，故每治一獄，必窮竟黨與，株連甚衆，若淮南王案，所連引與淮南王謀反列侯二千石豪傑數千人，皆以罪輕重受誅。（淮南王傳）食貨志且謂淮南衡山江都之獄，坐而死者數萬人，杜周為執金吾，逐捕衛皇后昆弟子深刻，武帝以為無私，窮治黨與，寖然成風。當日官吏繫獄之衆，至足驚人。杜周傳：

「周為廷尉，詔獄亦益多矣。二千石繫者新故相因，不減百餘人。郡吏大

府舉者之廷尉，一歲至千餘章，章大者連逮證案數百，小者數十人，遠者數千里，近者數百里會獄。」此法酷以治官吏豪彊也。於地方吏則有丞相長史出刺，如田仁正三河以警天下姦吏，又時遣官，若「博士褚大徐偃等分行郡國，舉并兼之徒守相為利者。」（食貨志）元狩六年始置刺史，以為常官，專察地方獄訟之不平，及長史為姦者。地方官吏亦多柳上旨，殘酷為治，武斷鄉曲者流，多敵其禍。史載：

「周陽由所居郡，必夷其豪。」

「義縱為定襄太守，掩定襄獄中重罪二百餘人，及賓客昆弟私入相視者，亦二百餘人。縱一切捕鞠，曰為死罪解脫。是日皆報殺四百餘人，郡中不寒而慄，猾民佐吏為治。」

「王溫舒為河內太守，令郡具私馬五十匹為驛，自河內至長安……捕郡中豪猾，相連坐千餘家，上書請大者至族，小者乃死，家盡沒入償臧，奏行不過二日，得可事論報，至流血十餘里。」（史記酷吏傳）

執法者固不免罪同論異，因緣為市，曲法撓法，由所憎愛，然漢初政治因循無為，及夫制度之不善，養成腐敗之官僚政治，及豪強專於鄉里，非法酷不足以掃除之，亦無以立改革民生之基礎也。

武帝即位以來，即汲汲於民生之改進，消極者若存問致賜貧窮孤老弱，

「建元元年詔衛士轉置送迎二萬人，其省萬人，罷苑馬以賜貧民。」

「元狩元年遣謁者巡行天下，存問致賜，……賜縣三老孝者帛人五匹，鄉三老弟者，力田帛，人三匹，年九十以上及鰥寡孤獨帛，人二匹，絮三斤，八

十以上米，人三石。」
「六年遣博士大等六人分循行天下，存問鰥寡廢疾，無以自振業者，貸
與之，」
「元封二年賜孤獨高年米，人四石，」
「五年賜鰥寡孤獨帛，貧窮者粟，」
「六年賜天下貧民布帛，人一匹。」(並見武紀)
若賑災貧貸，
「建元三年，河內貧人傷水旱萬餘家，發河內倉粟以振貧民。」(汲黯傳)
「元狩四年徙關東貧民於隴西、北地、西河、上郡、會稽凡七十二萬五千
口，縣官衣食振業。」(武紀)

山東被水災，民多飢乏，於是天子(武帝)遣使虛郡國倉廩以振貧，猶不足，……徙貧民於關以西及充朔方以南，及新秦中七十餘萬口，衣食皆仰給於縣官，數歲貸與產業，使者分部護，冠蓋相望，費以億計。食貨志

元鼎元年夏，關東大水，下巴蜀之粟，致之江陵，遣博士中等分循行諭告所抵，無令重困。武紀

山東被水災，及歲不登數年，人或相食，方二三千里。天子憐之，令飢民得流就食江淮間，欲留留處，使者冠蓋相屬於道護之，下巴蜀粟以振焉。食貨志

元封四年，關東流民二百萬口，無名數者四十萬，武帝聞百年民所疾苦，惟吏多私徵求無已，去者便，居者擾，為流民法以禁重賦。石慶傳

若奬勵富人，假貸貧民，

「元狩三年，遣謁者勸有水災郡種宿麥，舉吏民能假貸貧民者以名聞。」

「元鼎元年令吏民有振救饑民免其戹者，具舉以聞。」（武紀）

「（元狩四年）貧民大徙，皆仰給縣官，無以盡贍，卜式持錢二十萬，予河南守，以給徙民。河南上富人助貧人者籍。」（史記平準書）

卜式因數輸款以貸貧窮，而仕宦。武帝又壓抑豪強，限「賈人有市籍及家屬皆無得名田」，以塞并兼之途。積極則廣開溝渠，興水利，令齊水工徐伯表引渭穿漕渠，起長安旁南山下至河，損漕卒而溉渠下田。發卒穿渠引汾溉皮氏汾陰下，引河溉汾陰蒲坂下，欲以益田。又作龍首渠，自徵引洛水至商顏，往往為井，深者四十餘丈，井下水相通，以利田。而「朔方、西河、河西、酒泉皆引河及川谷

以溉田，關中靈軹、成國、湋渠引諸川，汝南、九江引淮，東海引鉅定，泰山下引汶水，皆穿渠為溉田，各萬餘頃，它小渠及陂山通道者，不可勝言也。」溝洫志又作白渠，「穿渠引涇水，首起谷口，尾入櫟陽，注渭中，袤二百里，溉田四千五百餘頃」。晚年更銳意農功，以趙過為搜粟都尉。過能為代田，一畮三甽，歲代處，一夫三百甽，而播種於三甽中。苗生葉以上，稍耨隴草，因隤其土，以附苗根……比盛暑，隴盡而根深，能風與旱，故儗儗而盛也。其耕耘下種田器，皆有便巧。率十二夫為田一井一屋，故畮五頃，用耦犂，二牛三人，一歲之收，常過縵田畮一斛以上，善者倍之。」食貨志以之教太常、三輔民，大農亦置工奴與從事，作田器。郡國守相亦遣令長、三老、力田、及善田者，至京受田器，學耕種養苗狀。無牛者，則教相庸輓犂，此寖行及邊郡，荒地多墾，用力少而獲穀多，民皆稱便。為我國農事上一大進

步，固然武帝之重民生，務農事也，而社會之騷動未因稍安，季世不惟盜賊遍野，群起暴動，亦比比是，南陽有梅免、百政，楚有段中、杜少，齊有徐勃，燕趙之間有堅盧、范主之屬，衆至數千，攻城邑，取庫兵，殺官府，釋死罪，所往掠食其小群而聚掠鄉里者，尤不可勝數。孝昭時，民間甚倡易代之說，謂漢運已終，當禪位賢人。不滿政府之情，溢於言表。武帝期期於致堯舜之域，而結果異是，寇賊并起，軍旅數發，父戰死於前，子鬥傷於後，女子乘亭鄣，孤兒號於道，老母寡婦飲泣巷哭，遙設虛祭，想魂乎萬里之外。賈捐之傳此其何故歟？

武帝拓土四裔，大啟華夏之宇，論者或褒或貶。褒者譽之為民族英雄，研其事蹟，能啟吾人發思古之幽情，使懦者振，卑者亢。貶者謂為窮天下之民力財力，恣一己之所欲，窮兵黷武，置生民水火於不顧，漢衰朕兆斯伏，似皆未允。武

帝開邊境，數驚民族，受脅奮然撻伐。匈奴，復朔方，東逾陰山，匈奴西徙。西通西域，置河西四郡，隔羌胡之道，斷其右臂，匈奴僻居漠北，不敢南下牧馬。東滅穢貊、朝鮮，西南降滇國，南極珠崖，禺域之蠻，咸被華風。四境既安，天然國防線亦成，而國內方水災之後（自元光三年春黃河改道，決於瓠子，通於淮泗，至元封二年夏始塞，河復北行，前後廿三載，餘關東十餘郡俱被其殃。歲數不登，流民數百千萬，社會更形不安，此殆主因）流民遍關東，且久戰後民力凋疲，人民水深火熱，茹苦含辛，正宜息民力，致全力改革內政，以蘇民富國安。然武帝不出此，好宛馬，使者相望於道，一輩大者數百人，少者百餘人，所齎操大放博望侯時（牛羊以萬數，金幣帛直數千鉅萬）張騫傳。吏士亦爭求節，齎幣物往，妄言無行之徒，爭相倣效，費帑於無用之地，而不拯生民之亟，亦云異矣。河西飛蝗，而貳師將

兵十餘萬，遠伐大宛，往返四載（太初元年－四年）所獲不償，匈奴遠徙，邊困已紓，而李廣利再越漢北，（天漢二年征和三年）趙破奴一次出師，遠征生存線外，致延野喪師，貳師降胡，折兵辱國，莫此為甚。武帝挾其帝國主義之心，大闢疆域，厭其窮兵黷武之欲，屢動干戈，然而國內財力耗竭，民力凋敝，少壯改戰沙場，老弱轉餉道途。且流民轉徙，無業飄蕩，強者剽掠為盜，弱者填於溝壑，雖云不增民賦，（此據鹽鐵論桑弘羊云，此實武帝時除增緡錢算舟車耳息租以加富豪商賈外尚有口錢以加於一般人民也）而民力已盡，法雖酷，民甘蹈之，民不畏死，豈可以死懼之。而官吏貪殘，依然不甚減，民誠有不聊生之概矣。而武帝視之，無動於中，曾不全力拯之，卻揚威宇外，不遺餘力，從嘵嘵於致堯舜之盛，奈其道反是何？夫政府者，國民之公僕也，以全民之利為己利，全民之意為己意，為之制產謀福，教之導之，一人不長，一人犯法，曾己之責未畢

六〇

盡，況乎以己之情慾以害政耶：社會不安，漢初即始，益經武帝數十載，民窮財盡，更劇烈耳。瘡痍滿目，以武帝之雄才大略，英明果斷，而當可救之時，未全力以赴，且更益之。無怪乎民間有思賢人以代漢者矣。

武帝更改制度旨在集權一身，富國強兵，故推行國家經濟政策，不增民賦而裕國庫。茲撮史載：

曰（太初三年）漢之浞野之兵二萬餘於匈奴，公卿議者皆願罷宛軍，專力攻胡。天子業出兵誅宛，宛小國而不能下，則大夏之屬漸輕漢，而宛善馬絕不來，烏孫輪台易苦漢使，為外國笑，迺案言伐宛不便者鄧光等。（李廣利傳）

曰（元狩二年）匈奴渾邪王帥衆來降，漢發車三萬乘，縣官無錢，從民貰馬，民或匿馬，馬不具。上怒欲斬長安令（汲）黯曰：長安令無罪，獨斬臣黯，民迺

肯出馬、且匈奴畔其主而降漢、徐以縣次傳之、何至令天下騷動、罷中國、
甘心夷狄之人乎。汲黯傳
上方數巡狩海上、迺悉從外國客、大都多人過之、則散財帛賞賜、厚具
饒給之、以覽視漢富厚焉、大角氐出奇戲諸怪物、多聚觀者、行賞賜酒池、
令外國客徧觀名倉庫府藏之積、欲以見漢廣大、傾駭之。張騫傳
梟雄之君、實雜虛榮奢侈之情、故收入雖夥、充溢上林、而用之速、費於不急、如
其大興土木、建章宮(太初元年築)度為千門萬戶、前殿度高未央、其東則鳳闕、
高二十餘丈、其西則商中數十里虎圈、其北治大池、漸台高二十餘丈、名曰泰
液池、中有蓬萊、方丈、瀛洲、壺梁、象海中神仙龜魚之屬、其南有玉堂璧門大鳥
之屬、立神明宮、井幹樓高五十丈、輦道相屬焉。郊祀志 毀高祖建未央、使後世無以加

之之約，築上林苑，舉籍阿城以南，盩厔以東，宜春以西，南竝南山，提封萬頃，以為弋獵之所；修昆明池，列館環之，治樓船十餘丈，旗幟加其上；作益壽、延壽、飛廉、桂館、通天臺以奉神明，并歷諸宮室；又常巡幸各地，郡國承奉其意，繕治宮館，以為行在之所，皆窮極奢麗，競作新奇。或「絕陂池水澤之利，而取民膏腴之地。」（東方朔傳）封禪之費尤所不計焉。次如褒戰功也。食貨志謂「軍功多用超等，大者封侯卿大夫，小者郎」。又特立武功爵以賞戰士，使得買賣，以足其慾。每役後，輒大賜賞，以褒獎之。史載：元狩四年之役，斬捕首虜之士，受賜黃金二十餘萬斤；太初四年，伐大宛之役，「軍官吏為九卿者三人，諸侯相郡守二千石百餘人，千石以下千餘人，奮行者官過其望，……士卒賜直四萬錢」。而匈奴降者亦賞賜以示勵之。元狩二年渾邪王將衆數萬來降，武帝賜錢數十鉅萬，封渾邪王萬戶；

其下裨王為侯者數。蓋武帝為滿其拓土之慾，故獎戰功也厚，封爵賜邑，不稍吝惜，欲以勵來茲，樂為其用。然厚賞耗國帑，賜邑則間接減少國家收入。其初年，非遇水旱，則民人給家足，都鄙廩盡滿，而府庫餘財。京師之錢累百巨萬，貫朽而不可校；太倉之粟，陳陳相因，充溢露積於外，腐敗不可食。然至晚節，民無餘財，家無餘粟，稍有災害，則人相食，貧民流徙，怨聲載道，強者聚山林，弱者填道塗，府庫空虛，厚賦斂猶難供軍用。言其獎戰功勵士氣也，然不免浞野貳師之喪師；富國強兵之效，亦云僅矣。

自戰國以來，風俗流溢，社會規範失軌。各率情性，搶搶攘攘，漢繼之，一切苟簡，仍而未改，改人失遵循，隕越法度，賈子董生嘗慨乎言之矣。賈子曰：今世以侈靡相競，而上之制度，棄禮誼，捐廉恥，日甚可謂月異，而歲不同矣。逐利不耳，

慮非顧行也。董生云「習俗薄惡，人民嚚頑，抵冒殊扞，熟爛如此」。二子競嘆於禮義之不立，教化之未行，而倡興禮樂為立政之本。蓋社會之有秩序，端賴人人咸曉然其分位，知所處世立命之道，及夫人與人間交往之誼。此義禮之化，必為政者作育之，宣導之，民知其是而從之，上行下效，翕然成風。政府使民有方，人民效命知義，故子曰「以不教民戰，是謂棄之」。然賈子禮樂之議，阻於絳灌，董生德教之論，絀之武帝。武帝更革制度雖繁，而史謂「上方征討四夷，銳志武功，不暇留意禮文之事」。禮樂雖立學校，但為仕階，不得云為教化之端。政府之責亦僅聽訟收稅而已矣。孝宣嘗謂「漢家自有制度，本雜王霸而用之」。然觀武帝之政，實霸過乎王。王道始乎制禮，而武帝禮文不具，武帝雖行仁政，猶遠距王者為民制產之意。武帝生當乎竇太后提倡道術，黃老之學全盛之期，不難沐其化，其

行政，善用權術，其為人深沈陰鷙，不亦老子，古之善為士者，深妙難識云乎？其御人也，為政也，直霸者之行徑耳，然而，誅而不教，謂之虐，武帝當之矣。

武帝刷新政治，不遺餘力，立苛法以待之，別開仕途以替之，變漢初軍人政治而入文治之途，然晚年變亂迭起，掠糧食，殺官府，武帝猶遣繡衣御史巡行郡國，誅長吏不法者，吏治依然，事倍而功半。夷察其由，固武帝世吏途雜亂多端，及其猜忌殘殺，多用撫順無才之臣，有以致之。抑良以武帝之改制未能澈底也。漢初仕途，主由郎官，而郎官多出廕任。漢制吏二千石以上視事滿三歲，得任族家子一人為郎。有以父任、兄任、族父任、宗家任、（西漢會要卷四五）一人為吏，廕及宗族，此官僚集團之所由來也。董生嘗曰：夫長吏多出郎中、中郎，吏二千石子弟，未必賢也。以未必賢之人，當治民導民之大任，惡乎得其不僨事可，又況

「田仁上書言，天下郡太守多為姦利，三河尤甚，……三河太守皆內倚中貴人，與三公有親屬。……是時河南河內皆御史大夫杜父兄子弟也，河東太守石丞相子孫也。是時石氏九人為二千石，方貴盛，田仁數上書言之，杜大夫及石氏使人謝謂田少卿曰：非吾敢有語言也，願少卿無相誣汙也」，吏治之不善，胥由於此，宣帝時，王吉上疏曰：「今使俗吏得任子弟，率多驕驁，不通古今，至於積功治人，亡益於民，此伐檀所為作也」。此制之弊，實共所見，武帝操能革之勢，值可革之時，以其雄才大略，剷除武人政治，猶未能絕門閥之根本，漢初以來之吏治，未因澈清；社會問題，未因解決；改制之效，有足見也。

一九四五、八、五、

昌彼得 著

漢武改制論手稿

臺灣學生書局印行